FACTO school

4-2

초등 수학

팩토

단원별 계산력 수학

단원

분수의 덧셈과 뺄셈

매스티안

6. 분수와 소수

· 분수와 소수
· 분수와 소수의 크기 비교

3-1

4. 분수

· 진분수, 가분수, 대분수
· 분모가 같은 분수의 크기 비교

3-2

4-2

1. 분수의 덧셈과 뺄셈

· 분모가 같은 진분수, 대분수의 덧셈과 뺄셈

5-1

4. 약분과 통분

· 약분하기, 통분하기
· 분모가 다른 분수의 크기 비교

4-2

3. 소수의 덧셈과 뺄셈

· 소수 두 자리 수, 소수 세 자리 수
· 소수의 덧셈과 뺄셈

5-2

4. 소수의 곱셈

· (소수)×(자연수)
· (소수)×(소수)

1 분수의 덧셈과 뺄셈

Teaching Guide

• 자연수의 연산 방법과 분수의 연산 방법을 혼동하여 분수도 자연수의 연산 방법으로 계산하는 경우가 많습니다. 자연수의 연산과 분수의 연산의 차이를 구별할 수 있도록 지도합니다.

틀린 예1 $\frac{2}{5}+\frac{1}{5}=\frac{3}{10}$ 틀린 예2 $4-\frac{1}{4}=\frac{4-1}{4}=\frac{3}{4}$

• 분수의 덧셈, 뺄셈 결과가 $\frac{6}{12}$인 경우에는 5학년에서 약분을 배우므로 $\frac{1}{2}$로 나타내지 않아도 됩니다. 또 분수의 계산 결과를 $\frac{7}{5}$과 같이 가분수로 나타내어도 오답으로 처리되지는 않습니다. 그러나 3학년 때 진분수, 가분수, 대분수를 이미 학습하였기 때문에 가능하면 $1\frac{2}{5}$와 같이 대분수로 나타내는 것이 좋습니다.

2. 약수와 배수

· 약수와 배수
· 공약수와 최대공약수
· 공배수와 최소공배수

소인수분해

최대공약수와 최소공배수

5. 분수의 덧셈과 뺄셈

· 분모가 다른 진분수, 대분수의 덧셈과 뺄셈

2. 분수의 곱셈

· (분수)×(자연수)
· (분수)×(분수)

1. 분수의 나눗셈

· (자연수)÷(자연수)
· (분수)÷(자연수)

1. 분수의 나눗셈

· (자연수)÷(분수)
· (분수)÷(분수)

3. 소수의 나눗셈

· (소수)÷(자연수)
· (자연수)÷(자연수)

2. 소수의 나눗셈

· (소수)÷(소수)
· (자연수)÷(소수)

유리수의 계산

제곱근과 실수

유리수와 순환소수

공부한 날짜

일차	내용	날짜
1일차	진분수의 덧셈	월 일
2일차	진분수와 대분수의 덧셈	월 일
3일차	대분수의 덧셈	월 일
4일차	진분수의 뺄셈, 받아내림이 없는 대분수의 뺄셈	월 일
5일차	자연수와 대분수의 뺄셈	월 일
6일차	받아내림이 있는 대분수의 뺄셈	월 일
7일차	응용 문제	월 일
8일차	형성 평가	월 일
9일차	단원 평가	월 일

01 진분수의 덧셈

정답 02쪽

● 받아올림이 없는 (진분수)+(진분수)

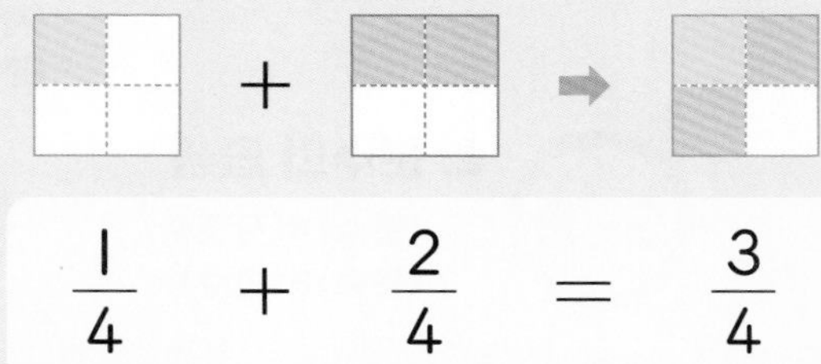

$\frac{1}{4} + \frac{2}{4} = \frac{3}{4}$

1 그림을 보고 ☐ 안에 알맞은 수를 써넣으시오.

$\frac{1}{3} + \frac{1}{3} = \frac{\square}{3}$

$\frac{3}{5} + \frac{1}{5} = \frac{\square}{5}$

$\frac{2}{6} + \frac{3}{6} = \frac{\square}{6}$

$\frac{4}{7} + \frac{2}{7} = \frac{\square}{7}$

$\frac{2}{8} + \frac{5}{8} = \frac{\square}{8}$

$\frac{3}{9} + \frac{4}{9} = \frac{\square}{9}$

$\frac{4}{10} + \frac{5}{10} = \frac{\square}{10}$

$\frac{4}{12} + \frac{6}{12} = \frac{\square}{12}$

2 보기 와 같은 방법으로 진분수의 덧셈을 하시오.

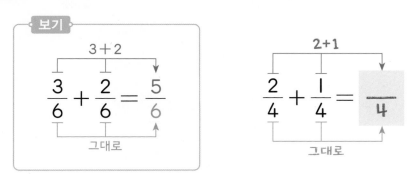

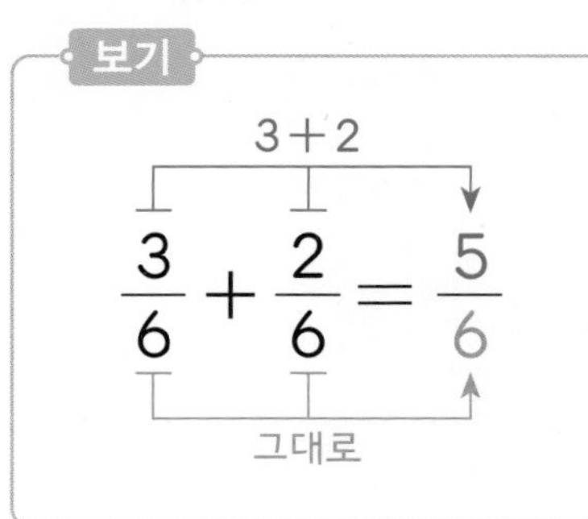

2+1

$\frac{2}{4}+\frac{1}{4}=\frac{\square}{4}$

그대로

2+2

$\frac{2}{5}+\frac{2}{5}=\square$

그대로

$\frac{1}{7}+\frac{4}{7}=\square$

$\frac{3}{8}+\frac{2}{8}=\square$

$\frac{5}{9}+\frac{2}{9}=\square$

$\frac{3}{10}+\frac{4}{10}=\square$

$\frac{7}{11}+\frac{2}{11}=\square$

$\frac{8}{12}+\frac{2}{12}=\square$

$\frac{3}{13}+\frac{7}{13}=\square$

$\frac{2}{14}+\frac{9}{14}=\square$

$\frac{7}{15}+\frac{6}{15}=\square$

$\frac{8}{16}+\frac{5}{16}=\square$

$\frac{5}{17}+\frac{10}{17}=\square$

$\frac{11}{18}+\frac{4}{18}=\square$

$\frac{7}{19}+\frac{11}{19}=\square$

$\frac{12}{20}+\frac{3}{20}=\square$

$\frac{13}{24}+\frac{8}{24}=\square$

● 받아올림이 있는 (진분수)+(진분수)

$$\frac{2}{4} + \frac{3}{4} = \frac{5}{4} = 1\frac{1}{4}$$

가분수 → 대분수

3 받아올림이 있는 진분수의 덧셈을 하시오.

2+2

$\frac{2}{3} + \frac{2}{3} = \frac{\square}{3} = \square\frac{\square}{3}$

그대로 가분수 → 대분수

3+4

$\frac{3}{5} + \frac{4}{5} = \frac{\square}{5} = \square\frac{\square}{5}$

그대로 가분수 → 대분수

$\frac{5}{6} + \frac{4}{6} = \frac{\square}{6} = \square\frac{\square}{6}$

$\frac{3}{7} + \frac{5}{7} = \frac{\square}{7} = \square\frac{\square}{7}$

$\frac{5}{8} + \frac{6}{8} = \frac{\square}{8} = \square\frac{\square}{8}$

$\frac{3}{9} + \frac{6}{9} = \frac{\square}{9} = \square$

$\frac{7}{9} + \frac{6}{9} = \frac{\square}{9} = \square\frac{\square}{9}$

$\frac{8}{10} + \frac{7}{10} = \frac{\square}{10} = \square\frac{\square}{10}$

$\frac{7}{11} + \frac{10}{11} = \frac{\square}{11} = \square\frac{\square}{11}$

$\frac{9}{12} + \frac{11}{12} = \frac{\square}{12} = \square\frac{\square}{12}$

4 받아올림이 있는 진분수의 덧셈을 하시오.

$\frac{5}{7}$	$\frac{4}{7}$	

$\frac{5}{7}+\frac{4}{7}$

$\frac{5}{9}$	$\frac{5}{9}$	

$\frac{9}{12}$	$\frac{6}{12}$	

$\frac{9}{10}$	$\frac{4}{10}$	

$\frac{7}{8}$	$\frac{5}{8}$	

$\frac{5}{6}$	$\frac{3}{6}$	

$\frac{7}{15}$	$\frac{8}{15}$	

$\frac{9}{11}$	$\frac{5}{11}$	

$\frac{4}{5}$	$\frac{4}{5}$	

$\frac{3}{14}$	$\frac{12}{14}$	

$\frac{12}{16}$	$\frac{13}{16}$	

$\frac{8}{12}$	$\frac{9}{12}$	

$\frac{5}{9}$	$\frac{8}{9}$	

02 진분수와 대분수의 덧셈

정답 03쪽

● 자연수와 진분수의 덧셈

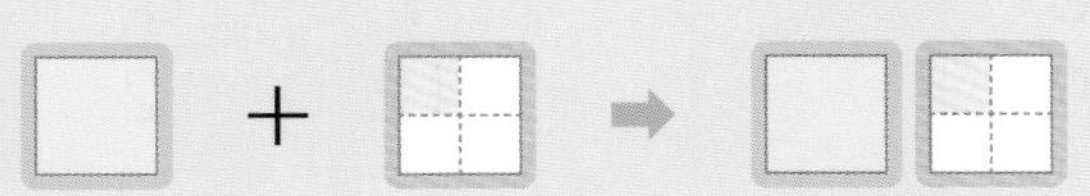

$1 + \frac{1}{4} = 1\frac{1}{4}$

● 자연수와 대분수의 덧셈

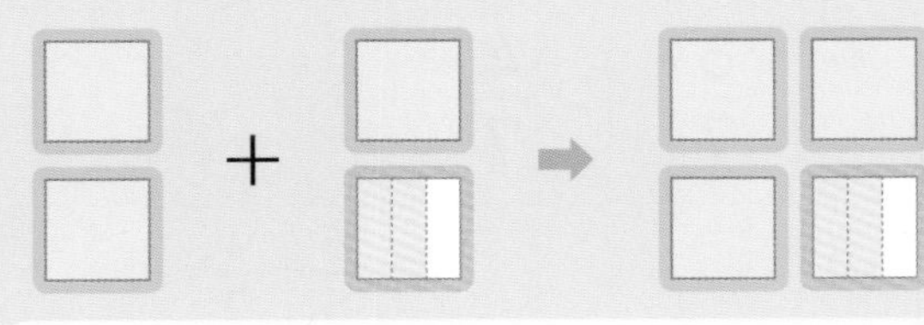

$2 + 1\frac{2}{3} = 3\frac{2}{3}$

1 보기 와 같은 방법으로 자연수와 진분수의 덧셈을 하시오.

보기

$3 + \frac{1}{2} = 3\frac{1}{2}$

$2 + \frac{3}{4} = \square\frac{\square}{4}$

$\frac{2}{3} + 5 = \square\frac{\square}{3}$

$4 + \frac{2}{5} = \square\frac{\square}{5}$

$\frac{1}{4} + 6 = \square\frac{\square}{4}$

$3 + \frac{2}{6} = \square\frac{\square}{6}$

$1 + \frac{5}{7} = \square\frac{\square}{7}$

$\frac{6}{9} + 2 = \square\frac{\square}{9}$

$\frac{7}{8} + 6 = \square\frac{\square}{8}$

$\frac{6}{11} + 3 = \square\frac{\square}{11}$

$7 + \frac{4}{10} = \square\frac{\square}{10}$

$5 + \frac{10}{12} = \square\frac{\square}{12}$

2 보기 와 같은 방법으로 자연수와 대분수의 덧셈을 하시오.

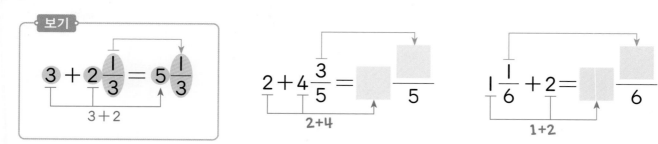

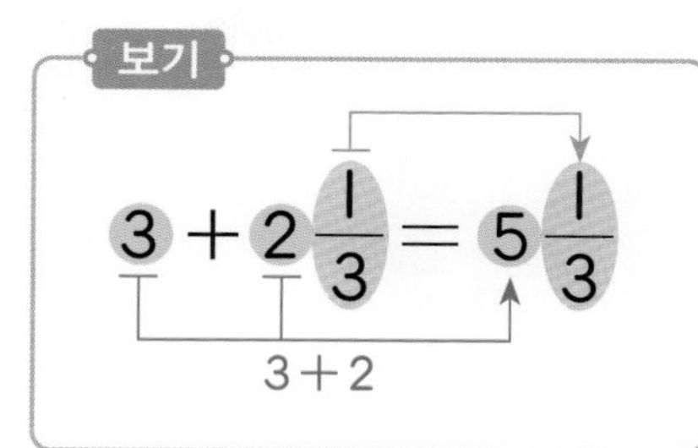

$2+4\frac{3}{5}=\square\frac{\square}{5}$ (2+4)

$1\frac{1}{6}+2=\square\frac{\square}{6}$ (1+2)

$1+3\frac{1}{4}=\square\frac{\square}{4}$

$3\frac{5}{6}+2=\square\frac{\square}{6}$

$1\frac{2}{3}+7=\square\frac{\square}{3}$

$5+1\frac{1}{2}=\square\frac{\square}{2}$

$4\frac{2}{5}+4=\square\frac{\square}{5}$

$2\frac{3}{4}+2=\square\frac{\square}{4}$

$2\frac{6}{10}+4=\square\frac{\square}{10}$

$5+2\frac{3}{8}=\square\frac{\square}{8}$

$3+4\frac{4}{9}=\square\frac{\square}{9}$

$3+4\frac{5}{6}=\square\frac{\square}{6}$

$2\frac{4}{9}+4=\square\frac{\square}{9}$

$3+6\frac{2}{7}=\square\frac{\square}{7}$

$2\frac{5}{8}+6=\square\frac{\square}{8}$

$4+5\frac{3}{7}=\square\frac{\square}{7}$

$7\frac{8}{10}+2=\square\frac{\square}{10}$

● 진분수와 대분수의 덧셈

$$\frac{2}{3} + 1\frac{2}{3} = 1 + \frac{4}{3} = 1 + 1\frac{1}{3} = 2\frac{1}{3}$$

3 보기 와 같은 방법으로 받아올림이 없는 진분수와 대분수의 덧셈을 하시오.

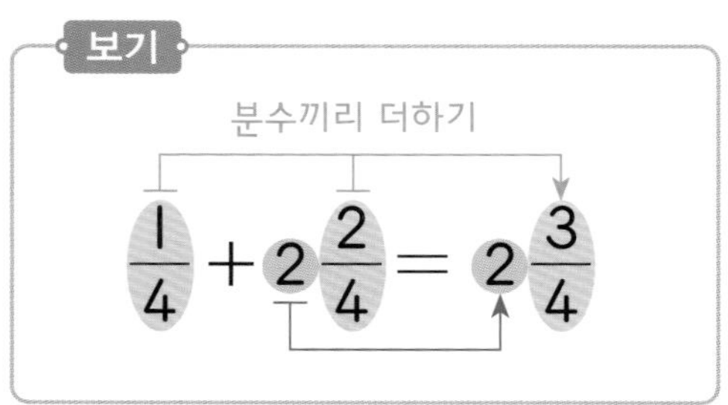

보기
분수끼리 더하기
$\frac{1}{4} + 2\frac{2}{4} = 2\frac{3}{4}$

$\frac{2}{5} + 1\frac{2}{5} = \square\frac{\square}{5}$

$3\frac{2}{6} + \frac{1}{6} = \square\frac{\square}{6}$

$\frac{4}{7} + 2\frac{2}{7} = \square\frac{\square}{7}$

$\frac{2}{8} + 5\frac{3}{8} = \square\frac{\square}{8}$

$6\frac{4}{9} + \frac{2}{9} = \square\frac{\square}{9}$

$7\frac{3}{10} + \frac{5}{10} = \square\frac{\square}{10}$

$\frac{2}{11} + 4\frac{5}{11} = \square\frac{\square}{11}$

$3\frac{5}{12} + \frac{4}{12} = \square\frac{\square}{12}$

$6\frac{4}{15} + \frac{7}{15} = \square\frac{\square}{15}$

4 보기 와 같은 방법으로 받아올림이 있는 진분수와 대분수의 덧셈을 하시오.

> **보기**
>
> 분수끼리 더하기 / 가분수 → 대분수
>
> $\frac{3}{4}+2\frac{2}{4}=2+\frac{5}{4}=2+1\frac{1}{4}=3\frac{1}{4}$
>
> 2+1

가분수→대분수

$\frac{3}{5}+3\frac{4}{5}=3+\frac{\square}{5}=3+\square\frac{\square}{5}=\square$

가분수→대분수

$2\frac{4}{6}+\frac{5}{6}=2+\frac{\square}{6}=2+\square\frac{\square}{6}=\square$

$\frac{3}{7}+4\frac{5}{7}=4+\frac{\square}{7}=4+\square\frac{\square}{7}=\square$

$\frac{7}{9}+5\frac{6}{9}=5+\frac{\square}{9}=5+\square\frac{\square}{9}=\square$

$6\frac{4}{10}+\frac{8}{10}=6+\frac{\square}{10}=6+\square\frac{\square}{10}=\square$

$8\frac{6}{11}+\frac{10}{11}=8+\frac{\square}{11}=8+\square\frac{\square}{11}=\square$

03 대분수의 덧셈

정답 04쪽

● 받아올림이 있는 대분수의 덧셈

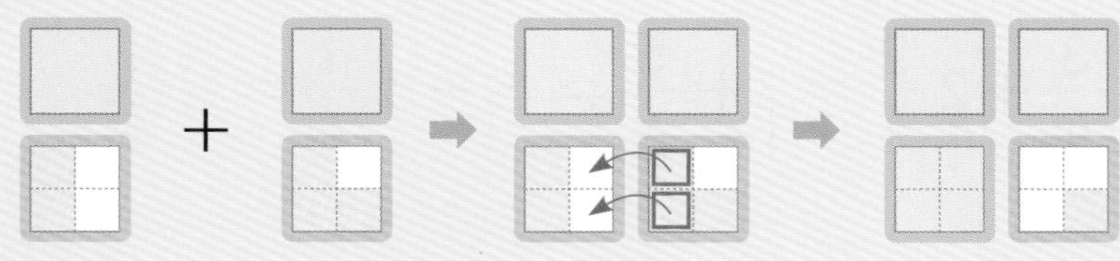

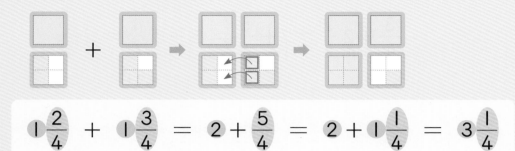

$$1\frac{2}{4} + 1\frac{3}{4} = 2 + \frac{5}{4} = 2 + 1\frac{1}{4} = 3\frac{1}{4}$$

1 보기 와 같은 방법으로 받아올림이 없는 대분수의 덧셈을 하시오.

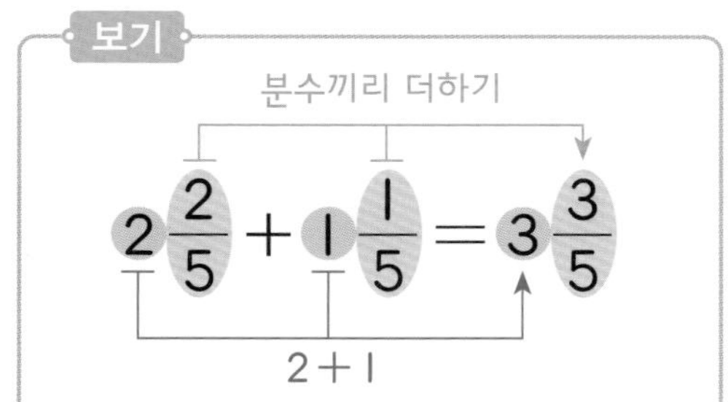

보기
분수끼리 더하기
$2\frac{2}{5} + 1\frac{1}{5} = 3\frac{3}{5}$
2+1

분수끼리 더하기

$4\frac{1}{3} + 1\frac{1}{3} = \square\frac{\square}{3}$

4+1

분수끼리 더하기

$5\frac{2}{4} + 3\frac{1}{4} = \square\frac{\square}{4}$

5+3

$3\frac{1}{6} + 3\frac{4}{6} = \square\frac{\square}{6}$

$3\frac{2}{9} + 4\frac{4}{9} = \square\frac{\square}{9}$

$6\frac{3}{10} + 2\frac{5}{10} = \square\frac{\square}{10}$

$5\frac{2}{11} + 4\frac{6}{11} = \square\frac{\square}{11}$

$2\frac{3}{12} + 5\frac{6}{12} = \square\frac{\square}{12}$

$4\frac{4}{14} + 2\frac{7}{14} = \square\frac{\square}{14}$

$7\frac{6}{15} + 2\frac{7}{15} = \square\frac{\square}{15}$

2 보기 와 같은 방법으로 받아올림이 있는 대분수의 덧셈을 하시오.

보기

분수끼리 더하기 / 가분수 → 대분수

$$2\frac{4}{5}+1\frac{2}{5}=3+\frac{6}{5}=3+1\frac{1}{5}=4\frac{1}{5}$$

2+1 / 3+1

가분수 → 대분수

$$2\frac{4}{6}+3\frac{5}{6}=\square+\frac{\square}{6}=\square+\square\frac{\square}{6}=\square$$

2+3

가분수 → 대분수

$$3\frac{3}{4}+5\frac{3}{4}=\square+\frac{\square}{4}=\square+\square\frac{\square}{4}=\square$$

3+5

$$2\frac{7}{8}+2\frac{5}{8}=\square+\frac{\square}{8}=\square+\square\frac{\square}{8}=\square$$

$$4\frac{6}{9}+3\frac{8}{9}=\square+\frac{\square}{9}=\square+\square\frac{\square}{9}=\square$$

$$2\frac{4}{11}+4\frac{8}{11}=\square+\frac{\square}{11}=\square+\square\frac{\square}{11}=\square$$

$$3\frac{8}{14}+5\frac{9}{14}=\square+\frac{\square}{14}=\square+\square\frac{\square}{14}=\square$$

3 보기 와 같은 방법으로 대분수의 덧셈을 하시오.

보기

대분수 → 가분수

$$1\frac{3}{4}+2\frac{3}{4}=\frac{7}{4}+\frac{11}{4}$$

$$=\frac{18}{4}=4\frac{2}{4}$$

가분수 → 대분수

대분수 → 가분수

$$5\frac{2}{3}+1\frac{2}{3}=\frac{\square}{3}+\frac{\square}{3}$$

$$=\frac{\square}{3}=\square$$

가분수 → 대분수

대분수 → 가분수

$$1\frac{4}{8}+3\frac{1}{8}=\frac{\square}{8}+\frac{\square}{8}$$

$$=\frac{\square}{8}=\square$$

가분수 → 대분수

$$2\frac{3}{5}+2\frac{1}{5}=\frac{\square}{5}+\frac{\square}{5}$$

$$=\frac{\square}{5}=\square$$

$$3\frac{5}{6}+2\frac{2}{6}=\frac{\square}{6}+\frac{\square}{6}$$

$$=\frac{\square}{6}=\square$$

$$4\frac{4}{7}+1\frac{5}{7}=\frac{\square}{7}+\frac{\square}{7}$$

$$=\frac{\square}{7}=\square$$

$$4\frac{1}{4}+3\frac{2}{4}=\frac{\square}{4}+\frac{\square}{4}$$

$$=\frac{\square}{4}=\square$$

$$2\frac{7}{9}+6\frac{8}{9}=\frac{\square}{9}+\frac{\square}{9}$$

$$=\frac{\square}{9}=\square$$

4 분수의 덧셈 실력을 점검해 보시오.

실력 평가

맞힌 개수: 개 | 제한 시간: 10 분

1. $1\frac{4}{6}+3\frac{3}{6}$

2. $2\frac{5}{8}+5\frac{3}{8}$

3. $3\frac{2}{5}+1\frac{2}{5}$

4. $2\frac{1}{4}+3\frac{2}{4}$

5. $3\frac{3}{7}+4\frac{6}{7}$

6. $6\frac{2}{3}+2\frac{2}{3}$

7. $5\frac{6}{9}+3\frac{7}{9}$

8. $2\frac{3}{8}+4\frac{4}{8}$

9. $9\frac{4}{11}+1\frac{9}{11}$

10. $2\frac{7}{8}+3\frac{3}{8}$

11. $3\frac{5}{10}+4\frac{3}{10}$

12. $7\frac{7}{9}+2\frac{8}{9}$

13. $2\frac{6}{11}+4\frac{5}{11}$

14. $7\frac{9}{13}+2\frac{11}{13}$

15. $1\frac{8}{12}+6\frac{2}{12}$

16. $1\frac{9}{15}+2\frac{10}{15}$

17. $3\frac{15}{20}+4\frac{10}{20}$

수고하셨습니다!

04 진분수의 뺄셈, 받아내림이 없는 대분수의 뺄셈

정답 05쪽

● 진분수의 뺄셈

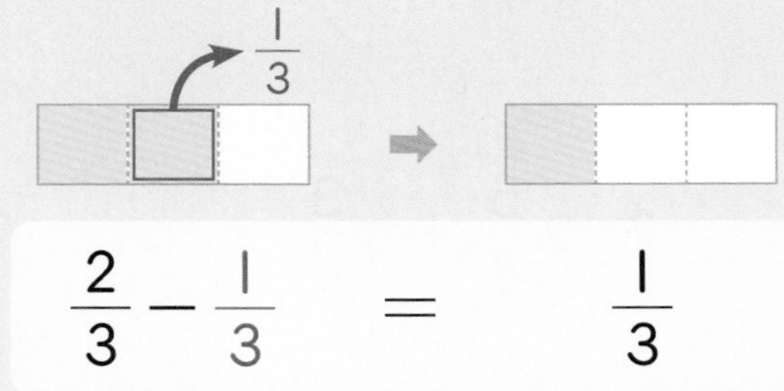

$$\frac{2}{3}-\frac{1}{3}=\frac{1}{3}$$

1 그림을 보고 ☐ 안에 알맞은 수를 써넣으시오.

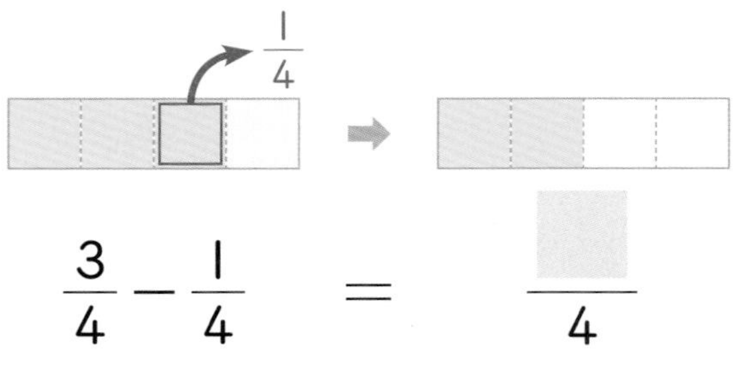

$$\frac{3}{4}-\frac{1}{4}=\frac{\square}{4}$$

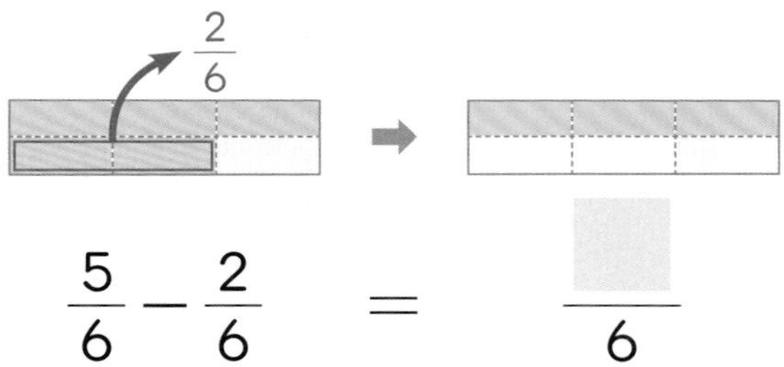

$$\frac{5}{6}-\frac{2}{6}=\frac{\square}{6}$$

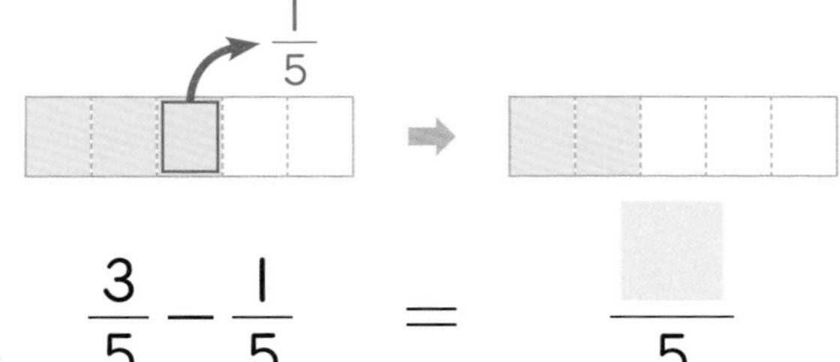

$$\frac{3}{5}-\frac{1}{5}=\frac{\square}{5}$$

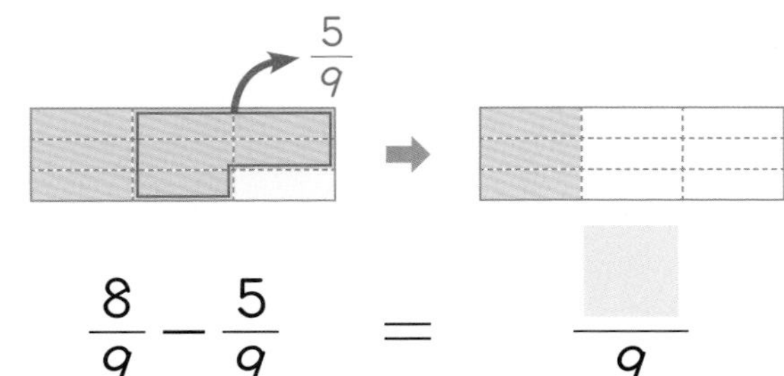

$$\frac{8}{9}-\frac{5}{9}=\frac{\square}{9}$$

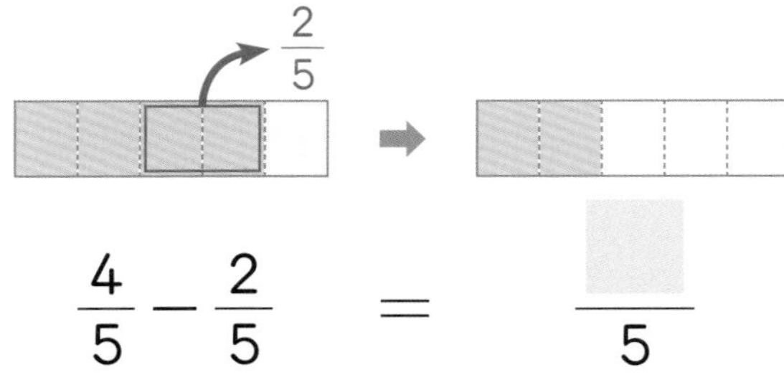

$$\frac{4}{5}-\frac{2}{5}=\frac{\square}{5}$$

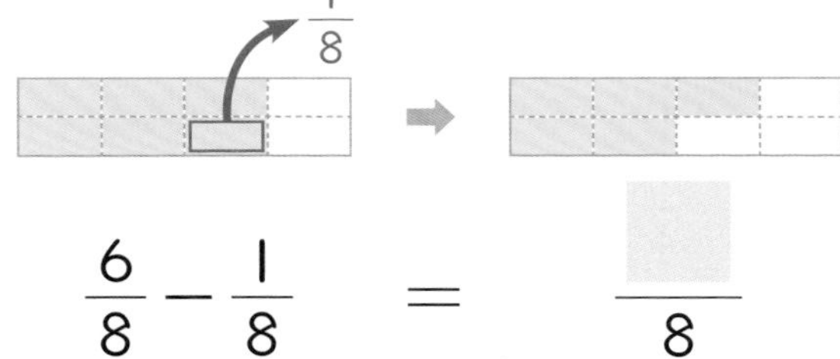

$$\frac{6}{8}-\frac{1}{8}=\frac{\square}{8}$$

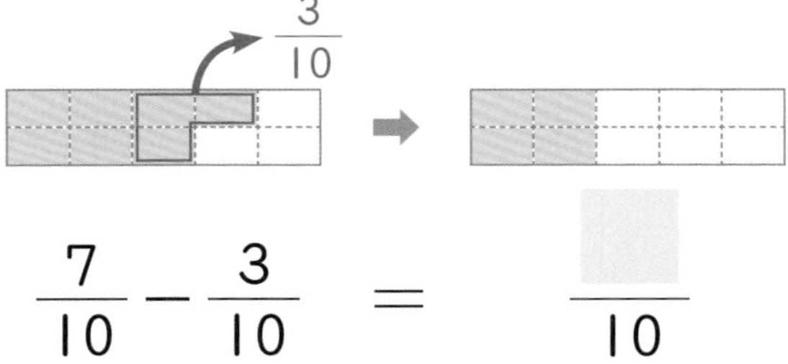

$$\frac{7}{10}-\frac{3}{10}=\frac{\square}{10}$$

$\frac{3}{12}$

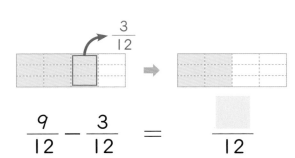

$$\frac{9}{12}-\frac{3}{12}=\frac{\square}{12}$$

2 보기 와 같은 방법으로 진분수의 뺄셈을 하시오.

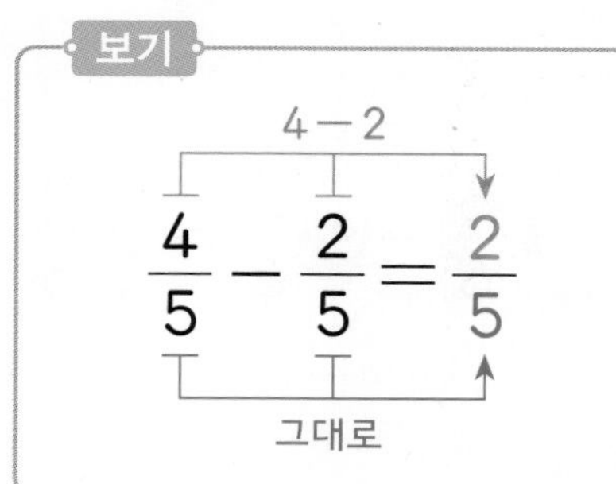

3−2

$\frac{3}{6}-\frac{2}{6}=\frac{\square}{6}$

그대로

7−3

$\frac{7}{8}-\frac{3}{8}=\square$

그대로

$\frac{2}{4}-\frac{1}{4}=\square$

$\frac{5}{7}-\frac{2}{7}=\square$

$\frac{6}{9}-\frac{3}{9}=\square$

$\frac{8}{9}-\frac{4}{9}=\square$

$\frac{7}{10}-\frac{2}{10}=\square$

$\frac{9}{11}-\frac{3}{11}=\square$

$\frac{10}{12}-\frac{8}{12}=\square$

$\frac{11}{13}-\frac{6}{13}=\square$

$\frac{12}{14}-\frac{2}{14}=\square$

$\frac{13}{15}-\frac{7}{15}=\square$

$\frac{8}{16}-\frac{4}{16}=\square$

$\frac{15}{17}-\frac{9}{17}=\square$

$\frac{12}{18}-\frac{6}{18}=\square$

$\frac{19}{20}-\frac{10}{20}=\square$

$\frac{20}{24}-\frac{12}{24}=\square$

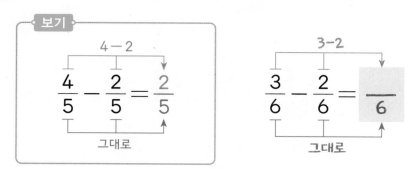

● 받아내림이 없는 대분수의 뺄셈

$4\frac{5}{6}-1\frac{3}{6}$ STEP1 $\frac{5}{6}$에서 $\frac{3}{6}$을 뺄 수 (있다(○), 없다). STEP2 분수끼리 빼기, 4−1: $4\frac{5}{6}-1\frac{3}{6}=3\frac{2}{6}$

3 알맞은 말에 ○표 하고, ☐ 안에 알맞은 수를 써넣으시오.

$3\frac{3}{5}-2\frac{1}{5}$ STEP1 $\frac{3}{5}$에서 $\frac{1}{5}$을 뺄 수 (있다 , 없다). STEP2 분수끼리 빼기, 3−2: $3\frac{3}{5}-2\frac{1}{5}=\square\frac{\square}{5}$

$5\frac{5}{6}-2\frac{2}{6}$ STEP1 $\frac{5}{6}$에서 $\frac{2}{6}$를 뺄 수 (있다 , 없다). STEP2 분수끼리 빼기, 5−2: $5\frac{5}{6}-2\frac{2}{6}=\square\frac{\square}{6}$

$8\frac{6}{7}-3\frac{1}{7}$ STEP1 $\frac{6}{7}$에서 $\frac{1}{7}$을 뺄 수 (있다 , 없다). STEP2 $8\frac{6}{7}-3\frac{1}{7}=\square\frac{\square}{7}$

$7\frac{7}{8}-4\frac{2}{8}$ STEP1 $\frac{7}{8}$에서 $\frac{2}{8}$를 뺄 수 (있다 , 없다). STEP2 $7\frac{7}{8}-4\frac{2}{8}=\square\frac{\square}{8}$

$6\frac{6}{9}-4\frac{3}{9}$ STEP1 $\frac{6}{9}$에서 $\frac{3}{9}$을 뺄 수 (있다 , 없다). STEP2 $6\frac{6}{9}-4\frac{3}{9}=\square\frac{\square}{9}$

4 받아내림이 없는 대분수의 뺄셈을 하시오.

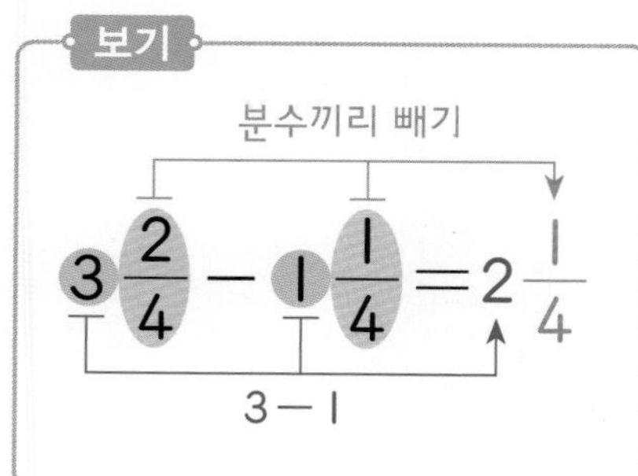

보기
분수끼리 빼기
$3\frac{2}{4}-1\frac{1}{4}=2\frac{1}{4}$
3－1

분수끼리 빼기

$5\frac{9}{10}-4\frac{3}{10}=1\frac{\square}{10}$

5－4

분수끼리 빼기

$6\frac{4}{6}-2\frac{3}{6}=\square$

6－2

$4\frac{7}{9}-1\frac{2}{9}=\square$

$6\frac{6}{7}-2\frac{3}{7}=\square$

$5\frac{10}{12}-4\frac{5}{12}=\square$

$4\frac{7}{8}-2\frac{4}{8}=\square$

$7\frac{4}{5}-6\frac{2}{5}=\square$

$8\frac{9}{11}-6\frac{5}{11}=\square$

$5\frac{6}{7}-4\frac{5}{7}=\square$

$6\frac{11}{12}-3\frac{4}{12}=\square$

$5\frac{6}{8}-2\frac{2}{8}=\square$

$7\frac{10}{13}-3\frac{2}{13}=\square$

$4\frac{5}{9}-3\frac{1}{9}=\square$

$6\frac{9}{10}-4\frac{3}{10}=\square$

$9\frac{13}{15}-5\frac{6}{15}=\square$

$8\frac{14}{16}-4\frac{9}{16}=\square$

$7\frac{15}{18}-5\frac{9}{18}=\square$

05 자연수와 대분수의 뺄셈

정답 06쪽

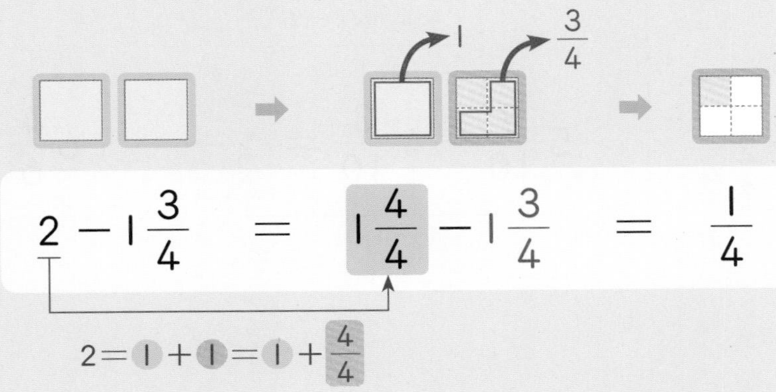

1 보기 와 같은 방법으로 자연수를 자연수와 분수의 합으로 나타내시오.

보기

$4=3+\frac{3}{3}$

(4 = 3 + 1)

$4=3+\frac{\square}{2}$

(4 = 3 + 1)

$4=3+\frac{\square}{5}$

(4 = 3 + 1)

$3=2+\frac{\square}{6}$

$3=2+\frac{\square}{4}$

$3=2+\frac{\square}{8}$

$6=5+\frac{\square}{3}$

$6=5+\frac{\square}{7}$

$6=5+\frac{\square}{9}$

$8=7+\frac{\square}{4}$

$5=4+\frac{\square}{8}$

$2=1+\frac{\square}{6}$

$7=6+\frac{\square}{9}$

$9=8+\frac{\square}{5}$

$10=9+\frac{\square}{4}$

2 보기 와 같은 방법으로 자연수와 진분수의 뺄셈을 하시오.

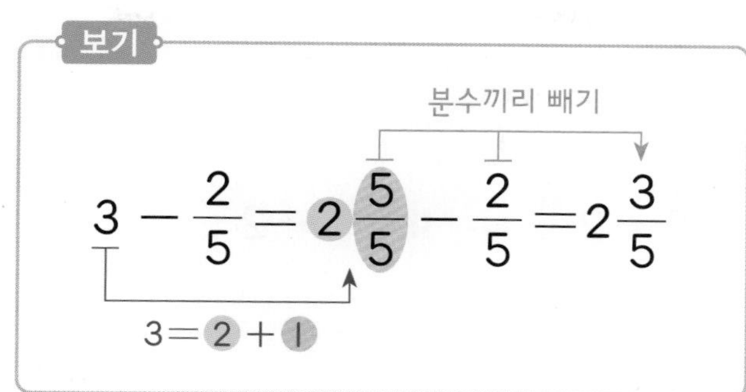

보기
분수끼리 빼기
$3-\frac{2}{5}=2\frac{5}{5}-\frac{2}{5}=2\frac{3}{5}$
3=2+1

분수끼리 빼기

$4-\frac{3}{7}=3\frac{\square}{7}-\frac{\square}{7}=\square$

4=3+1

분수끼리 빼기

$2-\frac{1}{2}=1\frac{\square}{2}-\frac{\square}{2}=\square$

2=1+1

$5-\frac{1}{4}=4\frac{\square}{4}-\frac{\square}{4}=\square$

$8-\frac{4}{6}=7\frac{\square}{6}-\frac{\square}{6}=\square$

$9-\frac{3}{5}=8\frac{\square}{5}-\frac{\square}{5}=\square$

$4-\frac{5}{8}=3\frac{\square}{8}-\frac{\square}{8}=\square$

$10-\frac{1}{3}=9\frac{\square}{3}-\frac{\square}{3}=\square$

$6-\frac{5}{9}=5\frac{\square}{9}-\frac{\square}{9}=\square$

$7-\frac{5}{6}=6\frac{\square}{6}-\frac{\square}{6}=\square$

$9-\frac{3}{4}=8\frac{\square}{4}-\frac{\square}{4}=\square$

$8-\frac{2}{7}=7\frac{\square}{7}-\frac{\square}{7}=\square$

3 보기 와 같은 방법으로 자연수와 대분수의 뺄셈을 하시오.

보기

4=3+1 　분수끼리 빼기

$4-2\frac{1}{3}=3\frac{3}{3}-2\frac{1}{3}=1\frac{2}{3}$

3−2

5=4+1

$5-2\frac{4}{5}=4\frac{5}{5}-2\frac{4}{5}=\square$

3=2+1

$3-1\frac{2}{4}=\square-1\frac{2}{4}=\square$

$6-3\frac{5}{6}=\square-3\frac{5}{6}=\square$

$8-4\frac{1}{5}=\square-4\frac{1}{5}=\square$

$7-5\frac{3}{8}=\square-5\frac{3}{8}=\square$

$9-6\frac{4}{7}=\square-6\frac{4}{7}=\square$

$8-1\frac{2}{3}=\square-1\frac{2}{3}=\square$

$6-4\frac{3}{5}=\square-4\frac{3}{5}=\square$

$7-6\frac{2}{6}=\square-6\frac{2}{6}=\square$

$5-3\frac{5}{8}=\square-3\frac{5}{8}=\square$

$10-6\frac{8}{9}=\square-6\frac{8}{9}=\square$

4 보기 와 같은 방법으로 자연수와 대분수의 뺄셈을 하시오.

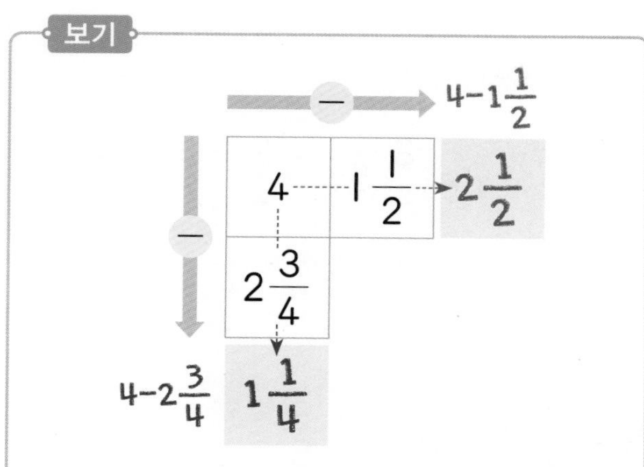

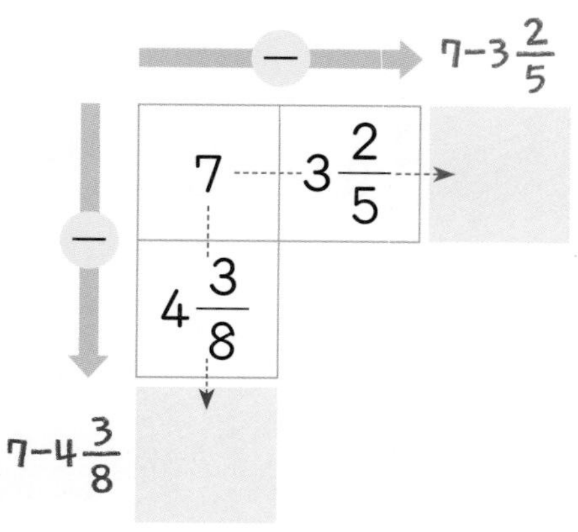

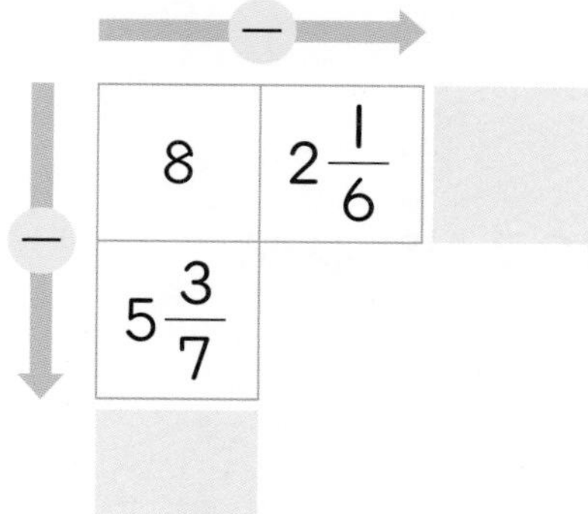

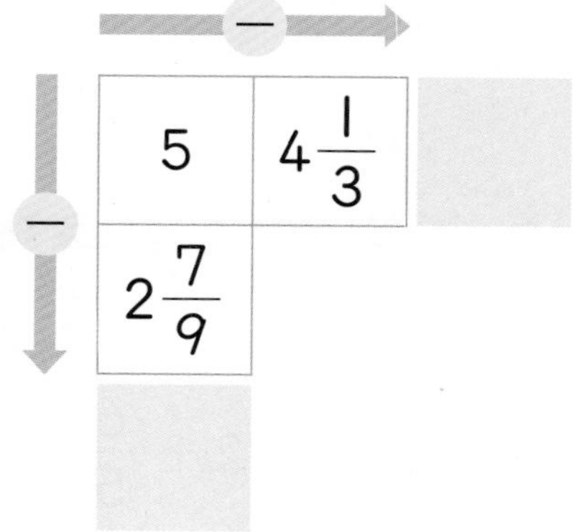

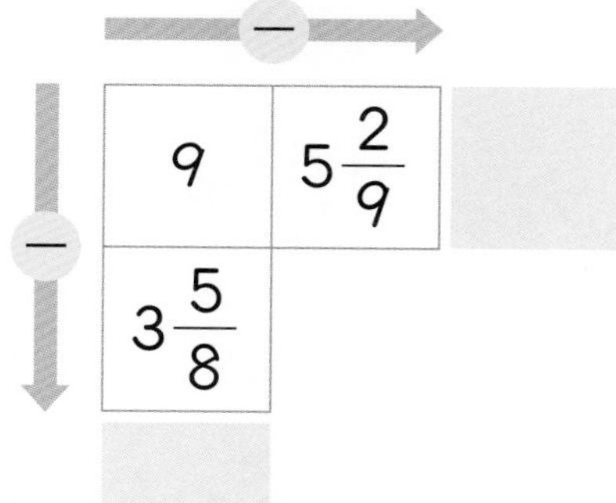

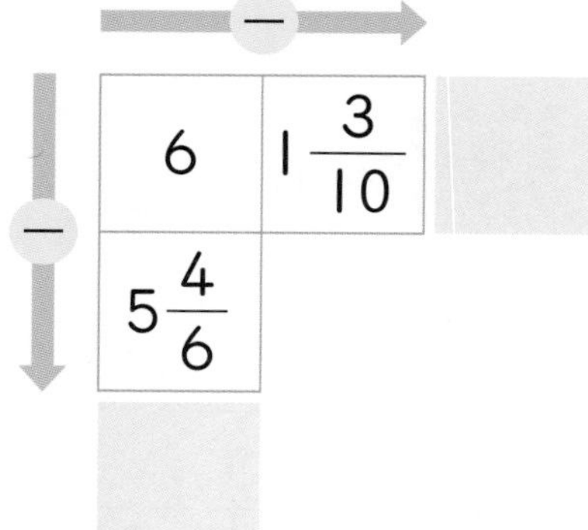

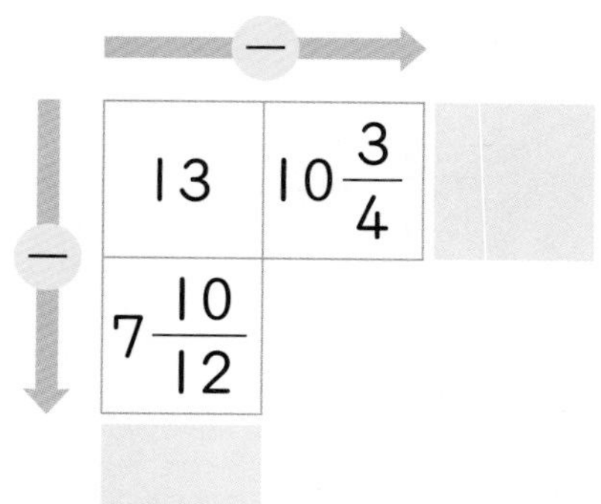

10 | 5 2/7

7 5/9

06 받아내림이 있는 대분수의 뺄셈

정답 07쪽

$3\frac{1}{5}-1\frac{3}{5}$

STEP1 $\frac{1}{5}$에서 $\frac{3}{5}$을 뺄 수 (있다 , (없다)).

STEP2 $3\frac{1}{5}=2+\frac{6}{5}$으로 바꾸기

$2+\frac{5}{5}+\frac{1}{5}$

분수끼리 빼기

STEP3 $3\frac{1}{5}-1\frac{3}{5}=2\frac{6}{5}-1\frac{3}{5}=1\frac{3}{5}$

2－1

1 보기 와 같은 방법으로 대분수를 자연수와 가분수의 합으로 나타내시오.

보기

$3\frac{1}{5}=2+\frac{6}{5}$

$\rightarrow 2+\frac{5}{5}+\frac{1}{5}$

$4\frac{1}{3}=3+\frac{\square}{3}$ ($\rightarrow 3+\frac{3}{3}+\frac{1}{3}$)

$5\frac{2}{4}=4+\frac{\square}{4}$ ($\rightarrow 4+\frac{4}{4}+\frac{2}{4}$)

$7\frac{2}{5}=6+\frac{\square}{5}$

$2\frac{3}{6}=1+\frac{\square}{6}$

$4\frac{3}{4}=3+\frac{\square}{4}$

$6\frac{2}{3}=5+\frac{\square}{3}$

$3\frac{4}{7}=2+\frac{\square}{7}$

$3\frac{4}{5}=2+\frac{\square}{5}$

$7\frac{3}{9}=6+\frac{\square}{9}$

$5\frac{5}{8}=4+\frac{\square}{8}$

$5\frac{1}{7}=4+\frac{\square}{7}$

$10\frac{1}{4}=9+\frac{\square}{4}$

$9\frac{2}{6}=8+\frac{\square}{6}$

$6\frac{1}{9}=5+\frac{\square}{9}$

2 알맞은 말에 ○표 하고, □ 안에 알맞은 수를 써넣으시오.

$5\frac{2}{4}-1\frac{3}{4}$

STEP1 $\frac{2}{4}$에서 $\frac{3}{4}$을 뺄 수 (있다 , 없다).

STEP2 $5\frac{2}{4}=4+\frac{\square}{4}$으로 바꾸기

$4+\frac{4}{4}+\frac{2}{4}$

STEP3 $5\frac{2}{4}-1\frac{3}{4}=4\frac{\square}{4}-1\frac{\square}{4}=\square\frac{\square}{4}$

$7\frac{1}{6}-3\frac{4}{6}$

STEP1 $\frac{1}{6}$에서 $\frac{4}{6}$를 뺄 수 (있다 , 없다).

STEP2 $7\frac{1}{6}=6+\frac{\square}{6}$로 바꾸기

STEP3 $7\frac{1}{6}-3\frac{4}{6}=6\frac{\square}{6}-3\frac{\square}{6}=\square\frac{\square}{6}$

$6\frac{2}{7}-4\frac{5}{7}$

STEP1 $\frac{2}{7}$에서 $\frac{5}{7}$를 뺄 수 (있다 , 없다).

STEP2 $6\frac{2}{7}=5+\frac{\square}{7}$로 바꾸기

STEP3 $6\frac{2}{7}-4\frac{5}{7}=5\frac{\square}{7}-4\frac{\square}{7}=\square\frac{\square}{7}$

$8\frac{3}{5}-5\frac{4}{5}$

STEP1 $\frac{3}{5}$에서 $\frac{4}{5}$를 뺄 수 (있다 , 없다).

STEP2 $8\frac{3}{5}=7+\frac{\square}{5}$로 바꾸기

STEP3 $8\frac{3}{5}-5\frac{4}{5}=7\frac{\square}{5}-5\frac{\square}{5}=\square\frac{\square}{5}$

3 보기 와 같은 방법으로 대분수의 뺄셈을 하시오.

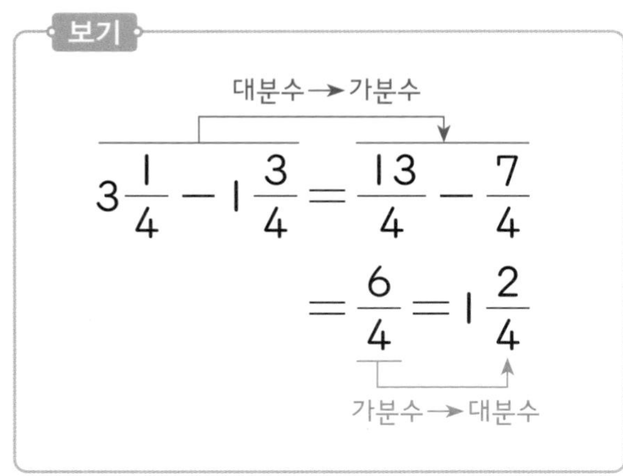

대분수→가분수

$5\frac{1}{3}-2\frac{2}{3}=\frac{\square}{3}-\frac{\square}{3}$

$=\frac{\square}{3}=\square$

가분수→대분수

대분수→가분수

$6\frac{2}{5}-3\frac{3}{5}=\frac{\square}{5}-\frac{\square}{5}$

$=\frac{\square}{5}=\square$

가분수→대분수

$4\frac{1}{6}-1\frac{5}{6}=\frac{\square}{6}-\frac{\square}{6}$

$=\frac{\square}{6}=\square$

$5\frac{1}{4}-3\frac{2}{4}=\frac{\square}{4}-\frac{\square}{4}$

$=\frac{\square}{4}=\square$

$7\frac{3}{8}-2\frac{5}{8}=\frac{\square}{8}-\frac{\square}{8}$

$=\frac{\square}{8}=\square$

$4\frac{4}{7}-2\frac{6}{7}=\frac{\square}{7}-\frac{\square}{7}$

$=\frac{\square}{7}=\square$

$3\frac{2}{10}-1\frac{5}{10}=\frac{\square}{10}-\frac{\square}{10}$

$=\frac{\square}{10}=\square$

4 분수의 뺄셈 실력을 점검해 보시오.

실력 평가

맞힌 개수: 개 | 제한 시간: 10 분

1. $4\frac{1}{4}-1\frac{2}{4}$

2. $7\frac{2}{5}-3\frac{3}{5}$

3. $6\frac{1}{3}-1\frac{2}{3}$

4. $4\frac{2}{8}-2\frac{5}{8}$

5. $5\frac{1}{6}-3\frac{4}{6}$

6. $6\frac{1}{5}-3\frac{4}{5}$

7. $8\frac{2}{4}-4\frac{3}{4}$

8. $6\frac{3}{7}-2\frac{4}{7}$

9. $4\frac{2}{6}-1\frac{5}{6}$

10. $7\frac{5}{10}-4\frac{6}{10}$

11. $10\frac{1}{5}-5\frac{2}{5}$

12. $8\frac{1}{8}-3\frac{4}{8}$

13. $3\frac{3}{11}-1\frac{7}{11}$

14. $9\frac{2}{9}-5\frac{7}{9}$

15. $5\frac{2}{7}-2\frac{6}{7}$

16. $4\frac{2}{6}-3\frac{3}{6}$

17. $6\frac{1}{10}-4\frac{3}{10}$

수고하셨습니다!

정답 08쪽

서윤이는 우유를 $\frac{2}{5}$L 마셨고, 지석이는 $\frac{4}{5}$L 마셨습니다. 두 친구가 마신 우유는 모두 몇 L입니까?

주어진 수에 ○표 하고, 구하는 것에 밑줄 치기

서윤이가 마신 우유의 양: ☐ L, 지석이가 마신 우유의 양: ☐ L

문제 해결하기

(분모 , 분자)는 그대로 두고 (분모 , 분자)끼리 더합니다.
계산 결과가 가분수이면 대분수로 바꿉니다.

문제 풀기

(두 친구가 마신 우유의 양)$=\frac{2}{5}+\frac{4}{5}=$ ☐ (L)

답 쓰기

두 친구가 마신 우유의 양은 모두 ☐ L입니다.

현우의 키는 $1\frac{4}{10}$ m이고, 아버지의 키는 $1\frac{8}{10}$ m입니다. 현우와 아버지의 키를 합하면 몇 m입니까?

주어진 수에 ○표 하고, 구하는 것에 밑줄 치기

현우의 키: ☐ m, 아버지의 키: ☐ m

문제 해결하기

자연수는 자연수끼리, 분수는 분수끼리 더한 다음
(자연수와 가분수 , 자연수와 진분수)의 합으로 나타냅니다.

문제 풀기

(현우와 아버지의 키의 합)$=1\frac{4}{10}+1\frac{8}{10}=$ ☐ (m)

답 쓰기

현우와 아버지의 키를 합하면 ☐ m입니다.

선물을 포장하기 위해 혜미는 색 테이프를 $\frac{3}{8}$m 사용하였고, 유나는 $\frac{7}{8}$m 사용하였습니다. 누가 색 테이프를 몇 m 더 많이 사용하였습니까?

주어진 수에 ○표 하고, 구하는 것에 밑줄 치기

혜미가 사용한 색 테이프 길이: ☐ m, 유나가 사용한 색 테이프 길이: ☐ m

문제 해결하기

분모가 같으면 분자가 클수록 큰 수입니다.

(분모 , 분자)는 그대로 두고 (분모 , 분자)끼리 뺍니다.

문제 풀기

(혜미와 유나가 사용한 색 테이프 길이의 차)$=\frac{7}{8}-\frac{3}{8}=$ ☐ (m)

답 쓰기

☐ 가 색 테이프를 ☐ m 더 많이 사용하였습니다.

쌀이 $7\frac{3}{6}$kg 들어 있는 쌀통에서 쌀 $4\frac{5}{6}$kg을 꺼내어 떡을 만들었습니다. 쌀통에 남아 있는 쌀은 몇 kg입니까?

주어진 수에 ○표 하고, 구하는 것에 밑줄 치기

꺼내기 전 쌀의 양: ☐ kg, 꺼낸 쌀의 양: ☐ kg

문제 해결하기

자연수끼리 비교하여 큰 수에서 작은 수를 뺍니다.

분수끼리 뺄 수 없으면 자연수에서 (1 , 10)을 받아내림하여 계산합니다.

문제 풀기

(쌀통에 남아 있는 쌀의 양)$=7\frac{3}{6}-4\frac{5}{6}=$ ☐ (kg)

답 쓰기

남아 있는 쌀은 ☐ kg입니다.

● ▢ 안에 알맞은 수를 써넣고, 답을 구하시오.

1 Drill

피자 한 판에서 찬수는 전체의 $\frac{3}{12}$만큼 먹었고, 형은 전체의 $\frac{5}{12}$만큼 먹었습니다. 찬수와 형은 피자 전체의 몇 분의 몇을 먹었습니까?

주어진 수에 ○표 하고, 구하는 것에 밑줄 쫙!

풀이 (찬수와 형이 먹은 피자의 양)= ▢ + ▢ = ▢

답 ______

2 Drill

윤지는 할머니 댁에 다녀오는 데 지하철을 1시간, 버스를 $1\frac{2}{6}$시간 탔습니다. 윤지가 지하철과 버스를 탄 시간은 모두 몇 시간입니까?

풀이 (지하철과 버스를 탄 시간)= ▢ + ▢ = ▢ (시간)

답 ______ 시간

3 Drill

들이가 6 L인 물통에 물이 가득 들어 있었습니다. 그중 $3\frac{3}{8}$ L의 물을 사용했다면 물통에 남은 물은 몇 L입니까?

풀이 (물통에 남은 물의 양)= ▢ − ▢ = ▢ (L)

답 ______ L

4 Drill

그릇에 귤 $2\frac{7}{10}$ kg을 담은 후 무게를 재었더니 $3\frac{1}{10}$ kg이었습니다. 그릇의 무게는 몇 kg입니까?

풀이 (그릇의 무게)= ▢ − ▢ = ▢ (kg)

답 ______ kg

● 서술형 문제를 읽고 풀이 과정과 답을 쓰시오.

도전 1

소연이는 책을 어제는 $1\frac{3}{5}$시간 읽었고, 오늘은 $\frac{4}{5}$시간 읽었습니다. 소연이가 어제와 오늘 책을 읽은 시간은 모두 몇 시간입니까?

풀이

답

도전 2

가로가 $12\frac{3}{4}$ cm, 세로가 $8\frac{2}{4}$ cm인 직사각형 모양의 메모지가 있습니다. 이 메모지의 가로와 세로의 길이의 합은 몇 cm입니까?

풀이

답

도전 3

세준이는 끈 3 m를 사서 상자를 묶는 데 $\frac{7}{9}$ m를 사용하였습니다. 남은 끈의 길이는 몇 m입니까?

풀이

답

도전 4

동하의 몸무게는 $35\frac{3}{10}$ kg이고, 가희의 몸무게는 동하보다 $2\frac{7}{10}$ kg 더 가볍습니다. 가희의 몸무게는 몇 kg입니까?

풀이

답

형성평가

정답 09쪽 걸린 시간: 분 점 수: 점

01 그림을 보고 ▢ 안에 알맞은 수를 써넣으시오.

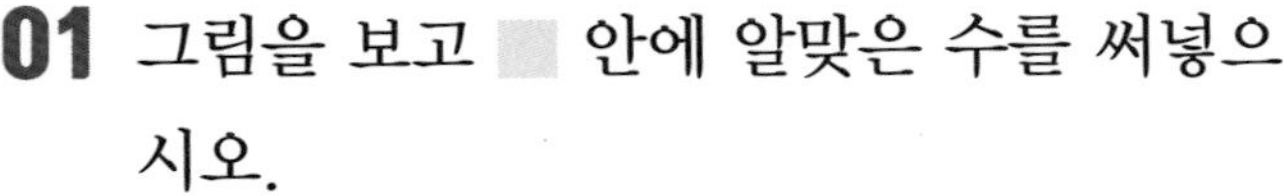

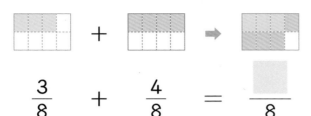

$\frac{3}{8} + \frac{4}{8} = \frac{\square}{8}$

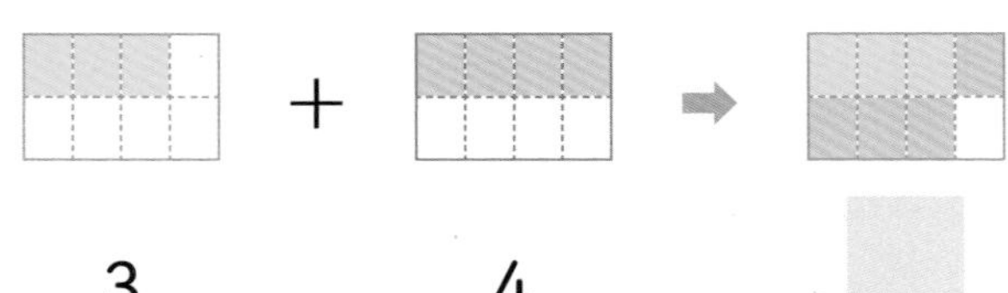

02 덧셈을 하시오.

(1) $\frac{2}{9} + \frac{5}{9}$

(2) $\frac{8}{11} + \frac{4}{11}$

03 빈칸에 알맞은 수를 써넣으시오.

(1) +

$\frac{4}{6}$	$\frac{5}{6}$	

(2) +

$\frac{7}{10}$	$\frac{8}{10}$	

04 덧셈을 하시오.

(1) $4 + \frac{1}{5}$

(2) $3 + \frac{6}{7}$

(3) $2 + 1\frac{5}{6}$

(4) $2\frac{4}{8} + 3$

(5) $5 + 4\frac{7}{10}$

05 ▢ 안에 알맞은 수를 써넣으시오.

(1) $\frac{1}{5} + 2\frac{2}{5} = \square\frac{\square}{5}$

(2) $\frac{7}{8} + 3\frac{4}{8} = \square\frac{\square}{8}$

06 두 수의 합을 구하시오.

(1) $\frac{5}{9}$ $2\frac{6}{9}$

(　　　　　　)

(2) $4\frac{9}{10}$ $\frac{6}{10}$

(　　　　　　)

07 덧셈을 하시오.

(1) $4\frac{1}{6}+2\frac{1}{6}$

(2) $1\frac{3}{5}+5\frac{1}{5}$

(3) $3\frac{2}{7}+4\frac{4}{7}$

(4) $6\frac{3}{8}+3\frac{4}{8}$

(5) $2\frac{5}{9}+4\frac{2}{9}$

08 대분수를 가분수로 고쳐서 계산하려고 합니다. ■ 안에 알맞은 수를 써넣으시오.

$$1\frac{3}{6}+3\frac{5}{6}=\frac{\square}{6}+\frac{\square}{6}$$

$$=\frac{\square}{6}=\square$$

09 덧셈을 하시오.

(1) $2\frac{3}{5}+6\frac{4}{5}$

(2) $3\frac{8}{9}+4\frac{4}{9}$

10 빈칸에 알맞은 수를 써넣으시오.

	$3\frac{7}{10}$		
$2\frac{2}{4}$	+	$2\frac{3}{4}$	■
	$4\frac{6}{10}$		
	■		

11 그림을 보고 ☐ 안에 알맞은 수를 써넣으시오.

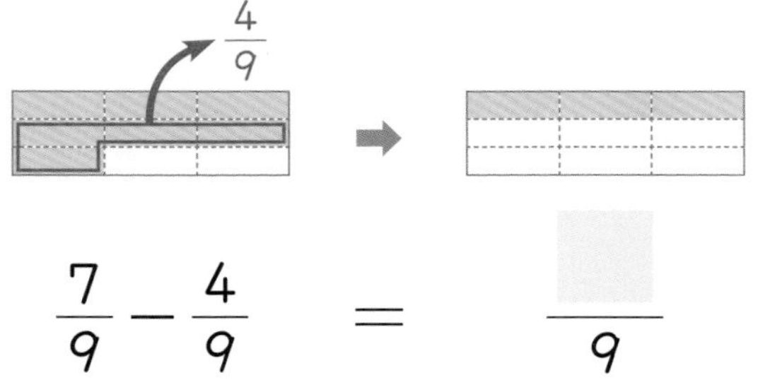

$\frac{7}{9}-\frac{4}{9}=\frac{\square}{9}$

12 뺄셈을 하시오.

(1) $\frac{6}{7}-\frac{2}{7}$

(2) $\frac{10}{13}-\frac{5}{13}$

13 빈칸에 알맞은 수를 써넣으시오.

(1) −

$5\frac{7}{8}$	$3\frac{5}{8}$	

(2) −

$8\frac{10}{12}$	$4\frac{3}{12}$	

14 보기 와 같은 방법으로 자연수를 자연수와 분수의 합으로 나타내시오.

보기

$3=2+\frac{4}{4}$

(1) $4=3+\frac{\square}{6}$

(2) $7=6+\frac{\square}{8}$

(3) $6=5+\frac{\square}{3}$

(4) $5=4+\frac{\square}{9}$

(5) $9=8+\frac{\square}{10}$

15 두 수의 차를 구하시오.

(1) 3 $\frac{4}{7}$

( )

(2) 9 $\frac{5}{12}$

( )

16 뺄셈을 하시오.

(1) $6-1\frac{3}{4}$

(2) $7-3\frac{2}{6}$

(3) $5-4\frac{3}{7}$

(4) $8-2\frac{5}{10}$

(5) $4-2\frac{8}{15}$

17 빈칸에 알맞은 수를 써넣으시오.

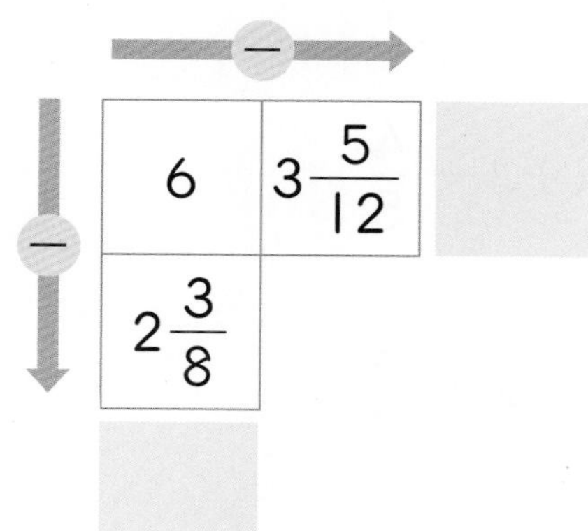

18 보기 와 같은 방법으로 대분수를 자연수와 가분수의 합으로 나타내시오.

보기

$$2\frac{1}{4}=1+\frac{5}{4}$$

(1) $4\frac{3}{8}=3+\frac{\square}{8}$

(2) $7\frac{2}{11}=6+\frac{\square}{11}$

19 대분수를 가분수로 고쳐서 계산하려고 합니다. □ 안에 알맞은 수를 써넣으시오.

$$5\frac{2}{5}-1\frac{3}{5}=\frac{\square}{5}-\frac{\square}{5}$$

$$=\frac{\square}{5}=\square$$

20 뺄셈을 하시오.

(1) $4\frac{3}{7}-1\frac{5}{7}$

(2) $9\frac{2}{10}-2\frac{5}{10}$

단원 평가

1. 분수의 덧셈과 뺄셈

걸린 시간 분 점수 점

정답 10쪽

[1~2] 그림을 보고 ☐ 안에 알맞은 수를 써넣으시오.

1

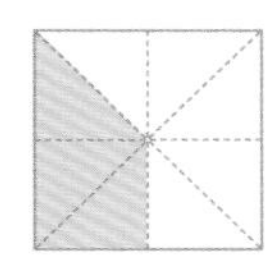 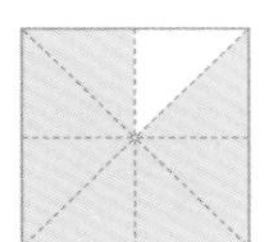 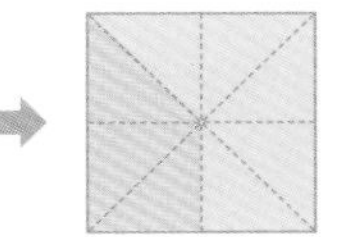 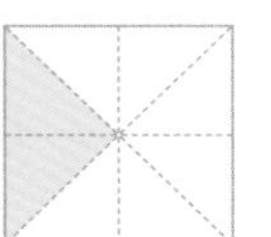

$\frac{3}{8}+\frac{7}{8}=☐\frac{☐}{8}$

2

$1-\frac{3}{10}=\frac{☐}{10}$

3 계산을 하시오.

(1) $\frac{2}{5}+\frac{1}{5}$

(2) $\frac{3}{9}+\frac{5}{9}$

(3) $\frac{6}{7}+\frac{4}{7}$

(4) $\frac{5}{6}+\frac{3}{6}$

(5) $\frac{7}{8}+\frac{2}{8}$

4 빈칸에 알맞은 수를 써넣으시오.

(1) $\frac{4}{9}$ → $+\frac{2}{9}$ → ☐

(2) $\frac{11}{13}$ → $-\frac{7}{13}$ → ☐

5 계산을 하시오.

(1) $2+\frac{3}{5}$

(2) $4+\frac{6}{7}$

(3) $3-\frac{4}{5}$

(4) $2-\frac{3}{8}$

(5) $5-\frac{7}{9}$

6 빈칸에 알맞은 수를 써넣으시오.

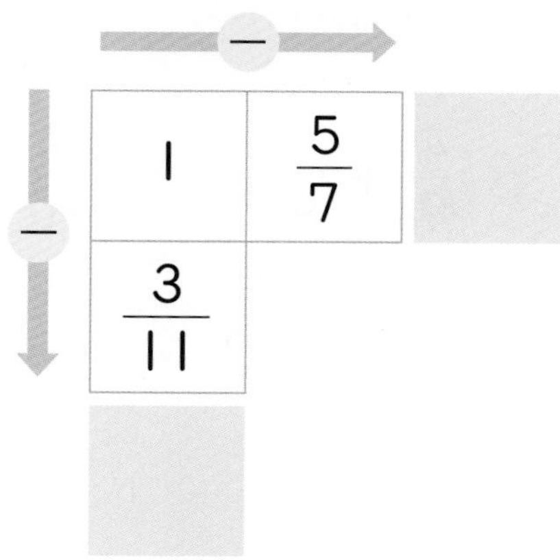

7 관계있는 것끼리 선으로 이으시오.

$1\frac{1}{8}+2\frac{4}{8}$ •	• $3\frac{1}{8}$
$1\frac{4}{8}+1\frac{5}{8}$ •	• $3\frac{4}{8}$
$4\frac{7}{8}-1\frac{3}{8}$ •	• $3\frac{5}{8}$
$5\frac{3}{8}-1\frac{5}{8}$ •	• $3\frac{6}{8}$

8 수직선에서 ㉠과 ㉡이 나타내는 수의 합은 몇 분의 몇입니까?

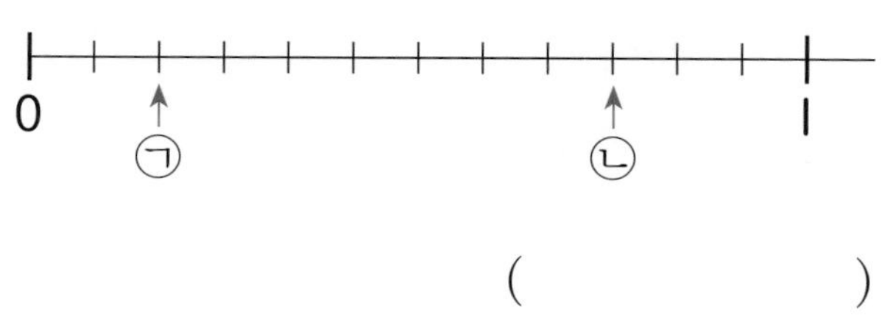

( )

9 ㉠과 ㉡의 차를 구하시오.

㉠ $\frac{1}{15}$이 14개인 수

㉡ $\frac{1}{15}$이 8개인 수

( )

10 계산 결과가 2와 3 사이인 뺄셈식에 ○표 하시오.

$4-3\frac{1}{8}$	$5-2\frac{3}{5}$	$6-4\frac{2}{7}$

11 피자 한 판이 있습니다. 재석이가 전체의 $\frac{2}{8}$를, 성미가 전체의 $\frac{3}{8}$을 먹었습니다. 재석이와 성미가 먹은 피자는 전체의 몇 분의 몇입니까?

(　　　　　　)

12 직사각형에서 가로는 세로보다 몇 cm 더 긴지 구하시오.

(1) 가로 1 cm, 세로 $\frac{6}{8}$ cm

(　　　　　　)cm

(2) 가로 $3\frac{3}{5}$ cm, 세로 $1\frac{2}{5}$ cm

(　　　　　　)cm

13 다음 중 계산 결과가 1보다 큰 것을 모두 찾아 기호를 쓰시오.

㉠ $\frac{4}{9}+\frac{3}{9}$	㉡ $\frac{7}{10}+\frac{4}{10}$
㉢ $\frac{7}{12}+\frac{8}{12}$	㉣ $\frac{8}{13}+\frac{4}{13}$

(　　　　　　)

14 빈 곳에 알맞은 수를 써넣으시오.

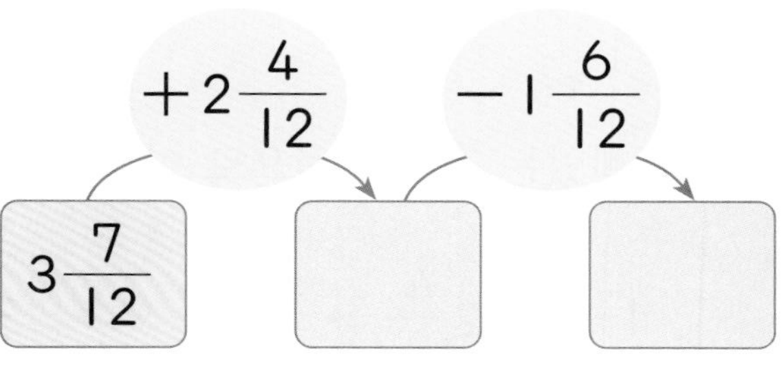

15 두 분수의 합과 차를 각각 구하시오.

$3\frac{4}{9}$　　$1\frac{7}{9}$

합 (　　　　　　)

차 (　　　　　　)

16 계산 결과를 비교하여 ● 안에 >, =, <를 알맞게 써넣으시오.

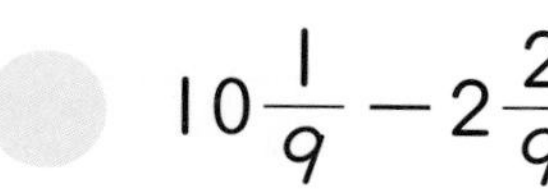

$$6\frac{7}{9}+\frac{8}{9} \quad ● \quad 10\frac{1}{9}-2\frac{2}{9}$$

17 가장 큰 분수와 가장 작은 분수의 차를 구하시오.

$2\frac{7}{9}$	$1\frac{5}{9}$	$2\frac{4}{9}$	$1\frac{8}{9}$

( )

18 ■ 안에 알맞은 수를 써넣으시오.

$$■+\frac{4}{9}=3$$

19 동진이는 감자를 $1\frac{3}{10}$ kg 캤고, 고구마를 $2\frac{5}{10}$ kg 캤습니다. 동진이가 캔 감자와 고구마는 모두 몇 kg인지 풀이 과정을 쓰고 답을 구하시오.

풀이

답

20 물병에 물이 $1\frac{1}{4}$ L 들어 있었습니다. 영미가 물을 마시고 남은 물이 $\frac{3}{4}$ L였습니다. 영미가 마신 물은 몇 L인지 풀이 과정을 쓰고 답을 구하시오.

풀이

답

memo

논리적 사고력과 창의적 문제해결력을 키워 주는

매스티안 교재 활용법!

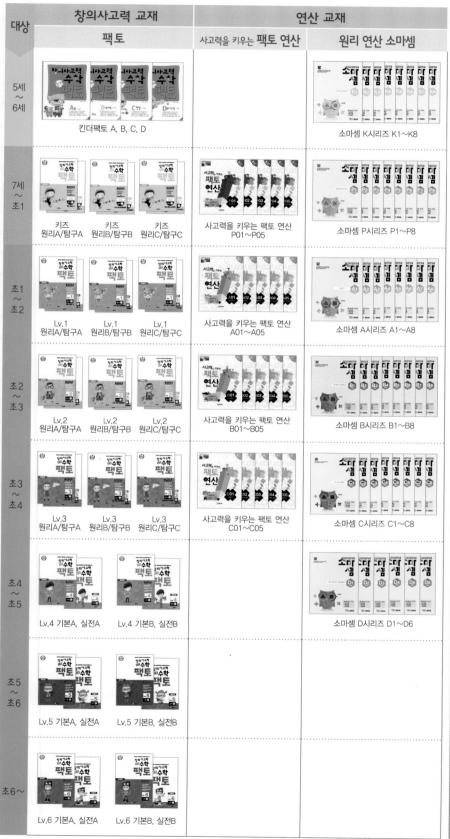

대상	창의사고력 교재 팩토	연산 교재 사고력을 키우는 팩토 연산	연산 교재 원리 연산 소마셈
5세 ~ 6세	킨더팩토 A, B, C, D		소마셈 K시리즈 K1~K8
7세 ~ 초1	키즈 원리A/탐구A, 키즈 원리B/탐구B, 키즈 원리C/탐구C	사고력을 키우는 팩토 연산 P01~P05	소마셈 P시리즈 P1~P8
초1 ~ 초2	Lv.1 원리A/탐구A, Lv.1 원리B/탐구B, Lv.1 원리C/탐구C	사고력을 키우는 팩토 연산 A01~A05	소마셈 A시리즈 A1~A8
초2 ~ 초3	Lv.2 원리A/탐구A, Lv.2 원리B/탐구B, Lv.2 원리C/탐구C	사고력을 키우는 팩토 연산 B01~B05	소마셈 B시리즈 B1~B8
초3 ~ 초4	Lv.3 원리A/탐구A, Lv.3 원리B/탐구B, Lv.3 원리C/탐구C	사고력을 키우는 팩토 연산 C01~C05	소마셈 C시리즈 C1~C8
초4 ~ 초5	Lv.4 기본A, 실전A / Lv.4 기본B, 실전B		소마셈 D시리즈 D1~D6
초5 ~ 초6	Lv.5 기본A, 실전A / Lv.5 기본B, 실전B		
초6~	Lv.6 기본A, 실전A / Lv.6 기본B, 실전B		

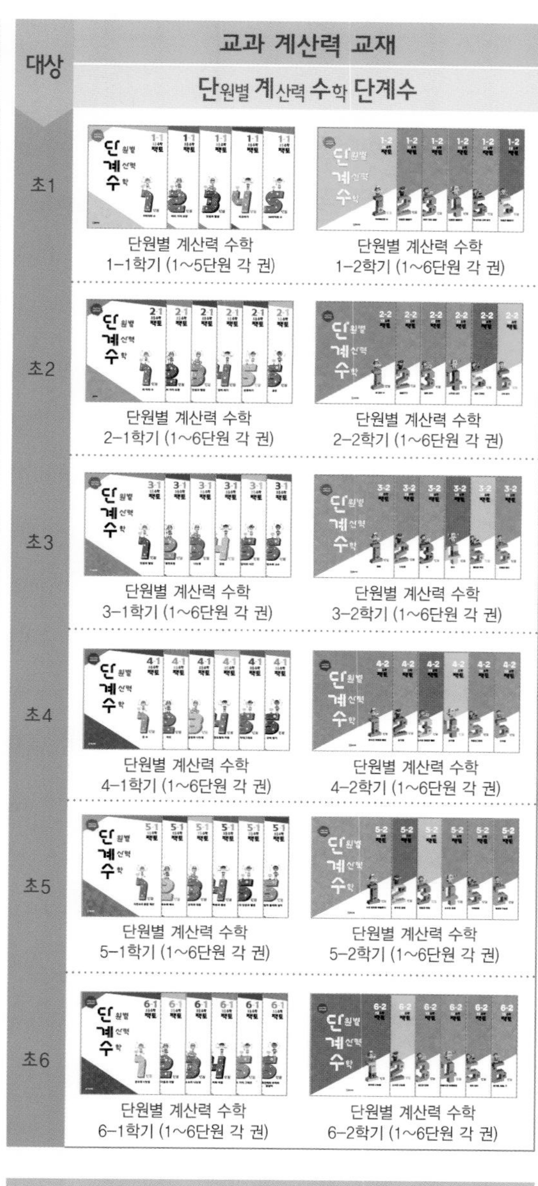

대상	교과 계산력 교재 단원별 계산력 수학 단계수	
초1	단원별 계산력 수학 1-1학기 (1~5단원 각 권)	단원별 계산력 수학 1-2학기 (1~6단원 각 권)
초2	단원별 계산력 수학 2-1학기 (1~6단원 각 권)	단원별 계산력 수학 2-2학기 (1~6단원 각 권)
초3	단원별 계산력 수학 3-1학기 (1~6단원 각 권)	단원별 계산력 수학 3-2학기 (1~6단원 각 권)
초4	단원별 계산력 수학 4-1학기 (1~6단원 각 권)	단원별 계산력 수학 4-2학기 (1~6단원 각 권)
초5	단원별 계산력 수학 5-1학기 (1~6단원 각 권)	단원별 계산력 수학 5-2학기 (1~6단원 각 권)
초6	단원별 계산력 수학 6-1학기 (1~6단원 각 권)	단원별 계산력 수학 6-2학기 (1~6단원 각 권)

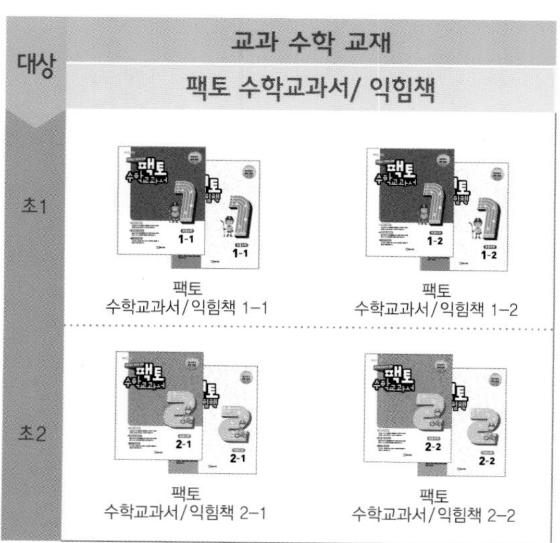

대상	교과 수학 교재 팩토 수학교과서/ 익힘책	
초1	팩토 수학교과서/익힘책 1-1	팩토 수학교과서/익힘책 1-2
초2	팩토 수학교과서/익힘책 2-1	팩토 수학교과서/익힘책 2-2

단계수 학습 순서

매일 학습

단원별로 꼭 알아야 할 개념만 쏙쏙 학습하고, 다양한 연산 문제를 통해 필수 개념을 숙달하여 계산력을 쑥쑥 키울 수 있습니다.

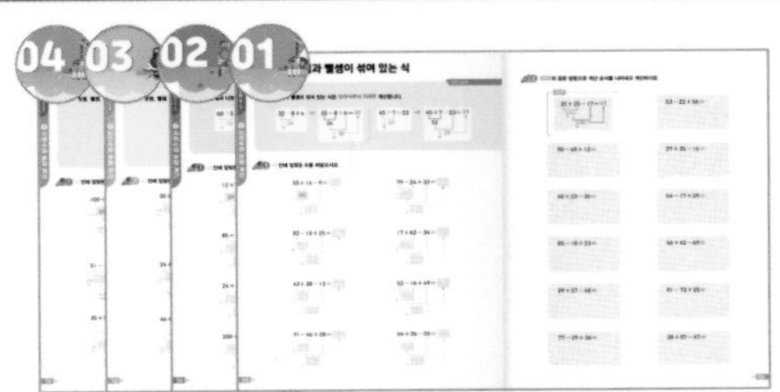

도전! 응용문제

필수 개념을 활용한 **응용** 문제 또는 **서술형** 문제를 통해 사고력과 문제해결력을 기를 수 있습니다.

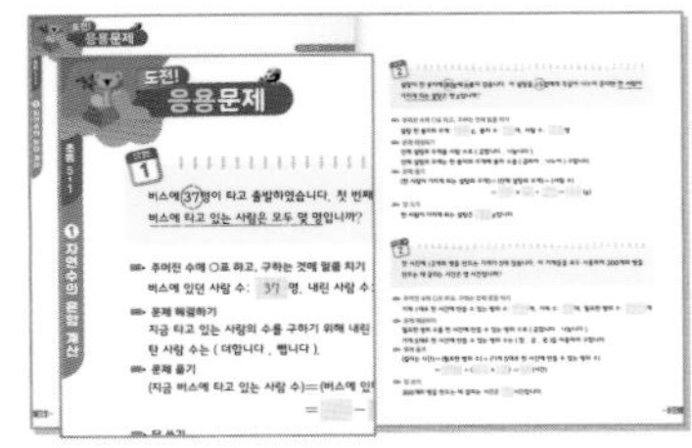

형성 평가

단원의 **복습 단계**로 문제를 풀면서 학습한 내용을 잘 알고 있는지 다시 한 번 확인할 수 있습니다.

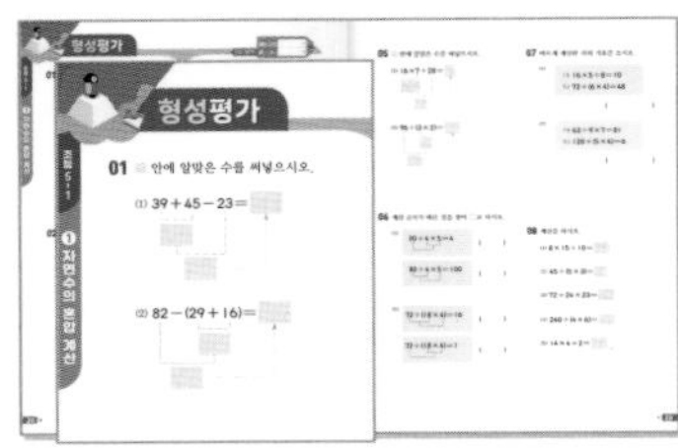

단원 평가

단원의 **마무리 학습**으로 학교 시험에 자주 나오는 문제 유형을 통해서 수시 평가 등 학교 시험에 대비할 수 있습니다.

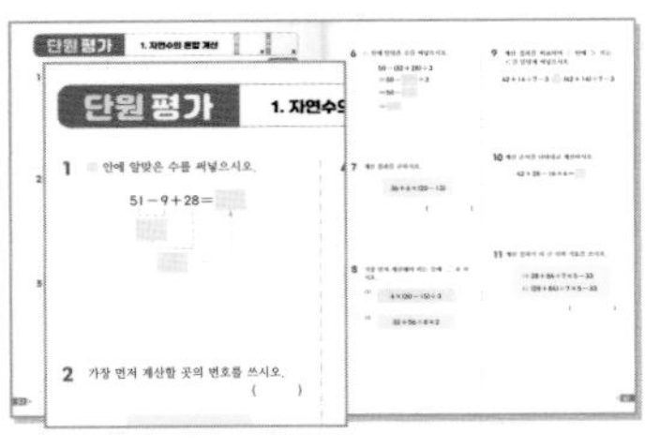

매스티안 http://www.mathtian.com

자율안전확인신고필증번호 : B361H200-4001
1.주소 : 06153 서울특별시 강남구 봉은사로 442 (삼성동)
2.문의전화 : 1588-6066
3.제조국 : 대한민국
4.사용연령 : 11세 이상
※ KC마크는 이 제품이 공통안전기준에 적합하였음을 의미합니다.

⚠ 주의

종이, 모서리에 다칠 수 있으니 주의하세요!

초등학교	반 번
이름	

FACTO school

4-2

초등 수학 팩토

단원별 계산력 수학

단원

삼각형

매스티안

팩토는 자유롭게 자신감있게 창의적으로 생각하는 주니어수학자입니다.

단원별 계산력 수학

펴낸 곳 (주)타임교육C&P 펴낸이 이길호 지은이 매스티안R&D센터
주소 06153 서울특별시 강남구 봉은사로 442 (삼성동) 문의전화 1588.6066
팩토카페 http://cafe.naver.com/factos 홈페이지 http://www.mathtian.com

※ 정답과 풀이는 온라인 팩토카페(http://cafe.naver.com/factos)를 통해서도 확인할 수 있습니다.

GH2204

생각이 자유로운 사람들! 매스티안R&D센터

매스티안R&D센터의 논리적 사고력과 창의적 문제해결력을 키우는 수학 콘텐츠는 국내외 수많은 교육 현장에서 그 우수성을 높이 평가받고 있습니다.
매스티안R&D센터는 여기에 안주하지 않고 앞으로도 학생, 교사, 학부모 모두가 행복한 수학 시간을 만들 수 있도록 노력하겠습니다.

매스티안 공식 홈페이지 ··· (http://www.mathtian.com)

· 매스티안의 다양한 출간 교재 소개
· 출간 교재와 관련된 학습 자료(보충 학습지, 활동지 등) 제공
· 출간 교재와 관련된 평가 시험 및 분석 제공

매스티안 공식 카페 ··· 팩토 (http://cafe.naver.com/factos)

· 창의사고력 수학 팩토 무료 동영상 강의 제공
· 출간 교재에 관한 질문 및 답변
· 영재교육원 대비 자료(기출 문제, 예상 문제) 제공
· 초등 수학 비법 및 Q&A

FACTO school

4-2

초등 수학 팩토

단원별 계산력 수학

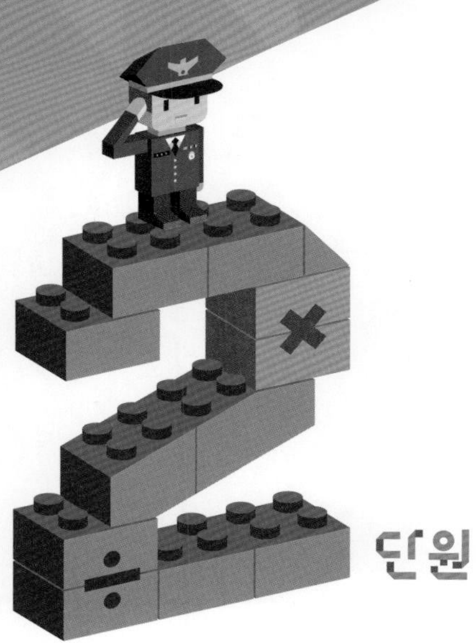

2단원

삼각형

매스티안

4. 평면도형의 이동
· 평면도형 밀기, 뒤집기, 돌리기
· 평면도형 뒤집고 돌리기
· 규칙적인 무늬 만들기

4-1

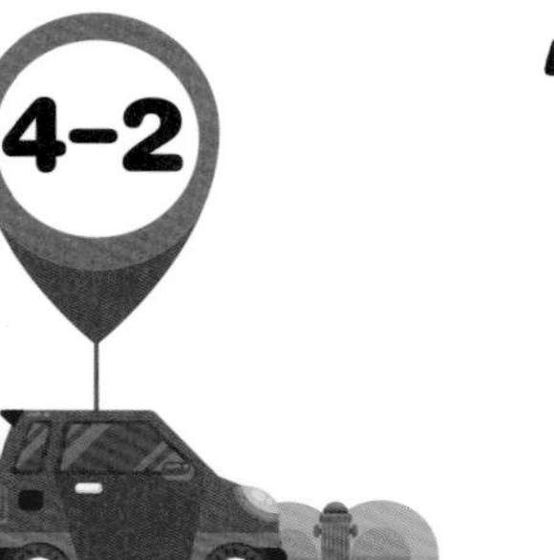

4-2

4. 사각형
· 수직과 수선, 평행과 평행선
· 사각형의 종류

6. 다각형
· 다각형, 정다각형, 대각선
· 모양 만들기와 채우기

3-1

2. 평면도형
· 선분, 반직선, 직선
· 각, 직각
· 직각삼각형, 직사각형, 정사각형

2. 삼각형
· 이등변삼각형, 정삼각형
· 예각삼각형, 둔각삼각형

4-2

중학 2-2

사각형의 성질

4-2

중학 1-2

다각형

2 삼각형

Teaching Guide

삼각형을 분류할 때는 항상 분류 기준이 무엇인지 생각해 보고, 삼각형에서 변의 길이, 각의 크기를 재어 보도록 지도합니다. 먼저 변의 길이를 분류 기준으로 하면 두 변의 길이가 같은 삼각형을 이등변삼각형, 세 변의 길이가 같은 삼각형을 정삼각형이라 부릅니다. 그리고 각의 크기를 분류 기준으로 하면 세 각이 모두 예각인 삼각형을 예각삼각형, 한 각이 둔각인 삼각형을 둔각삼각형, 한 각이 직각인 삼각형을 직각삼각형이라 부릅니다.
추가적으로 두 가지 기준 모두를 사용하여 삼각형을 분류할 수 있습니다.

6. 다각형의 둘레와 넓이

· 평면도형의 둘레
· $1cm^2$, $1m^2$, $1km^2$
· 삼각형과 사각형의 넓이

5. 원의 넓이

· 원주와 지름의 관계
· 원주율
· 원주와 지름, 원의 넓이

원과 부채꼴

원의 성질

3. 합동과 대칭

· 합동
· 선대칭도형, 점대칭도형

작도와 합동

삼각형의 성질
도형의 닮음
피타고라스의 정리

삼각비

공부한 날짜

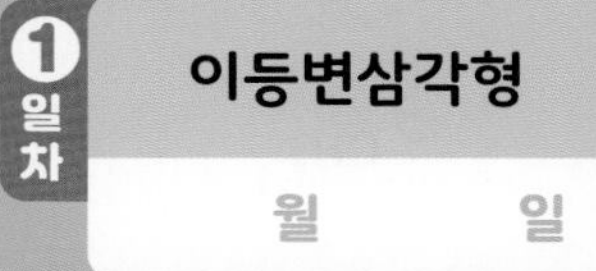

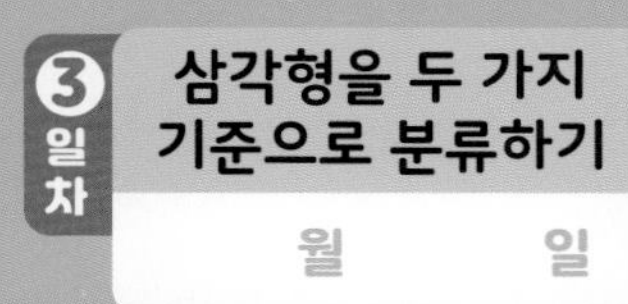

01 이등변삼각형

정답 11쪽

- **이등변삼각형: 두 변의 길이**가 같은 삼각형

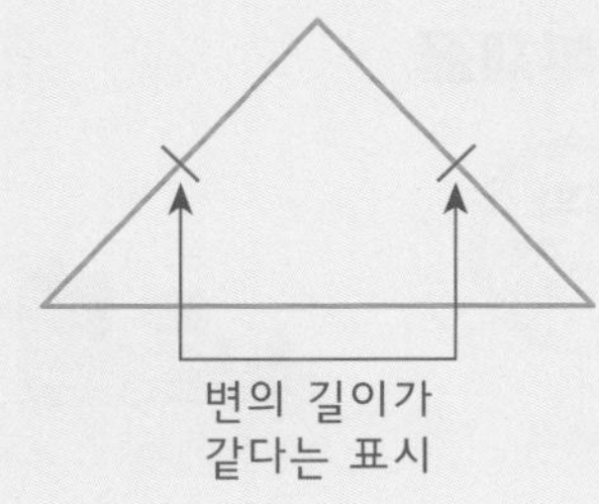

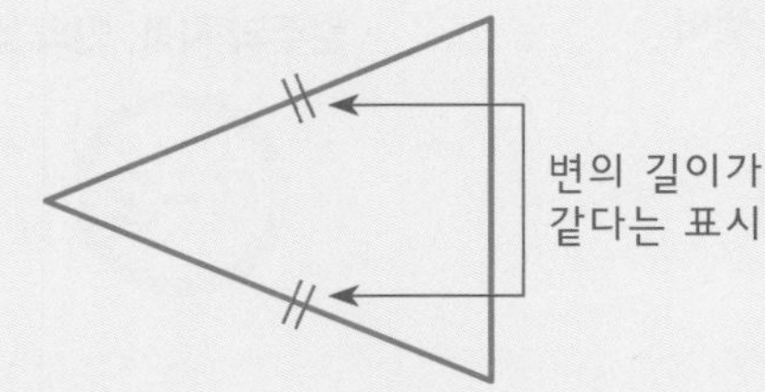

1 이등변삼각형입니다. 길이가 같은 변에 보기 와 같이 표시하고 ☐ 안에 알맞은 수를 써넣으시오.

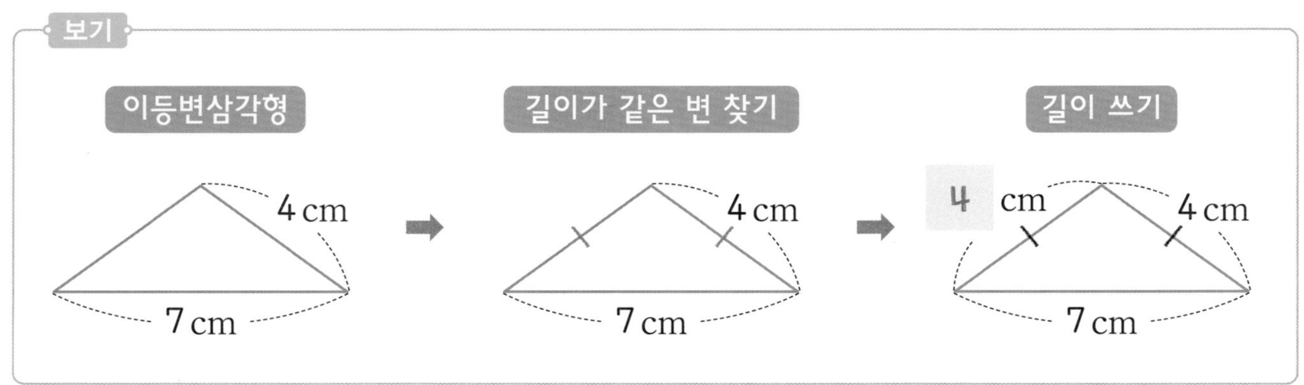

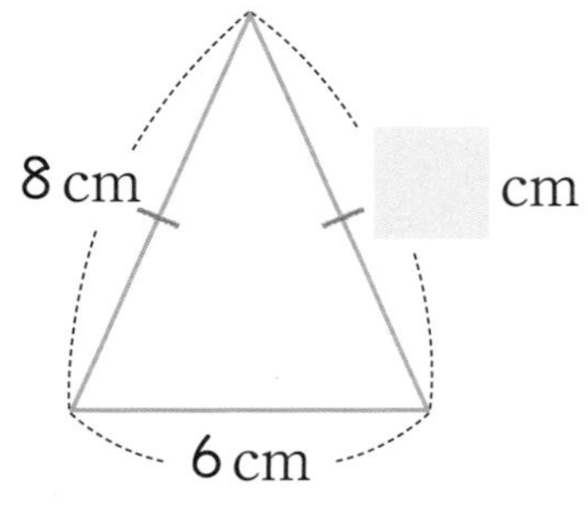

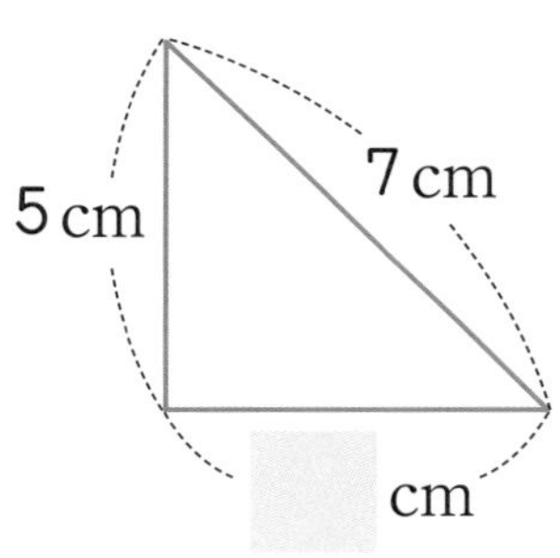

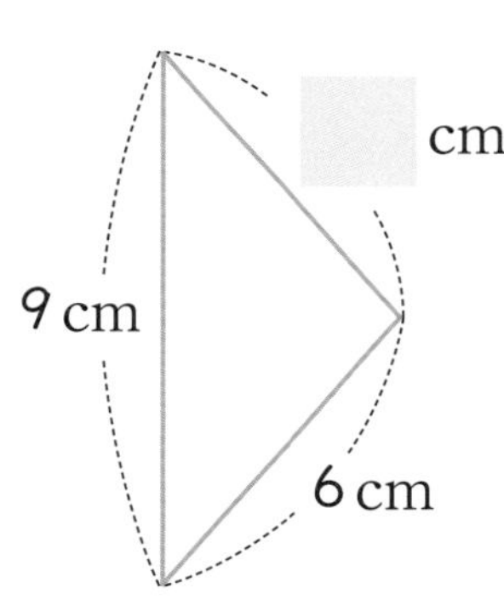

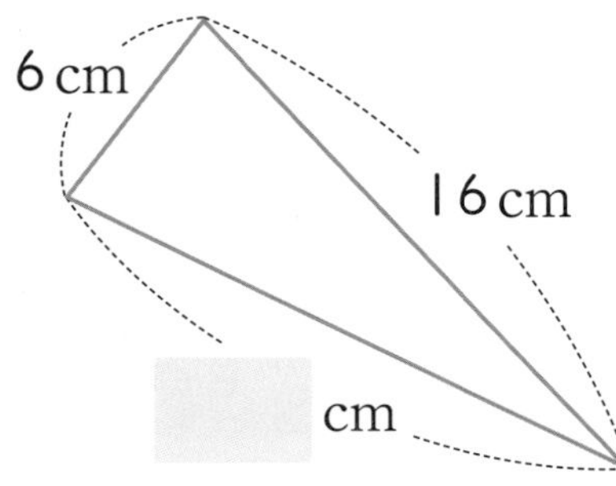

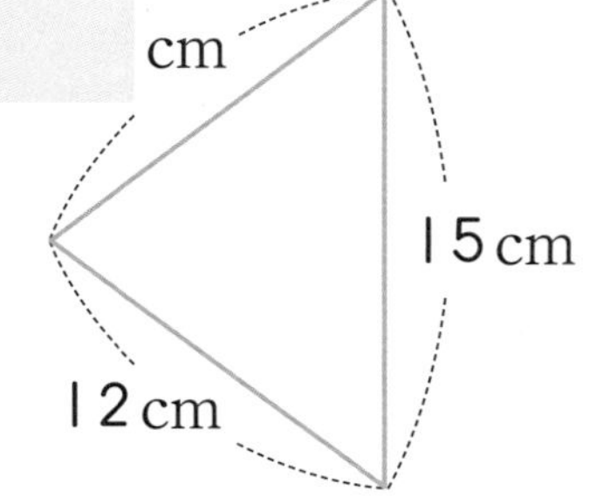

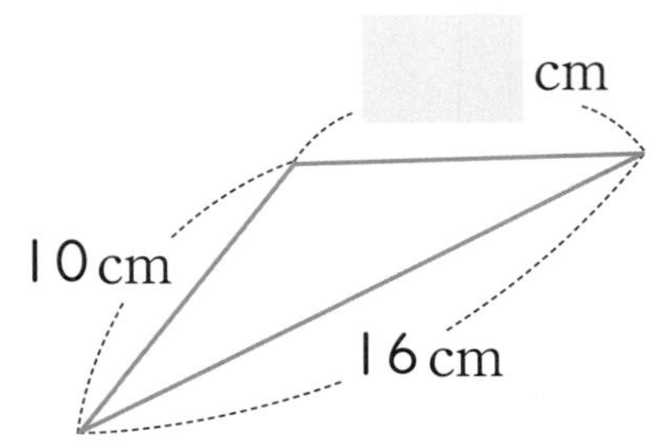

2 자를 사용하여 이등변삼각형을 그려 보시오.

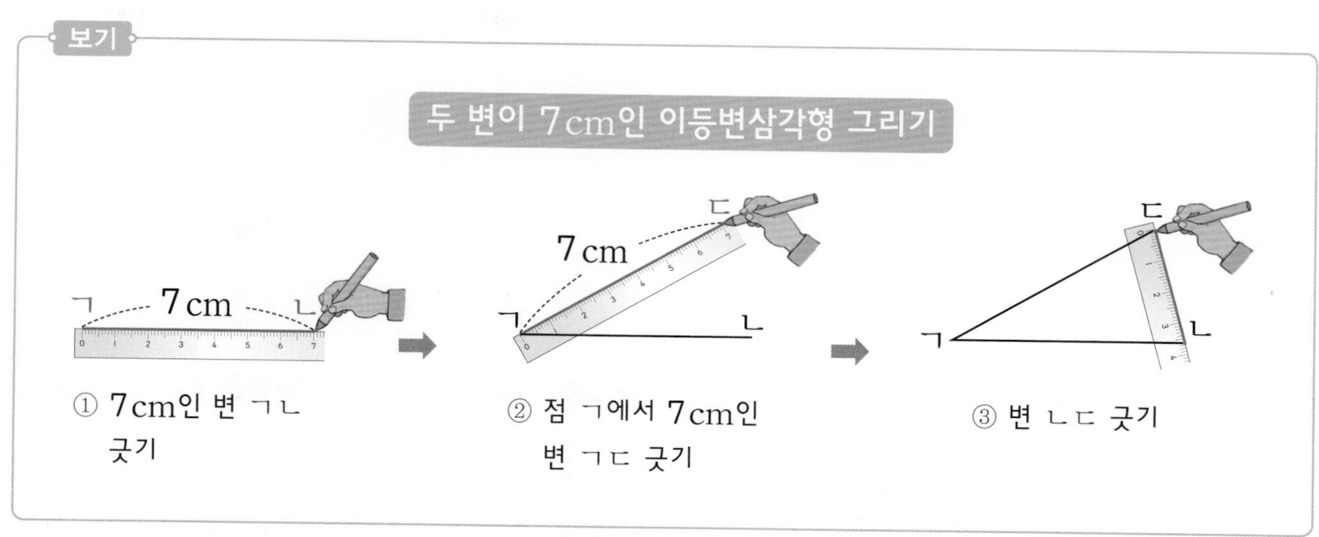

보기
두 변이 7cm인 이등변삼각형 그리기
ㄱ
7cm
ㄴ
ㄷ
ㄱ
ㄴ
ㄷ
ㄱ
ㄴ
① 7cm인 변 ㄱㄴ 긋기
② 점 ㄱ에서 7cm인 변 ㄱㄷ 긋기
③ 변 ㄴㄷ 긋기

두 변이 3cm인 이등변삼각형

3cm

두 변이 4cm인 이등변삼각형

두 변이 5cm인 이등변삼각형

두 변이 6cm인 이등변삼각형

이등변삼각형은 길이가 같은 두 변과 함께 하는 **두 각의 크기**가 같습니다.

3 이등변삼각형입니다. 길이가 같은 변에 보기 와 같이 표시하고 ☐ 안에 알맞은 각도를 써넣으시오.

$30°+75°+☐=180°$

30° 75°

40° 100°

55° 70°

40°

120°

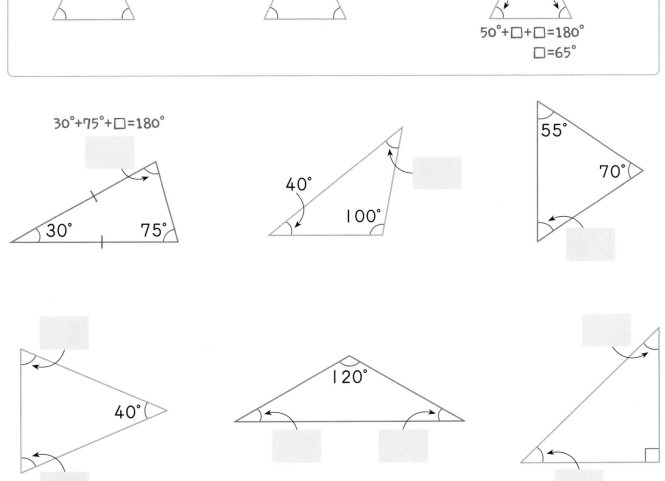

4 자와 각도기를 사용하여 이등변삼각형을 그려 보시오. 준비물 자, 각도기

보기

두 각이 30°인 이등변삼각형 그리기

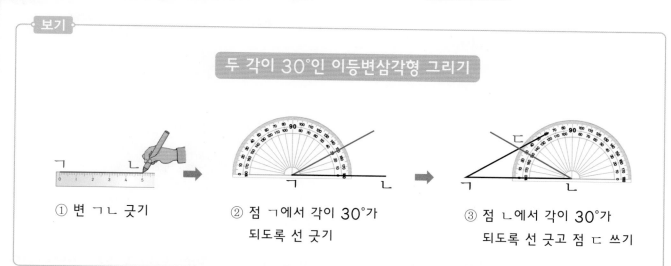

① 변 ㄱㄴ 긋기

② 점 ㄱ에서 각이 30°가 되도록 선 긋기

③ 점 ㄴ에서 각이 30°가 되도록 선 긋고 점 ㄷ 쓰기

두 각이 60°인 이등변삼각형

두 각이 40°인 이등변삼각형

두 각이 45°인 이등변삼각형

두 각이 70°인 이등변삼각형

02 정삼각형

정답 12쪽

- **정삼각형: 세 변의 길이**가 같은 삼각형

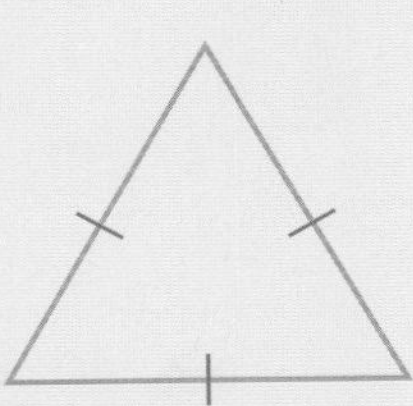

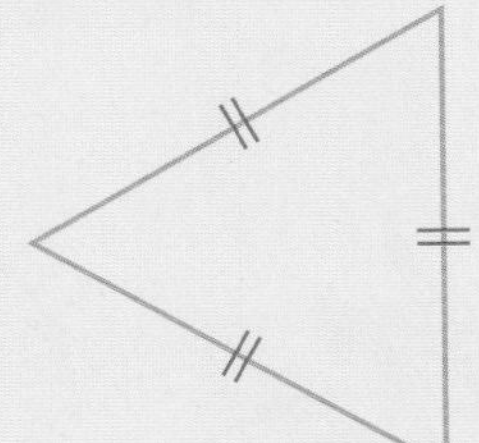

1 정삼각형입니다. 길이가 같은 변에 보기 와 같이 표시하고 ☐ 안에 알맞은 수를 써넣으시오.

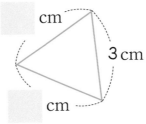

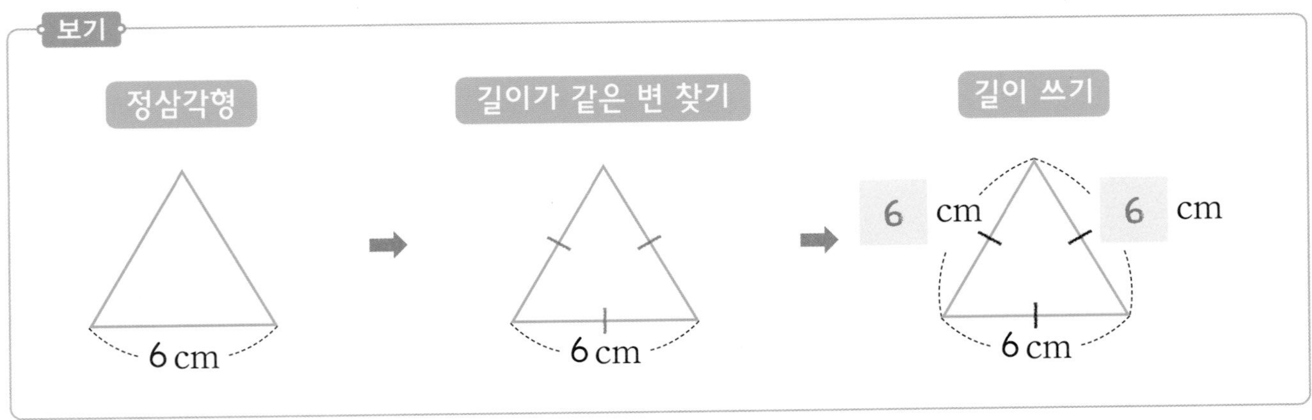

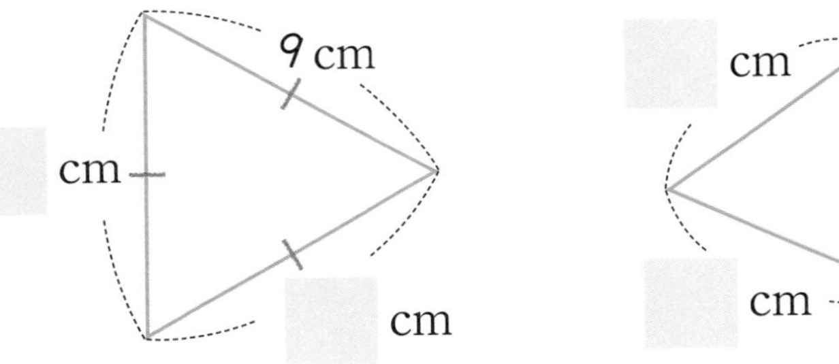

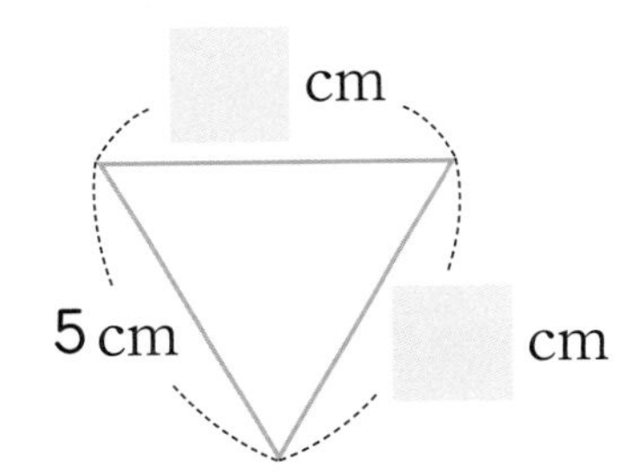

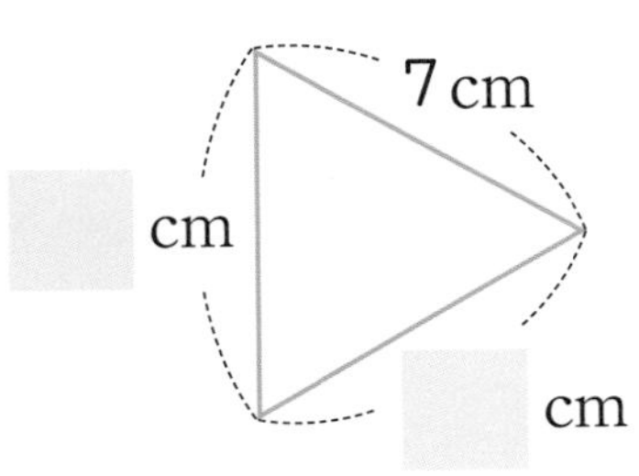

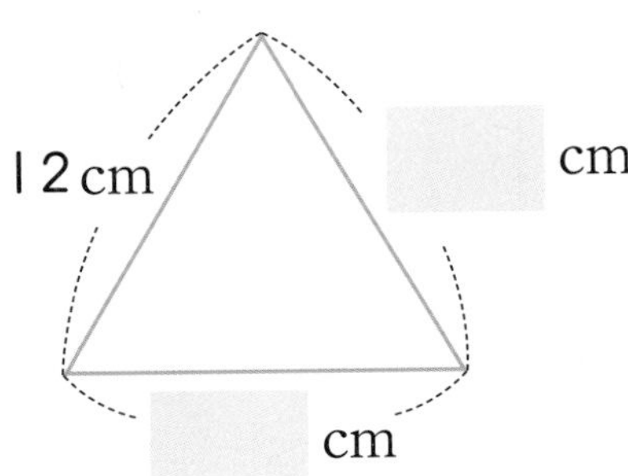

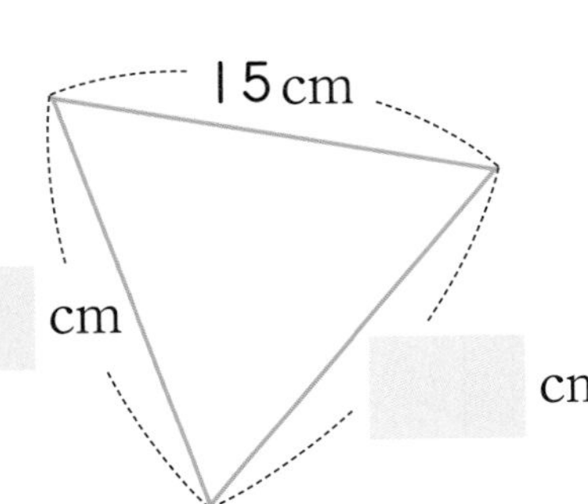

2 자와 컴퍼스를 사용하여 정삼각형을 그려 보시오. 준비물 자, 컴퍼스

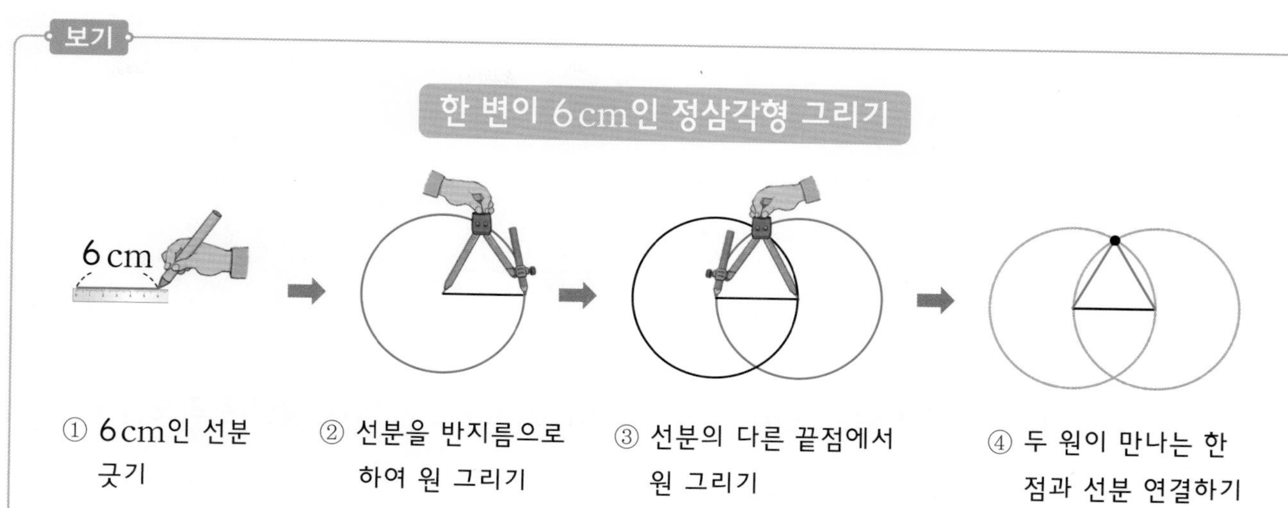
보기
한 변이 6 cm인 정삼각형 그리기
6 cm
① 6 cm인 선분 긋기
② 선분을 반지름으로 하여 원 그리기
③ 선분의 다른 끝점에서 원 그리기
④ 두 원이 만나는 한 점과 선분 연결하기

한 변이 3 cm인 정삼각형

3 cm

한 변이 4 cm인 정삼각형

한 변이 2 cm인 정삼각형

한 변이 5 cm인 정삼각형

정삼각형은 **세 각의 크기**가 같습니다.

└→ 한 각의 크기: $180° \div 3 = 60°$

60°
60°
60°

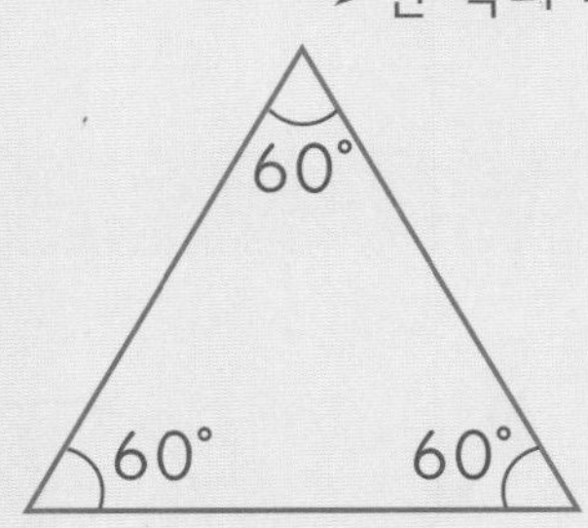

3 정삼각형입니다. 길이가 같은 변에 보기 와 같이 표시하고 ☐ 안에 알맞은 각도를 써넣으시오.

보기
정삼각형
길이가 같은 변 찾기
각도 쓰기
60°
60°
60°
60°
60°

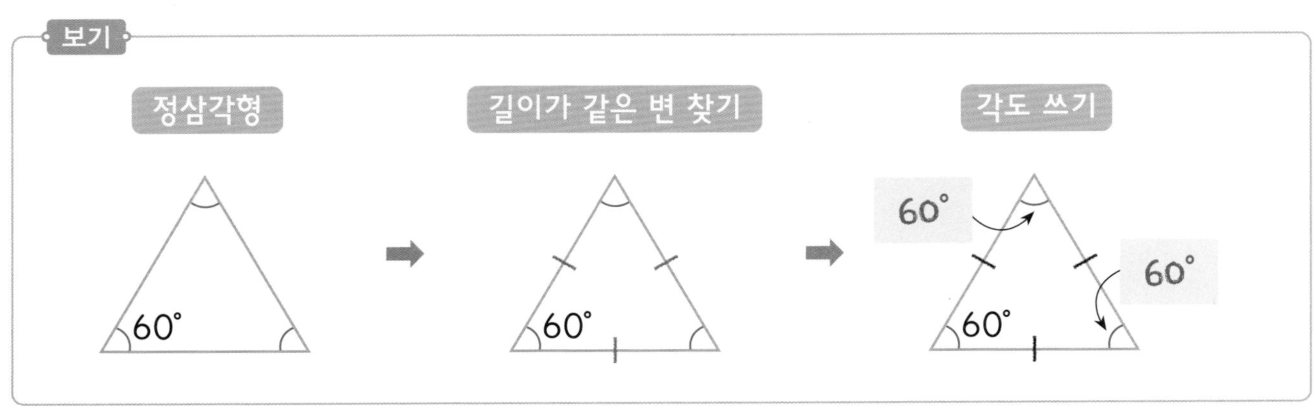

60°
60°
60°
60°
60°
60°

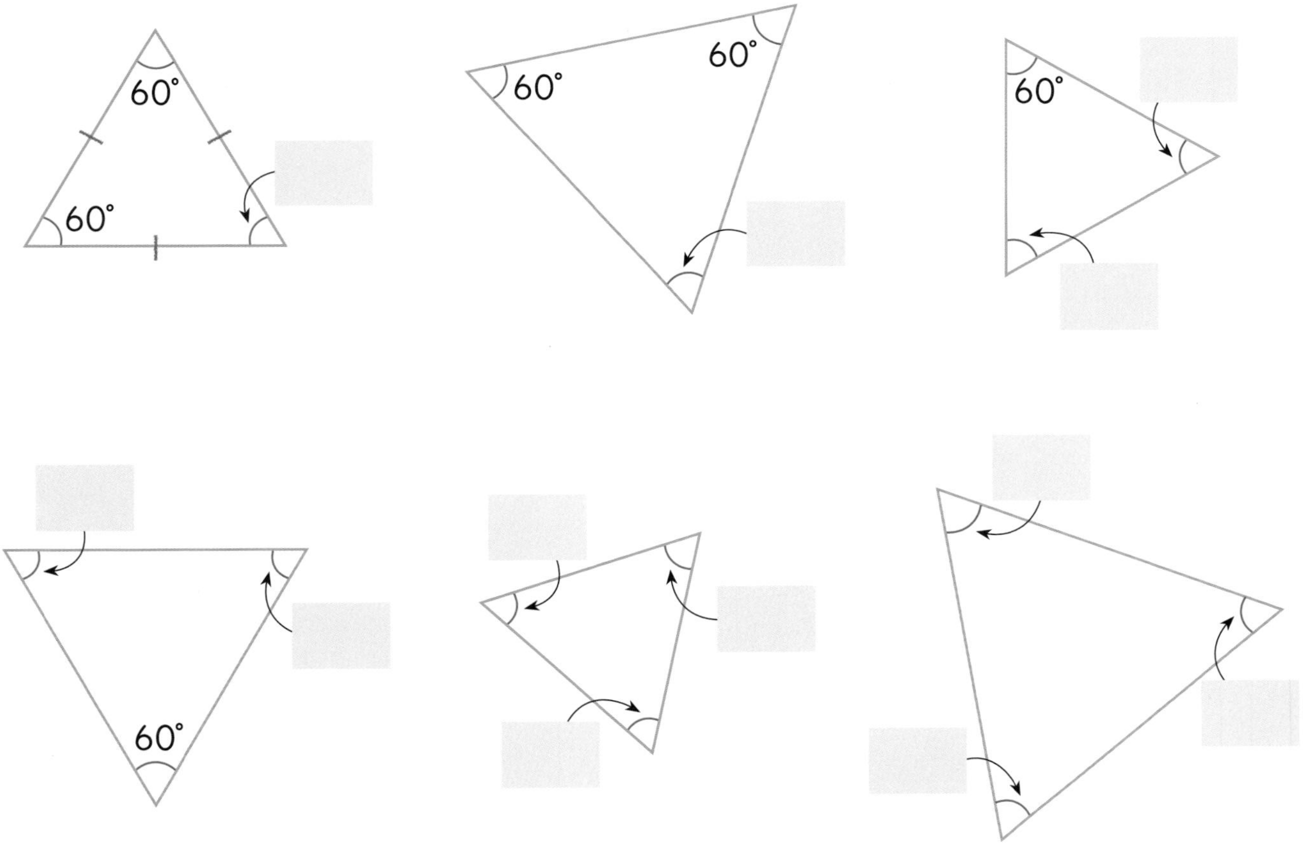

4 자와 각도기를 사용하여 정삼각형을 그려 보시오.

준비물 자, 각도기

보기

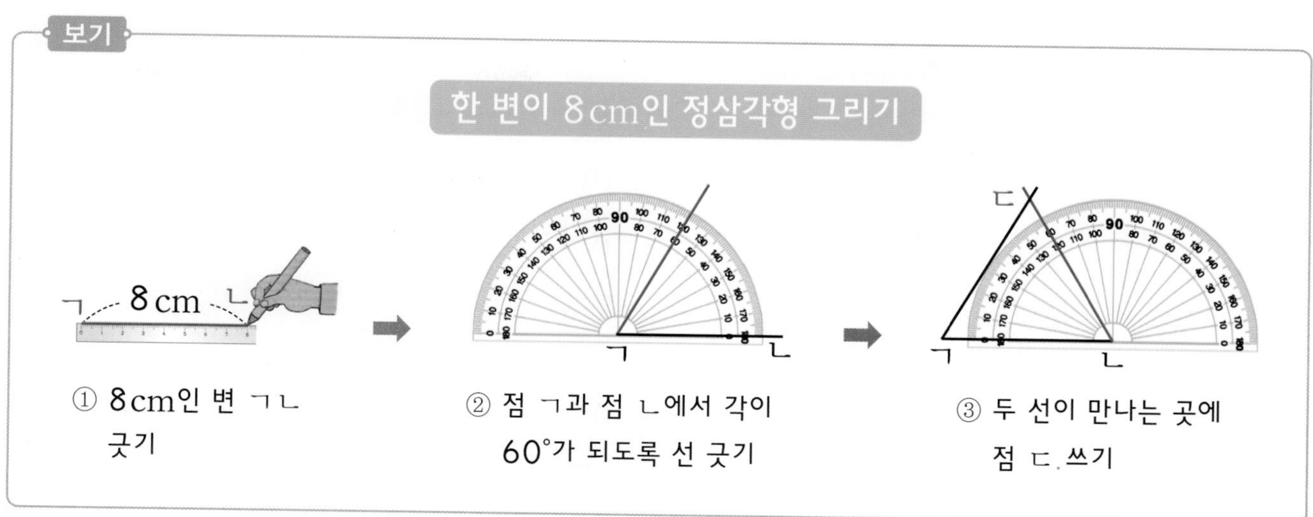

한 변이 8 cm인 정삼각형 그리기
ㄱ
8 cm
ㄴ
ㄷ
① 8 cm인 변 ㄱㄴ 긋기
② 점 ㄱ과 점 ㄴ에서 각이 60°가 되도록 선 긋기
③ 두 선이 만나는 곳에 점 ㄷ 쓰기

한 변이 3 cm인 정삼각형

3 cm

한 변이 4 cm인 정삼각형

한 변이 2 cm인 정삼각형

한 변이 5 cm인 정삼각형

03 삼각형을 두 가지 기준으로 분류하기

정답 13쪽

- 삼각형을 **각의 크기**에 따라 분류하기

예각삼각형: 세 각이 모두 예각인 삼각형

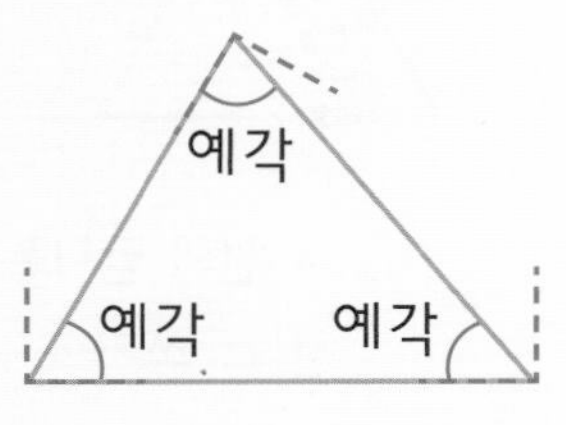

0° < (예각) < 90°

직각삼각형: 한 각이 직각인 삼각형

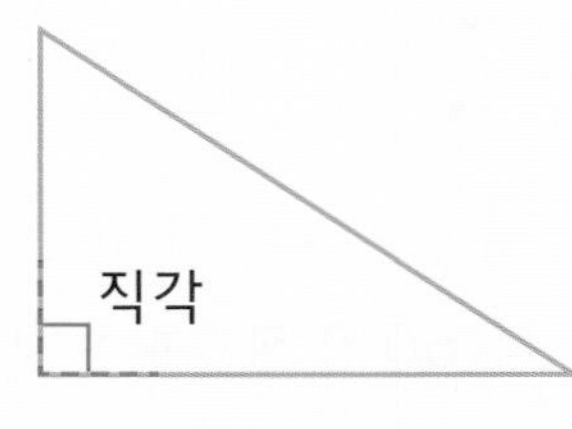

(직각) = 90°

둔각삼각형: 한 각이 둔각인 삼각형

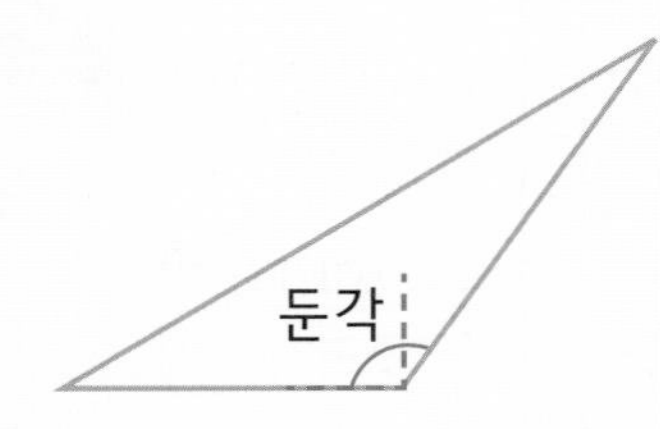

90° < (둔각) < 180°

1 예각삼각형, 둔각삼각형, 직각삼각형 중 ▭ 안에 알맞은 삼각형의 이름을 써넣으시오.

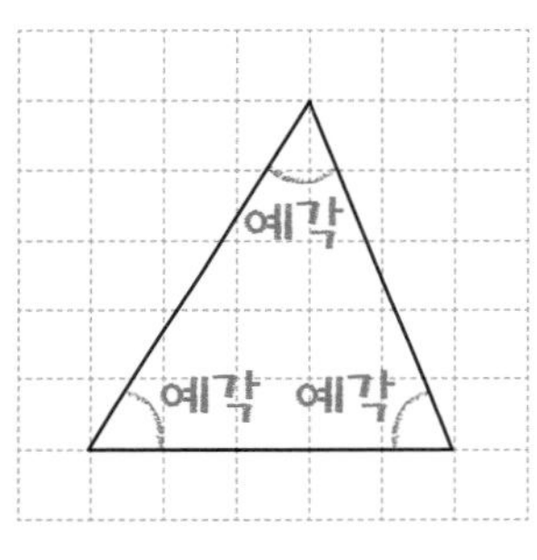

▭ 삼각형

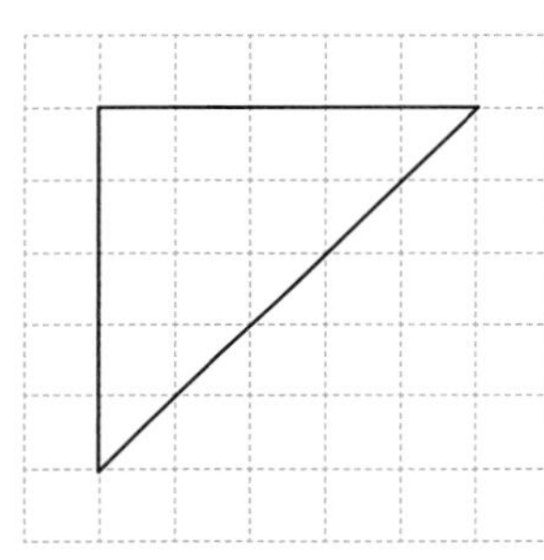

▭ 삼각형

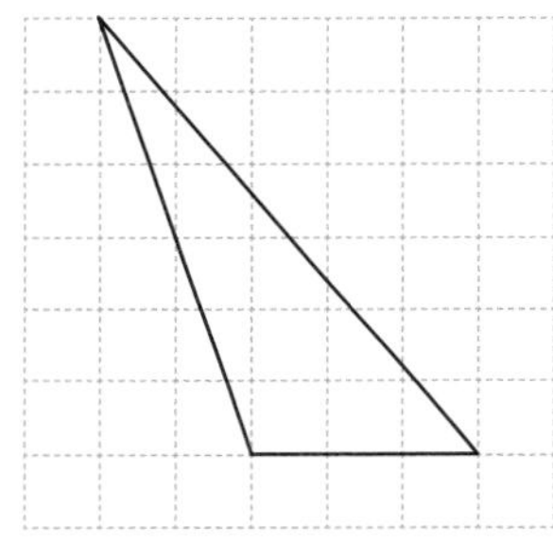

▭ 삼각형

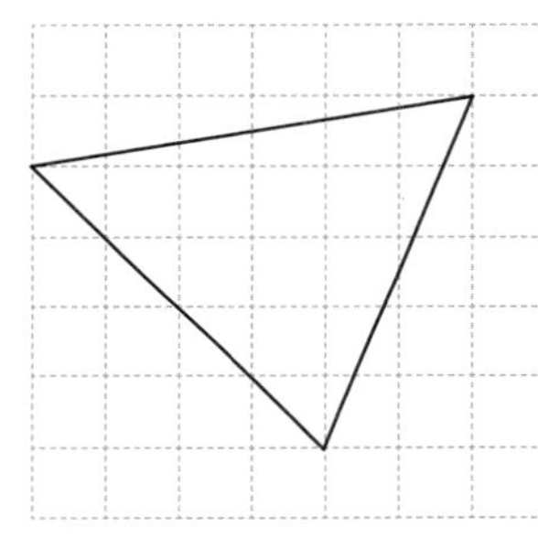

▭ 삼각형

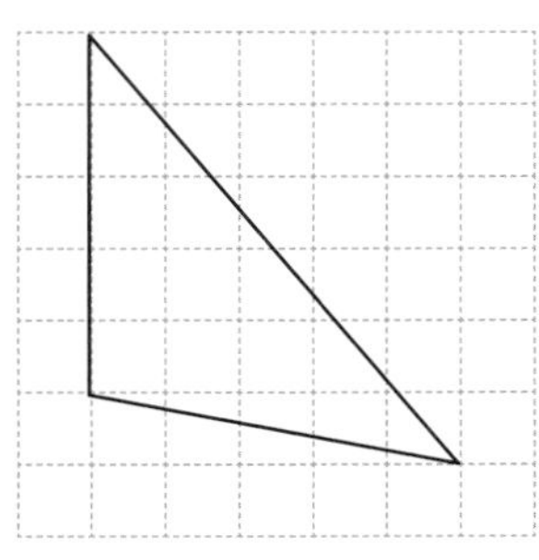

▭ 삼각형

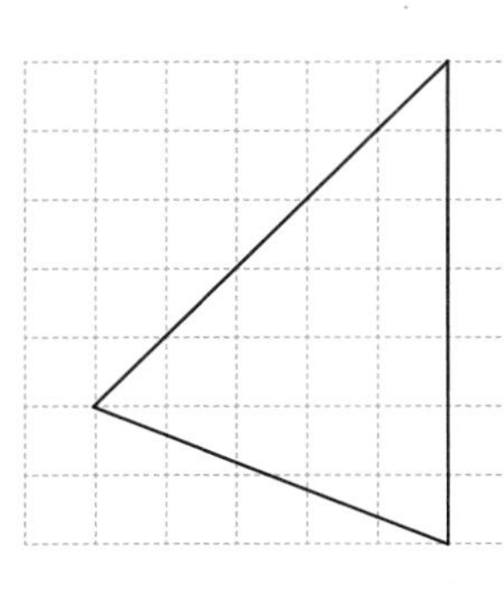

▭ 삼각형

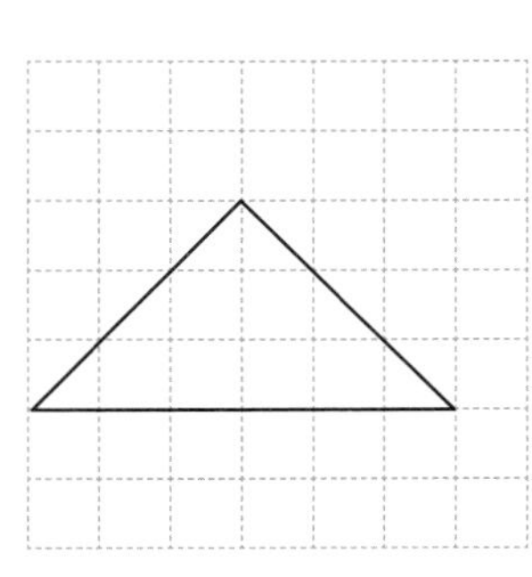

▭ 삼각형

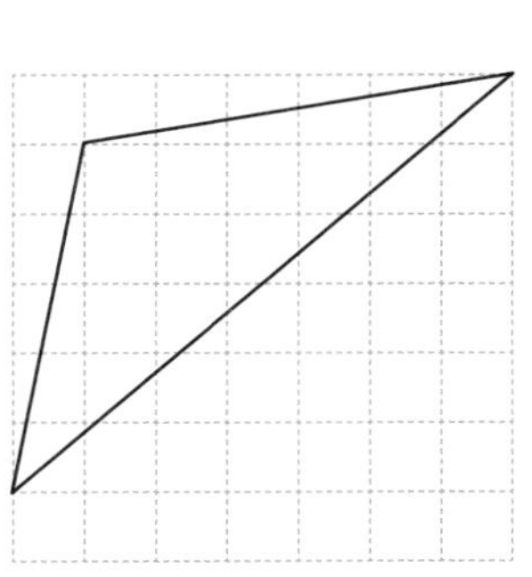

▭ 삼각형

2 삼각형을 그려 보시오.

보기

〈예각 2개 그리기〉

예각삼각형 그리기

〈직각 1개 그리기〉

직각삼각형 그리기

〈둔각 1개 그리기〉

둔각삼각형 그리기

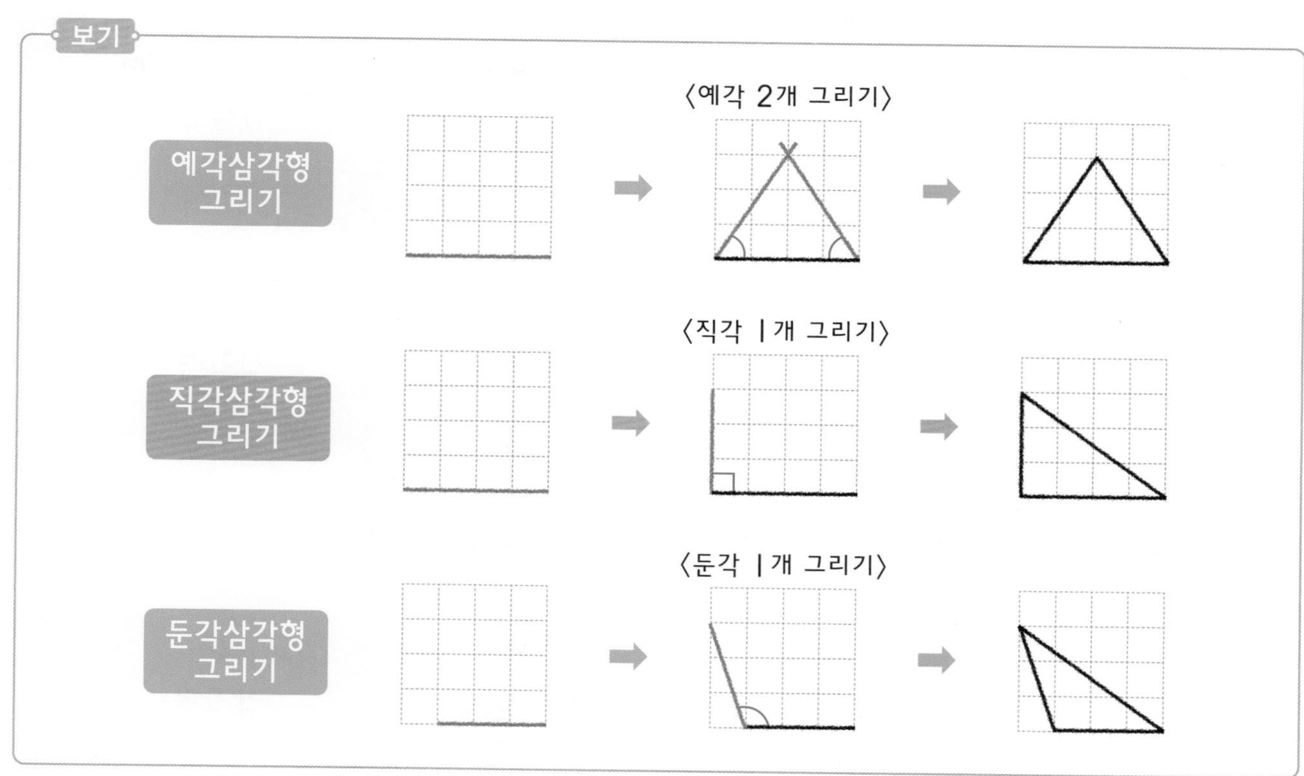

예각삼각형

직각삼각형

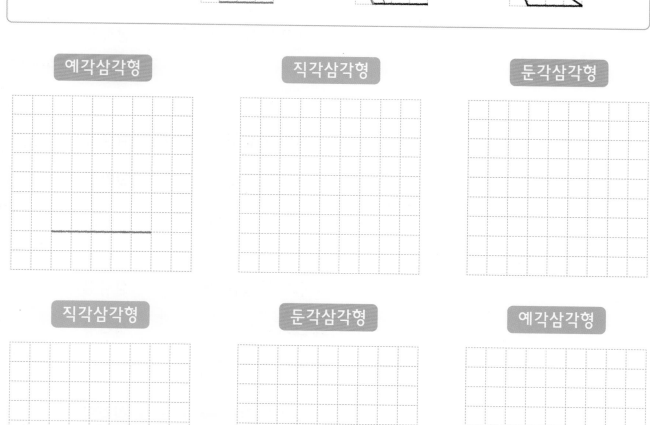

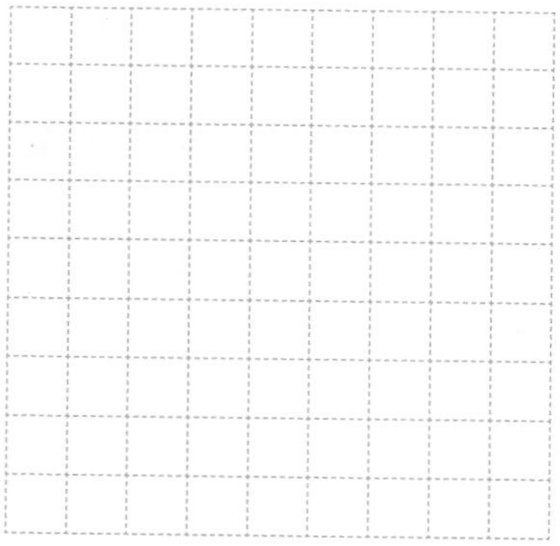

둔각삼각형

직각삼각형

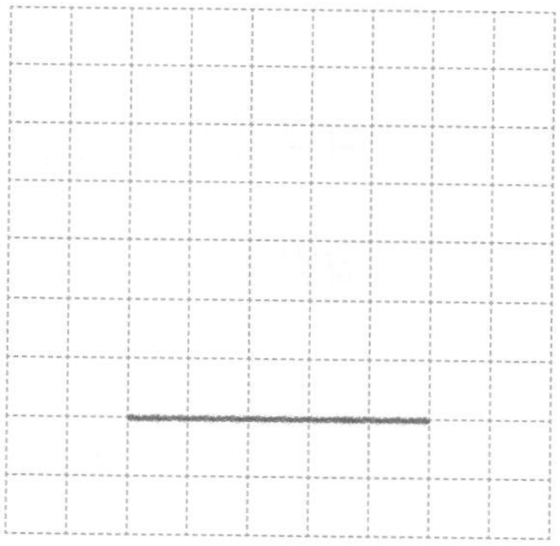

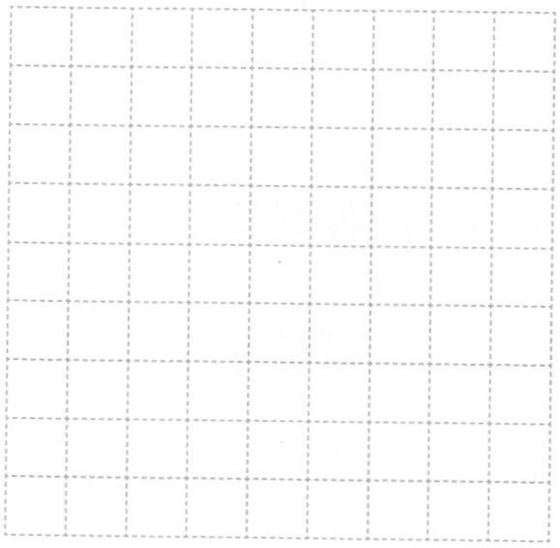

둔각삼각형

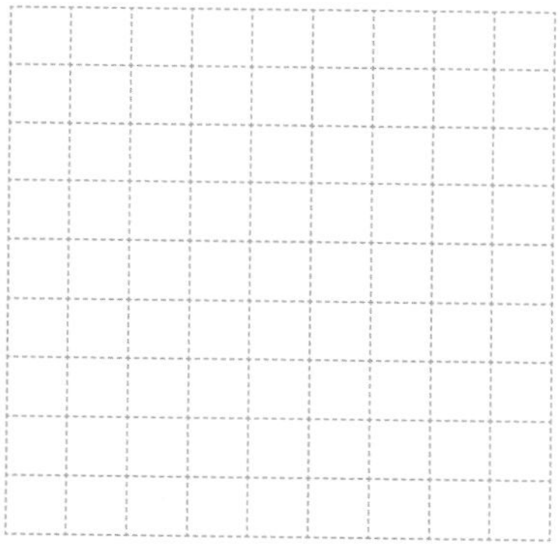

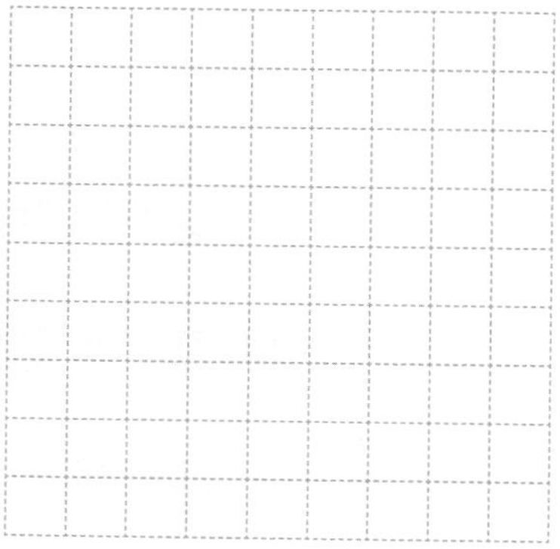

예각삼각형

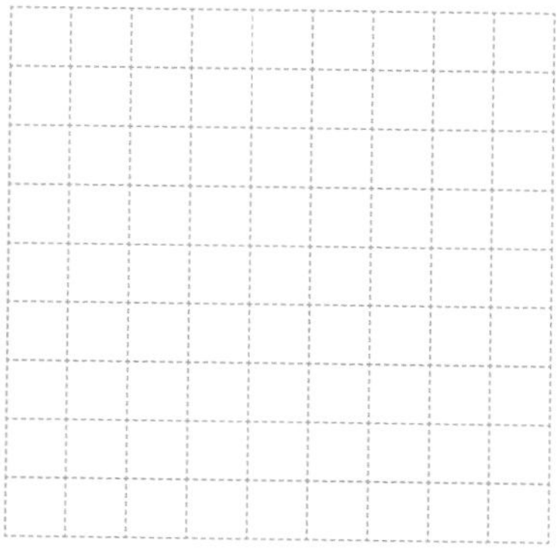

3 삼각형을 보고 ☐ 안에 알맞은 삼각형의 이름을 써넣으시오.

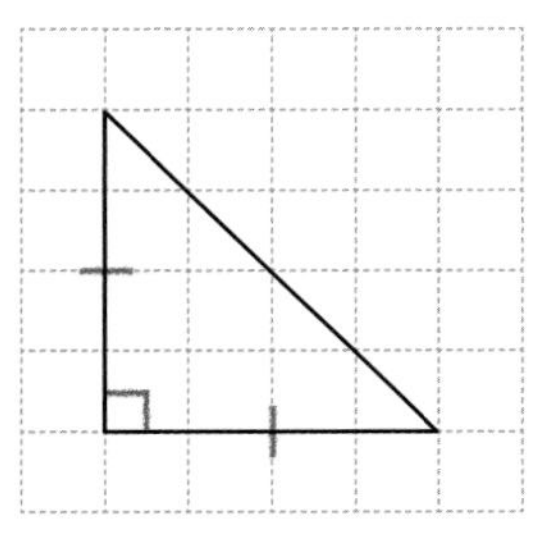

- 두 변의 길이가 같음 ➡ 이등변 삼각형
- 한 각의 크기가 직각 ➡ ☐ 삼각형

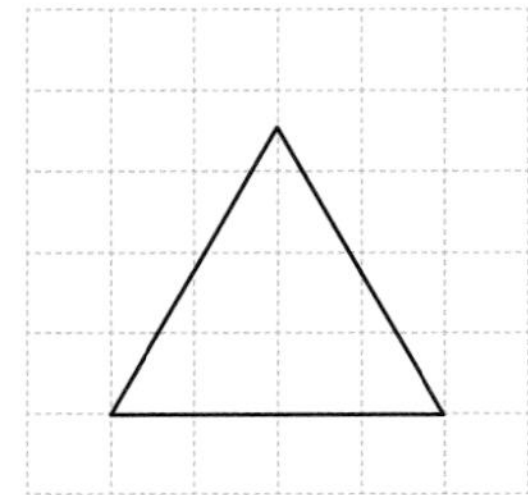

- 두 변의 길이가 같음 ➡ ☐ 삼각형
- 세 변의 길이가 같음 ➡ ☐ 삼각형
- 세 각의 크기가 모두 예각임 ➡ ☐ 삼각형

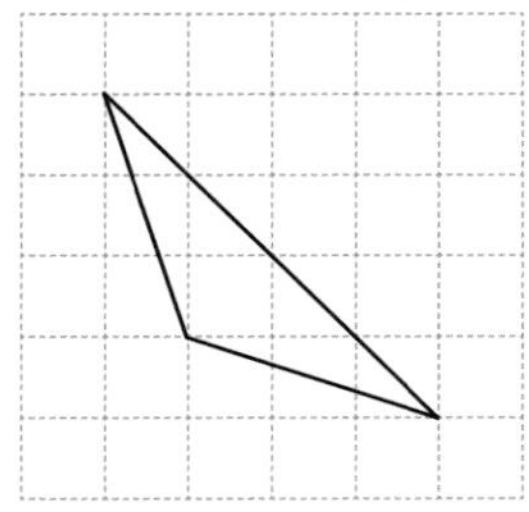

- 두 변의 길이가 같음 ➡ ☐ 삼각형
- 한 각의 크기가 둔각 ➡ ☐ 삼각형

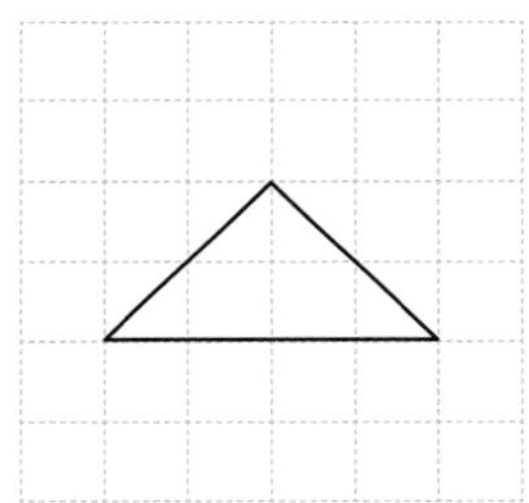

- 두 변의 길이가 같음 ➡ ☐ 삼각형
- 한 각의 크기가 직각 ➡ ☐ 삼각형

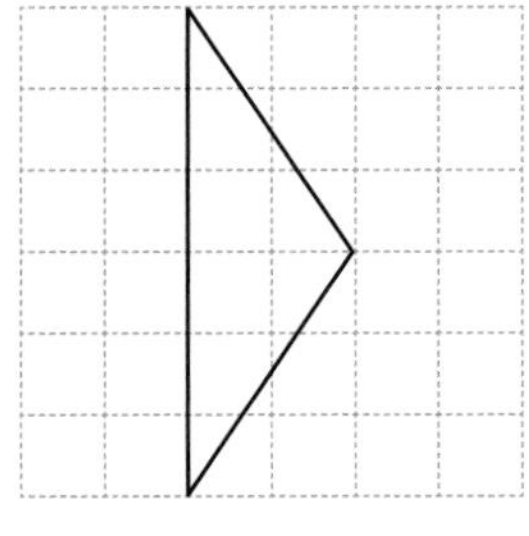

- 두 변의 길이가 같음 ➡ ☐ 삼각형
- 한 각의 크기가 둔각 ➡ ☐ 삼각형

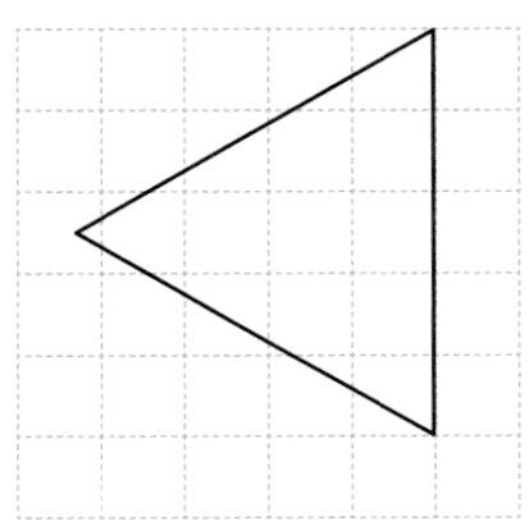

- 두 변의 길이가 같음 ➡ ☐ 삼각형
- 세 변의 길이가 같음 ➡ ☐ 삼각형
- 세 각의 크기가 모두 예각임 ➡ ☐ 삼각형

4 알맞은 것끼리 이어 보시오.

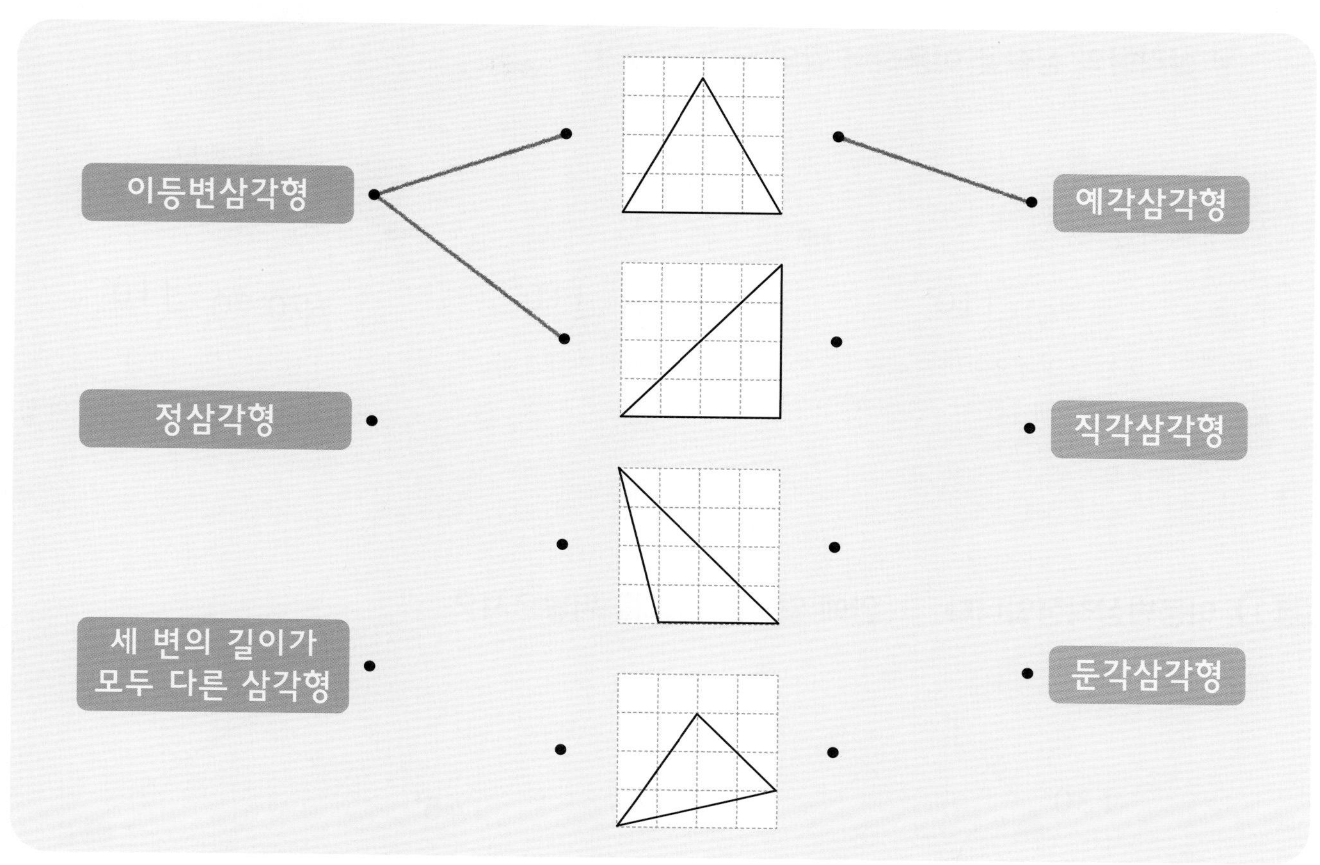

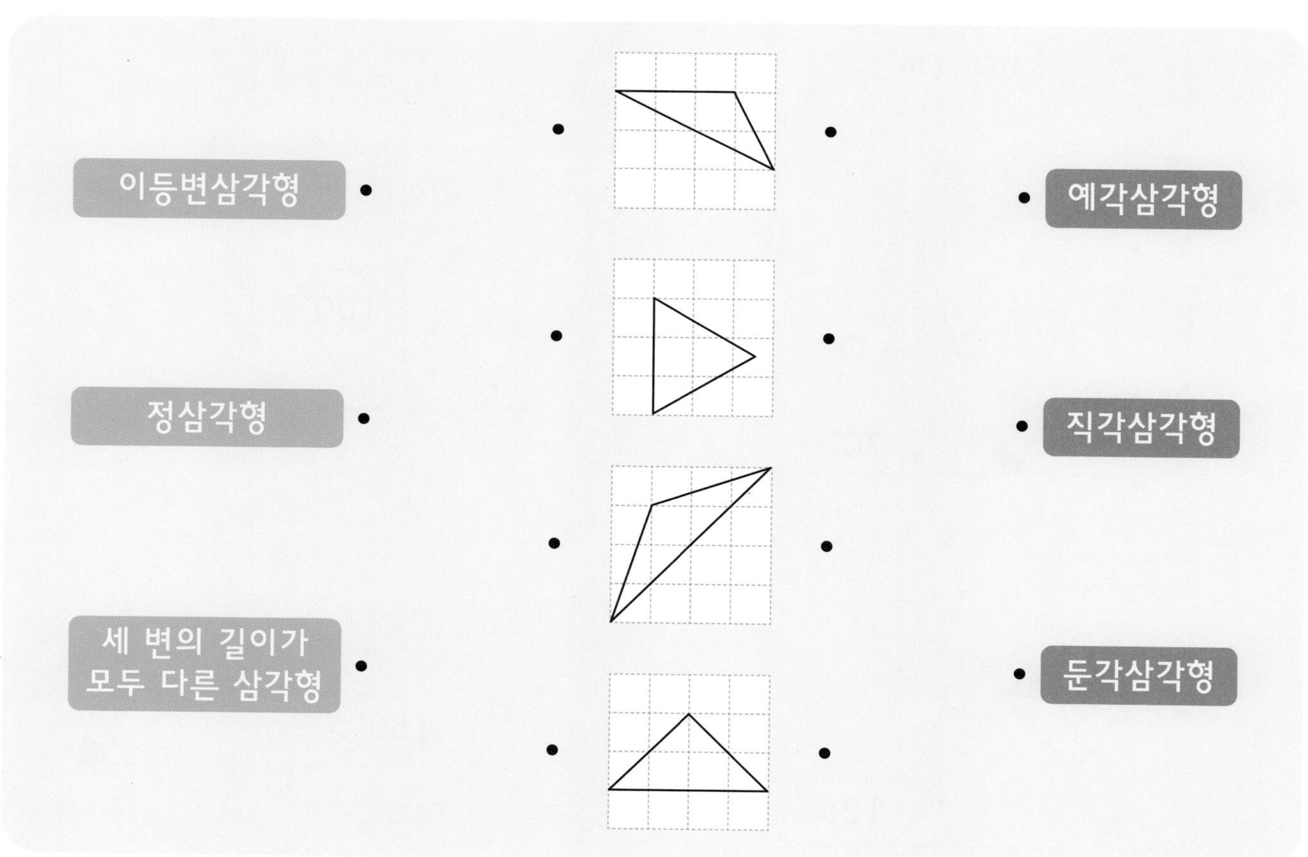

도전! 응용문제

정답 14쪽

삼각형의 성질을 이용하여 각의 크기 구하기

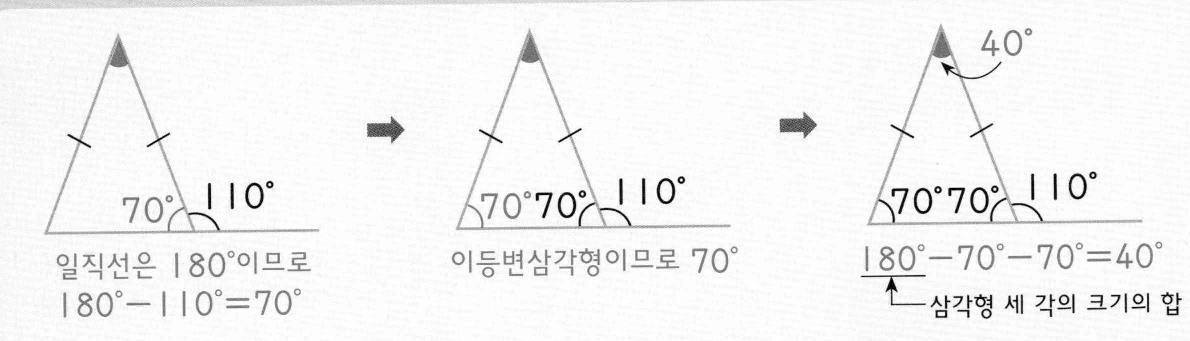

응용 ① 이등변삼각형입니다. ☐ 안에 알맞은 각도를 써넣으시오.

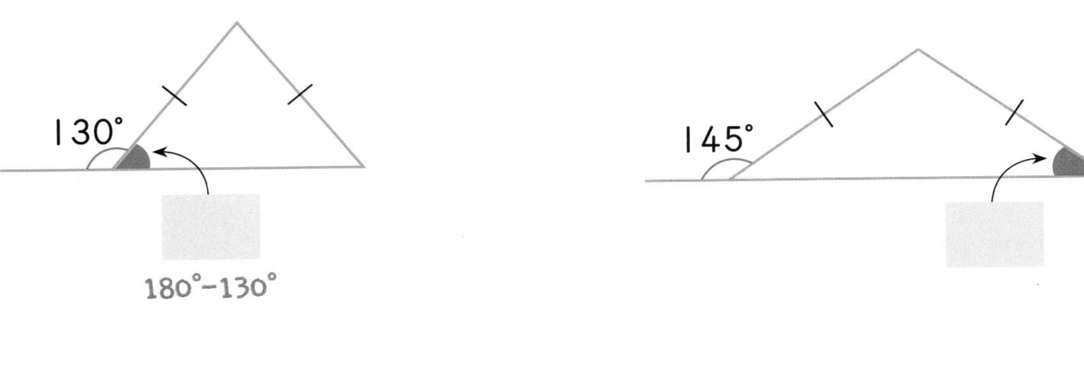

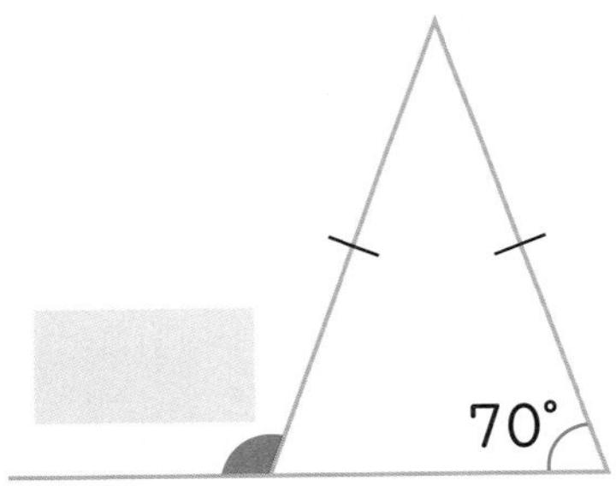

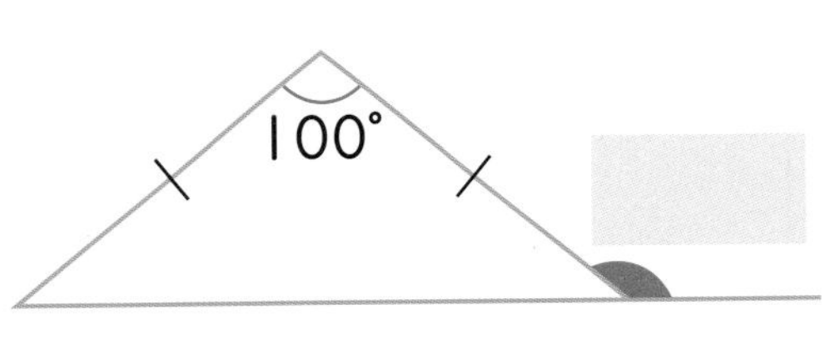

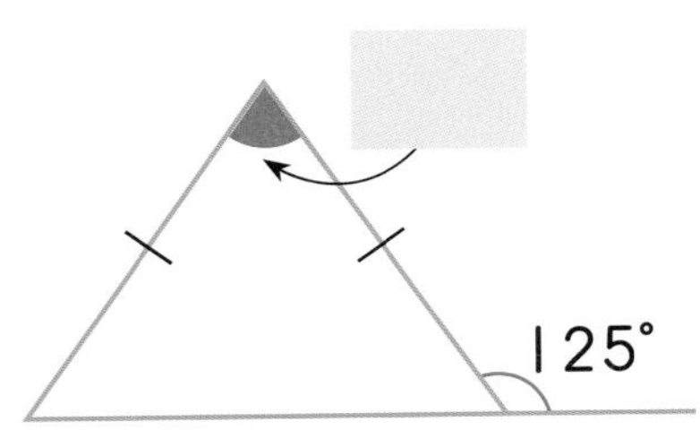

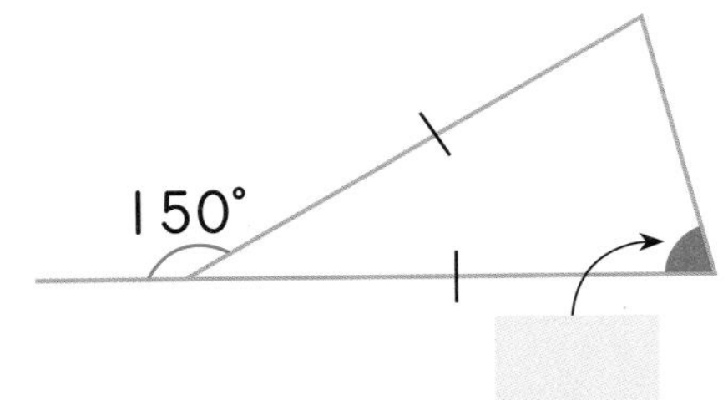

응용 ② 삼각형 ㄱㄴㄷ의 이름으로 알맞은 것을 모두 찾아 ○표 하시오.

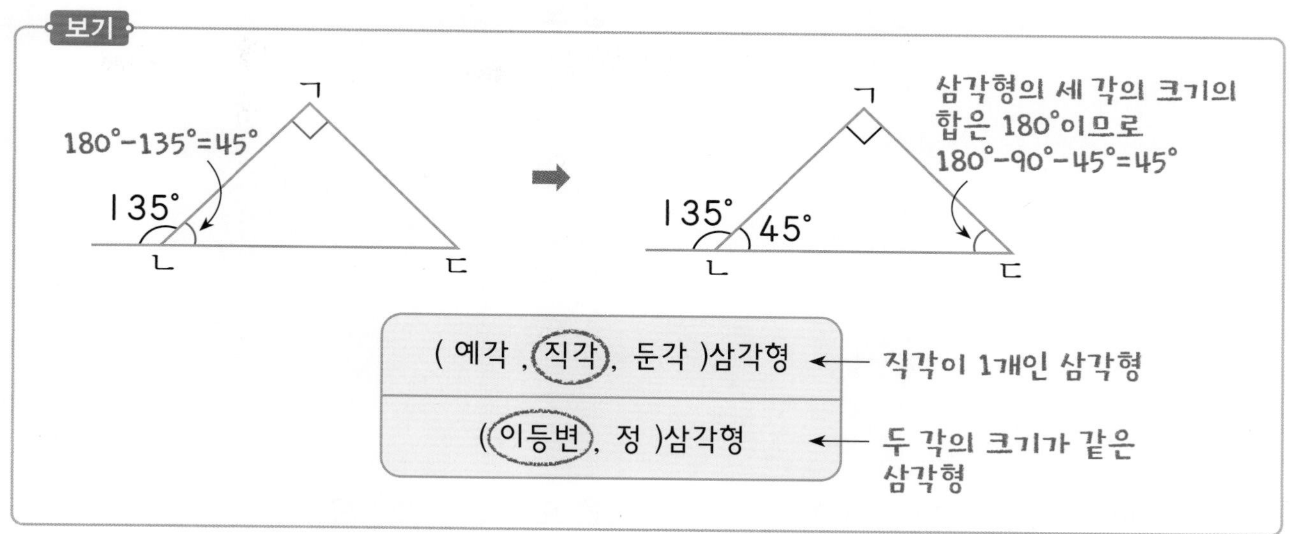

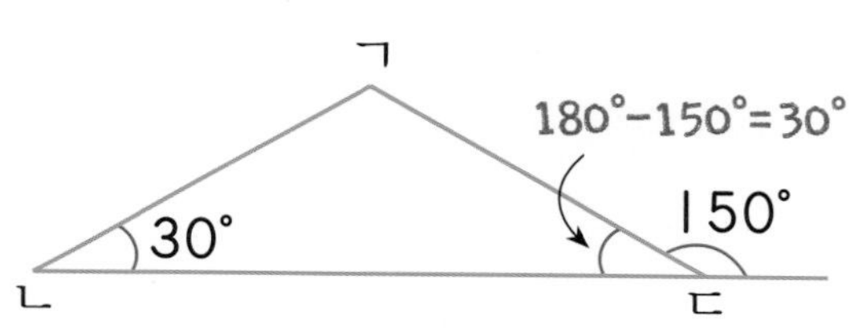

(예각 , 직각 , 둔각)삼각형

(이등변 , 정)삼각형

(예각 , 직각 , 둔각)삼각형

(이등변 , 정)삼각형

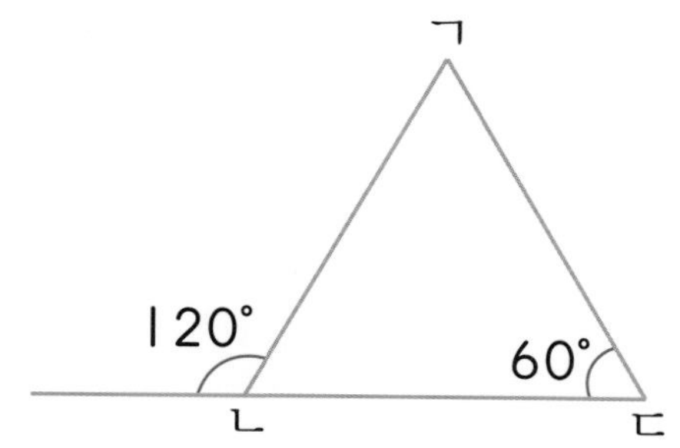

(예각 , 직각 , 둔각)삼각형

(이등변 , 정)삼각형

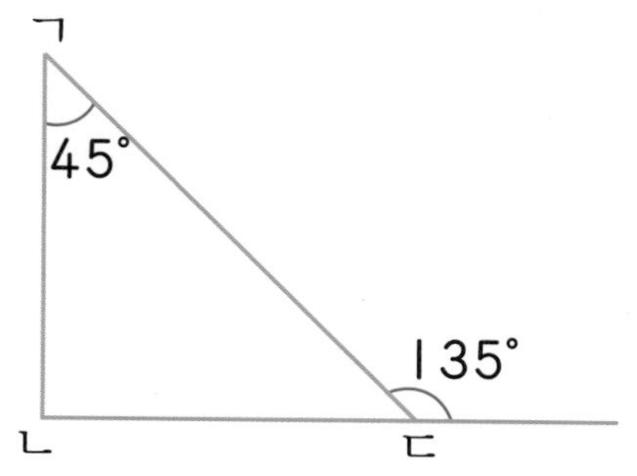

(예각 , 직각 , 둔각)삼각형

(이등변 , 정)삼각형

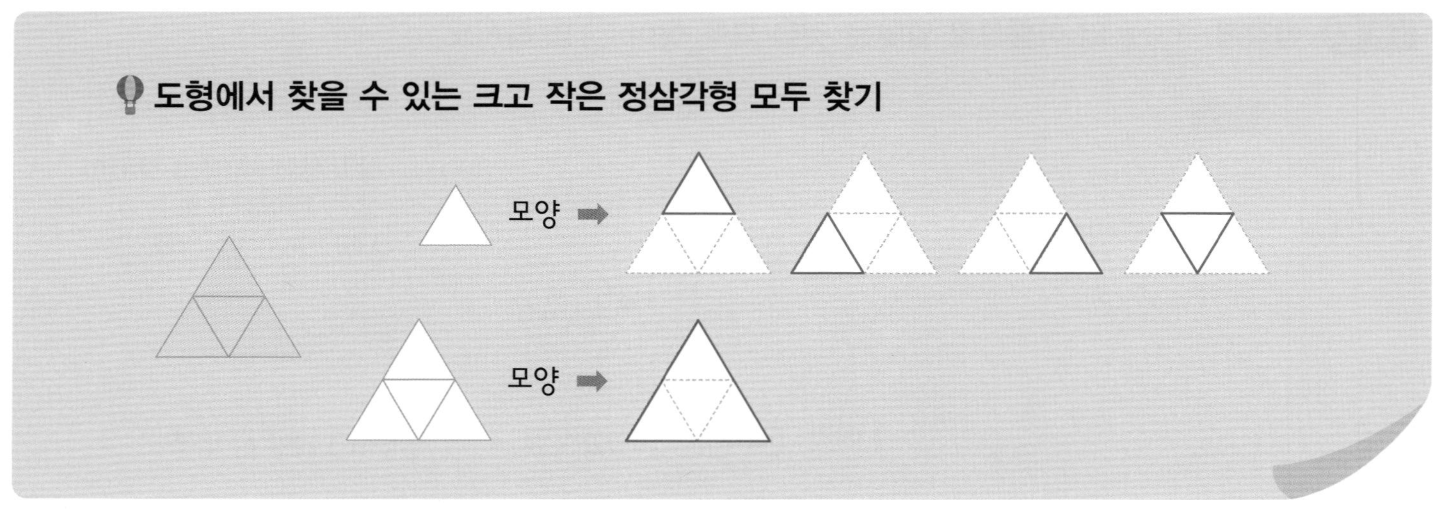

응용 ③ 도형에서 찾을 수 있는 크고 작은 정삼각형을 모두 그려 보시오.

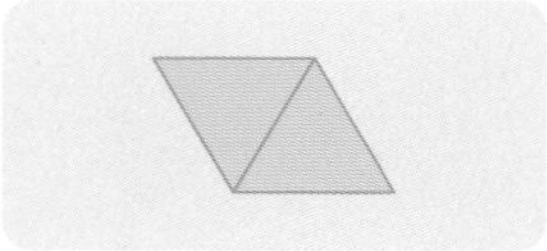

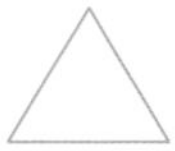

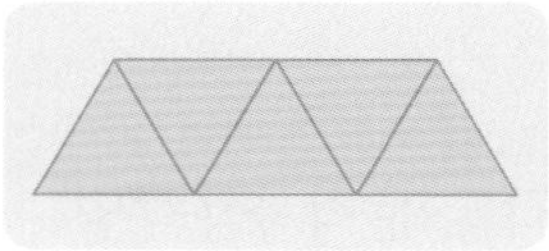

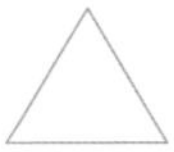

모양 ➡

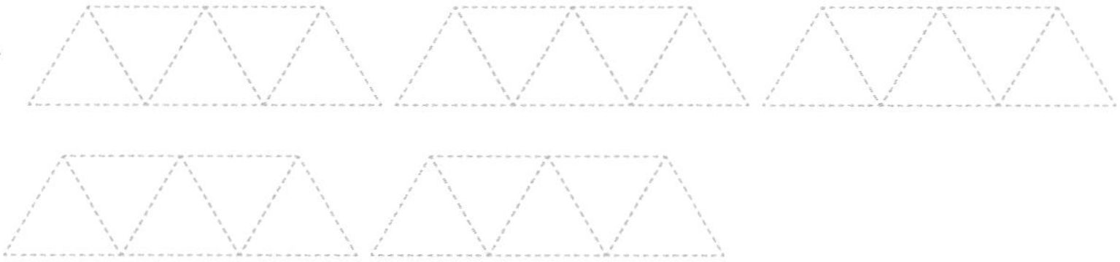

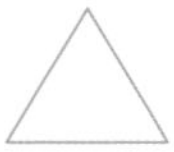

모양 ➡

모양 ➡

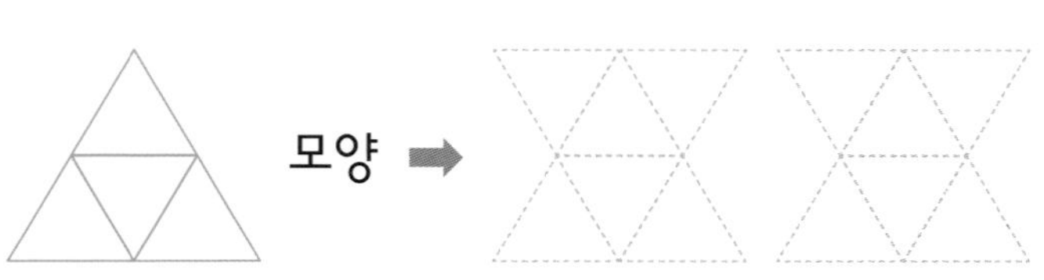

응용 ④ 도형에서 찾을 수 있는 크고 작은 정삼각형의 개수를 구하시오.

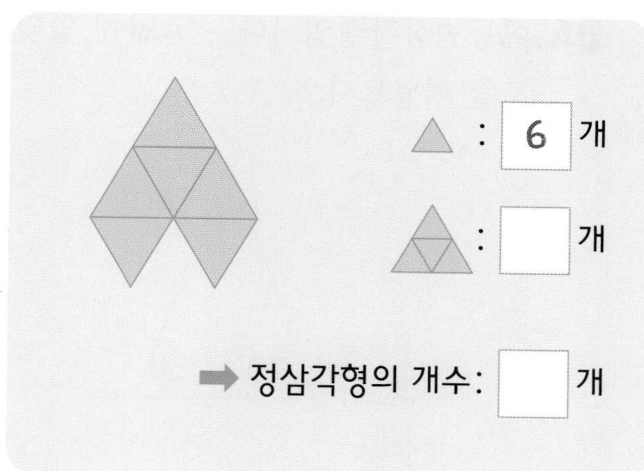

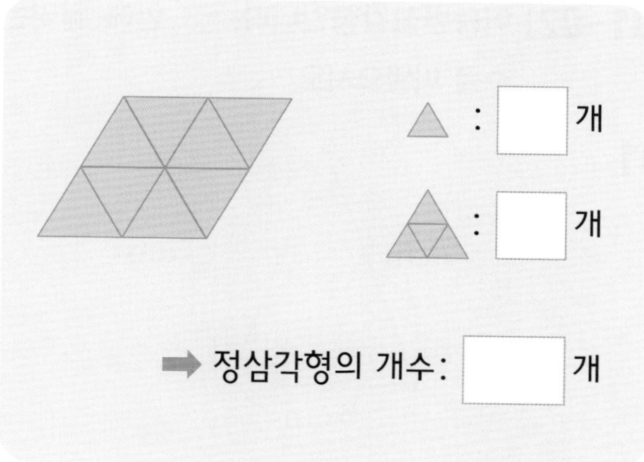

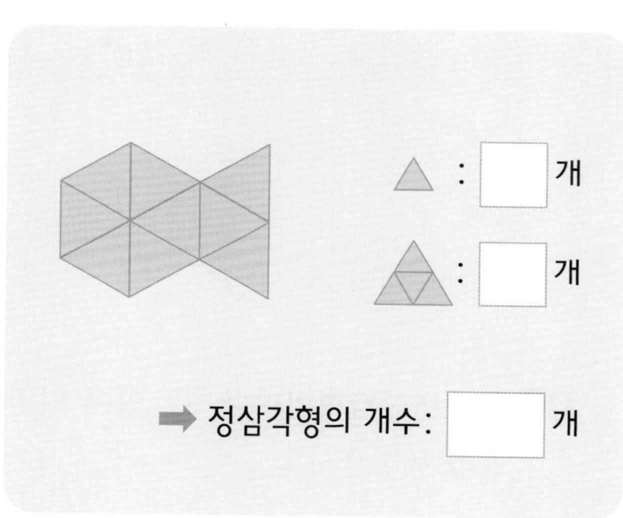

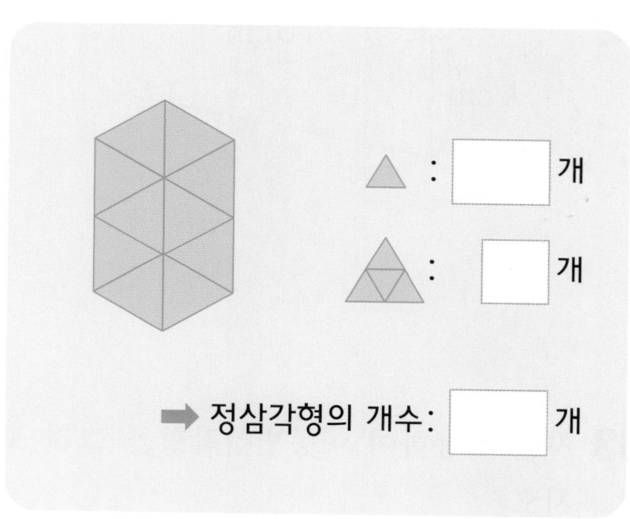

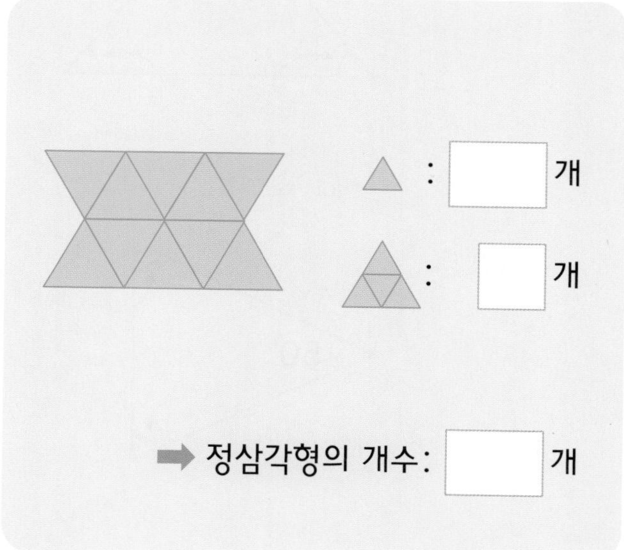

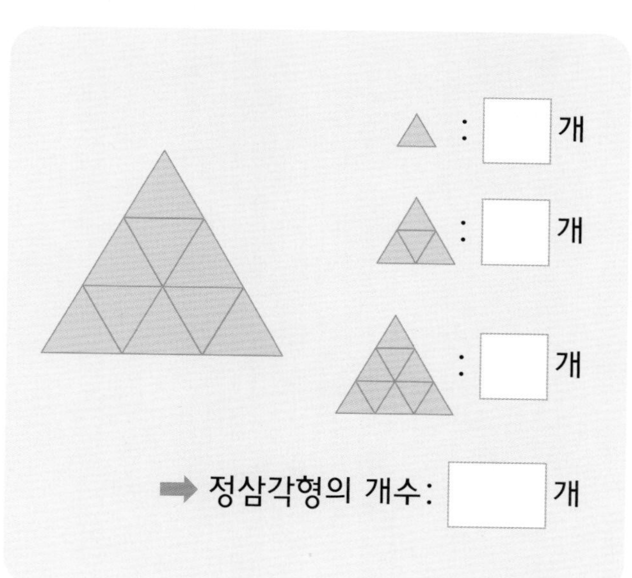

형성평가

걸린 시간: 분
점 수: 점

[01~02] 이등변삼각형입니다. ☐ 안에 알맞은 수를 써넣으시오.

01

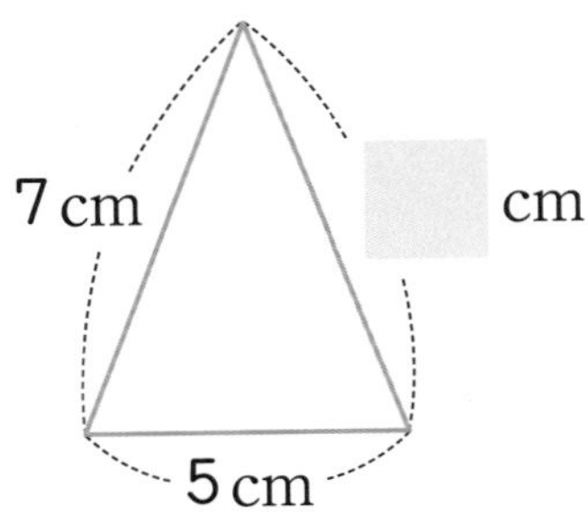

02

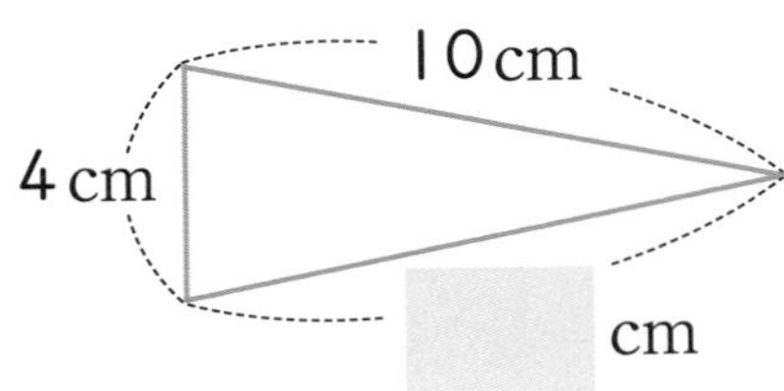

03 자를 사용하여 이등변삼각형을 그려 보시오.

두 변이 2 cm인 이등변삼각형

04 이등변삼각형입니다. ☐ 안에 알맞은 각도를 써넣으시오.

(1)

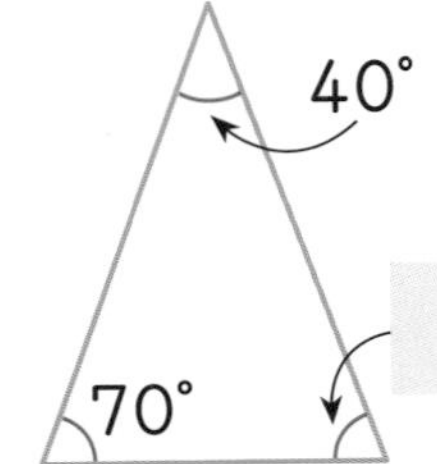

(2)

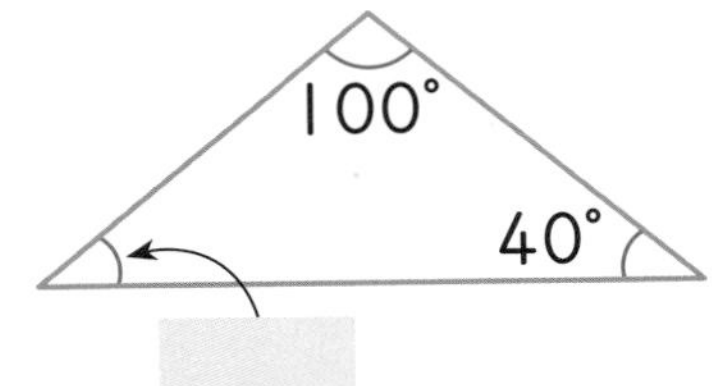

05 이등변삼각형입니다. ☐ 안에 알맞은 각도를 써넣으시오.

(1)

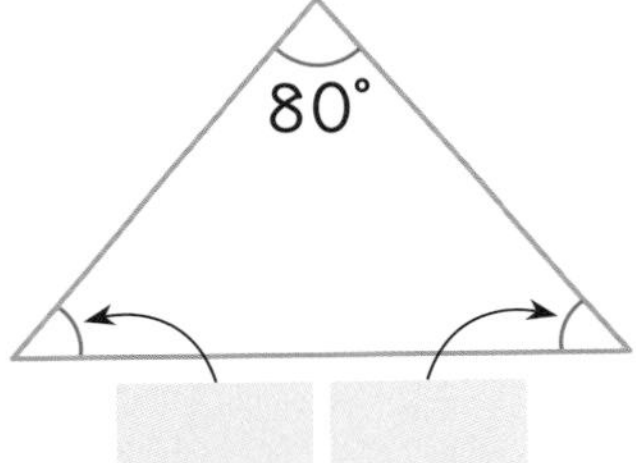

(2)

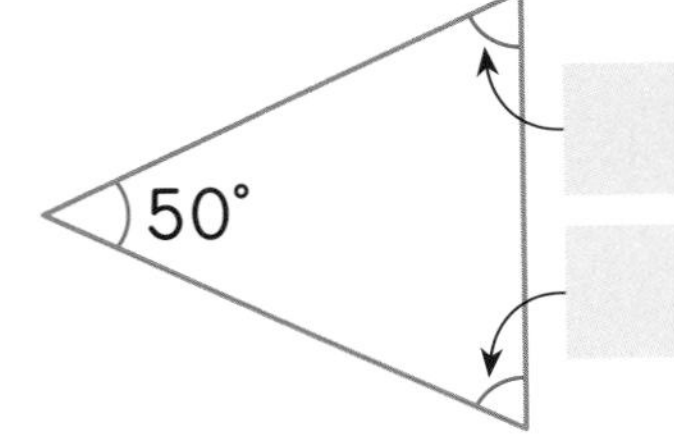

06 자와 각도기를 사용하여 이등변삼각형을 그려 보시오.

두 각이 30°인 이등변삼각형

09 자와 컴퍼스를 사용하여 정삼각형을 그려 보시오.

한 변이 2.5 cm인 정삼각형

[07~08] 정삼각형입니다. ☐ 안에 알맞은 수를 써넣으시오.

07

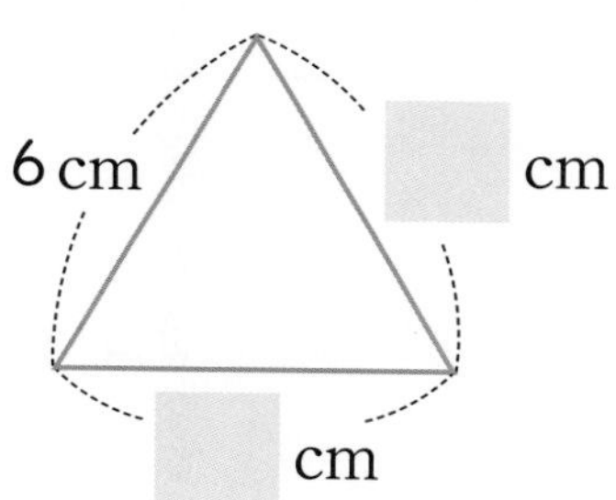

08

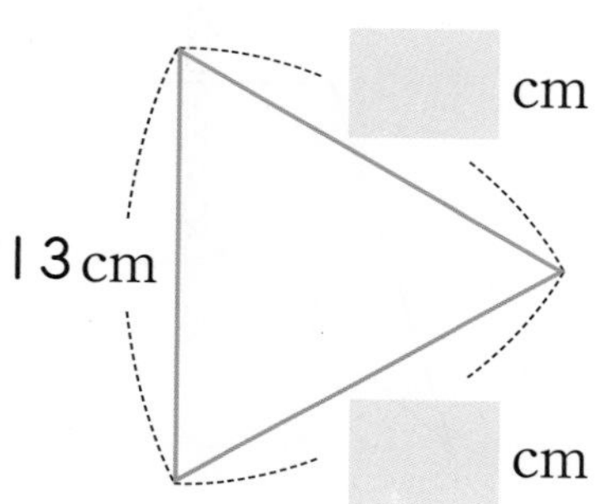

10 정삼각형입니다. ☐ 안에 알맞은 각도를 써넣으시오.

(1)

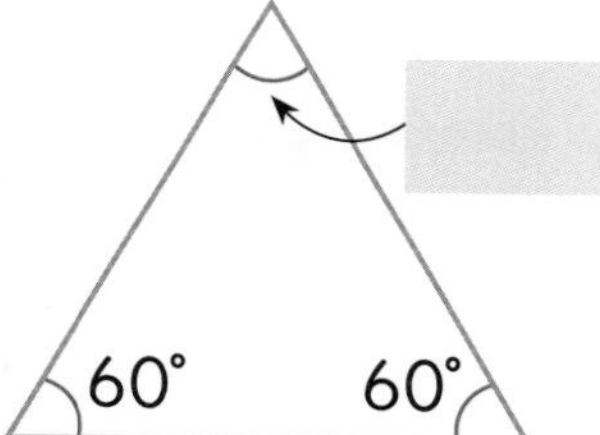

(2)

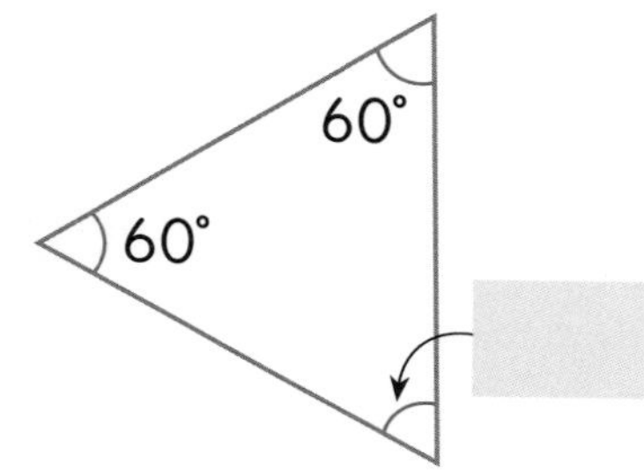

11 정삼각형입니다. ▢ 안에 알맞은 각도를 써넣으시오.

(1)

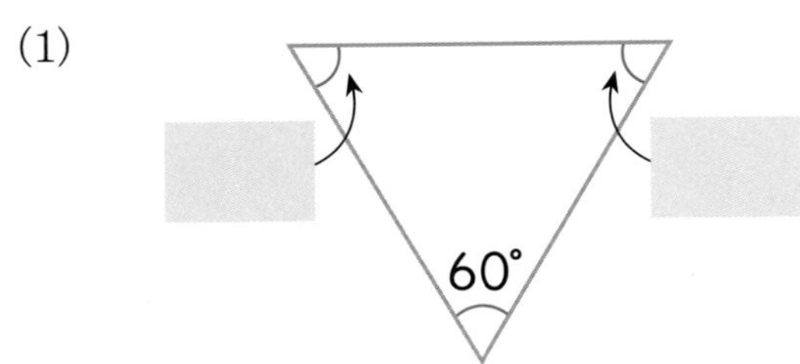

(2)

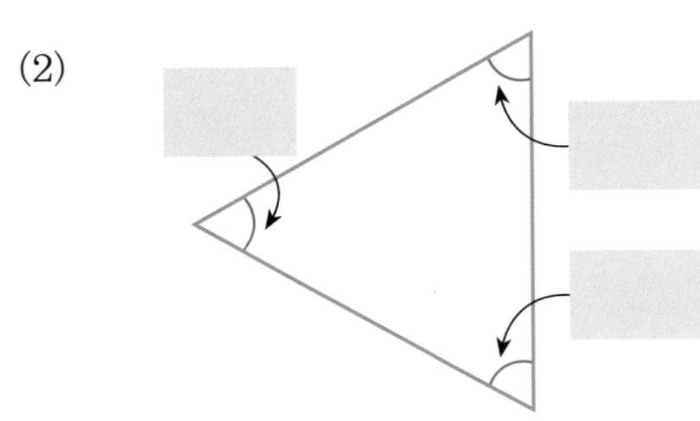

12 자와 각도기를 사용하여 정삼각형을 그려 보시오.

한 변이 3.5cm인 정삼각형

[13~15] 예각삼각형, 둔각삼각형, 직각삼각형 중 ▢ 안에 알맞은 삼각형의 이름을 써넣으시오.

13

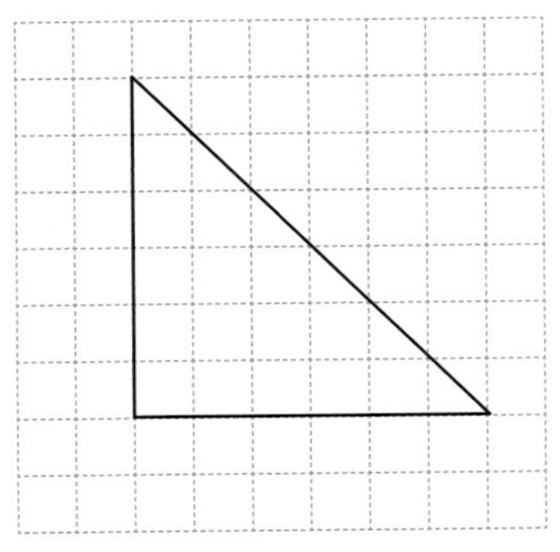

▢ 삼각형

14

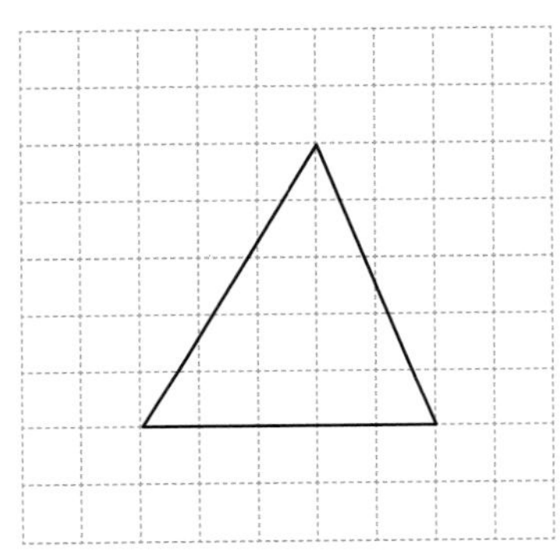

▢ 삼각형

15

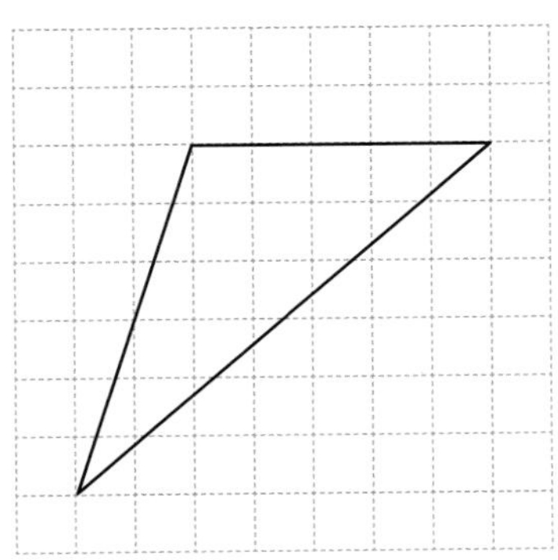

▢ 삼각형

16 예각삼각형을 그려 보시오.

17 직각삼각형을 그려 보시오.

18 둔각삼각형을 그려 보시오.

19 삼각형을 보고 ☐ 안에 알맞은 삼각형의 이름을 써넣으시오.

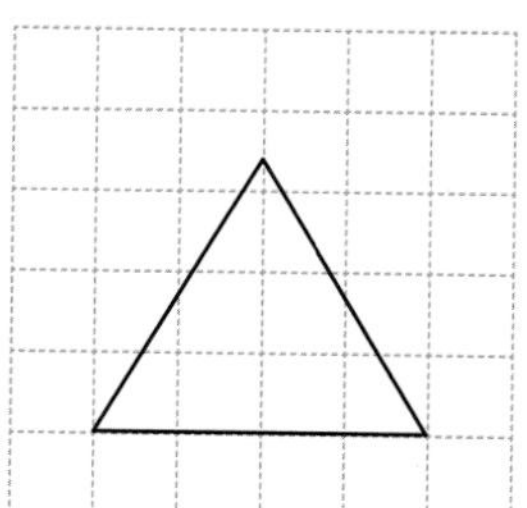

- 두 변의 길이가 같음 ➡ ☐ 삼각형
- 세 변의 길이가 같음 ➡ ☐ 삼각형
- 세 각의 크기가 모두 예각임 ➡ ☐ 삼각형

20 알맞은 것끼리 선으로 이어 보시오.

이등변 삼각형 •	정삼각형 •	세 변의 길이가 모두 다른 삼각형 •
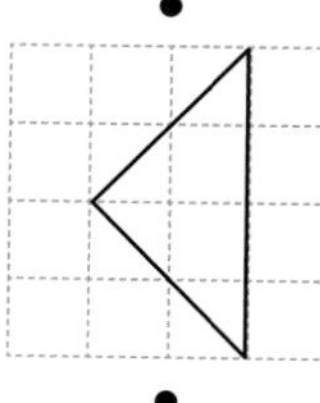	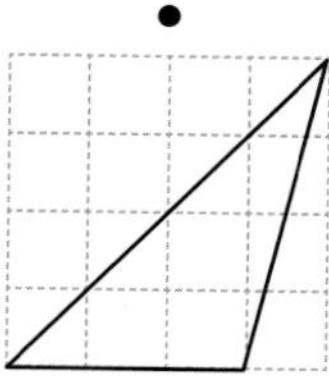	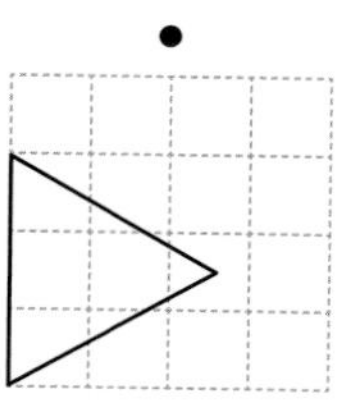
• 예각 삼각형	• 직각 삼각형	• 둔각 삼각형

정답 16쪽

[1~4] 삼각형을 보고 물음에 답하시오.

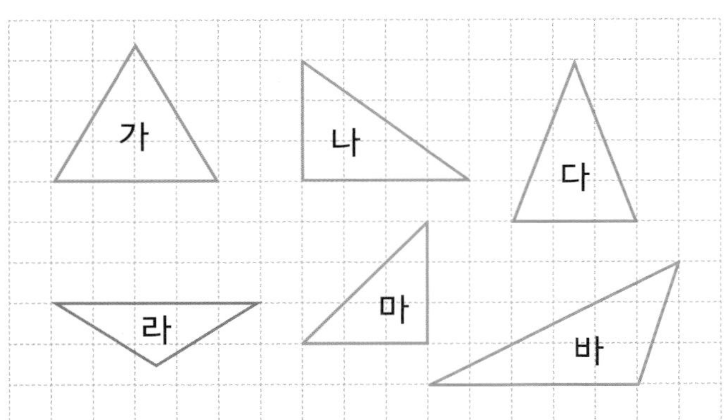

1 이등변삼각형을 모두 찾아 기호를 쓰시오.

( )

2 정삼각형을 찾아 기호를 쓰시오.

( )

3 예각삼각형을 모두 찾아 기호를 쓰시오.

( )

4 둔각삼각형을 모두 찾아 기호를 쓰시오.

( )

5 이등변삼각형입니다. □ 안에 알맞게 써넣으시오.

(1)

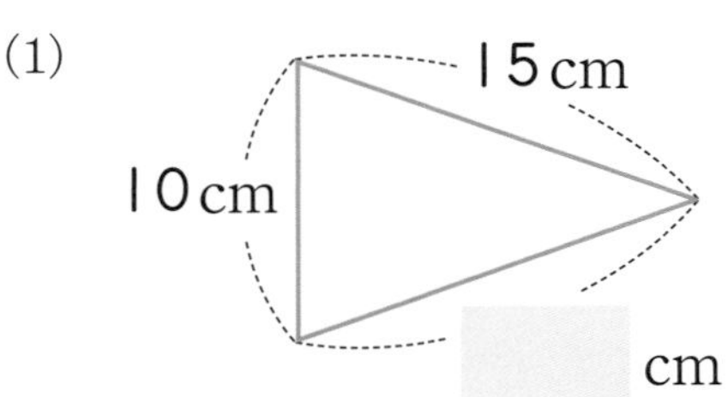

(2)

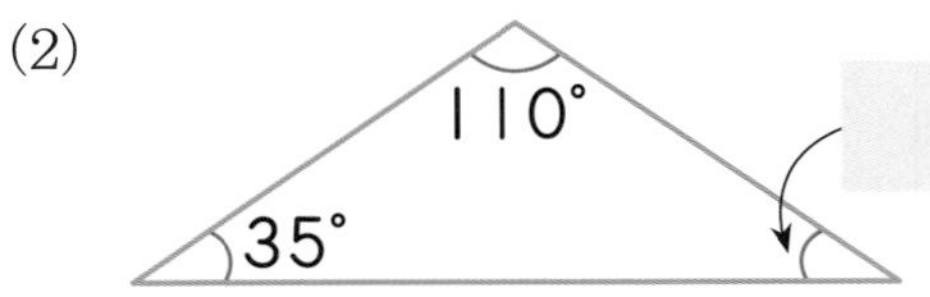

6 정삼각형입니다. □ 안에 알맞게 써넣으시오.

(1)

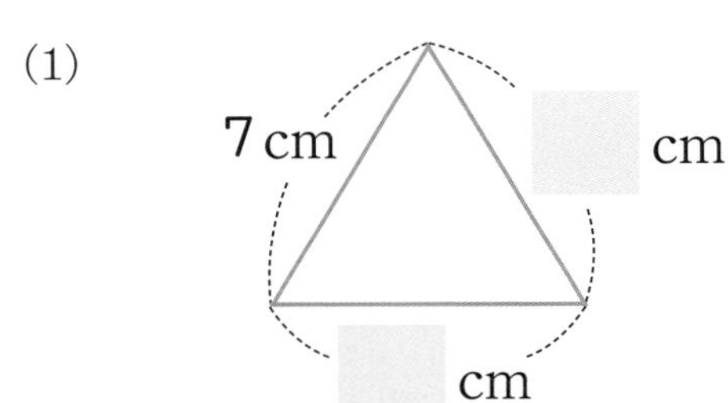

(2)

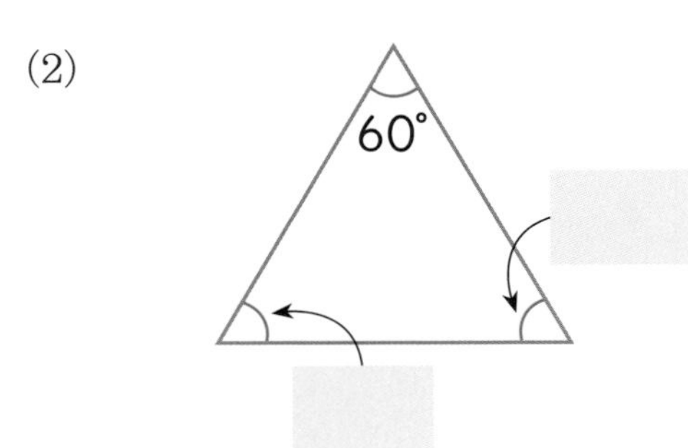

7 정삼각형에 대해 바르게 설명한 것을 모두 찾아 기호를 쓰시오.

㉠ 세 변의 길이가 모두 같습니다.
㉡ 세 각의 크기가 모두 같습니다.
㉢ 한 각의 크기는 항상 70°입니다.
㉣ 크기가 커지면 세 각의 크기도 함께 커집니다.

(　　　　　　)

8 직사각형 모양의 종이를 점선을 따라 오려서 여러 가지 삼각형을 만들었습니다. 빈칸에 알맞은 기호를 써넣으시오.

가　나　다　라　마　바　사　아

예각삼각형	
직각삼각형	
둔각삼각형	

9 주어진 선분을 한 변으로 하는 둔각삼각형을 그리려고 합니다. 선분의 양 끝점과 어느 점을 이어야 합니까? (　　　　)

① ② ③ ④ ⑤

10 다음 설명 중 옳지 <u>않은</u> 것을 모두 고르시오. (　　　　　)

① 정삼각형은 세 각의 크기가 같습니다.
② 이등변삼각형은 정삼각형이라 할 수 있습니다.
③ 정삼각형은 이등변삼각형이라 할 수 있습니다.
④ 이등변삼각형은 예각삼각형입니다.
⑤ 정삼각형은 예각삼각형입니다.

[11~13] 삼각형을 분류하여 기호를 쓰시오.

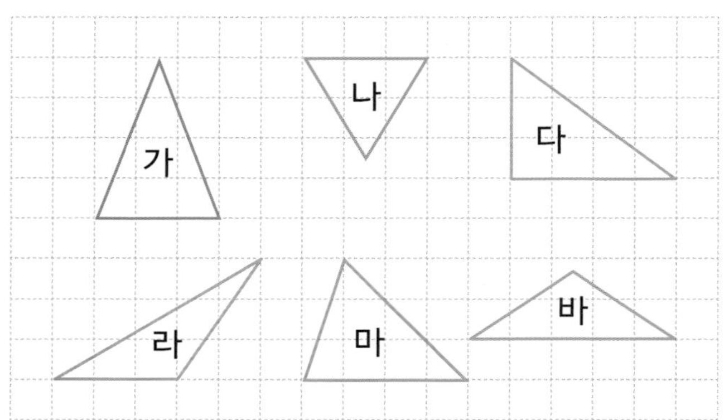

11 변의 길이에 따라 분류해 보시오.

이등변삼각형	
세 변의 길이가 모두 다른 삼각형	

12 각의 크기에 따라 분류해 보시오.

예각삼각형	직각삼각형	둔각삼각형

13 변의 길이와 각의 크기에 따라 분류해 보시오.

	예각 삼각형	직각 삼각형	둔각 삼각형
이등변 삼각형			
세 변의 길이가 모두 다른 삼각형			

14 이등변삼각형입니다. ☐ 안에 알맞은 각도를 써넣으시오.

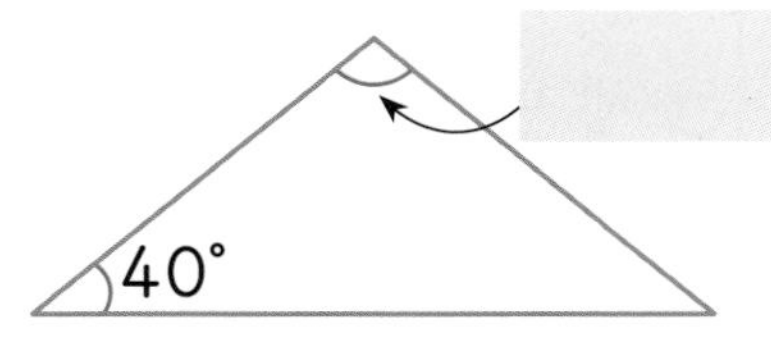

15 삼각형 ㄱㄴㄷ은 정삼각형입니다. ☐ 안에 알맞은 각도를 써넣으시오.

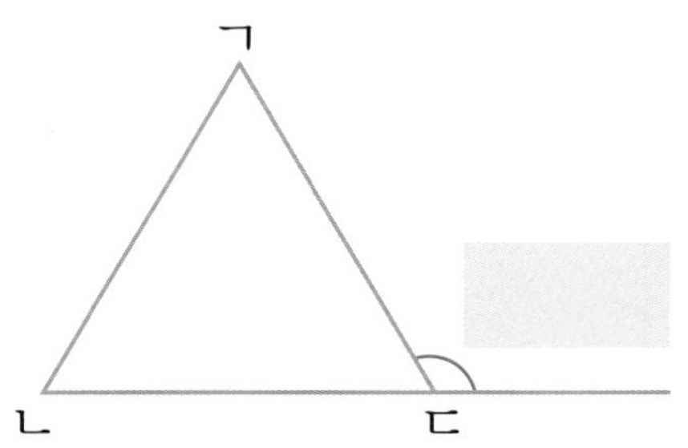

16 길이가 같은 철사 3개를 변으로 하여 만들 수 있는 삼각형의 이름이 될 수 <u>없는</u> 것을 찾아 기호를 쓰시오.

㉠ 이등변삼각형　㉡ 정삼각형
㉢ 예각삼각형　㉣ 둔각삼각형

(　　　　　)

17 삼각형의 세 각 중 두 각의 크기를 나타낸 것입니다. 알맞은 삼각형을 찾아 빈칸에 기호를 써넣으시오.

㉠ 50°, 35° ㉡ 60°, 45°
㉢ 60°, 50° ㉣ 40°, 30°

예각삼각형	둔각삼각형

18 설명하는 도형을 그려 보시오.

- 두 변의 길이가 같습니다.
- 한 각이 둔각입니다.

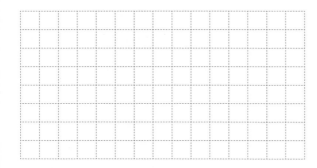

19 길이가 54 cm인 철사를 사용하여 가장 큰 정삼각형을 한 개 만들었습니다. 만든 정삼각형의 한 변의 길이는 몇 cm인지 풀이 과정을 쓰고 답을 구하시오.

풀이

답

20 이등변삼각형입니다. 세 변의 길이의 합은 몇 cm인지 풀이 과정을 쓰고 답을 구하시오.

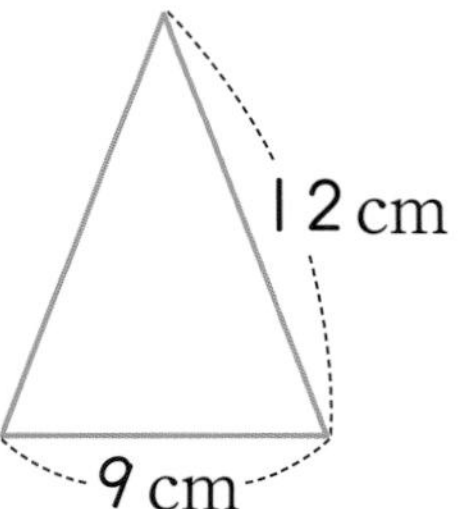

풀이

답

memo

논리적 사고력과 창의적 문제해결력을 키워 주는

매스티안 교재 활용법!

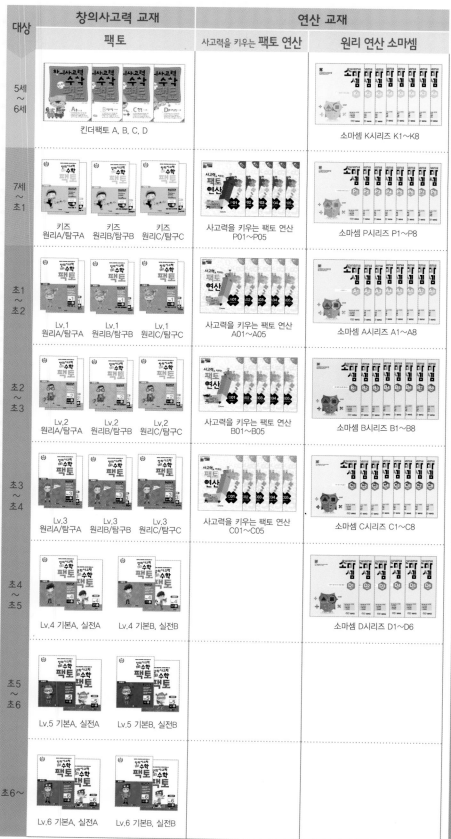

대상	창의사고력 교재 팩토	연산 교재 사고력을 키우는 팩토 연산	연산 교재 원리 연산 소마셈
5세~6세	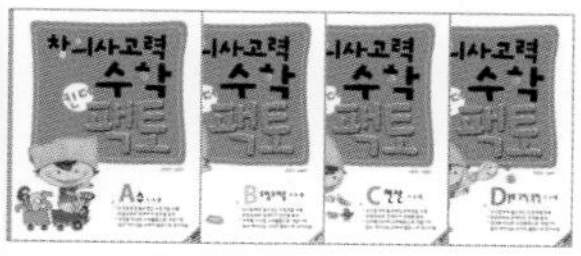 킨더팩토 A, B, C, D		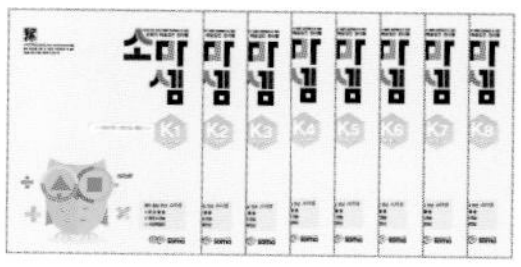 소마셈 K시리즈 K1~K8
7세~초1	 키즈 원리A/탐구A 키즈 원리B/탐구B 키즈 원리C/탐구C	 사고력을 키우는 팩토 연산 P01~P05	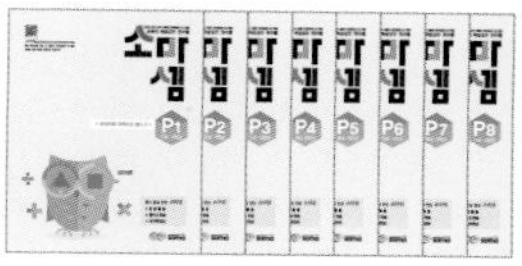 소마셈 P시리즈 P1~P8
초1~초2	 Lv.1 원리A/탐구A Lv.1 원리B/탐구B Lv.1 원리C/탐구C	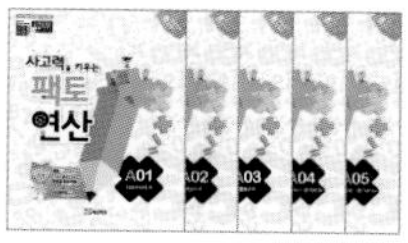 사고력을 키우는 팩토 연산 A01~A05	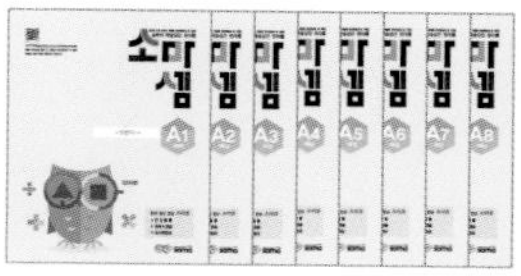 소마셈 A시리즈 A1~A8
초2~초3	 Lv.2 원리A/탐구A Lv.2 원리B/탐구B Lv.2 원리C/탐구C	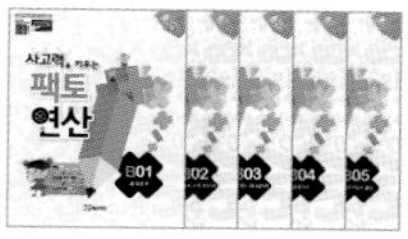 사고력을 키우는 팩토 연산 B01~B05	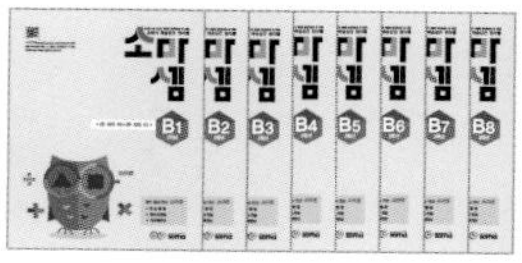 소마셈 B시리즈 B1~B8
초3~초4	 Lv.3 원리A/탐구A Lv.3 원리B/탐구B Lv.3 원리C/탐구C	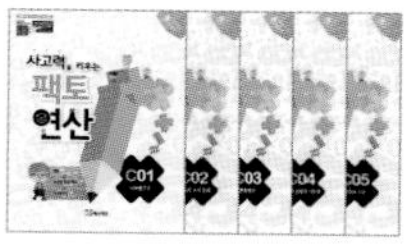 사고력을 키우는 팩토 연산 C01~C05	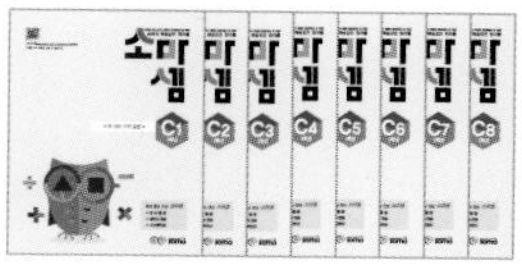 소마셈 C시리즈 C1~C8
초4~초5	 Lv.4 기본A, 실전A Lv.4 기본B, 실전B		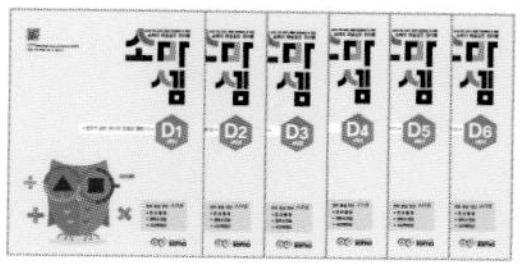 소마셈 D시리즈 D1~D6
초5~초6	 Lv.5 기본A, 실전A Lv.5 기본B, 실전B		
초6~	 Lv.6 기본A, 실전A Lv.6 기본B, 실전B		

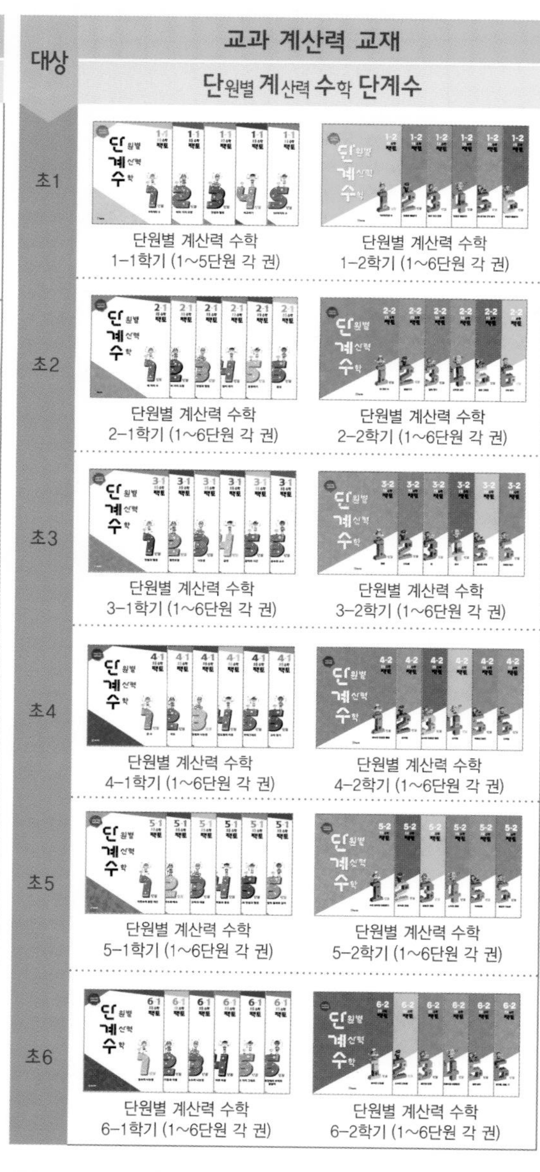

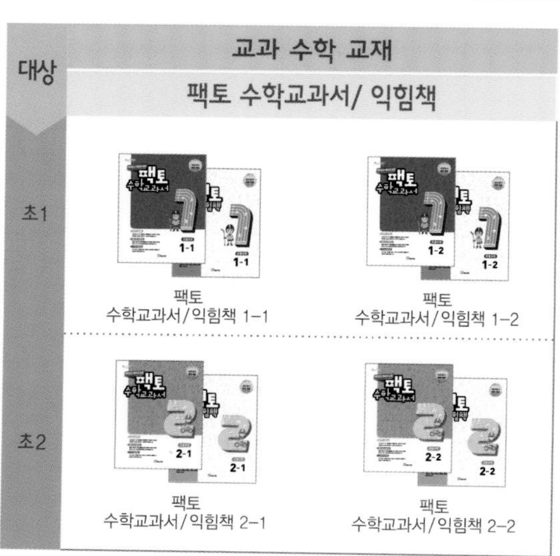

단계수 학습 순서

매일 학습

단원별로 꼭 알아야 할 개념만 쏙쏙 학습하고, 다양한 연산 문제를 통해 필수 개념을 숙달하여 계산력을 쑥쑥 키울 수 있습니다.

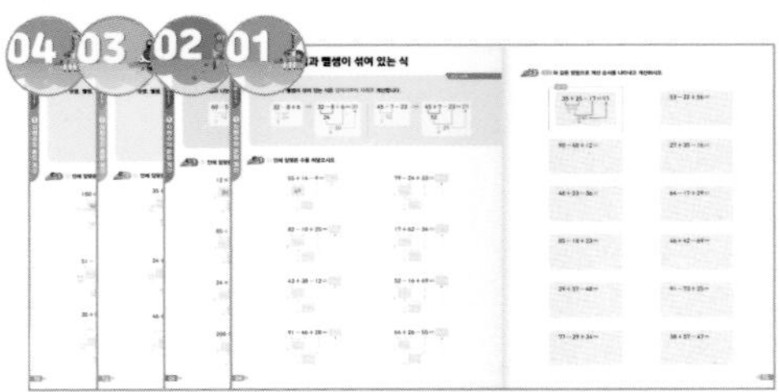

도전! 응용문제

필수 개념을 활용한 **응용** 문제 또는 **서술형** 문제를 통해 사고력과 문제해결력을 기를 수 있습니다.

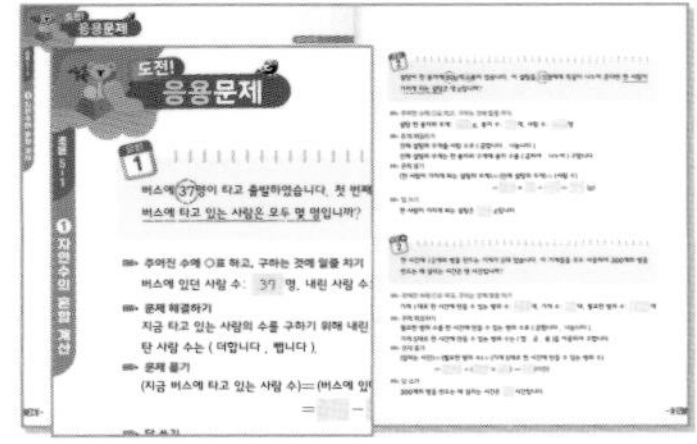

형성 평가

단원의 **복습 단계**로 문제를 풀면서 학습한 내용을 잘 알고 있는지 다시 한 번 확인할 수 있습니다.

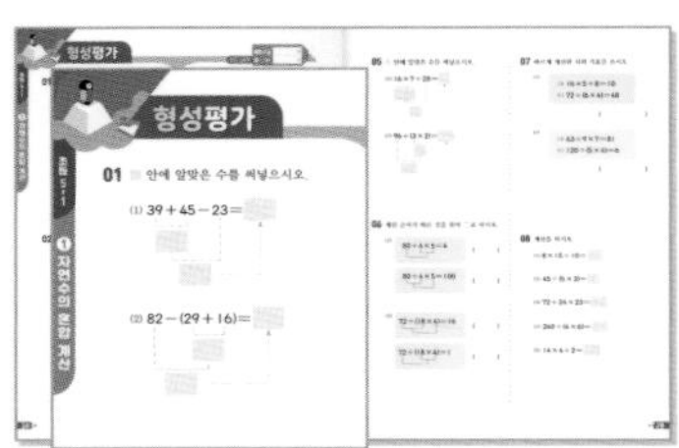

단원 평가

단원의 **마무리 학습**으로 학교 시험에 자주 나오는 문제 유형을 통해서 수시 평가 등 학교 시험에 대비할 수 있습니다.

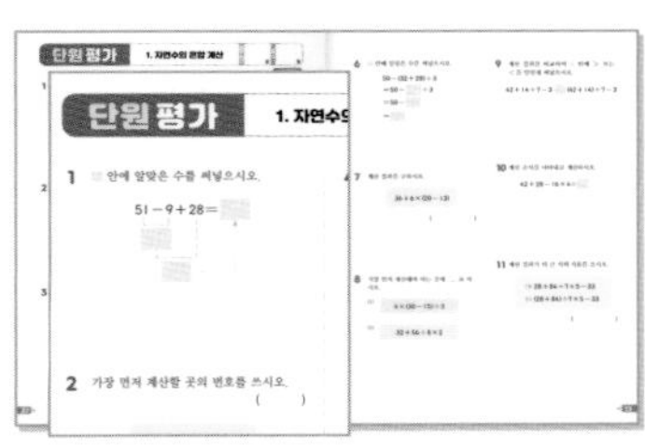

매스티안 http://www.mathtian.com

자율안전확인신고필증번호 : B361H200-4001

1.주소 : 06153 서울특별시 강남구 봉은사로 442 (삼성동)
2.문의전화 : 1588-6066
3.제조국 : 대한민국
4.사용연령 : 11세 이상
※ KC마크는 이 제품이 공통안전기준에 적합하였음을 의미합니다.

초등학교	반 번
이름	

FACTO school

4-2

초등 수학 팩토

단원별 계산력 수학

3 단원

소수의 덧셈과 뺄셈

매스티안

팩토는 자유롭게 자신감있게 창의적으로 생각하는 주니어수학자입니다.

단원별 계산력 수학

펴낸 곳 (주)타임교육C&P **펴낸이** 이길호 **지은이** 매스티안R&D센터
주소 06153 서울특별시 강남구 봉은사로 442(삼성동) **문의전화** 1588.6066
팩토카페 http://cafe.naver.com/factos **홈페이지** http://www.mathtian.com

※ 정답과 풀이는 온라인 팩토카페(http://cafe.naver.com/factos)를 통해서도 확인할 수 있습니다.

GH2204

생각이 자유로운 사람들! 매스티안R&D센터

매스티안R&D센터의 논리적 사고력과 창의적 문제해결력을 키우는 수학 콘텐츠는 국내외 수많은 교육 현장에서 그 우수성을 높이 평가받고 있습니다.
매스티안R&D센터는 여기에 안주하지 않고 앞으로도 학생, 교사, 학부모 모두가 행복한 수학 시간을 만들 수 있도록 노력하겠습니다.

매스티안 공식 홈페이지 … (http://www.mathtian.com)

· 매스티안의 다양한 출간 교재 소개
· 출간 교재와 관련된 학습 자료(보충 학습지, 활동지 등) 제공
· 출간 교재와 관련된 평가 시험 및 분석 제공

매스티안 공식 카페 … 팩토 (http://cafe.naver.com/factos)

· 창의사고력 수학 팩토 무료 동영상 강의 제공
· 출간 교재에 관한 질문 및 답변
· 영재교육원 대비 자료(기출 문제, 예상 문제) 제공
· 초등 수학 비법 및 Q&A

FACTO school

4-2

초등 수학 팩토

단원별 계산력 수학

3 단원

소수의 덧셈과 뺄셈

매스티안

6. 분수와 소수
- 분수와 소수
- 분수와 소수의 크기 비교

3-1

4. 분수
- 진분수, 가분수, 대분수
- 분모가 같은 분수의 크기 비교

3-2

1. 분수의 덧셈과 뺄셈
- 분모가 같은 진분수, 대분수의 덧셈과 뺄셈

4-2

5-1

4. 약분과 통분
- 약분하기, 통분하기
- 분모가 다른 분수의 크기 비교

4-2

3. 소수의 덧셈과 뺄셈
- 소수 두 자리 수, 소수 세 자리 수
- 소수의 덧셈과 뺄셈

5-2

4. 소수의 곱셈
- (소수)×(자연수)
- (소수)×(소수)

3 소수의 덧셈과 뺄셈

Teaching Guide

아이가 소수 0.75를 '영 점 칠오'라 읽지 않고, '영 점 칠십오'라고 잘못 읽을 수 있습니다. 아이들이 많이 범하는 실수 중의 하나입니다. 아이들이 자연수를 읽는 방법과 똑같이 읽었기 때문입니다. 소수를 하나씩 나누어서 읽는 이유는 맨 마지막 자리에 있는 0은 생략이 가능한 소수의 특징 때문입니다.
예를 들어 0.4는 0.40 또는 0.400과 같은 크기를 나타내는 수입니다. 우리는 0.4를 읽을 때 '영 점 사'라고 하는데 만약 자연수와 같은 방법으로 읽는다면 0.40은 '영 점 사십'으로, 0.400은 '영 점 사백'으로 읽어야 합니다. 이는 크기가 같은 0.4(영 점 사)와 혼동할 수 있기 때문입니다.

5-1

2. 약수와 배수
- 약수와 배수
- 공약수와 최대공약수
- 공배수와 최소공배수

중학 1-1 **소인수분해**

중학 1-1 **최대공약수와 최소공배수**

6-1 **1. 분수의 나눗셈**
- (자연수)÷(자연수)
- (분수)÷(자연수)

6-2 **1. 분수의 나눗셈**
- (자연수)÷(분수)
- (분수)÷(분수)

5-1 **5. 분수의 덧셈과 뺄셈**
- 분모가 다른 진분수, 대분수의 덧셈과 뺄셈

5-2 **2. 분수의 곱셈**
- (분수)×(자연수)
- (분수)×(분수)

6-1 **3. 소수의 나눗셈**
- (소수)÷(자연수)
- (자연수)÷(자연수)

6-2 **2. 소수의 나눗셈**
- (소수)÷(소수)
- (자연수)÷(소수)

중학 1-1 **유리수의 계산**

중학 3-1 **제곱근과 실수**

중학 2-1 **유리수와 순환소수**

공부한 날짜

일차	내용	날짜
1일차	소수 두 자리 수와 소수 세 자리 수	월 일
2일차	각 자리의 숫자가 나타내는 값	월 일
3일차	소수의 크기 비교	월 일
4일차	소수 사이의 관계	월 일
5일차	소수 한 자리 수의 덧셈	월 일
6일차	소수 두 자리 수의 덧셈	월 일
7일차	소수 한 자리 수의 뺄셈	월 일
8일차	소수 두 자리 수의 뺄셈	월 일
9일차	응용 문제	월 일
10일차	형성 평가	월 일
11일차	단원 평가	월 일

01 소수 두 자리 수와 소수 세 자리 수

정답 17쪽

● 분수를 소수로 나타내기(1)

1 분수를 소수로 나타내시오.

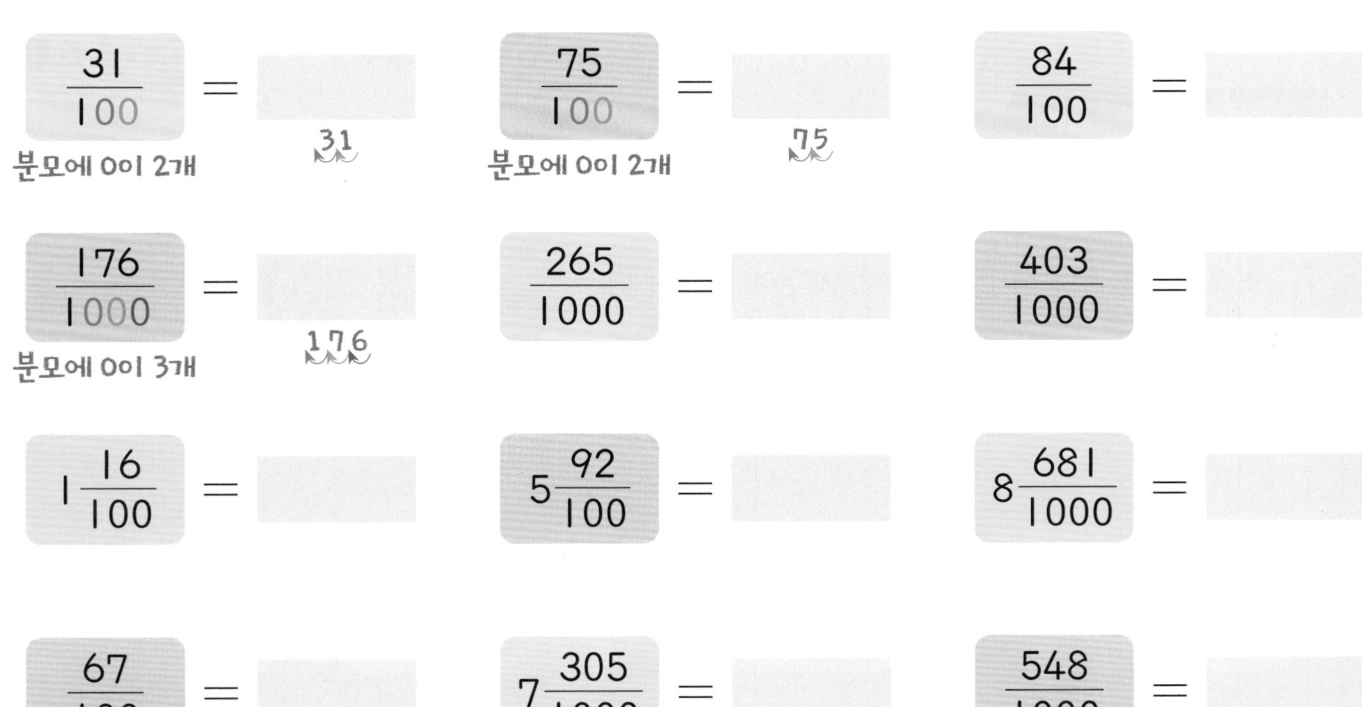

● 분수를 소수로 나타내기(2)

분자 쓰기 / 소수점 찍기

$\frac{7}{100}$ ➡ 7 ➡ 7 ➡ 0.07

분모에 0이 2개 · 소수 2자리 수

$\frac{300}{1000}$ ➡ 300 ➡ 300 ➡ 0.300 → 0.3

분모에 0이 3개 · 소수 3자리 수 · 끝자리 0 지우기

$1\frac{60}{1000}=\frac{1060}{1000}$ ➡ 1060 ➡ 1060 ➡ 1.060 → 1.06

대분수 → 가분수 · 끝자리 0 지우기

2 분수를 소수로 나타내시오.

$\frac{5}{100}$ = ☐ (분모에 0이 2개)

$\frac{1}{100}$ = ☐ (분모에 0이 2개)

$\frac{8}{100}$ = ☐

$\frac{200}{1000}$ = ☐ (분모에 0이 3개)

$\frac{900}{1000}$ = ☐

$\frac{700}{1000}$ = ☐

$2\frac{40}{1000}$ = ☐

$6\frac{80}{1000}$ = ☐

$5\frac{90}{1000}$ = ☐

$\frac{20}{100}$ = ☐

$\frac{250}{1000}$ = ☐

$\frac{780}{1000}$ = ☐

$8\frac{40}{100}$ = ☐

$\frac{600}{1000}$ = ☐

$4\frac{300}{1000}$ = ☐

● **소수를 읽는 방법**

자연수 읽기		소수점 읽기		소수점 아래 읽기
47.35 사십칠	➡	47.35 사십칠 점	➡	47. 3 5 사십칠 점 삼 오
300.209 삼백	➡	300.209 삼백 점	➡	300. 2 0 9 삼백 점 이 영 구
0.079 영	➡	0.079 영 점	➡	0. 0 7 9 영 점 영 칠 구

3 **소수를 바르게 읽은 것을 찾아 ○표 하시오.**

6.48

- 육 점 사팔 (　　)
- 육 점 사십팔 (　　)

0.183

- 영 점 일팔삼 (　　)
- 영 점 백팔십삼 (　　)

75.41

- 칠십오 점 사십일 (　　)
- 칠십오 점 사일 (　　)

14.375

- 십사 점 삼칠오 (　　)
- 일사 점 삼칠오 (　　)

209.615

- 이백구 점 육일오 (　　)
- 이백구 점 육백십오 (　　)

0.04

- 영 점 사 (　　)
- 영 점 영사 (　　)

7.105

- 칠 점 백오 (　　)
- 칠 점 일영오 (　　)

30.03

- 삼십 점 영삼 (　　)
- 삼영 점 영삼 (　　)

4 갈림길에서 푯말의 소수를 바르게 읽은 길을 따라가세요.

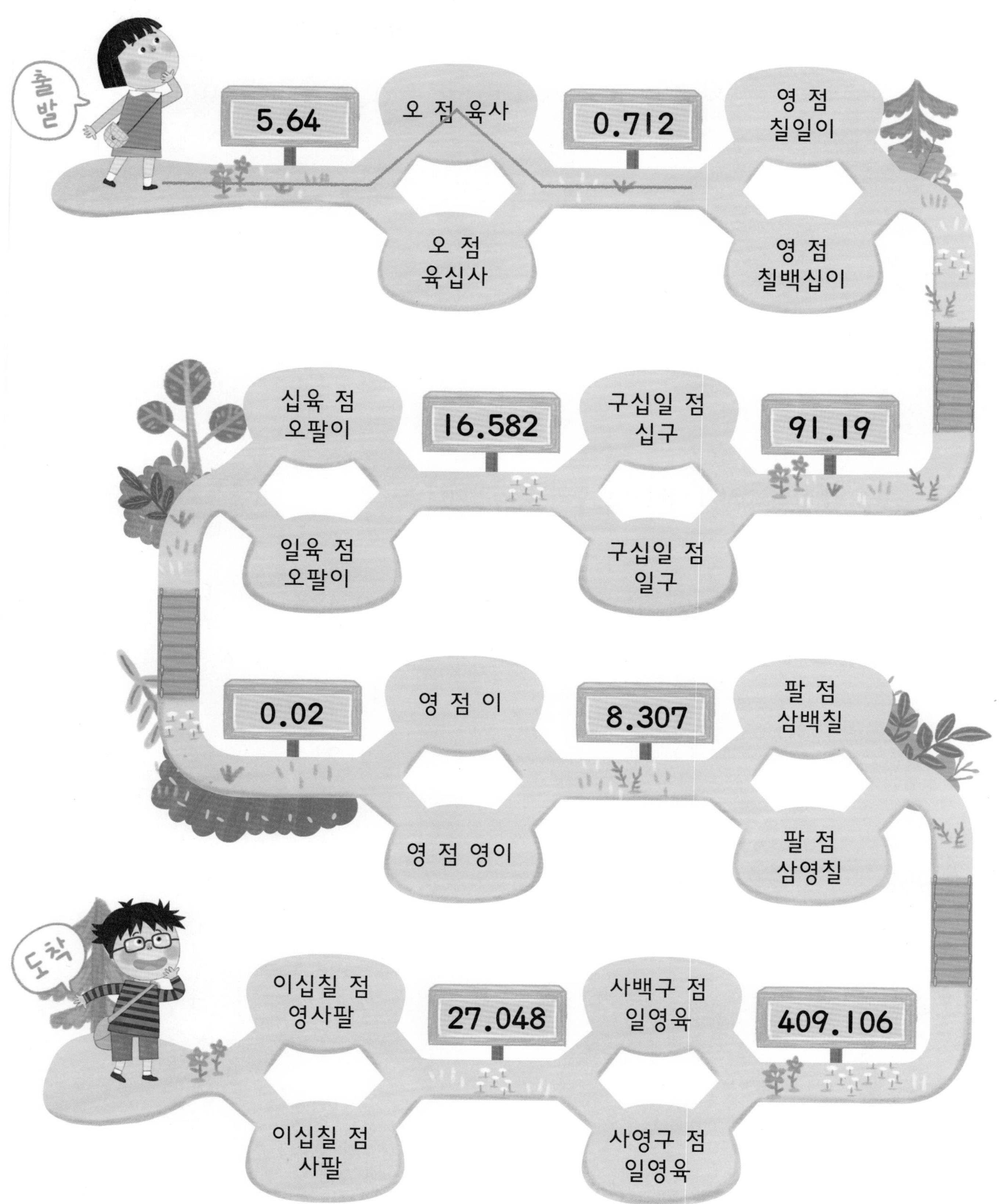

02 각 자리의 숫자가 나타내는 값

정답 18쪽

7.385의 각 자리의 숫자가 나타내는 값

7.385 ➡ 7 + 0.3 + 0.08 + 0.005

7.385		나타내는 수
일의 자리 숫자: 7	➡	7
소수 첫째 자리 숫자: 3	➡	0.3
소수 둘째 자리 숫자: 8	➡	0.08
소수 셋째 자리 숫자: 5	➡	0.005

1 소수를 각 자리 숫자가 나타내는 수의 합으로 나타내시오.

보기

1.407= 1 + 0.4 + 0.007

1.407 ➡ 1 + 0.4 + 0.007

0.48= ☐ + ☐

0.48 ➡ 0.4 + 0.08

0.516= ☐ + ☐ + ☐

1.21= ☐ + ☐ + ☐

8.952= ☐ + ☐ + ☐ + ☐

5.07= ☐ + ☐

6.39= ☐ + ☐ + ☐

2.904= ☐ + ☐ + ☐

7.045= ☐ + ☐ + ☐

6.003= ☐ + ☐

1.212= ☐ + ☐ + ☐ + ☐

9.99= ☐ + ☐ + ☐

2 빨간색 숫자가 나타내는 수를 찾아 ○표 하시오.

1.57 =1+0.5+0.07		
0.5	0.05	0.005

3.14 =3+0.1+0.04		
0.4	0.04	0.004

0.365 =0.3+0.06+0.005		
0.6	0.06	0.006

6.928		
0.8	0.08	0.008

4.39		
0.9	0.09	0.009

2.715		
0.7	0.07	0.007

5.872		
0.2	0.02	0.002

8.15		
0.1	0.01	0.001

13.53		
0.3	0.03	0.003

42.195		
0.5	0.05	0.005

482.248		
0.4	0.04	0.004

617.78		
0.7	0.07	0.007

3 안에 알맞은 수를 써넣으시오.

보기

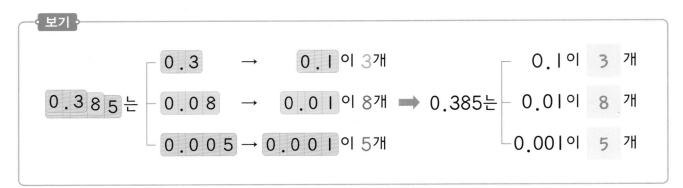

0.385는
- 0.3 → 0.1이 3개
- 0.08 → 0.01이 8개
- 0.005 → 0.001이 5개

➡ 0.385는
- 0.1이 3 개
- 0.01이 8 개
- 0.001이 5 개

7.62는
- 1이 7 개 ← 7
- 0.1이 ☐ 개 ← 0.6
- 0.01이 ☐ 개 ← 0.02

0.419는
- 0.1이 ☐ 개
- 0.01이 ☐ 개
- 0.001이 ☐ 개

6.05는
- 1이 ☐ 개
- 0.01이 ☐ 개

0.804는
- 0.1이 ☐ 개
- 0.001이 ☐ 개

25.01은
- 10이 ☐ 개
- 1이 ☐ 개
- 0.01이 ☐ 개

3.072는
- 1이 ☐ 개
- 0.01이 ☐ 개
- 0.001이 ☐ 개

9.17은
- 1이 ☐ 개
- $\frac{1}{10}$이 ☐ 개 (0.1)
- $\frac{1}{100}$이 ☐ 개 (0.01)

7.036은
- 1이 ☐ 개
- $\frac{1}{100}$이 ☐ 개 (0.01)
- $\frac{1}{1000}$이 ☐ 개 (0.001)

4 □ 안에 알맞은 소수를 써넣으시오.

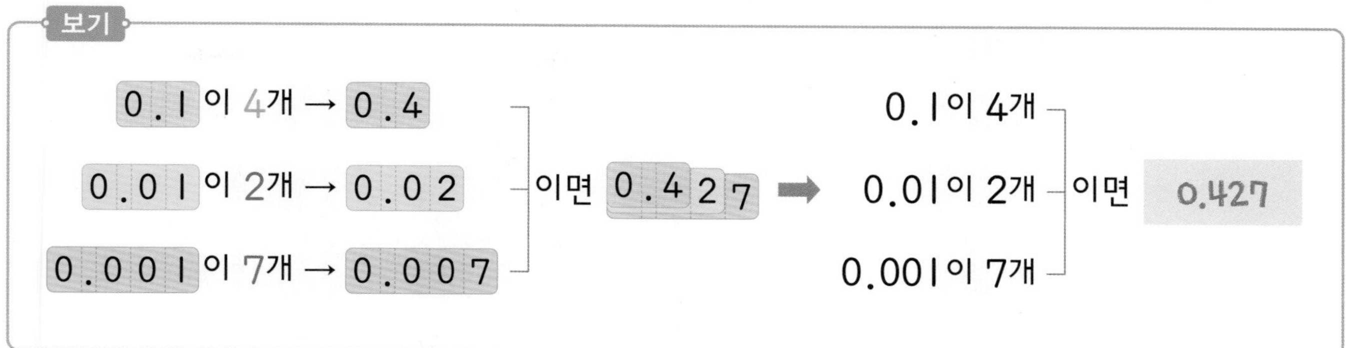

보기
0.1이 4개 → 0.4
0.01이 2개 → 0.02
0.001이 7개 → 0.007
이면 0.427
0.1이 4개
0.01이 2개
0.001이 7개
이면
0.427

3 ← 1이 3개
0.5 ← 0.1이 5개
0.08 ← 0.01이 8개
이면 □

0.1이 9개
0.01이 6개
0.001이 1개
이면 □

10이 7개
0.01이 2개
이면 □

0.01이 4개
0.001이 8개
이면 □

10이 1개
1이 5개
0.01이 9개
이면 □

1이 6개
0.1이 3개
0.001이 2개
이면 □

10이 4개
$\frac{1}{10}$이 7개 (0.1)
$\frac{1}{100}$이 3개 (0.01)
이면 □

1이 8개
$\frac{1}{10}$이 5개 (0.1)
$\frac{1}{1000}$이 9개 (0.001)
이면 □

03 소수의 크기 비교

정답 19쪽

● 3.175와 3.178의 크기 비교하기

3.175 ○ 3.178 ➡ 3.175 < 3.178

3.175		3.178
3	=	3
0.1	=	0.1
0.07	=	0.07
0.005	<	0.008

1 두 수의 크기를 비교하여 ○ 안에 > 또는 <를 알맞게 써넣으시오.

3.69		4.21
3	<	4
0.6		0.2
0.09		0.01

3.69 ○ 4.21

5.76 ○ 5.82

1.19 ○ 1.14

0.58 ○ 0.72

7.362 ○ 5.874

2.945 ○ 2.943

0.581 ○ 0.576

1.689 ○ 1.721

2 보기 와 같은 방법으로 두 수의 크기를 비교하여 빈 곳에 알맞게 써넣으시오.

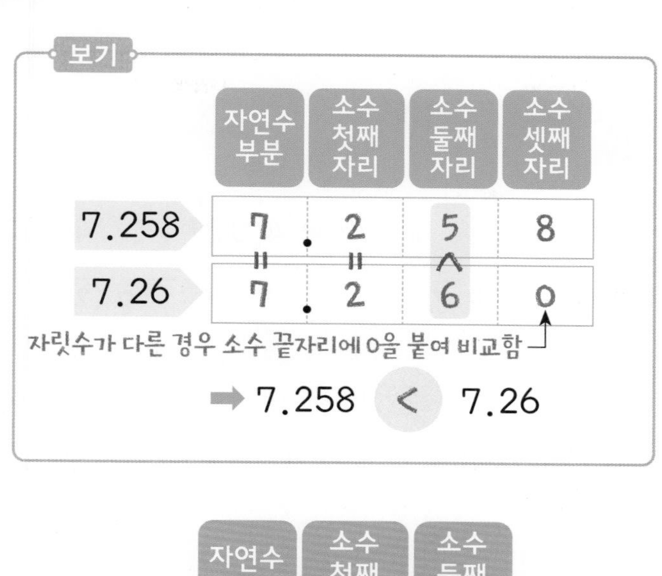

보기
자연수 부분
소수 첫째 자리
소수 둘째 자리
소수 셋째 자리
7.258
7.26
자릿수가 다른 경우 소수 끝자리에 0을 붙여 비교함
7.258 < 7.26

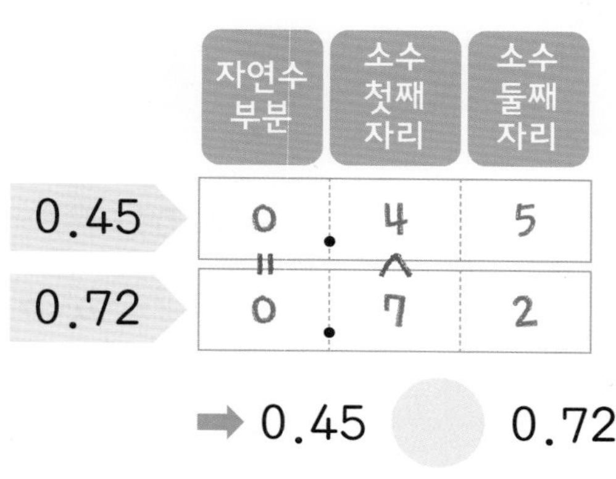

자연수 부분
소수 첫째 자리
소수 둘째 자리
0.45
0.72
0.45 ( ) 0.72

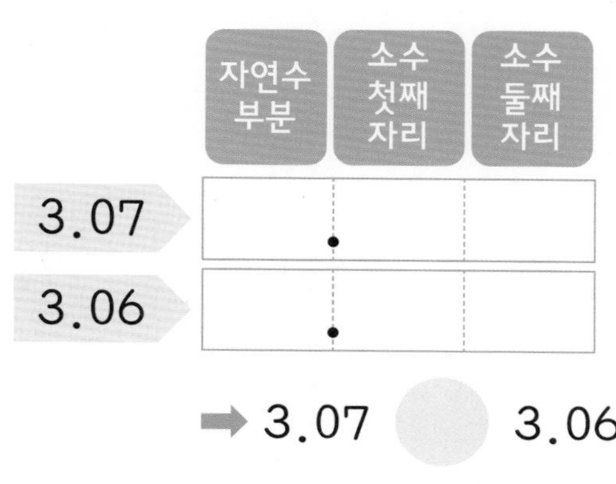

자연수 부분
소수 첫째 자리
소수 둘째 자리
3.07
3.06
3.07 ( ) 3.06

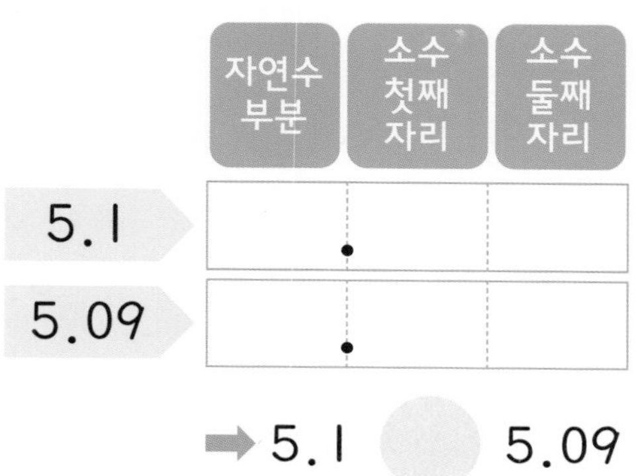

자연수 부분
소수 첫째 자리
소수 둘째 자리
5.1
5.09
5.1 ( ) 5.09

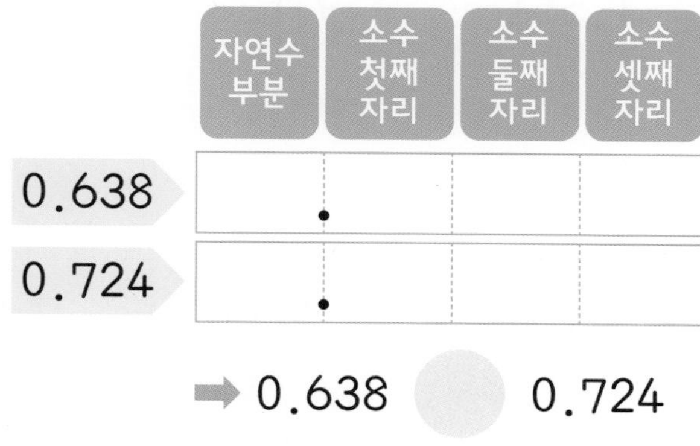

자연수 부분
소수 첫째 자리
소수 둘째 자리
소수 셋째 자리
0.638
0.724
0.638 ( ) 0.724

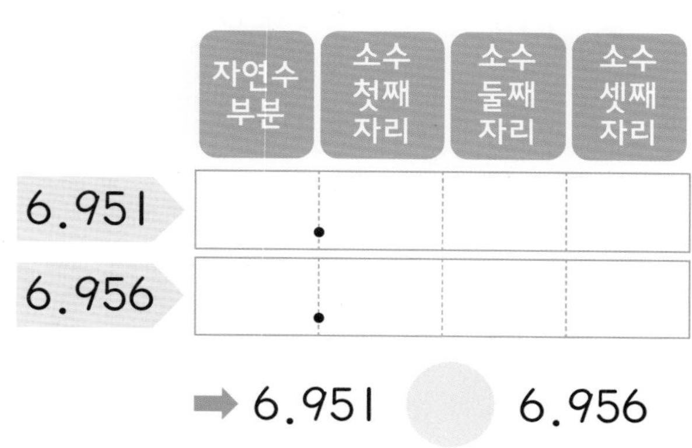

자연수 부분
소수 첫째 자리
소수 둘째 자리
소수 셋째 자리
6.951
6.956
6.951 ( ) 6.956

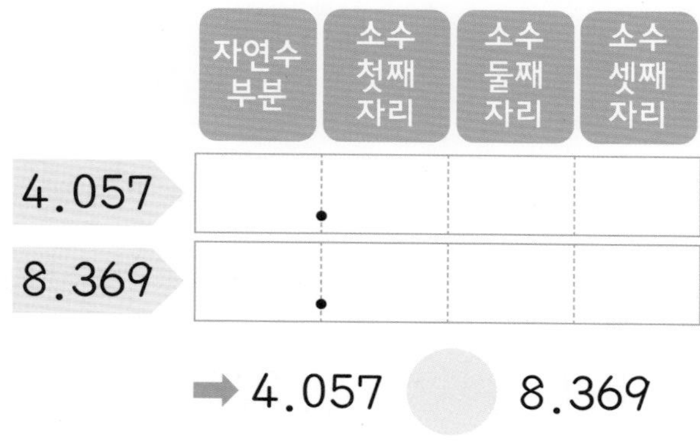

자연수 부분
소수 첫째 자리
소수 둘째 자리
소수 셋째 자리
4.057
8.369
4.057 ( ) 8.369

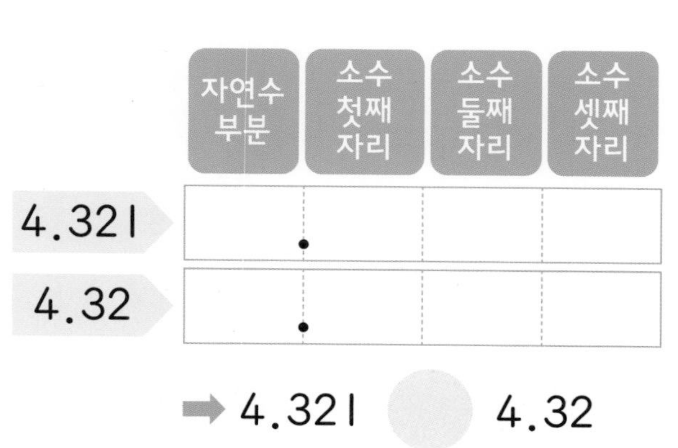

자연수 부분
소수 첫째 자리
소수 둘째 자리
소수 셋째 자리
4.321
4.32
4.321 ( ) 4.32

3 두 수의 크기를 비교하여 ○ 안에 $>$ 또는 $<$를 알맞게 써넣으시오.

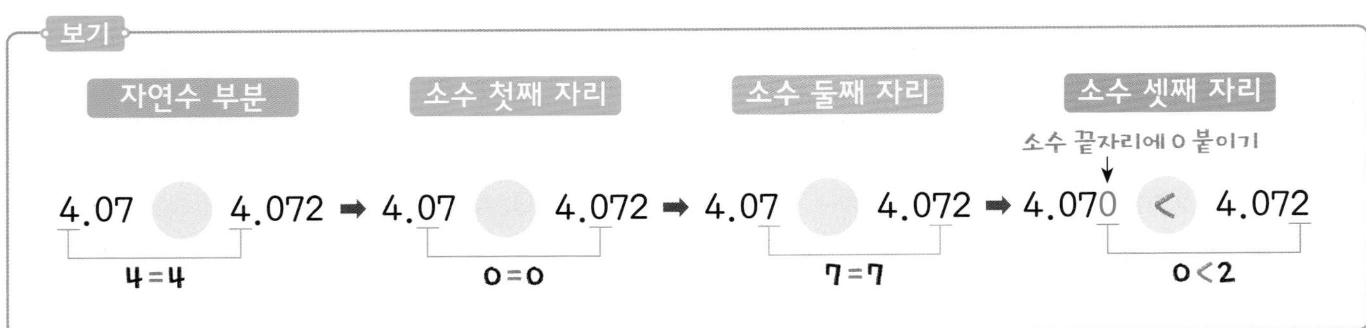

5.17 ○ 4.93 (5$>$4)	2.68 ○ 2.69	0.53 ○ 0.43
8.15 ○ 8.07	0.199 ○ 0.196	6.164 ○ 7.132
6.274 ○ 6.258	1.482 ○ 1.561	9.123 ○ 9.321
4.56 ○ 4.65	6.104 ○ 6.107	7.86 ○ 7.89
1.84 ○ 1.8	10.3 ○ 1.745	3.1 ○ 3.01
0.568 ○ 0.57	5.106 ○ 5.1	2.2 ○ 1.984

4 작은 수부터 순서대로 쓰고 ◯ 안에 해당하는 글자를 써넣어 고사성어를 완성해 보시오.

옛이야기에서 유래한 한자로 이루어진 말 → 고사성어

장	일
1.1	0.07
월	취
1.01	0.11

→ 일 0.07 < ◯ 0.11 < ◯ < ◯

뜻 학업이 날이 갈수록 성장하고 있다.

산	타
5.079	5.074
지	석
5.123	5.201

→ ◯ < ◯ < ◯ < ◯

뜻 다른 사람의 하찮은 말과 행동이라도 자신의 지식과 인격을 수양하는 데 도움이 된다.

위	전
3.08	0.039
화	복
0.34	3.1

→ ◯ < ◯ < ◯ < ◯

뜻 끊임없는 노력과 강인한 의지로 힘쓰면 불행을 행복으로 바꾸어 놓을 수 있다.

인	신
17.01	7.54
살	성
7.031	7.542

→ ◯ < ◯ < ◯ < ◯

뜻 자기의 몸을 희생하여 옳은 도리를 행한다.

04 소수 사이의 관계

정답 20쪽

● 어떤 수의 10배, 100배, 1000배

소수점 오른쪽으로 이동

0.75	10배 (×10) 0이 1개 →	0.75 1칸 이동	→	7.5
0.6	100배 (×100) 0이 2개 →	0.60 2칸 이동	→	60
0.31	1000배 (×1000) 0이 3개 →	0.310 3칸 이동	→	310

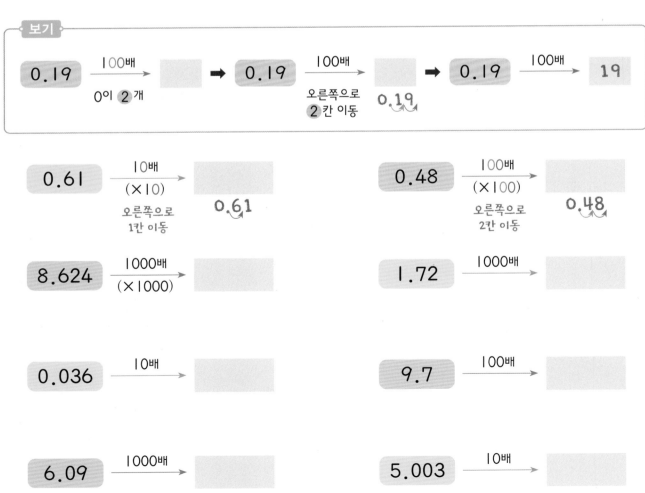

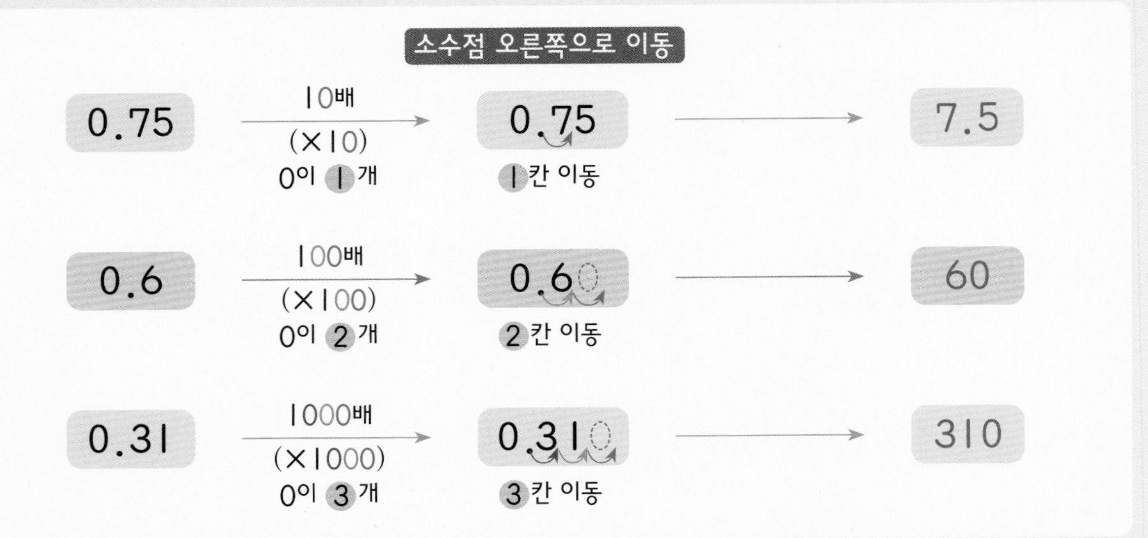

1 □ 안에 알맞은 수를 써넣으시오.

보기

0.19 —100배 (0이 2개)→ □ ➡ 0.19 —100배 (오른쪽으로 2칸 이동)→ □ 0.19 ➡ 0.19 —100배→ 19

0.61 —10배 (×10) 오른쪽으로 1칸 이동→ □ 0.61

0.48 —100배 (×100) 오른쪽으로 2칸 이동→ □ 0.48

8.624 —1000배 (×1000)→ □

1.72 —1000배→ □

0.036 —10배→ □

9.7 —100배→ □

6.09 —1000배→ □

5.003 —10배→ □

● 어떤 수의 $\frac{1}{10}$, $\frac{1}{100}$, $\frac{1}{1000}$

소수점 왼쪽으로 이동

1.5 → $\frac{1}{10}$ $\left(\times\frac{1}{10}\right)$ 0이 1개 → 01.5 (1칸 이동) → 0.15

8 → $\frac{1}{100}$ $\left(\times\frac{1}{100}\right)$ 0이 2개 → 008 (2칸 이동) → 0.08

320 → $\frac{1}{1000}$ $\left(\times\frac{1}{1000}\right)$ 0이 3개 → 0320 (3칸 이동) → 0.320 → 0.32 (끝자리 0 지우기)

2 ☐ 안에 알맞은 소수를 써넣으시오.

보기

50 → $\frac{1}{100}$ (0이 2개) → ☐ ➡ 50 → $\frac{1}{100}$ (왼쪽으로 2칸 이동) → ☐ (050) ➡ 50 → $\frac{1}{100}$ → 0.5

2.4 → $\frac{1}{10}$ $\left(\times\frac{1}{10}\right)$ → ☐ (02.4) 왼쪽으로 1칸 이동

95 → $\frac{1}{100}$ $\left(\times\frac{1}{100}\right)$ → ☐ (095) 왼쪽으로 2칸 이동

573 → $\frac{1}{1000}$ $\left(\times\frac{1}{1000}\right)$ → ☐

1988 → $\frac{1}{1000}$ → ☐

6 → $\frac{1}{10}$ → ☐

36.5 → $\frac{1}{100}$ → ☐

40 → $\frac{1}{1000}$ → ☐

0.12 → $\frac{1}{10}$ → ☐

3 각 단위에 맞게 소수로 나타내려고 합니다. ☐ 안에 알맞은 수를 써넣으시오.

길이의 단위 사이의 관계

mm $\xrightarrow{\times\frac{1}{10}}$ cm $\xrightarrow{\times\frac{1}{100}}$ m $\xrightarrow{\times\frac{1}{1000}}$ km

mm $\xleftarrow{\times 10}$ cm $\xleftarrow{\times 100}$ m $\xleftarrow{\times 1000}$ km

예 10 mm=1 cm 예 100 cm=1 m 예 1000 m=1 km

보기

8 mm $\xrightarrow{\times\frac{1}{10}}$ 0.8 cm

15 cm $\xrightarrow{\times\frac{1}{100}}$ ☐ m

2763 m $\xrightarrow{\times\frac{1}{1000}}$ ☐ km

429 cm $\xrightarrow{\times\frac{1}{100}}$ ☐ m

3 m → ☐ km

67 mm → ☐ cm

3210 cm → ☐ m

708 m → ☐ km

1.2 cm $\xrightarrow{\times 10}$ ☐ mm

0.02 m $\xrightarrow{\times 100}$ ☐ cm

1.528 km $\xrightarrow{\times 1000}$ ☐ m

3.61 m → ☐ cm

10.5 cm → ☐ mm

0.006 km → ☐ m

7.2 km → ☐ m

5.908 m → ☐ cm

4 각 단위에 맞게 소수로 나타내려고 합니다. □ 안에 알맞은 수를 써넣으시오.

무게와 들이 단위 사이의 관계

g $\xrightarrow{\times \frac{1}{1000}}$ kg, kg $\xrightarrow{\times 1000}$ g

mL $\xrightarrow{\times \frac{1}{1000}}$ L, L $\xrightarrow{\times 1000}$ mL

예 1000g=1kg

예 1000mL=1L

보기

136 g $\xrightarrow{\times \frac{1}{1000}}$ 0.136 kg

1967 mL $\xrightarrow{\times \frac{1}{1000}}$ □ L

27 g $\xrightarrow{\times \frac{1}{1000}}$ □ kg

609 mL $\xrightarrow{\times \frac{1}{1000}}$ □ L

5 g → □ kg

4 mL → □ L

8400 g → □ kg

80 mL → □ L

0.813 kg $\xrightarrow{\times 1000}$ □ g

7.639 L $\xrightarrow{\times 1000}$ □ mL

0.009 kg $\xrightarrow{\times 1000}$ □ g

0.504 L $\xrightarrow{\times 1000}$ □ mL

2.406 kg → □ g

0.008 L → □ mL

0.34 kg → □ g

2.1 L → □ mL

05 소수 한 자리 수의 덧셈

정답 21쪽

● 1.4+0.3 알아보기

소수점의 자리 맞추기 → 자연수의 덧셈과 같은 방법으로 계산 → 소수점을 내려 찍기

$$\begin{array}{r} 1.4 \\ +\ 0.3 \\ \hline \end{array} \Rightarrow \begin{array}{r} 1.4 \\ +\ 0.3 \\ \hline 7 \end{array} \Rightarrow \begin{array}{r} 1.4 \\ +\ 0.3 \\ \hline 1\ \ 7 \end{array} \Rightarrow \begin{array}{r} 1.4 \\ +\ 0.3 \\ \hline 1.7 \end{array}$$

1 계산을 하시오.

$$\begin{array}{r} 0.5 \\ +\ 0.3 \\ \hline \end{array} \qquad \begin{array}{r} 0.1 \\ +\ 0.6 \\ \hline \end{array} \qquad \begin{array}{r} 0.2 \\ +\ 0.5 \\ \hline \end{array}$$

$$\begin{array}{r} 0.7 \\ +\ 0.2 \\ \hline \end{array} \qquad \begin{array}{r} 2.3 \\ +\ 0.3 \\ \hline \end{array} \qquad \begin{array}{r} 0.5 \\ +\ 4.4 \\ \hline \end{array}$$

$$\begin{array}{r} 5.2 \\ +\ 0.6 \\ \hline \end{array} \qquad \begin{array}{r} 0.3 \\ +\ 7.1 \\ \hline \end{array} \qquad \begin{array}{r} 3.5 \\ +\ 2.2 \\ \hline \end{array}$$

$$\begin{array}{r} 4.3 \\ +\ 1.5 \\ \hline \end{array} \qquad \begin{array}{r} 5.1 \\ +\ 3.5 \\ \hline \end{array} \qquad \begin{array}{r} 4.2 \\ +\ 4.7 \\ \hline \end{array}$$

2 보기 와 같이 계산을 하시오.

보기

소수점의 자리 맞추기 → 자연수의 덧셈과 같은 방법으로 계산 → 소수점을 내려 찍기

$$\begin{array}{r} 2.7 \\ +\ 1.5 \\ \hline \end{array} \Rightarrow \begin{array}{r} {}^{1}\quad \\ 2.7 \\ +\ 1.5 \\ \hline 2 \end{array} \Rightarrow \begin{array}{r} {}^{1}\quad \\ 2.7 \\ +\ 1.5 \\ \hline 4\ 2 \end{array} \Rightarrow \begin{array}{r} {}^{1}\quad \\ 2.7 \\ +\ 1.5 \\ \hline 4.2 \end{array}$$

7+5=12 　 1+2+1=4

$$\begin{array}{r} 0.8 \\ +\ 0.3 \\ \hline \end{array} \qquad \begin{array}{r} 0.6 \\ +\ 0.7 \\ \hline \end{array} \qquad \begin{array}{r} 0.9 \\ +\ 0.4 \\ \hline \end{array}$$

$$\begin{array}{r} 0.5 \\ +\ 0.5 \\ \hline \end{array} \qquad \begin{array}{r} 1.7 \\ +\ 0.7 \\ \hline \end{array} \qquad \begin{array}{r} 0.9 \\ +\ 2.3 \\ \hline \end{array}$$

$$\begin{array}{r} 5.8 \\ +\ 0.9 \\ \hline \end{array} \qquad \begin{array}{r} 0.6 \\ +\ 4.9 \\ \hline \end{array} \qquad \begin{array}{r} 1.6 \\ +\ 1.5 \\ \hline \end{array}$$

$$\begin{array}{r} 2.7 \\ +\ 3.9 \\ \hline \end{array} \qquad \begin{array}{r} 4.3 \\ +\ 1.7 \\ \hline \end{array} \qquad \begin{array}{r} 5.8 \\ +\ 3.6 \\ \hline \end{array}$$

3 보기 와 같이 계산을 하시오.

보기

2.8+1.5= □3 (8+5=13, 1 올림) ➡ 2.8+1.5= 4 3 (3+1=4) ➡ 2.8+1.5= 4.3

0.1+0.8= □9　　0.3+0.4= □　　1.5+0.2= □

0.7+4.1= □　　1.2+1.3= □　　3.4+2.2= □

4.3+4.6= □　　3.4+6.2= □　　7.1+1.7= □

0.2+0.9= □1 (1 올림)　　2.7+0.9= □　　0.6+3.4= □

0.6+0.5= □　　1.8+2.5= □　　2.4+3.7= □

4.4+2.8= □　　6.9+1.5= □　　4.6+4.9= □

4 빈칸에 알맞은 소수를 써넣으시오.

(가로 →, 세로 ↓ 방향으로 더하기)

0.3	0.8	1.1
0.6	0.2	
0.9		

0.3+0.8

0.3+0.6

0.5	1.4	
0.4	0.7	

0.7	1.2	
1.5	0.6	

1.3	0.9	
2.4	2.5	

2.1	1.6	
2.7	3.9	

4.7	2.2	
1.8	3.5	

5.9	2.4	
3.5	4.5	

7.2	1.9	
6.7	4.6	

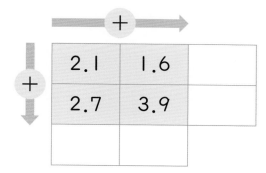

06 소수 두 자리 수의 덧셈

정답 22쪽

- 1.4+0.35 알아보기

소수점의 자리 맞추기 → 자연수의 덧셈과 같은 방법으로 계산 → 소수점을 내려 찍기

$$\begin{array}{r} 1.4 \\ +\,0.35 \\ \hline \end{array} \Rightarrow \begin{array}{r} 1.40 \\ +\,0.35 \\ \hline \end{array} \Rightarrow \begin{array}{r} 1.40 \\ +\,0.35 \\ \hline 1\;7\;5 \end{array} \Rightarrow \begin{array}{r} 1.40 \\ +\,0.35 \\ \hline 1.75 \end{array}$$

끝자리 뒤에 0이 있는 것으로 생각함

1 계산을 하시오.

$$\begin{array}{r} 0.28 \\ +\,0.40 \\ \hline \end{array} \qquad \begin{array}{r} 0.10 \\ +\,0.32 \\ \hline \end{array} \qquad \begin{array}{r} 1.46 \\ +\,0.5 \\ \hline \end{array}$$

$$\begin{array}{r} 0.7 \\ +\,3.14 \\ \hline \end{array} \qquad \begin{array}{r} 6.45 \\ +\,2.3 \\ \hline \end{array} \qquad \begin{array}{r} 7.1 \\ +\,2.89 \\ \hline \end{array}$$

$$\begin{array}{r} 0.31 \\ +\,0.52 \\ \hline \end{array} \qquad \begin{array}{r} 0.64 \\ +\,0.23 \\ \hline \end{array} \qquad \begin{array}{r} 0.12 \\ +\,2.35 \\ \hline \end{array}$$

$$\begin{array}{r} 7.64 \\ +\,0.24 \\ \hline \end{array} \qquad \begin{array}{r} 3.14 \\ +\,5.81 \\ \hline \end{array} \qquad \begin{array}{r} 1.37 \\ +\,4.52 \\ \hline \end{array}$$

2 보기 와 같이 계산을 하시오.

보기

소수점의 자리 맞추기

$$\begin{array}{r} 5.46 \\ +\ 0.85 \\ \hline \end{array}$$

➡ 자연수의 덧셈과 같은 방법으로 계산

$$\begin{array}{r} \scriptstyle 1 \\ 5.46 \\ +\ 0.85 \\ \hline 1 \end{array}$$

6+5=11

➡

$$\begin{array}{r} \scriptstyle 1\ 1 \\ 5.46 \\ +\ 0.85 \\ \hline 31 \end{array}$$

1+4+8=13

➡ 소수점을 내려 찍기

$$\begin{array}{r} \scriptstyle 1\ 1 \\ 5.46 \\ +\ 0.85 \\ \hline 6.31 \end{array}$$

1+5+0=6

$$\begin{array}{r} 0.53 \\ +\ 0.70 \\ \hline \end{array}$$

$$\begin{array}{r} 0.60 \\ +\ 0.94 \\ \hline \end{array}$$

$$\begin{array}{r} 1.42 \\ +\ 0.8 \\ \hline \end{array}$$

$$\begin{array}{r} 0.9 \\ +\ 6.38 \\ \hline \end{array}$$

$$\begin{array}{r} 2.74 \\ +\ 4.7 \\ \hline \end{array}$$

$$\begin{array}{r} 5.6 \\ +\ 3.51 \\ \hline \end{array}$$

$$\begin{array}{r} 0.26 \\ +\ 0.47 \\ \hline \end{array}$$

$$\begin{array}{r} 0.52 \\ +\ 0.83 \\ \hline \end{array}$$

$$\begin{array}{r} 1.79 \\ +\ 2.05 \\ \hline \end{array}$$

$$\begin{array}{r} 3.63 \\ +\ 5.47 \\ \hline \end{array}$$

$$\begin{array}{r} 0.54 \\ +\ 4.78 \\ \hline \end{array}$$

$$\begin{array}{r} 2.26 \\ +\ 6.95 \\ \hline \end{array}$$

3 보기 와 같이 계산을 하시오.

보기

$3.68+1.75=\square\square3 \Rightarrow 3.68+1.75=\square43 \Rightarrow 3.68+1.75=5.43$

13, 13+1=14, 4+1=5

$0.23+0.46=\square\square9$

$0.50+0.28=$

$0.31+0.68=$

$1.21+0.6=$

$0.62+3.27=$

$3.21+2.37=$

$3.52+4.24=$

$0.64+0.18=\square\square2$ (1)

$2.30+0.85=$

$0.33+0.95=$

$7.62+0.47=$

$1.82+1.69=$

$2.35+4.65=$

$5.74+3.58=$

4 소수의 덧셈 실력을 점검해 보시오.

실력평가

맞힌 개수: 개 | 제한 시간: 10 분

1. $\begin{array}{r} 0.5 \\ +\ 0.16 \\ \hline \end{array}$

2. $\begin{array}{r} 1.13 \\ +\ 2.7 \\ \hline \end{array}$

3. $\begin{array}{r} 0.6 \\ +\ 4.79 \\ \hline \end{array}$

4. $\begin{array}{r} 2.81 \\ +\ 5.8 \\ \hline \end{array}$

5. $\begin{array}{r} 0.62 \\ +\ 0.34 \\ \hline \end{array}$

6. $\begin{array}{r} 0.73 \\ +\ 0.65 \\ \hline \end{array}$

7. $\begin{array}{r} 3.29 \\ +\ 0.54 \\ \hline \end{array}$

8. $\begin{array}{r} 2.35 \\ +\ 4.86 \\ \hline \end{array}$

9. $\begin{array}{r} 5.28 \\ +\ 2.79 \\ \hline \end{array}$

10. $0.3+0.52$

11. $0.74+0.4$

12. $1.6+2.08$

13. $2.69+4.7$

14. $0.13+0.62$

15. $6.54+0.38$

16. $1.72+3.51$

17. $4.69+3.96$

수고하셨습니다!

07 소수 한 자리 수의 뺄셈

정답 23쪽

- 1.4－0.3 알아보기

소수점의 자리 맞추기 → 자연수의 뺄셈과 같은 방법으로 계산 → 소수점을 내려 찍기

$$\begin{array}{r} 1.4 \\ -\ 0.3 \\ \hline \end{array} \Rightarrow \begin{array}{r} 1.4 \\ -\ 0.3 \\ \hline 1 \end{array} \Rightarrow \begin{array}{r} 1.4 \\ -\ 0.3 \\ \hline 1\ \ 1 \end{array} \Rightarrow \begin{array}{r} 1.4 \\ -\ 0.3 \\ \hline 1.1 \end{array}$$

1 계산을 하시오.

$$\begin{array}{r} 0.5 \\ -\ 0.3 \\ \hline \end{array} \qquad \begin{array}{r} 0.6 \\ -\ 0.1 \\ \hline \end{array} \qquad \begin{array}{r} 0.9 \\ -\ 0.5 \\ \hline \end{array}$$

$$\begin{array}{r} 0.7 \\ -\ 0.2 \\ \hline \end{array} \qquad \begin{array}{r} 2.8 \\ -\ 0.3 \\ \hline \end{array} \qquad \begin{array}{r} 4.5 \\ -\ 0.4 \\ \hline \end{array}$$

$$\begin{array}{r} 5.6 \\ -\ 0.6 \\ \hline \end{array} \qquad \begin{array}{r} 7.9 \\ -\ 0.7 \\ \hline \end{array} \qquad \begin{array}{r} 3.3 \\ -\ 2.2 \\ \hline \end{array}$$

$$\begin{array}{r} 4.5 \\ -\ 1.1 \\ \hline \end{array} \qquad \begin{array}{r} 5.8 \\ -\ 3.5 \\ \hline \end{array} \qquad \begin{array}{r} 9.9 \\ -\ 4.2 \\ \hline \end{array}$$

2 보기 와 같이 계산을 하시오.

보기

소수점의 자리 맞추기 → 자연수의 뺄셈과 같은 방법으로 계산 → 소수점을 내려 찍기

$4.0 - 1.7$: $10-7=3$, $3-1=2$ → 2.3

$1.0 - 0.3 =$

$2.0 - 0.7 =$

$5.0 - 0.4 =$

$3.0 - 0.5 =$

$4.0 - 1.6 =$

$7.0 - 2.2 =$

$6 - 3.9 =$

$7 - 4.8 =$

$8 - 1.5 =$

$9 - 5.1 =$

$5 - 4.6 =$

$9 - 1.3 =$

3 보기 와 같이 계산을 하시오.

보기

소수점의 자리 맞추기	자연수의 뺄셈과 같은 방법으로 계산		소수점을 내려 찍기
$\begin{array}{r} 4.2 \\ -\ 1.5 \\ \hline \end{array}$	$\begin{array}{r} \overset{3}{\cancel{4}}.\overset{10}{2} \\ -\ 1.5 \\ \hline 7 \end{array}$	$\begin{array}{r} \overset{3}{\cancel{4}}.2 \\ -\ 1.5 \\ \hline 2\ 7 \end{array}$	$\begin{array}{r} 4.2 \\ -\ 1.5 \\ \hline 2.7 \end{array}$
	10−5+2=7	3−1=2	

$\begin{array}{r} \overset{0}{\cancel{1}}.\overset{10}{1} \\ -\ 0.3 \\ \hline \end{array}$

$\begin{array}{r} \overset{1}{\cancel{2}}.\overset{10}{4} \\ -\ 0.7 \\ \hline \end{array}$

$\begin{array}{r} \overset{4}{\cancel{5}}.\overset{10}{2} \\ -\ 0.4 \\ \hline \end{array}$

$\begin{array}{r} 3.3 \\ -\ 0.9 \\ \hline \end{array}$

$\begin{array}{r} 4.1 \\ -\ 1.6 \\ \hline \end{array}$

$\begin{array}{r} 3.5 \\ -\ 2.7 \\ \hline \end{array}$

$\begin{array}{r} 6.1 \\ -\ 3.9 \\ \hline \end{array}$

$\begin{array}{r} 7.4 \\ -\ 4.8 \\ \hline \end{array}$

$\begin{array}{r} 8.2 \\ -\ 1.5 \\ \hline \end{array}$

$\begin{array}{r} 9.3 \\ -\ 5.6 \\ \hline \end{array}$

$\begin{array}{r} 5.6 \\ -\ 3.7 \\ \hline \end{array}$

$\begin{array}{r} 9.7 \\ -\ 7.9 \\ \hline \end{array}$

4 보기 와 같이 계산을 하시오.

보기

3 10 / 4.5−1.8= □.7 (10−8+5=7) ➡ 3 / 4.5−1.8= 2.7 (3−1=2) ➡ 4.5−1.8= 2.7

2 10 / 3.0−0.7= □.3

1 10 / 2.3−0.6= □.□

2 10 / 3.1−0.4= □.□

1.5−0.3= □.□

5−0.6= □.□

1.5−0.9= □.□

7.2−1.7= □.□

3.7−2.6= □.□

4−1.5= □.□

7−4.9= □.□

5.1−3.8= □.□

4.6−1.3= □.□

9−8.1= □.□

8−6.3= □.□

7.8−2.9= □.□

5.2−4.7= □.□

8.4−1.8= □.□

6−2.2= □.□

08 소수 두 자리 수의 뺄셈

정답 24쪽

- 1.45−0.3 알아보기

소수점의 자리 맞추기 → 자연수의 뺄셈과 같은 방법으로 계산 → 소수점을 내려 찍기

$$\begin{array}{r} 1.45 \\ -\ 0.3 \\ \hline \end{array} \Rightarrow \begin{array}{r} 1.45 \\ -\ 0.30 \\ \hline \end{array} \Rightarrow \begin{array}{r} 1.45 \\ -\ 0.30 \\ \hline 1\ 1\ 5 \end{array} \Rightarrow \begin{array}{r} 1.45 \\ -\ 0.30 \\ \hline 1.15 \end{array}$$

끝자리 뒤에 0이 있는 것으로 생각함

1 계산을 하시오.

$$\begin{array}{r} 0.48 \\ -\ 0.10 \\ \hline \end{array} \qquad \begin{array}{r} 0.32 \\ -\ 0.20 \\ \hline \end{array} \qquad \begin{array}{r} 1.56 \\ -\ 0.4 \\ \hline \end{array}$$

$$\begin{array}{r} 3.74 \\ -\ 0.1 \\ \hline \end{array} \qquad \begin{array}{r} 6.45 \\ -\ 2.3 \\ \hline \end{array} \qquad \begin{array}{r} 7.89 \\ -\ 5.1 \\ \hline \end{array}$$

$$\begin{array}{r} 0.52 \\ -\ 0.31 \\ \hline \end{array} \qquad \begin{array}{r} 0.64 \\ -\ 0.23 \\ \hline \end{array} \qquad \begin{array}{r} 2.35 \\ -\ 1.23 \\ \hline \end{array}$$

$$\begin{array}{r} 7.64 \\ -\ 0.24 \\ \hline \end{array} \qquad \begin{array}{r} 5.84 \\ -\ 3.71 \\ \hline \end{array} \qquad \begin{array}{r} 4.59 \\ -\ 4.52 \\ \hline \end{array}$$

2 보기 와 같이 계산을 하시오.

보기

소수점의 자리 맞추기 → 자연수의 뺄셈과 같은 방법으로 계산 → 소수점을 내려 찍기

$5.7 - 1.85$ → $5.70 - 1.85$: 10-5=5 → 10-8+6=8 → 4-1=3 → 3.85

$0.70 - 0.53 =$

$0.90 - 0.24 =$

$1.8 - 0.42 =$

$1.1 - 0.38 =$

$5.7 - 1.76 =$

$8 - 3.61 =$

$0.93 - 0.55 =$

$0.73 - 0.64 =$

$2.18 - 0.35 =$

$7.21 - 0.64 =$

$5.12 - 1.86 =$

$9.35 - 8.59 =$

3 보기 와 같이 계산을 하시오.

보기

$3.\overset{5\ 10}{\not6}5-1.78=\square\square7$ ➡ $\overset{2}{\not3}.\overset{5}{\not6}5-1.78=\square87$ ➡ $\not3.65-1.78=1.87$

10−8+5=7, 10−7+5=8, 2−1=1

$0.\overset{6\ 10}{\not7}3-0.49=\square\square4$

$\not6.\not50-1.68=$

$0.81-0.6=$

$0.7-0.24=$

$0.8-0.35=$

$0.58-0.29=$

$0.81-0.63=$

$3.74-0.62=$

$2.19-0.61=$

$1.72-0.85=$

$5.43-3.42=$

$1-0.39=$

$9.04-6.57=$

$4-1.28=$

4 소수의 뺄셈 실력을 점검해 보시오.

실력평가

맞힌 개수 ___ 개 | 제한 시간 10 분

1. $0.74 - 0.5$

2. $0.51 - 0.32$

3. $6.45 - 2.3$

4. $5.63 - 0.24$

5. $7.1 - 0.89$

6. $5.12 - 2.35$

7. $6 - 1.32$

8. $9.16 - 5.81$

9. $7.46 - 5.57$

10. $0.69-0.5$

11. $0.9-0.37$

12. $4.28-1.5$

13. $0.56-0.41$

14. $4.85-0.69$

15. $7.21-3.42$

16. $5.13-3.46$

17. $8-2.94$

수고하셨습니다!

정답 25쪽

집에서 서점까지의 거리는 0.7 km이고, 서점에서 도서관까지의 거리는 0.6 km입니다. 집에서 서점을 지나 도서관까지의 거리는 모두 몇 km입니까?

주어진 수에 ○표 하고, 구하는 것에 밑줄 치기

집에서 서점까지의 거리: ☐ km, 서점에서 도서관까지의 거리: ☐ km

문제 해결하기

집에서 서점까지의 거리와 서점에서 도서관까지의 거리를 (더합니다 , 뺍니다).

문제 풀기

(집~서점~도서관까지의 거리)=(집~서점까지의 거리)+(서점~도서관까지의 거리)

=☐+☐=☐(km)

답 쓰기

집에서 서점을 지나 도서관까지의 거리는 ☐ km입니다.

혜원이는 물을 어제는 1.87 L 마셨고, 오늘은 2.15 L 마셨습니다. 혜원이가 어제와 오늘 마신 물은 모두 몇 L입니까?

주어진 수에 ○표 하고, 구하는 것에 밑줄 치기

어제 마신 물의 양: ☐ L, 오늘 마신 물의 양: ☐ L

문제 해결하기

어제 마신 물의 양과 오늘 마신 물의 양을 (더합니다 , 뺍니다).

문제 풀기

(어제와 오늘 마신 물의 양)=(어제 마신 물의 양)+(오늘 마신 물의 양)

=☐+☐=☐(L)

답 쓰기

혜원이가 어제와 오늘 마신 물의 양은 ☐ L입니다.

길이가 1.2 m인 색 테이프가 있었습니다. 그중에서 선물을 포장하는 데 0.5 m를 사용했다면 남은 색 테이프는 몇 m입니까?

주어진 수에 ○표 하고, 구하는 것에 밑줄 치기

전체 색 테이프 길이: ______ m, 사용한 색 테이프 길이: ______ m

문제 해결하기

전체 색 테이프 길이에서 사용한 색 테이프 길이를 (더합니다 , 뺍니다).

문제 풀기

(남은 색 테이프 길이)=(전체 색 테이프 길이)−(사용한 색 테이프 길이)

=______−______=______(m)

답 쓰기

남은 색 테이프 길이는 ______ m입니다.

오이가 들어 있는 바구니의 무게는 2.14 kg입니다. 빈 바구니의 무게가 0.38 kg일 때 바구니에 들어 있는 오이의 무게는 몇 kg입니까?

주어진 수에 ○표 하고, 구하는 것에 밑줄 치기

오이가 들어 있는 바구니의 무게: ______ kg, 빈 바구니의 무게: ______ kg

문제 해결하기

오이가 들어 있는 바구니의 무게에서 빈 바구니의 무게를 (더합니다 , 뺍니다).

문제 풀기

(오이의 무게)=(오이가 들어 있는 바구니의 무게)−(빈 바구니의 무게)

=______−______=______(kg)

답 쓰기

바구니에 들어 있는 오이의 무게는 ______ kg입니다.

● ☐ 안에 알맞은 수를 써넣고, 답을 구하시오.

1 Drill

선주는 무게가 0.2 kg인 상자 안에 귤을 3.75 kg 담았습니다. 귤을 담은 상자의 무게는 몇 kg입니까?

주어진 수에 ○표 하고, 구하는 것에 밑줄 쫙!

풀이 (귤을 담은 상자의 무게)=(빈 상자의 무게)+(귤의 무게)

=☐+☐=☐(kg)

답 ____ kg

2 Drill

민호가 가지고 있는 철사는 2.75 m이고, 하연이가 가지고 있는 철사는 민호보다 0.69 m 더 깁니다. 하연이가 가지고 있는 철사의 길이는 몇 m입니까?

풀이 (하연이의 철사 길이)=(민호의 철사 길이)+0.69

=☐+☐=☐(m)

답 ____ m

3 Drill

들이가 0.85 L인 통에 물이 0.3 L만큼 채워져 있습니다. 이 통에 몇 L의 물을 더 부어야 통이 가득 차겠습니까?

풀이 (더 부어야 하는 물의 양)=(통의 들이)−(채워져 있는 물의 양)

=☐−☐=☐(L)

답 ____ L

4 Drill

정수의 몸무게는 36.15 kg이고, 동생의 몸무게는 정수보다 6.67 kg 가벼웠습니다. 동생의 몸무게는 몇 kg입니까?

풀이 (동생의 몸무게)=(정수의 몸무게)−6.67

=☐−☐=☐(kg)

답 ____ kg

● 서술형 문제를 읽고 풀이 과정과 답을 쓰시오.

도전 1

영민이는 정육점에서 소고기를 0.6 kg, 돼지고기를 1.5 kg 샀습니다. 영민이가 정육점에서 산 고기는 모두 몇 kg입니까?

풀이

답

도전 2

주택이의 몸무게는 34.85 kg입니다. 민선이가 주택이보다 2.75 kg 더 무겁다면 민선이의 몸무게는 몇 kg입니까?

풀이

답

도전 3

석진이의 종이비행기는 4.1 m를 날아갔고, 명수의 종이비행기는 2.8 m를 날아갔습니다. 석진이의 종이비행기는 명수의 종이비행기보다 몇 m 더 멀리 날아갔습니까?

풀이

답

도전 4

페인트가 6 L 있었습니다. 그중에서 4.81 L를 벽을 칠하는 데 사용하였습니다. 남은 페인트의 양은 몇 L입니까?

풀이

답

01 분수를 소수로 나타내시오.

(1) 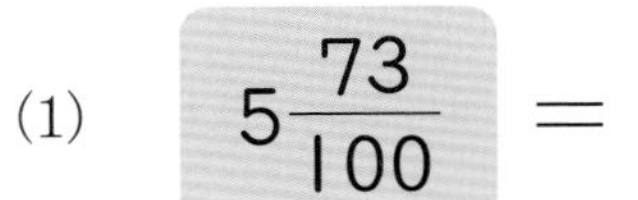

= ☐

(2) $3\frac{270}{1000}$ = ☐

02 소수를 바르게 읽은 것을 찾아 ○표 하시오.

17.825

- 십칠 점 팔이오 (　　　)
- 일칠 점 팔이오 (　　　)

03 빨간색 숫자가 나타내는 수를 찾아 ○표 하시오.

4.625		
0.2	0.02	0.002

04 ☐ 안에 알맞은 수를 써넣으시오.

(1) 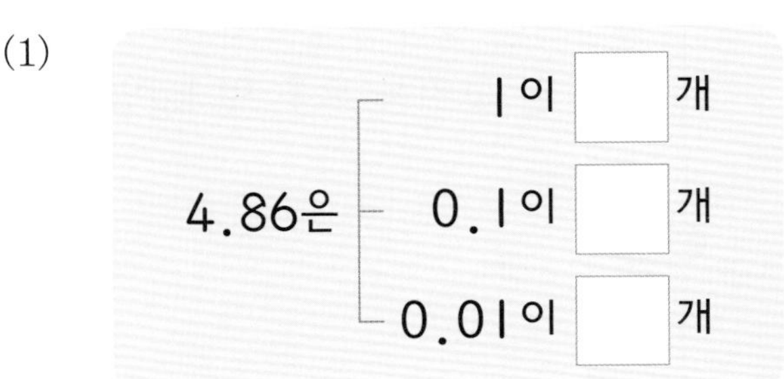

(2) 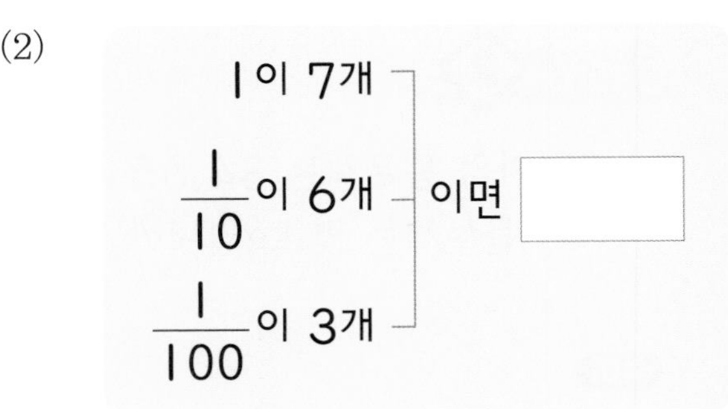

05 두 수의 크기를 비교하여 ○ 안에 > 또는 <를 알맞게 써넣으시오.

(1) 2.18 ○ 2.24

(2) 1.523 ○ 1.524

06 두 수의 크기를 비교하여 빈 곳에 알맞게 써넣으시오.

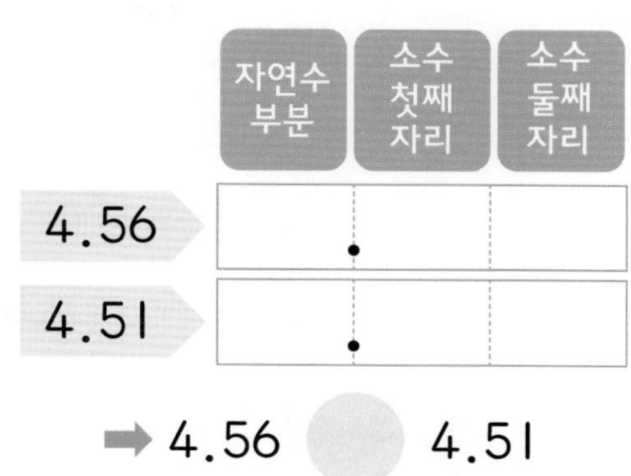

07 두 수의 크기를 비교하여 ○ 안에 > 또는 <를 알맞게 써넣으시오.

(1) 6.09 ○ 5.72

(2) 3.672 ○ 3.68

08 □ 안에 알맞은 수를 써넣으시오.

(1) 8.3 —100배→ □

(2) 1.249 —1000배→ □

09 □ 안에 알맞은 소수를 써넣으시오.

(1) 42 —$\frac{1}{100}$→ □

(2)
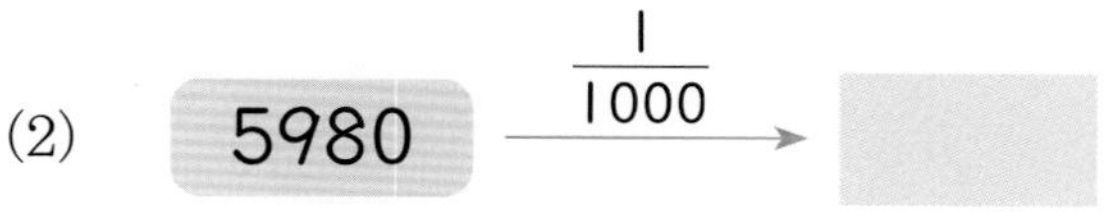

10 각 단위에 맞게 소수로 나타내려고 합니다. □ 안에 알맞은 수를 써넣으시오.

(1) 36 mm → □ cm

(2) 1.35 m → □ cm

(3) 290 m → □ km

(4) 1.275 kg → □ g

(5) 4658 mL → □ L

11 계산을 하시오.

(1)
$$\begin{array}{r} 0.6 \\ +\ 0.8 \\ \hline \end{array}$$

(2)
$$\begin{array}{r} 1.7 \\ +\ 3.5 \\ \hline \end{array}$$

12 계산을 하시오.

(1) $1.2+0.7=$

(2) $6.3+2.9=$

13 빈칸에 알맞은 소수를 써넣으시오.

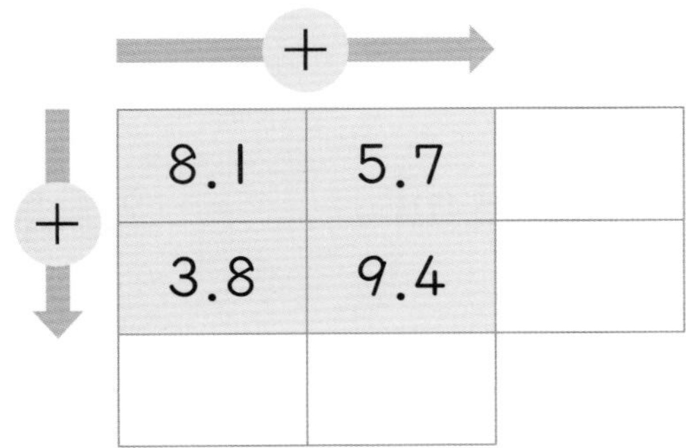

8.1	5.7	
3.8	9.4	

14 계산을 하시오.

(1)
$$\begin{array}{r} 4.76 \\ +\ 2.8 \\ \hline \end{array}$$

(2)
$$\begin{array}{r} 3.94 \\ +\ 2.68 \\ \hline \end{array}$$

15 계산을 하시오.

(1) $0.32+0.57=$

(2) $3.2+0.56=$

(3) $0.85+0.93=$

(4) $2.48+5.7=$

(5) $3.65+3.96=$

16 계산을 하시오.

(1) $\begin{array}{r} 5 \\ -\ 2.4 \\ \hline \end{array}$ (2) $\begin{array}{r} 4.6 \\ -\ 1.7 \\ \hline \end{array}$

17 계산을 하시오.

(1) 7－1.6＝

(2) 8.2－3.6＝

18 계산을 하시오.

(1) $\begin{array}{r} 9.47 \\ -\ 3.1 \\ \hline \end{array}$

(2) $\begin{array}{r} 8.95 \\ -\ 2.74 \\ \hline \end{array}$

19 계산을 하시오.

(1) $\begin{array}{r} 4.6 \\ -\ 1.78 \\ \hline \end{array}$

(2) $\begin{array}{r} 9.16 \\ -\ 3.67 \\ \hline \end{array}$

20 계산을 하시오.

(1) 0.98－0.54＝

(2) 1.82－0.7＝

(3) 3.57－1.68＝

(4) 8.04－5.16＝

(5) 9.1－3.57＝

단원 평가 3. 소수의 덧셈과 뺄셈

정답 27쪽

1 ▢ 안에 알맞은 소수를 써넣으시오.

1이 1개
0.1이 3개 이면 ▢
0.01이 9개

2 다음 소수에서 숫자 6이 나타내는 값은 얼마입니까?

12.5<u>6</u>8

( )

3 다음 중 소수 셋째 자리의 숫자가 8인 수는 어느 것입니까? ( )

① 8.142 ② 1.482
③ 4.218 ④ 2.841
⑤ 1.284

4 소수를 바르게 읽은 사람은 누구입니까?

성호	효진	성호
2.17	5.028	14.259
이 점 하나칠	오 점 이팔	십사 점 이오구

( )

5 두 수의 크기를 비교하여 ○ 안에 > 또는 <를 알맞게 써넣으시오.

(1) 0.18 ○ 0.23

(2) 3.14 ○ 3.15

(3) 8.127 ○ 7.965

(4) 1.68 ○ 1.7

(5) 10.1 ○ 9.852

6 빈칸에 알맞은 수를 써넣으시오.

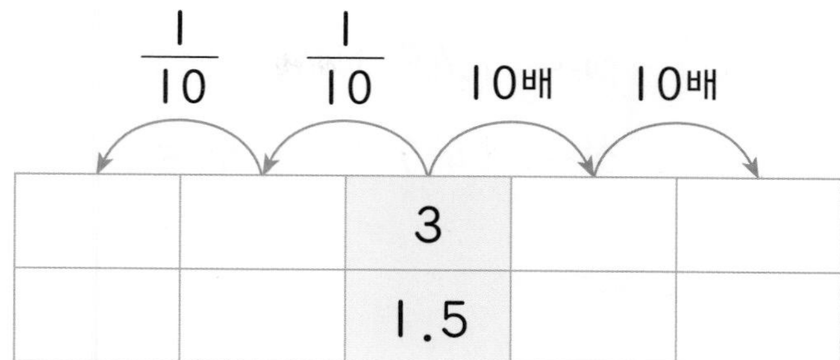

7 수직선을 보고 ▢ 안에 알맞은 수를 써넣으시오.

(1)

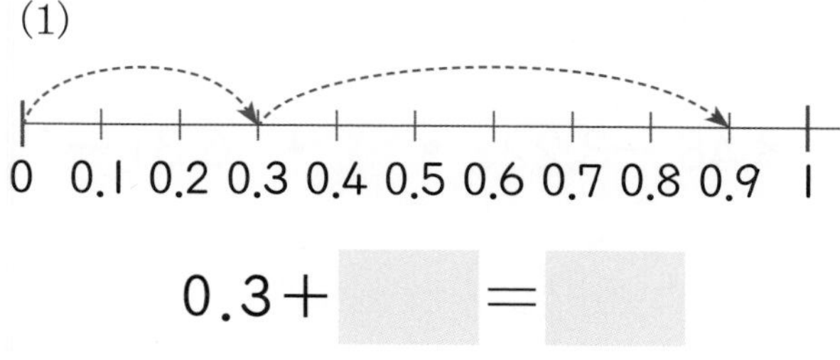

0.3+▢=▢

(2)

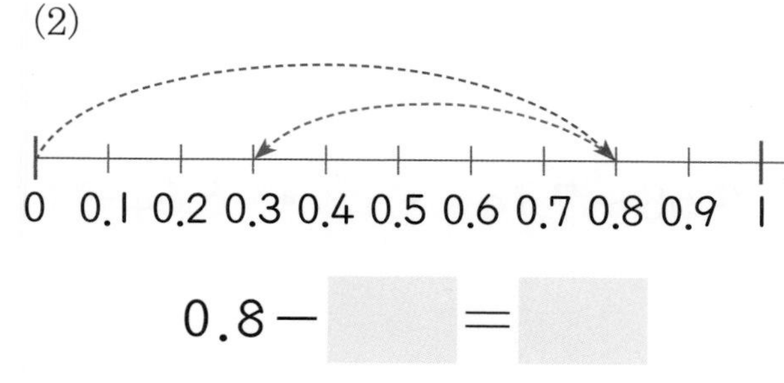

0.8−▢=▢

8 빈칸에 알맞은 수를 써넣으시오.

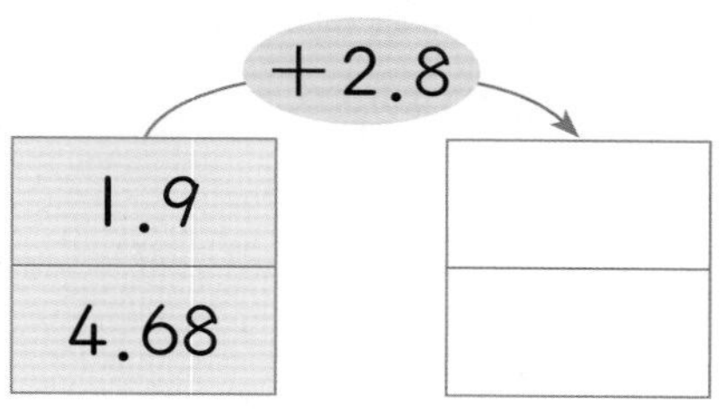

9 ▢ 안에 알맞은 수를 써넣으시오.

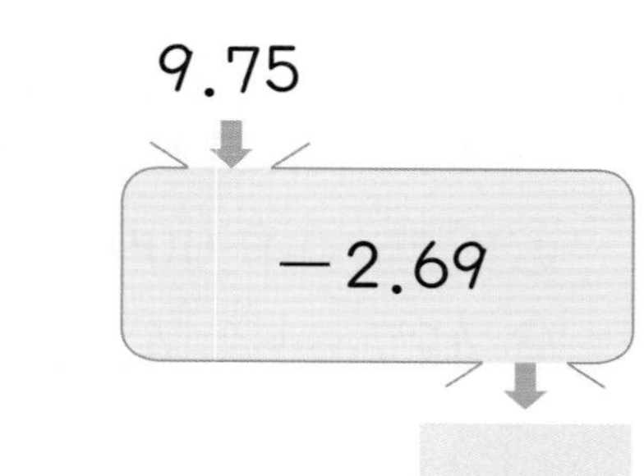

10 5.713에 대한 설명으로 <u>틀린</u> 것을 찾아 기호를 쓰시오.

㉠ 5.5보다 큽니다.
㉡ 3은 소수 셋째 자리 숫자입니다.
㉢ 숫자 1이 나타내는 수는 0.1입니다.

(   )

11 우유를 정태는 0.5 L 마셨고, 지숙이는 0.49 L 마셨습니다. 누가 우유를 더 많이 마셨습니까?

(　　　　　　)

12 다음 중 바르게 나타낸 것을 찾아 기호를 쓰시오.

㉠ 8794 m=8.794 km
㉡ 9 cm=0.009 m
㉢ 427 mm=4.27 cm

(　　　　　　)

13 ㉠이 나타내는 값은 ㉡이 나타내는 값의 몇 배입니까?

76.574 (㉠: 밑줄 친 7, ㉡: 밑줄 친 7)

(　　　　　　)배

14 더 큰 수를 설명한 사람의 이름을 쓰시오.

재호: 1.49의 10배인 수
성수: 14.9의 $\frac{1}{10}$인 수

(　　　　　　)

15 계산 결과가 같은 것끼리 선으로 이으시오.

8.48−3.22 •	• 6.31−3.79
5.2−0.56 •	• 9.98−5.34
9.68−7.16 •	• 6.64−1.38

16 계산 결과가 가장 큰 것을 찾아 기호를 쓰시오.

㉠ $0.54+0.62$
㉡ $3-1.7$
㉢ $9.1-7.85$

( )

17 가장 큰 수와 가장 작은 수의 차를 구하시오.

3.5　3.05　3.17

( )

18 □ 안에 알맞은 수를 써넣으시오.

(1) $\square+1.2=3.79$

(2) $\square-5.7=3.48$

19 석훈이는 노란색 리본을 1.68 m, 초록색 리본을 2.54 m 가지고 있습니다. 석훈이가 가지고 있는 리본의 길이는 모두 몇 m인지 풀이 과정을 쓰고 답을 구하시오.

풀이

답

20 100 m를 진수는 18.05초에 달렸고, 민호는 16.97초에 달렸습니다. 누가 100 m를 몇 초 더 빨리 달렸는지 구하시오.

□가 □초 더 빨리 달렸습니다.

memo

논리적 사고력과 창의적 문제해결력을 키워 주는

매스티안 교재 활용법!

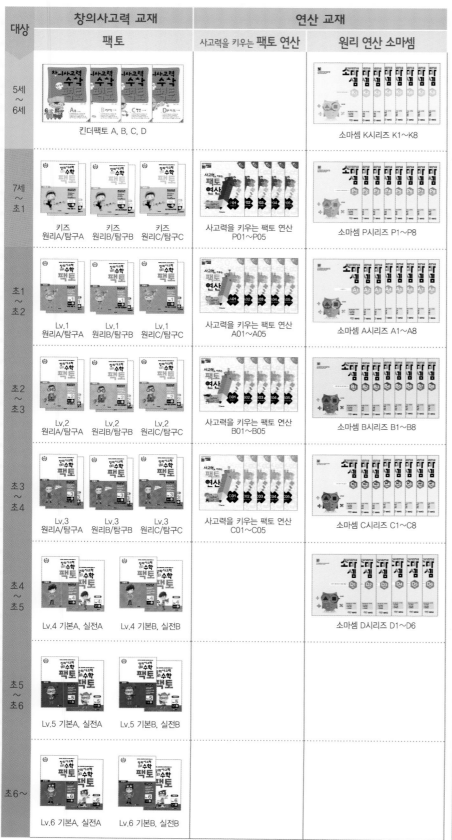

대상	창의사고력 교재: 팩토			연산 교재: 사고력을 키우는 팩토 연산	연산 교재: 원리 연산 소마셈
5세~6세	킨더팩토 A, B, C, D				소마셈 K시리즈 K1~K8
7세~초1	키즈 원리A/탐구A	키즈 원리B/탐구B	키즈 원리C/탐구C	사고력을 키우는 팩토 연산 P01~P05	소마셈 P시리즈 P1~P8
초1~초2	Lv.1 원리A/탐구A	Lv.1 원리B/탐구B	Lv.1 원리C/탐구C	사고력을 키우는 팩토 연산 A01~A05	소마셈 A시리즈 A1~A8
초2~초3	Lv.2 원리A/탐구A	Lv.2 원리B/탐구B	Lv.2 원리C/탐구C	사고력을 키우는 팩토 연산 B01~B05	소마셈 B시리즈 B1~B8
초3~초4	Lv.3 원리A/탐구A	Lv.3 원리B/탐구B	Lv.3 원리C/탐구C	사고력을 키우는 팩토 연산 C01~C05	소마셈 C시리즈 C1~C8
초4~초5	Lv.4 기본A, 실전A	Lv.4 기본B, 실전B			소마셈 D시리즈 D1~D6
초5~초6	Lv.5 기본A, 실전A	Lv.5 기본B, 실전B			
초6~	Lv.6 기본A, 실전A	Lv.6 기본B, 실전B			

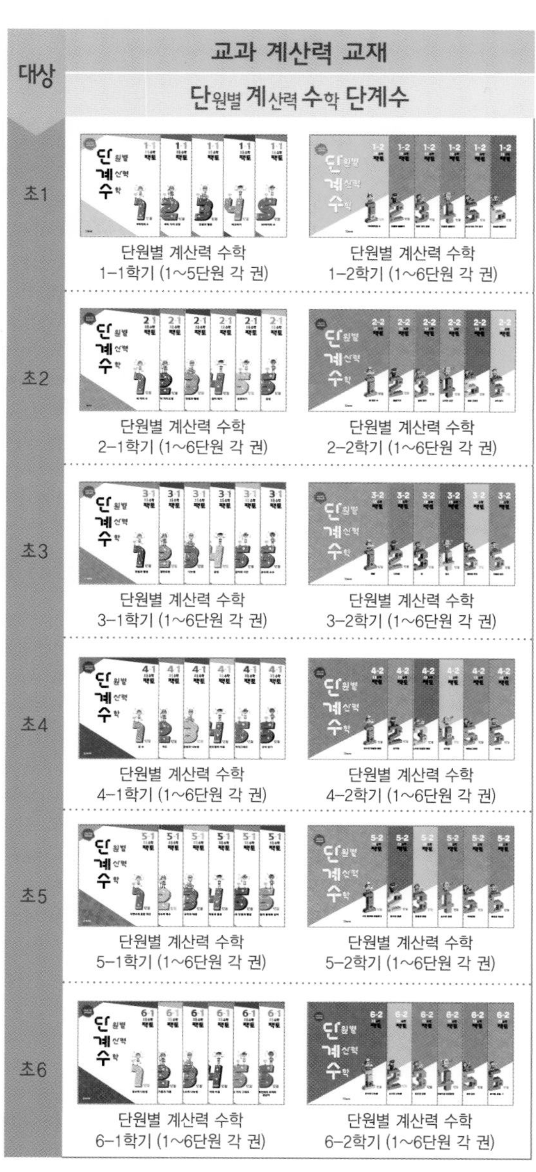

대상	교과 계산력 교재: 단원별 계산력 수학 단계수	
초1	단원별 계산력 수학 1-1학기 (1~5단원 각 권)	단원별 계산력 수학 1-2학기 (1~6단원 각 권)
초2	단원별 계산력 수학 2-1학기 (1~6단원 각 권)	단원별 계산력 수학 2-2학기 (1~6단원 각 권)
초3	단원별 계산력 수학 3-1학기 (1~6단원 각 권)	단원별 계산력 수학 3-2학기 (1~6단원 각 권)
초4	단원별 계산력 수학 4-1학기 (1~6단원 각 권)	단원별 계산력 수학 4-2학기 (1~6단원 각 권)
초5	단원별 계산력 수학 5-1학기 (1~6단원 각 권)	단원별 계산력 수학 5-2학기 (1~6단원 각 권)
초6	단원별 계산력 수학 6-1학기 (1~6단원 각 권)	단원별 계산력 수학 6-2학기 (1~6단원 각 권)

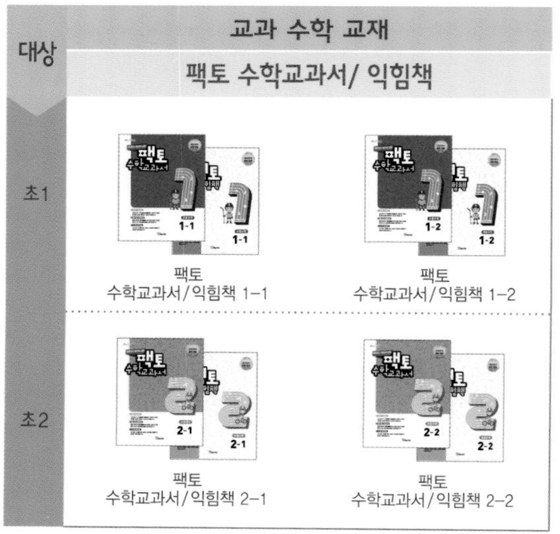

대상	교과 수학 교재: 팩토 수학교과서/ 익힘책	
초1	팩토 수학교과서/익힘책 1-1	팩토 수학교과서/익힘책 1-2
초2	팩토 수학교과서/익힘책 2-1	팩토 수학교과서/익힘책 2-2

단계수 학습 순서

매일 학습

단원별로 꼭 알아야 할 개념만 쏙쏙 학습하고, 다양한 연산 문제를 통해 필수 개념을 숙달하여 계산력을 쑥쑥 키울 수 있습니다.

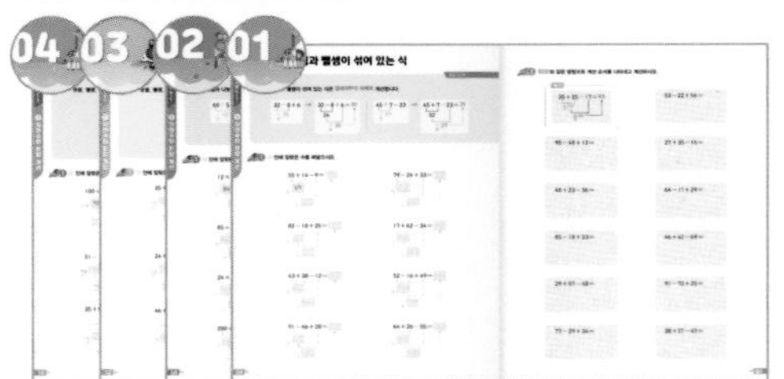

도전! 응용문제

필수 개념을 활용한 **응용** 문제 또는 **서술형** 문제를 통해 사고력과 문제해결력을 기를 수 있습니다.

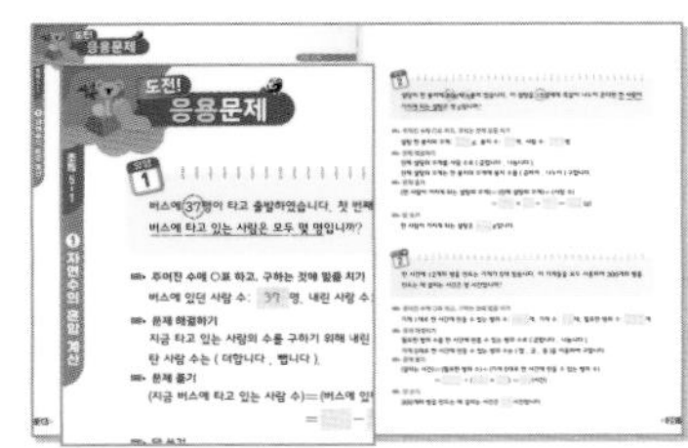

형성 평가

단원의 **복습 단계**로 문제를 풀면서 학습한 내용을 잘 알고 있는지 다시 한 번 확인할 수 있습니다.

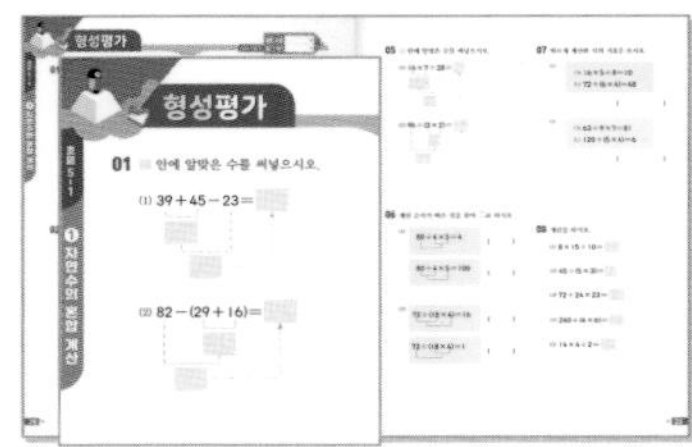

단원 평가

단원의 **마무리 학습**으로 학교 시험에 자주 나오는 문제 유형을 통해서 수시 평가 등 학교 시험에 대비할 수 있습니다.

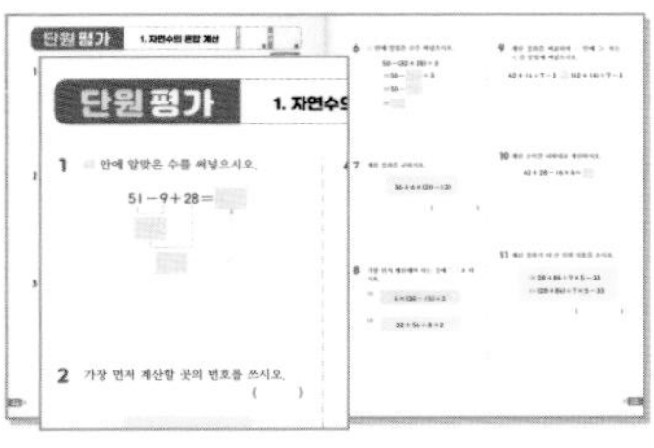

http://www.mathtian.com

자율안전확인신고필증번호 : B361H200-4001
1. 주소 : 06153 서울특별시 강남구 봉은사로 442 (삼성동)
2. 문의전화 : 1588-6066
3. 제조국 : 대한민국
4. 사용연령 : 11세 이상
※ KC마크는 이 제품이 공통안전기준에 적합하였음을 의미합니다.

⚠주의

종이, 모서리에 다칠 수 있으니 주의하세요!

초등학교	반 번
이름	

FACTO school

4-2

초등 수학 팩토

단원별 계산력 수학

4 단원

사각형

매스티안

팩토는 자유롭게 자신감있게 창의적으로 생각하는 주니어수학자입니다.

단계별 원산력 수학

펴낸 곳 (주)타임교육C&P **펴낸이** 이길호 **지은이** 매스티안R&D센터
주소 06153 서울특별시 강남구 봉은사로 442 (삼성동) **문의전화** 1588.6066
팩토카페 http://cafe.naver.com/factos **홈페이지** http://www.mathtian.com

※ 정답과 풀이는 온라인 팩토카페(http://cafe.naver.com/factos)를 통해서도 확인할 수 있습니다.

GH2204

생각이 자유로운 사람들! 매스티안R&D센터

매스티안R&D센터의 논리적 사고력과 창의적 문제해결력을 키우는 수학 콘텐츠는 국내외 수많은 교육 현장에서 그 우수성을 높이 평가받고 있습니다.
매스티안R&D센터는 여기에 안주하지 않고 앞으로도 학생, 교사, 학부모 모두가 행복한 수학 시간을 만들 수 있도록 노력하겠습니다.

매스티안 공식 홈페이지 ··· (http://www.mathtian.com)

· 매스티안의 다양한 출간 교재 소개
· 출간 교재와 관련된 학습 자료(보충 학습지, 활동지 등) 제공
· 출간 교재와 관련된 평가 시험 및 분석 제공

매스티안 공식 카페 ··· 팩토 (http://cafe.naver.com/factos)

· 창의사고력 수학 팩토 무료 동영상 강의 제공
· 출간 교재에 관한 질문 및 답변
· 영재교육원 대비 자료(기출 문제, 예상 문제) 제공
· 초등 수학 비법 및 Q&A

FACTO school

4-2

초등 수학 팩토

단원별 계산력 수학

사각형

매스티안

4. 평면도형의 이동

4-1

· 평면도형 밀기, 뒤집기, 돌리기
· 평면도형 뒤집고 돌리기
· 규칙적인 무늬 만들기

4. 사각형

· 수직과 수선, 평행과 평행선
· 사각형의 종류

6. 다각형

· 다각형, 정다각형, 대각선
· 모양 만들기와 채우기

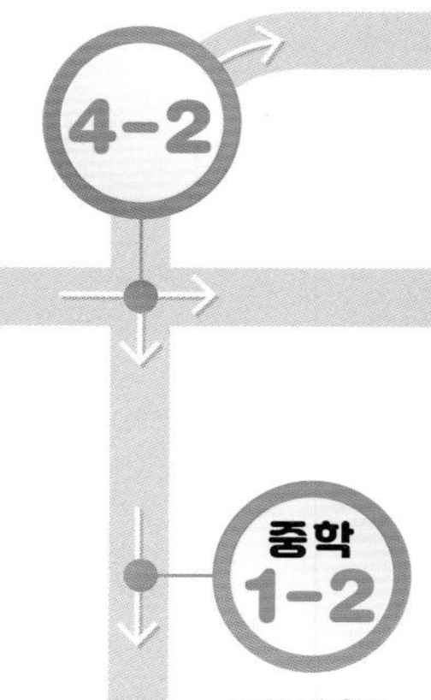

3-1

2. 평면도형

· 선분, 반직선, 직선
· 각, 직각
· 직각삼각형, 직사각형, 정사각형

2. 삼각형

· 이등변삼각형, 정삼각형
· 예각삼각형, 둔각삼각형

중학 2-2
사각형의 성질

중학 1-2
다각형

4 사각형

Teaching Guide

- 아이들 중에서 수직과 수선을 혼돈해서 사용하는 경우를 종종 볼 수 있습니다. 먼저, 수직은 두 선 사이의 위치 관계를 말합니다. 즉, 두 직선이 한 점에서 만나는 데 두 직선이 이루는 각이 직각일 때, 두 직선은 서로 수직이라고 합니다. 두 직선이 서로 수직으로 만날 때, 한 직선은 다른 직선에 대한 수선이라고 합니다.
- '마주 보는 한 쌍의 변이 평행한 사각형'이 사다리꼴입니다. 하지만 아이들은 이를 '한 쌍만 평행한 사각형을 사다리꼴'이라고 오해하는 경우가 자주 발생합니다. 따라서 평행사변형과 같이 평행한 변이 두 쌍이 있어도 사다리꼴이라는 것을 분류 활동을 통해 명확히 이해시킵니다.

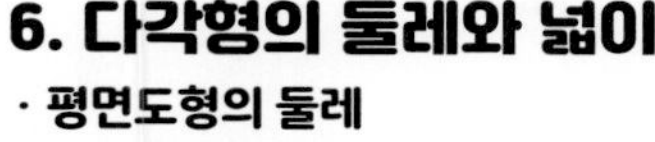

6. 다각형의 둘레와 넓이

· 평면도형의 둘레
· $1cm^2$, $1m^2$, $1km^2$
· 삼각형과 사각형의 넓이

5. 원의 넓이

· 원주와 지름의 관계
· 원주율
· 원주와 지름, 원의 넓이

원과 부채꼴

원의 성질

6-2

중학 3-2

5-2

중학 1-2

중학 2-2

중학 3-2

3. 합동과 대칭

· 합동
· 선대칭도형, 점대칭도형

작도와 합동

삼각형의 성질
도형의 닮음
피타고라스의 정리

삼각비

공부한 날짜

01 수직

정답 28쪽

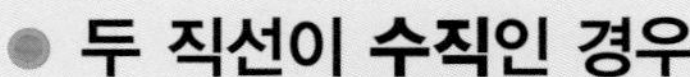

만나서 이루는 각이 직각(90°)

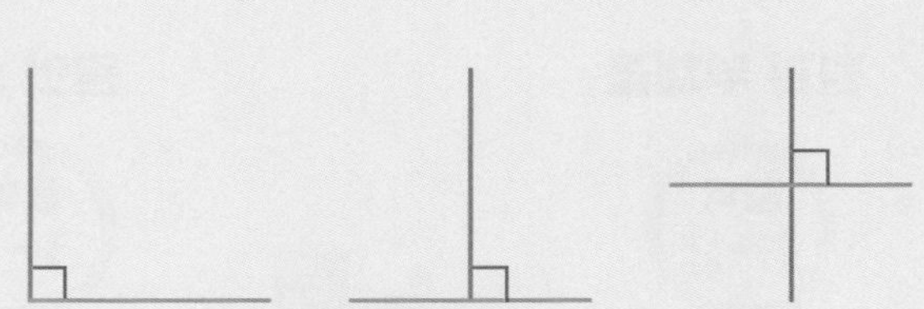

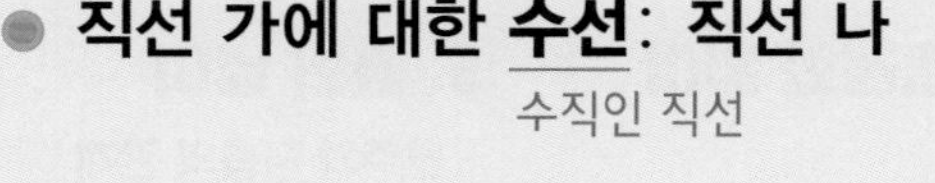

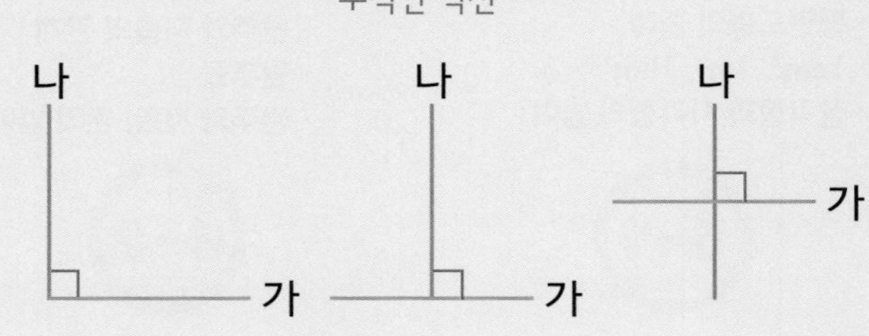

1 서로 수직인 변을 모두 찾아 ㄴ로 표시해 보시오.

보기

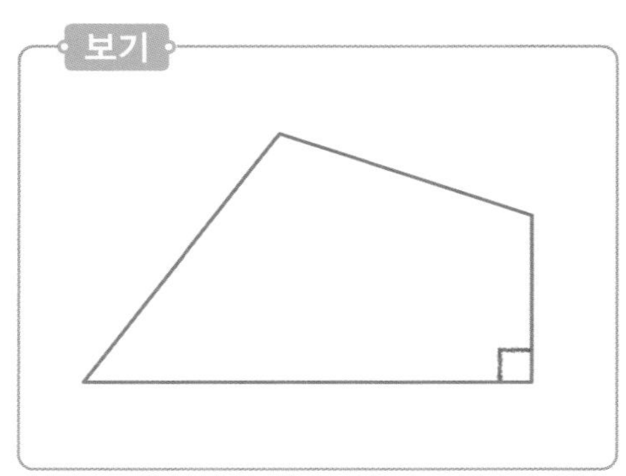

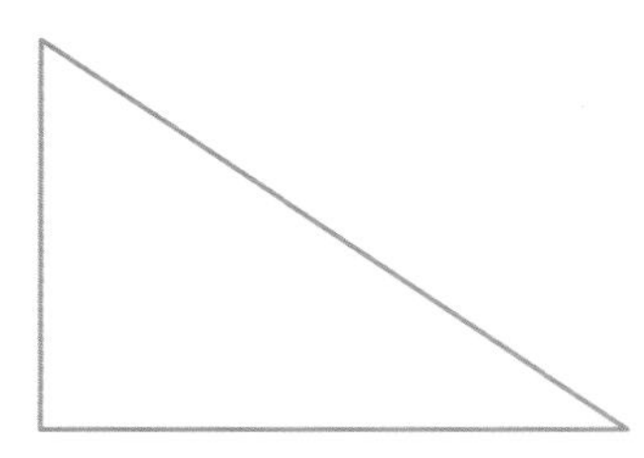

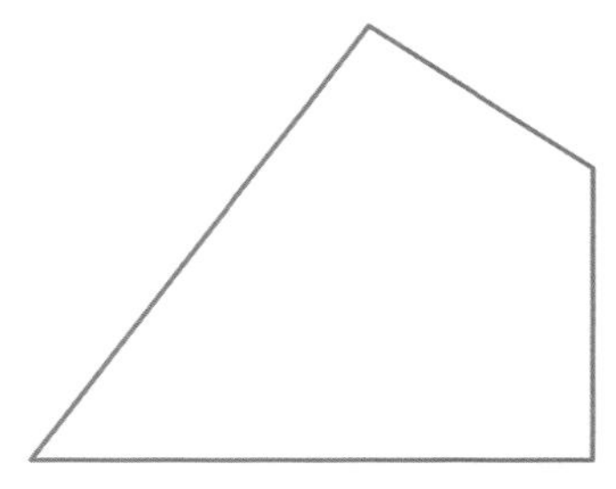

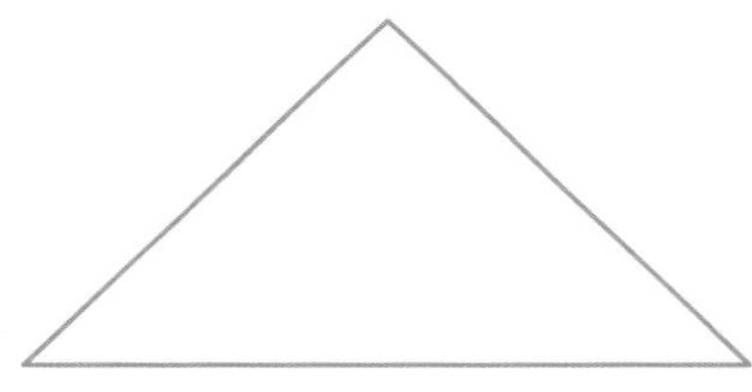

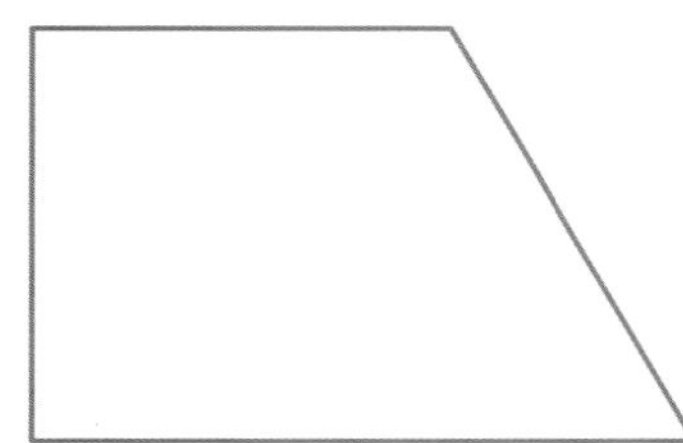

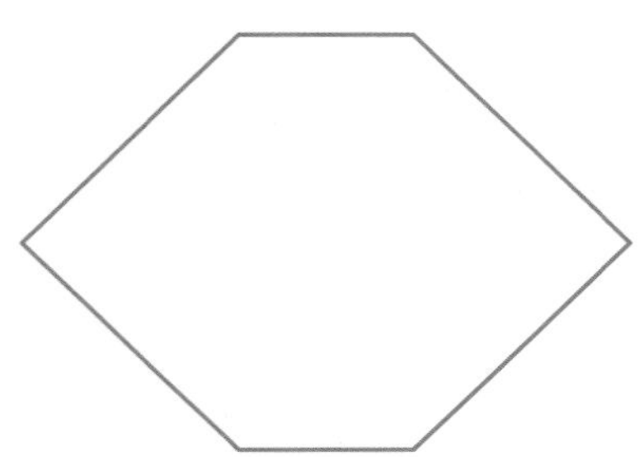

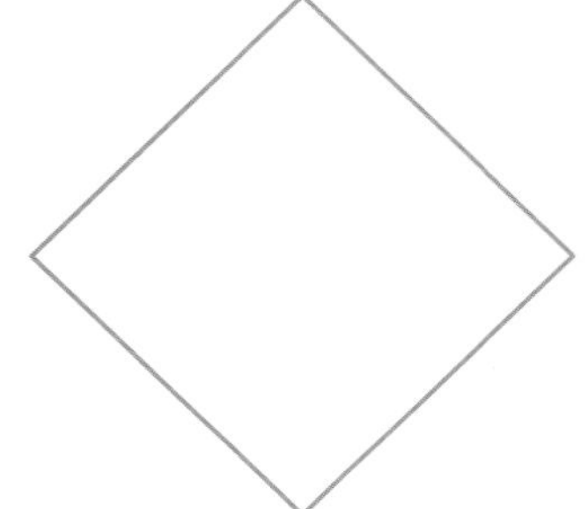

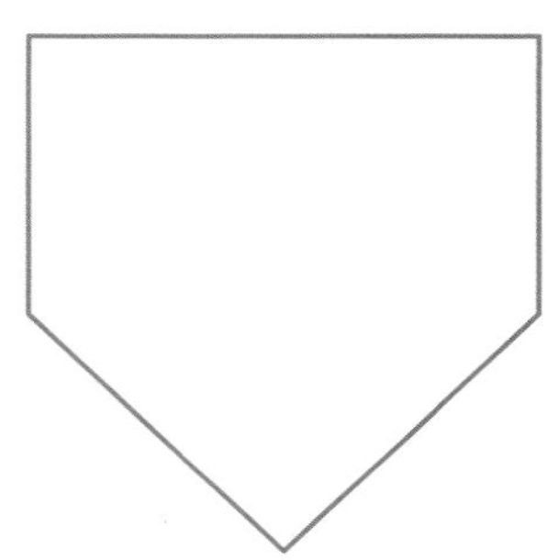

2 직선 가에 대한 수선을 찾아 쓰시오.

보기

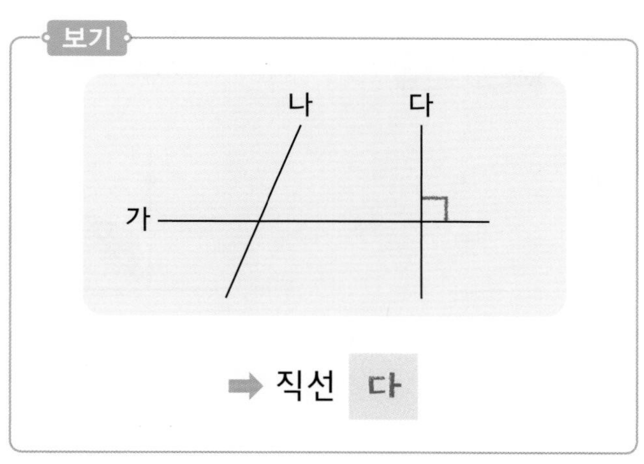

➡ 직선 다

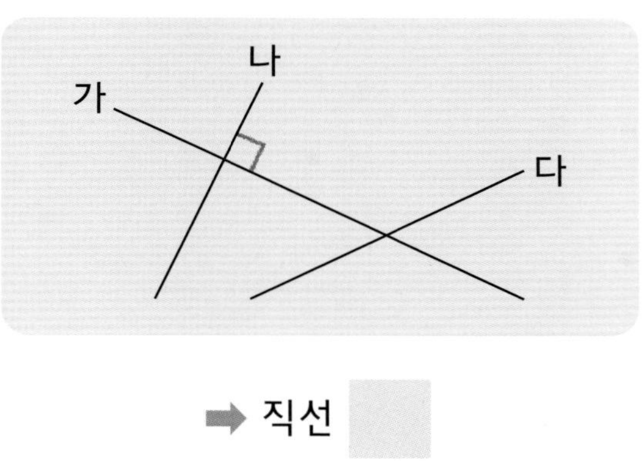

➡ 직선

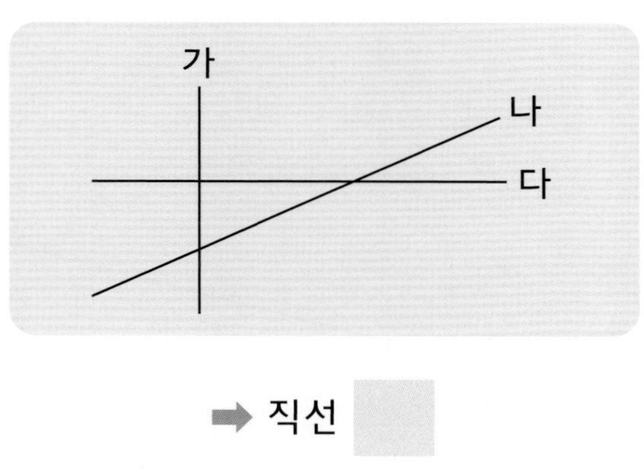

➡ 직선

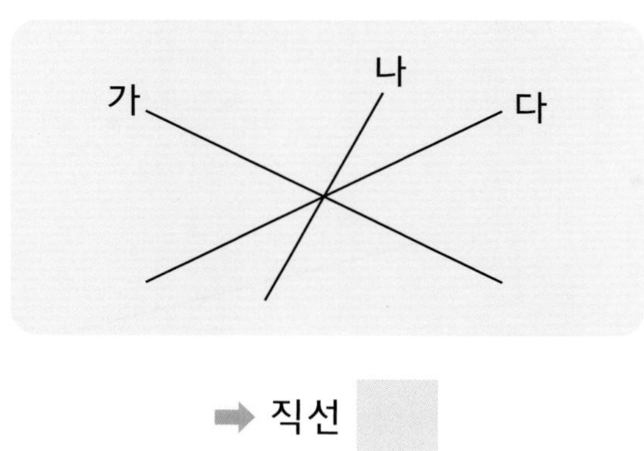

➡ 직선

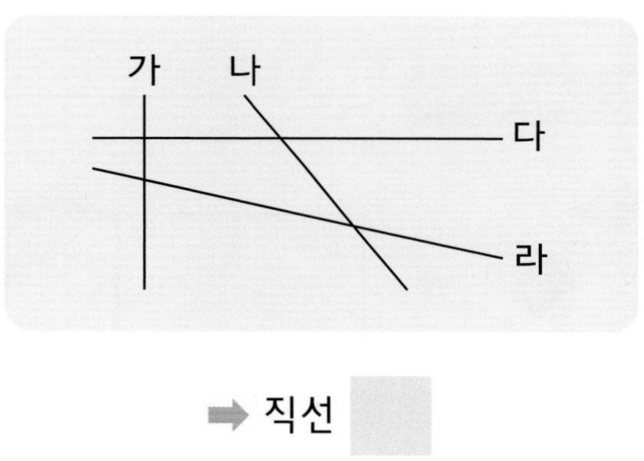

➡ 직선

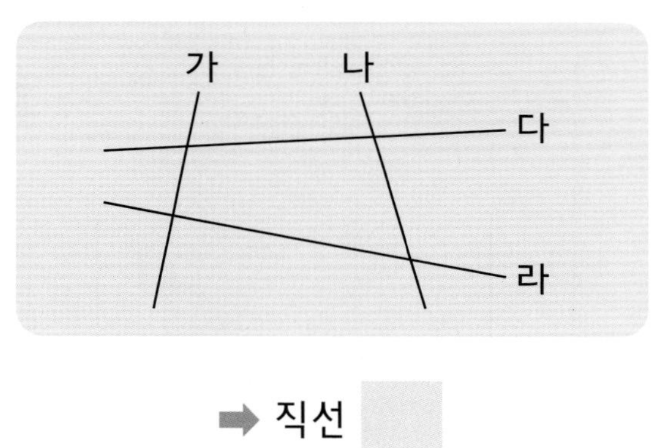

➡ 직선

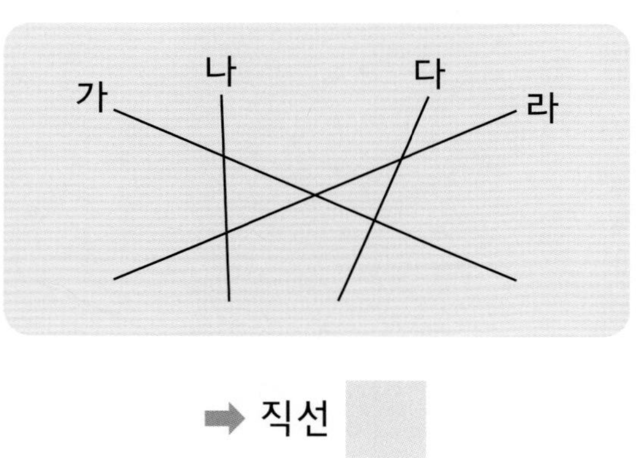

➡ 직선

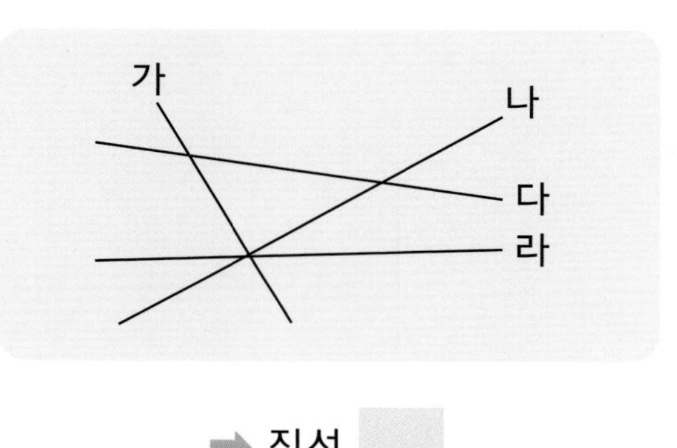

➡ 직선

 3 다음과 같이 삼각자를 사용하여 주어진 그림을 그려 보시오. 

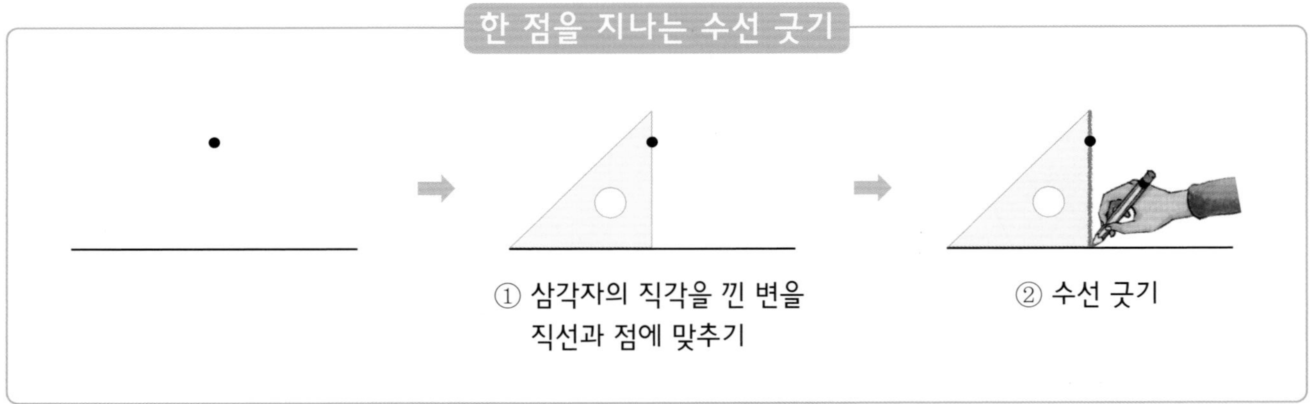

한 점을 지나는 수선 긋기
① 삼각자의 직각을 낀 변을 직선과 점에 맞추기
② 수선 긋기

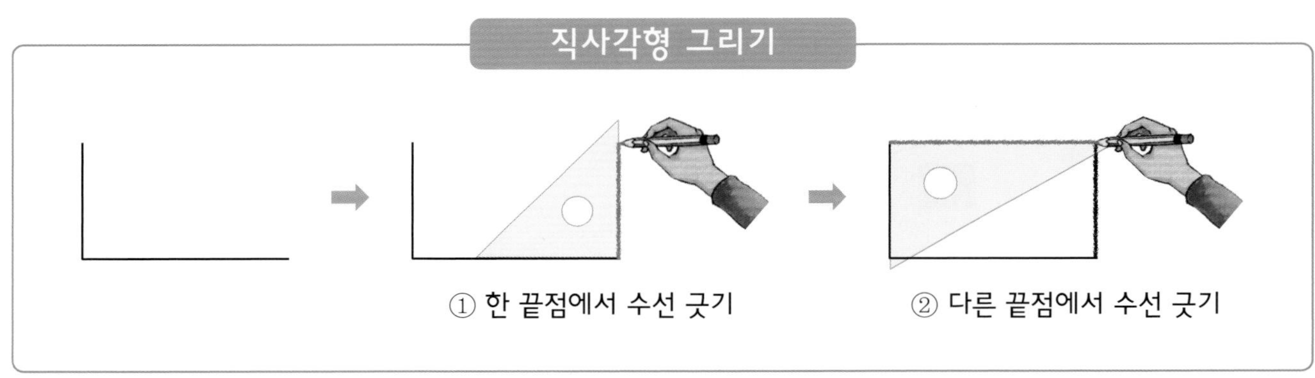

4 다음과 같이 자와 각도기를 사용하여 주어진 그림을 그려 보시오.

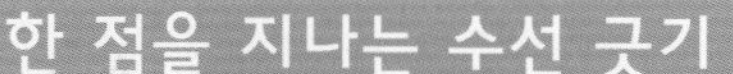

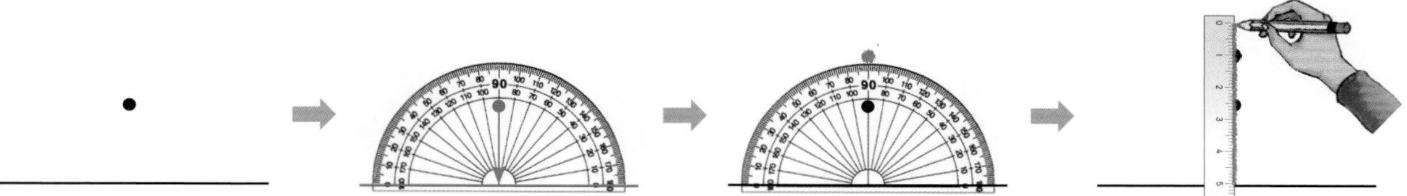

① 각도기의 중심을 점에, 밑금을 직선에 맞추기

② 각도기의 90°가 되는 눈금 위에 점 찍기

③ 두 점을 직선으로 잇기

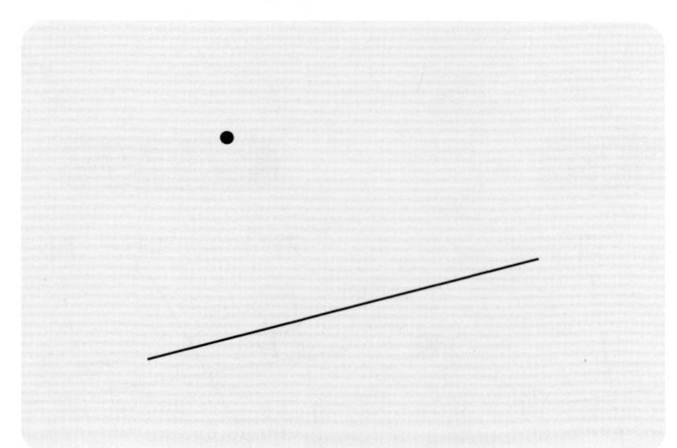

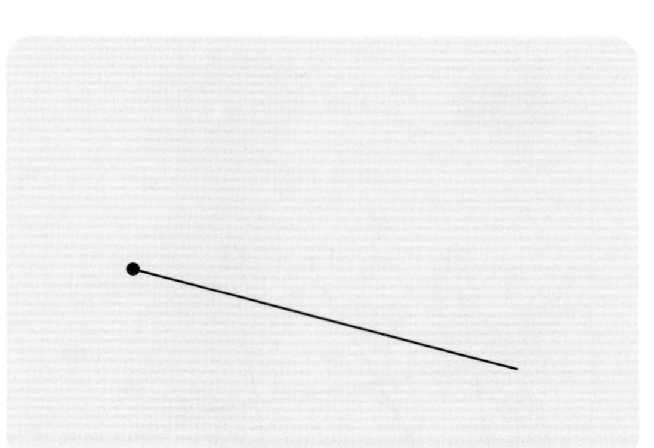

직사각형 그리기

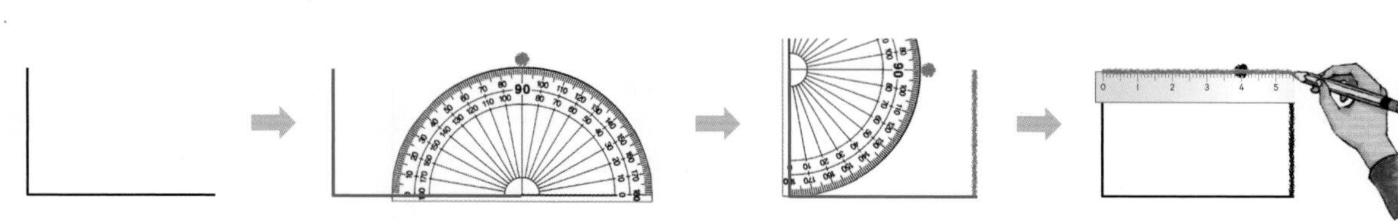

① 한 끝점에서 수선 긋기

② 다른 끝점에서 수선 긋기

③ 직사각형 완성하기

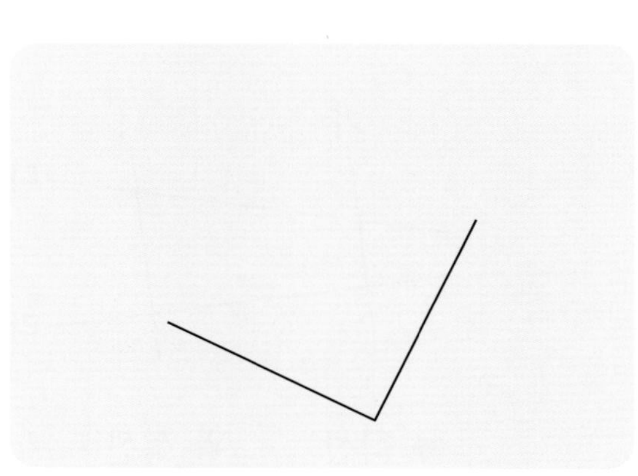

02 평행

정답 29쪽

서로 만나지 않는 두 직선을 **평행**하다고 합니다.

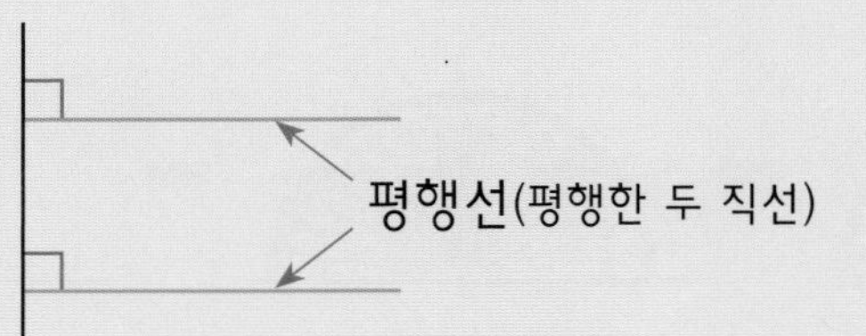

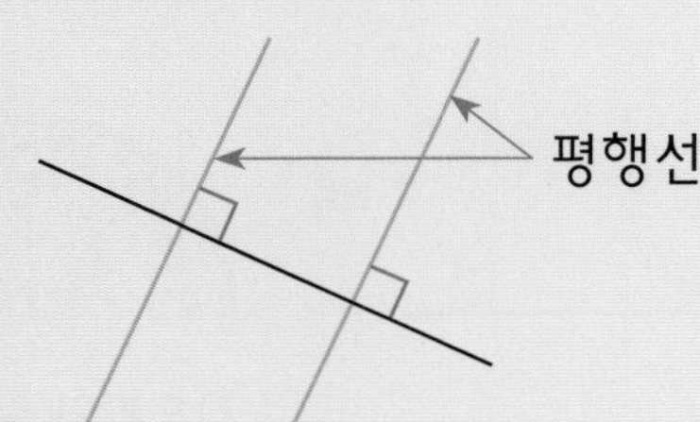

1 서로 수직인 직선을 모두 찾아 ⊾ 로 표시하고, 서로 평행한 직선을 찾아 쓰시오.

보기

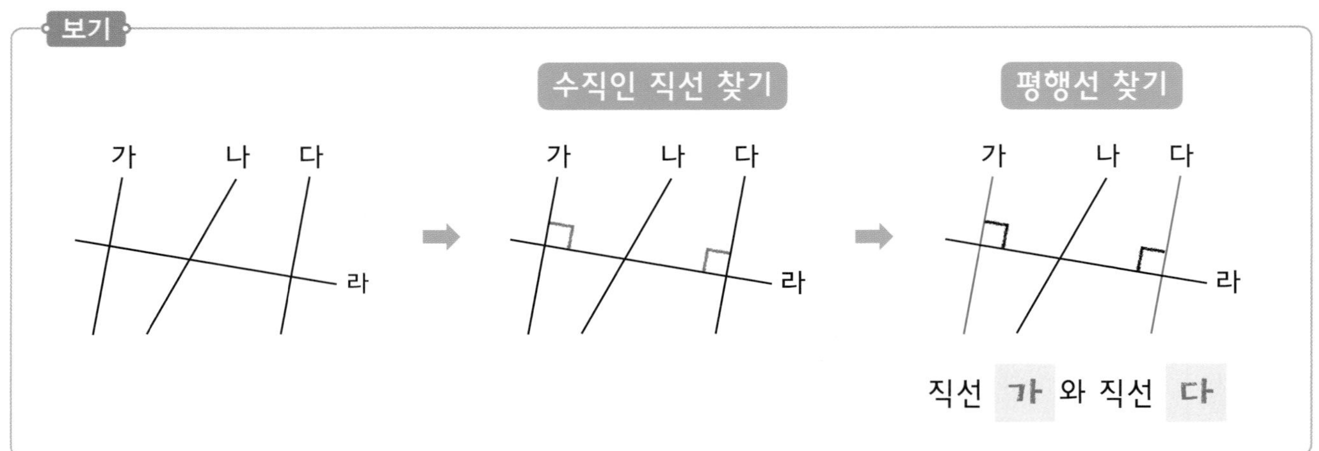

직선 가 와 직선 다

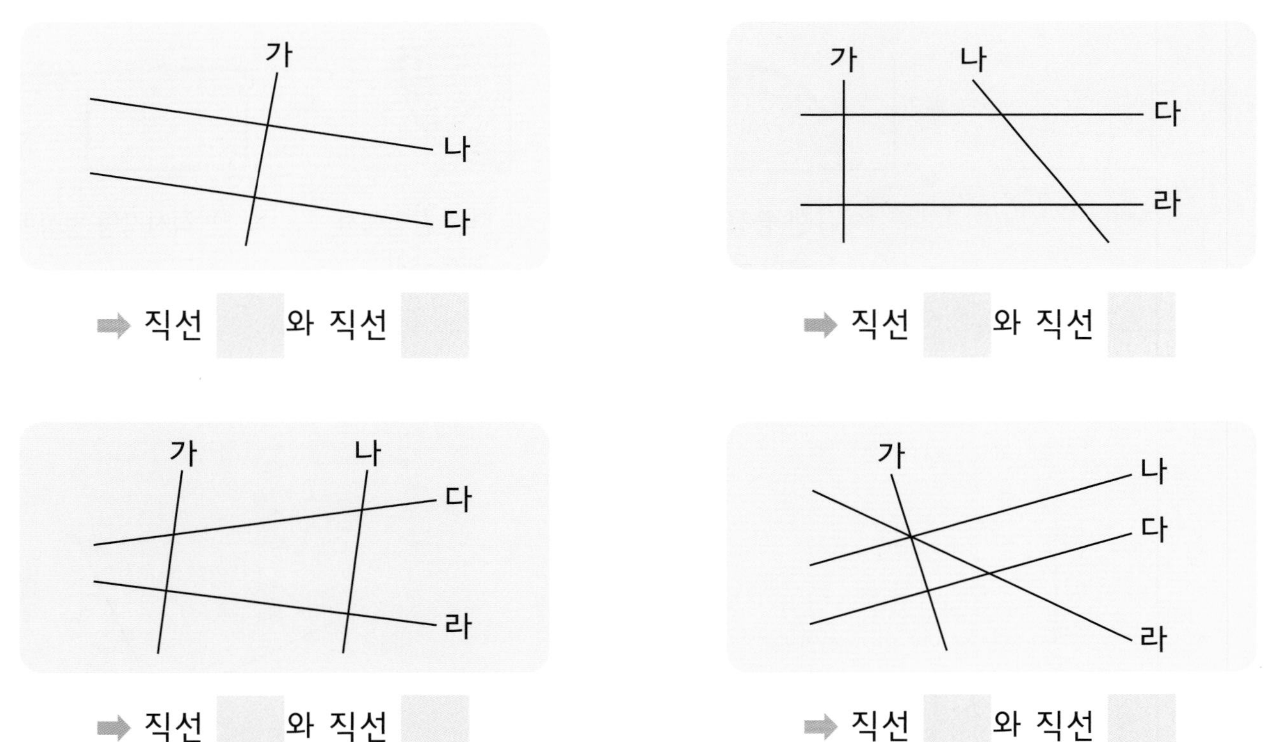

➡ 직선 ☐ 와 직선 ☐

➡ 직선 ☐ 와 직선 ☐

➡ 직선 ☐ 와 직선 ☐

➡ 직선 ☐ 와 직선 ☐

2 다음과 같이 평행선 사이에 수선을 긋고, 평행선 사이의 거리를 재어 보시오. 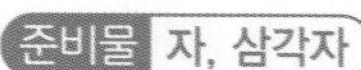

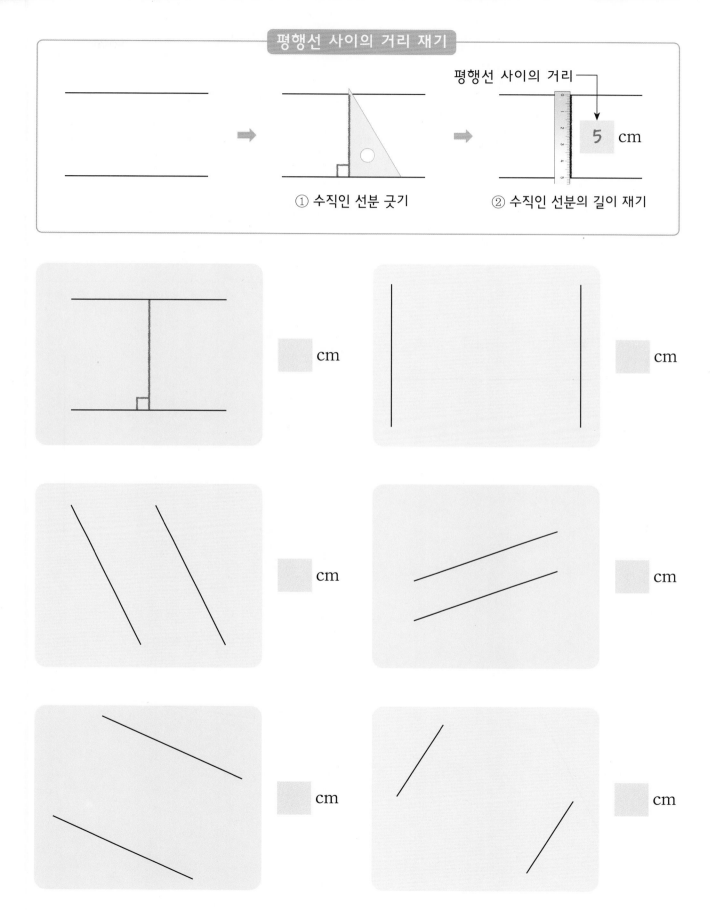

평행선 사이의 거리 재기

평행선 사이의 거리

5 cm

① 수직인 선분 긋기

② 수직인 선분의 길이 재기

☐ cm

☐ cm

☐ cm

☐ cm

☐ cm

☐ cm

3 다음과 같이 삼각자를 사용하여 주어진 직선과 평행한 직선을 그어 보시오. 준비물 

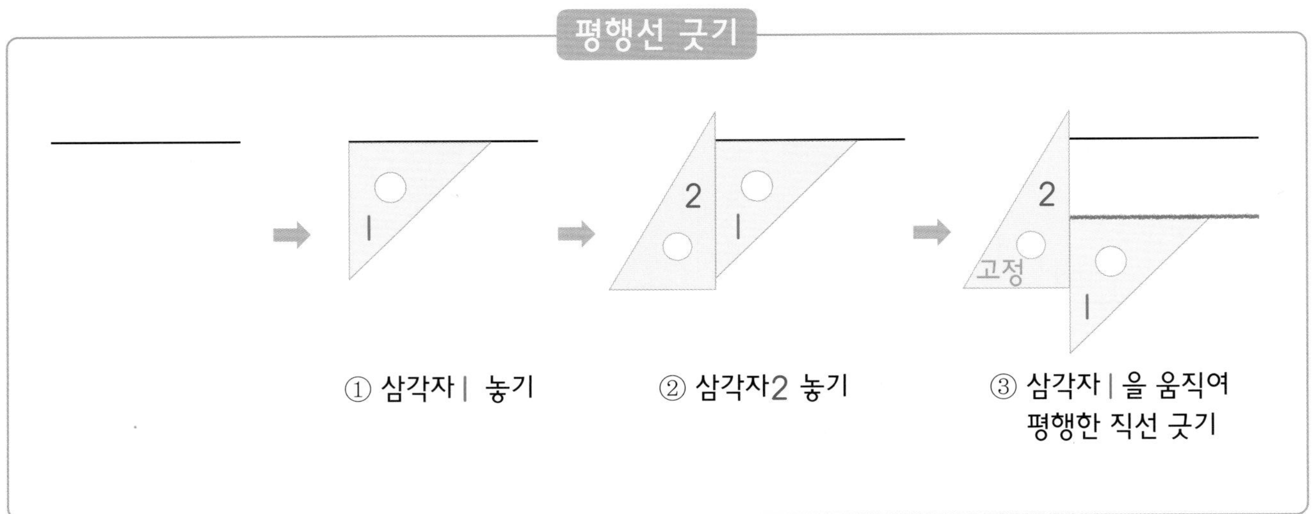

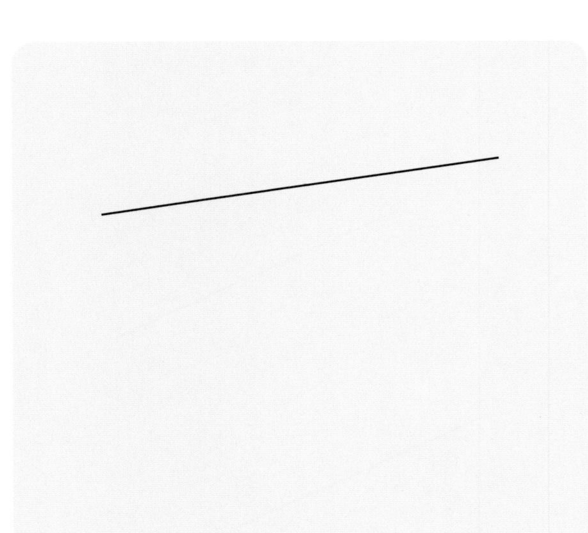

4 다음과 같이 삼각자를 사용하여 점 ㄱ을 지나고 직선 가와 평행한 직선을 그어 보시오.

준비물 삼각자

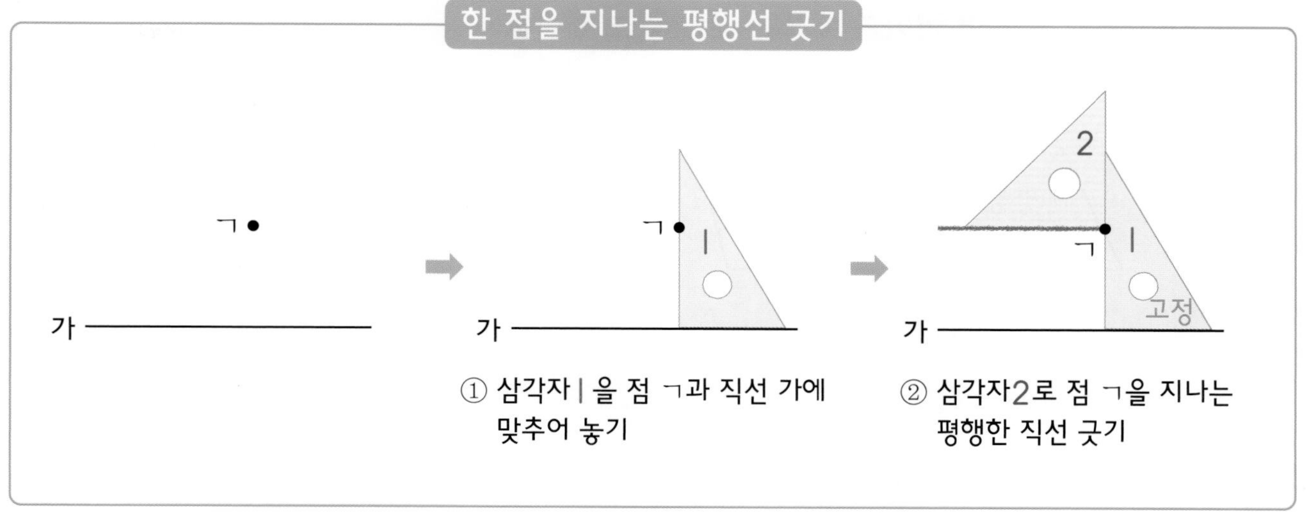

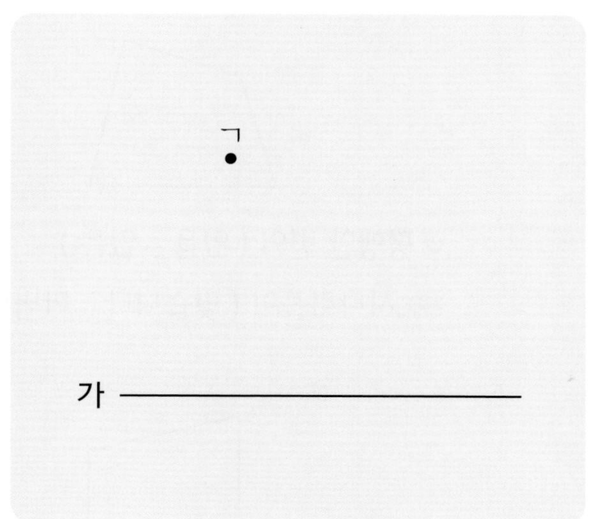

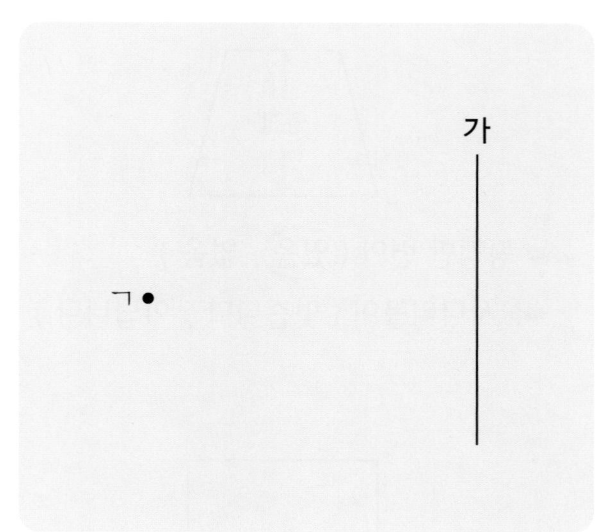

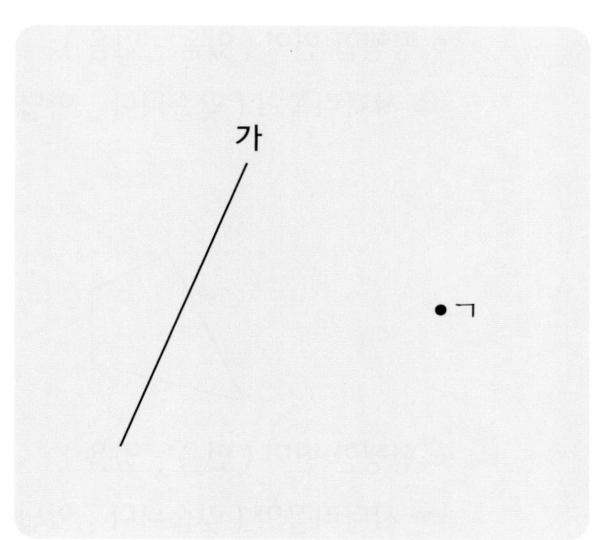

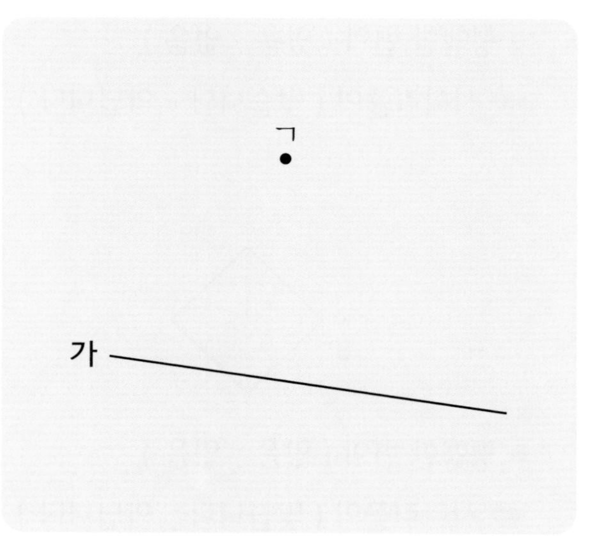

03 사다리꼴

정답 30쪽

● **사다리꼴: 평행한 변**이 **1쌍** 또는 **2쌍** 있는 사각형

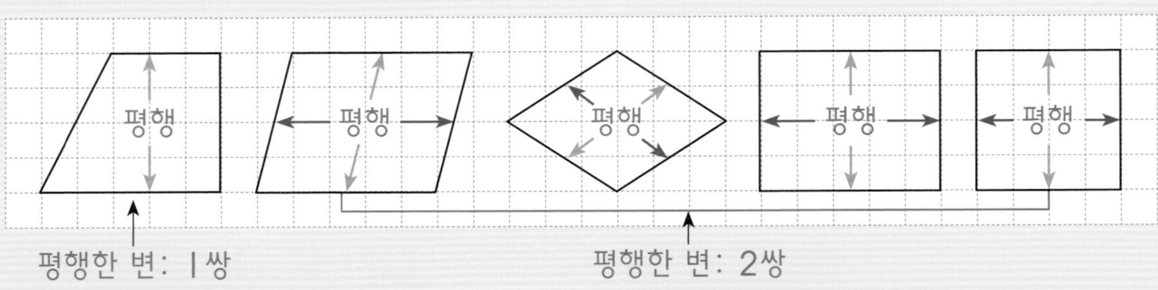

1 사각형을 보고 알맞은 말에 ◯표 하시오.

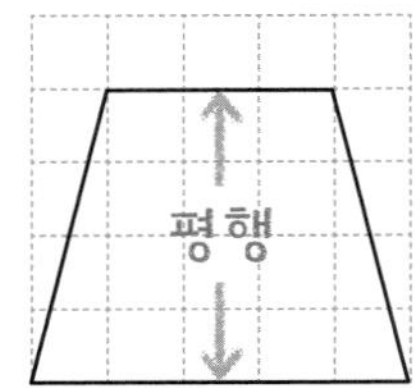

● 평행한 변이 (있음 , 없음).
➡ 사다리꼴이 (맞습니다 , 아닙니다).

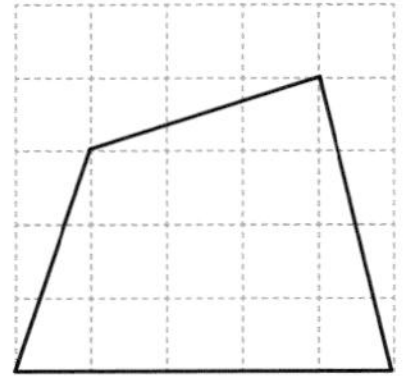

● 평행한 변이 (있음 , 없음).
➡ 사다리꼴이 (맞습니다 , 아닙니다).

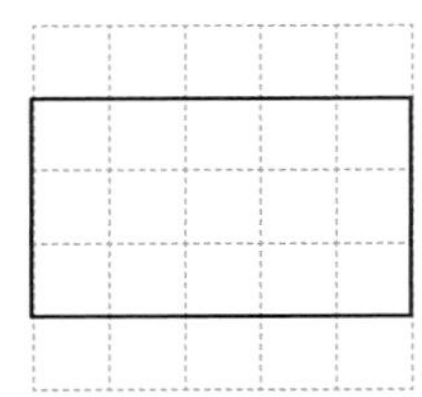

● 평행한 변이 (있음 , 없음).
➡ 사다리꼴이 (맞습니다 , 아닙니다).

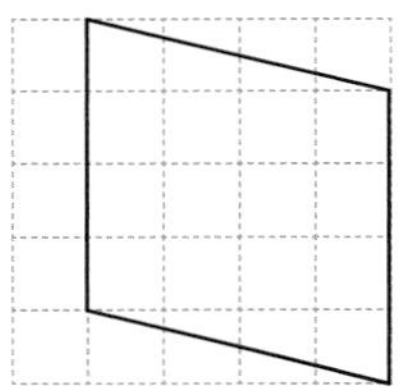

● 평행한 변이 (있음 , 없음).
➡ 사다리꼴이 (맞습니다 , 아닙니다).

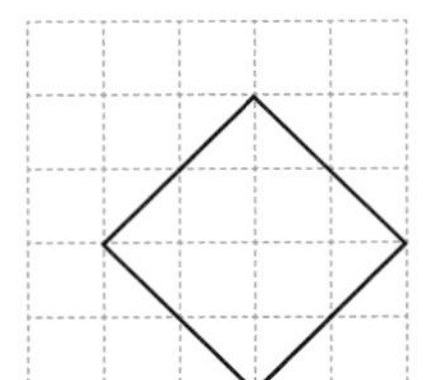

● 평행한 변이 (있음 , 없음).
➡ 사다리꼴이 (맞습니다 , 아닙니다).

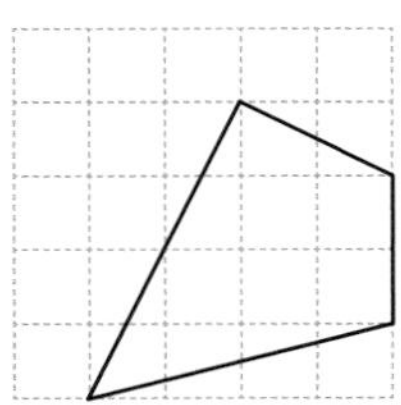

● 평행한 변이 (있음 , 없음).
➡ 사다리꼴이 (맞습니다 , 아닙니다).

2 사다리꼴이면 ○표, 아니면 ×표 하시오.

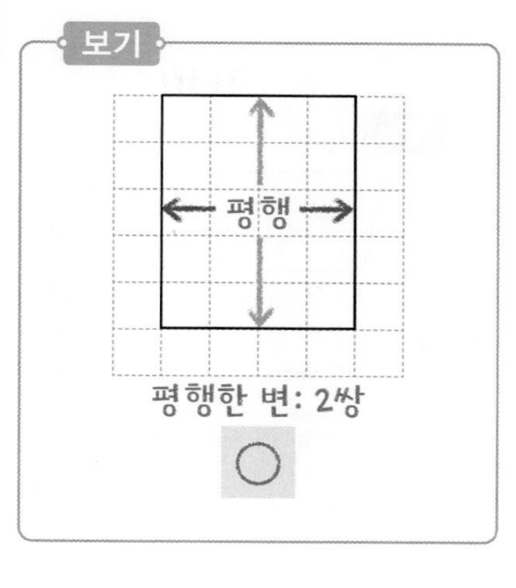

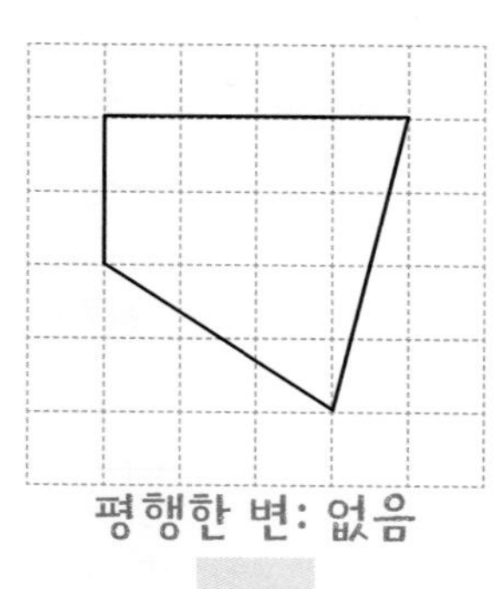

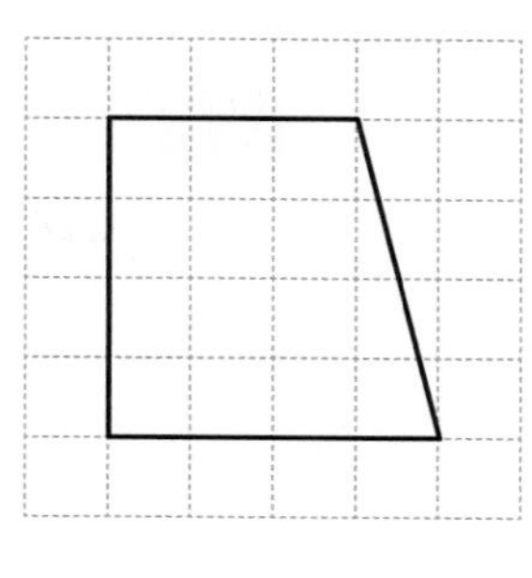

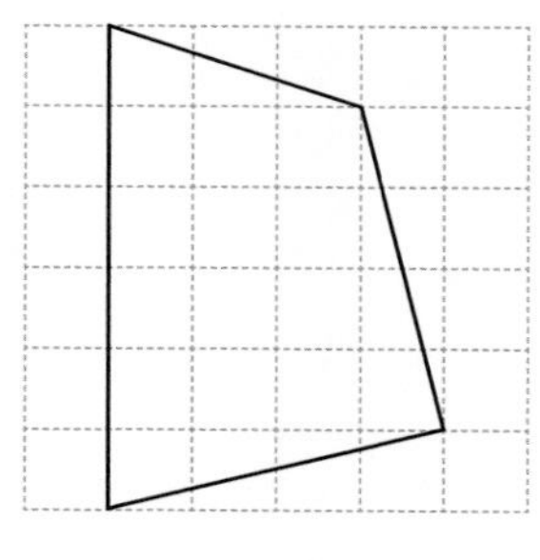

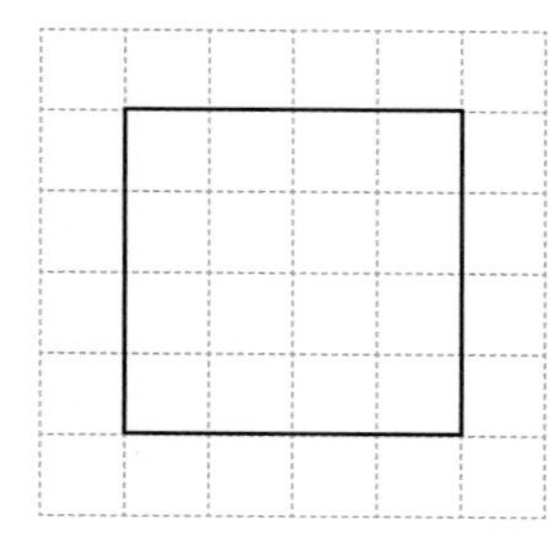

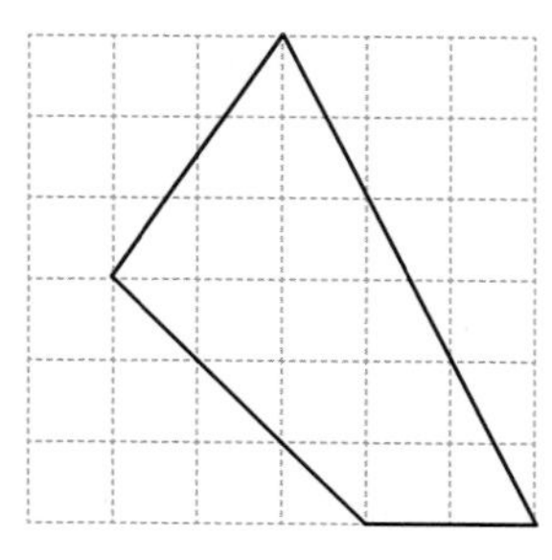

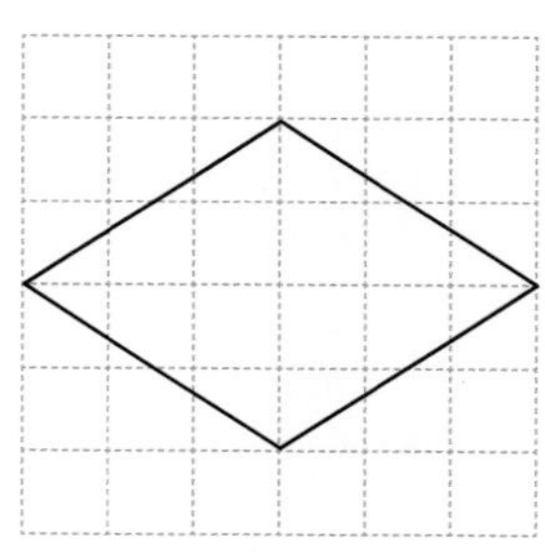

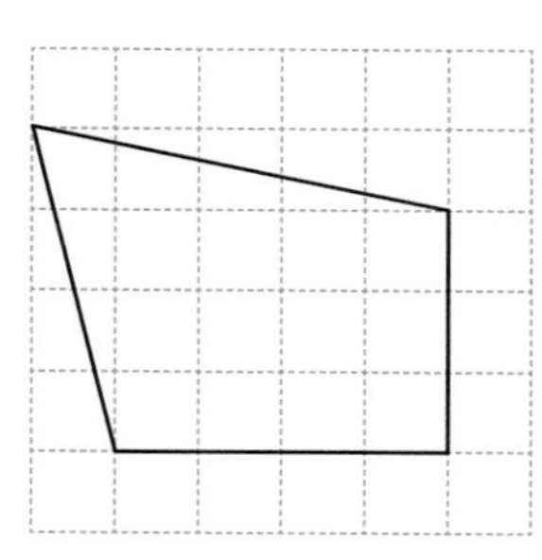

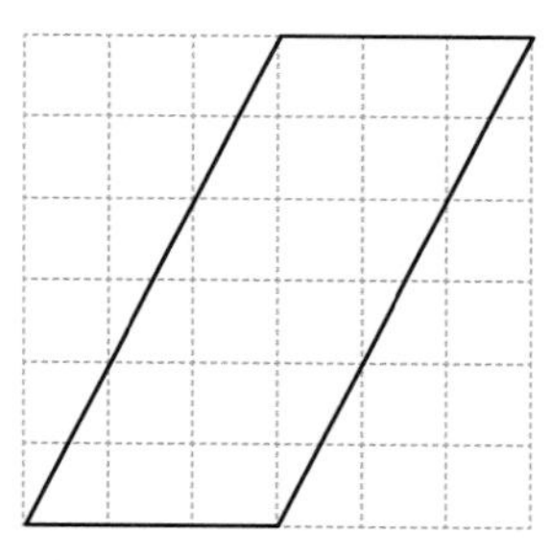

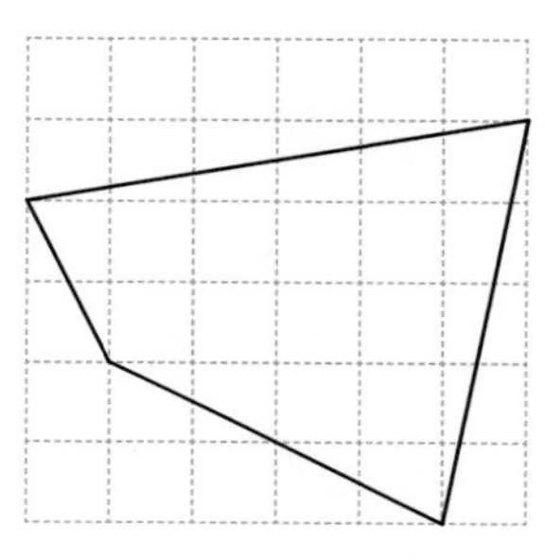

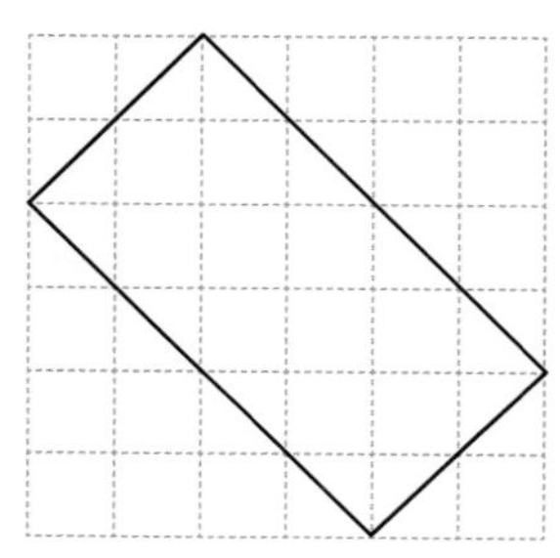

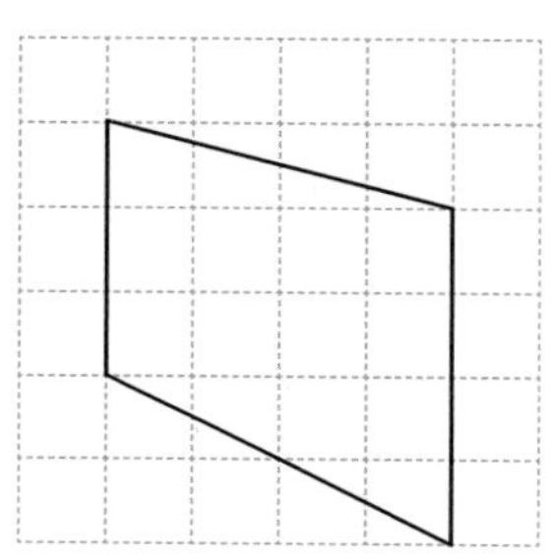

3 주어진 선분을 사용하여 사다리꼴을 완성해 보시오.

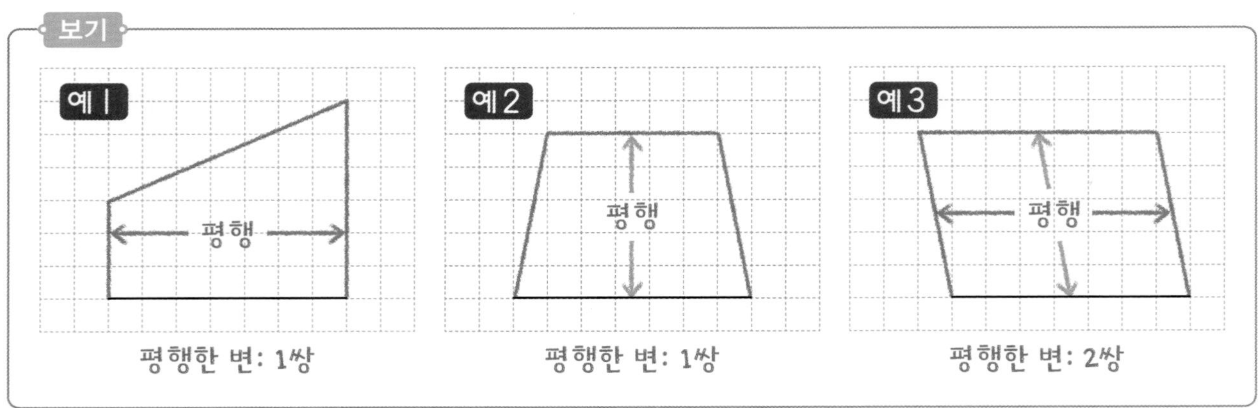

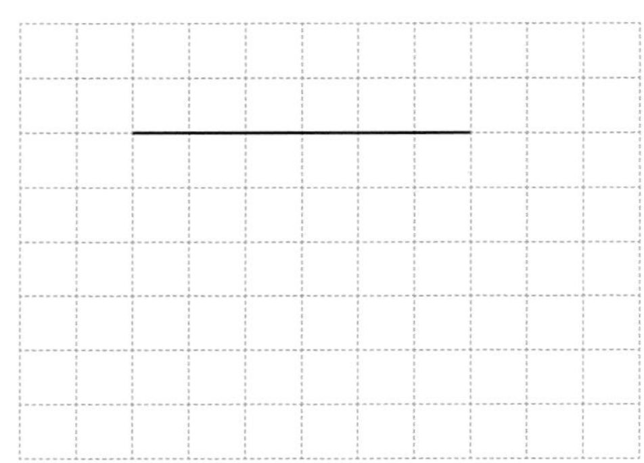

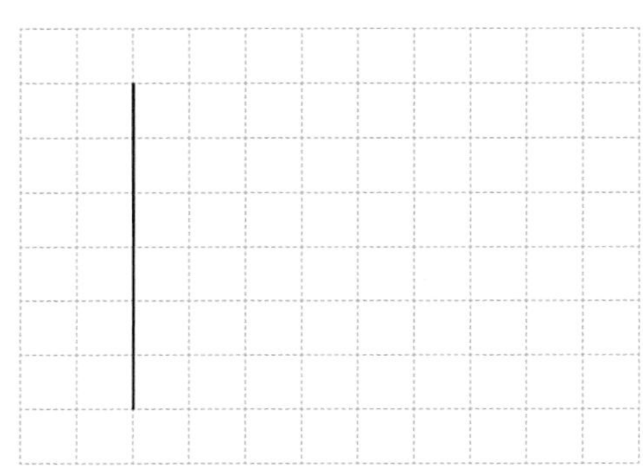

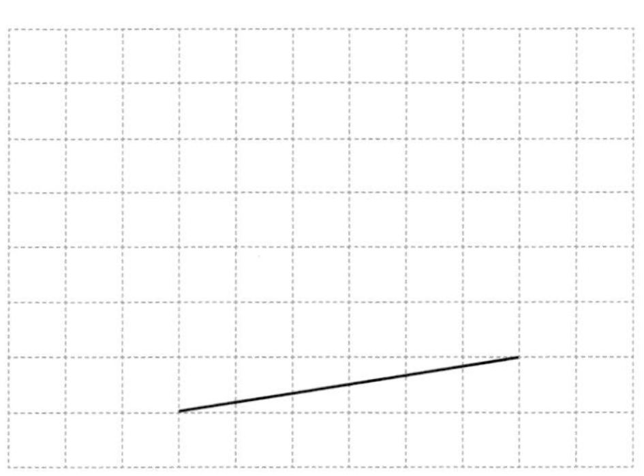

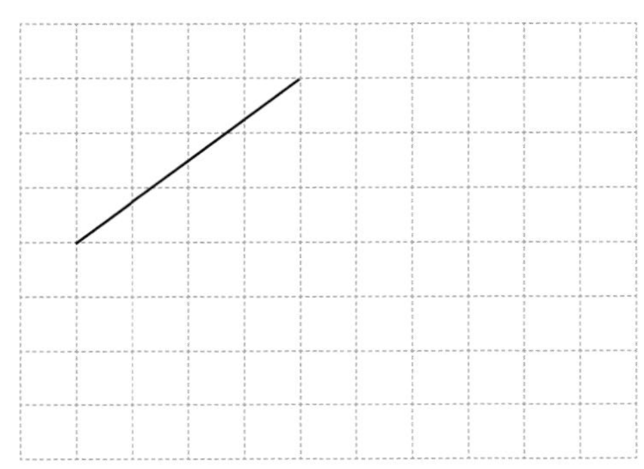

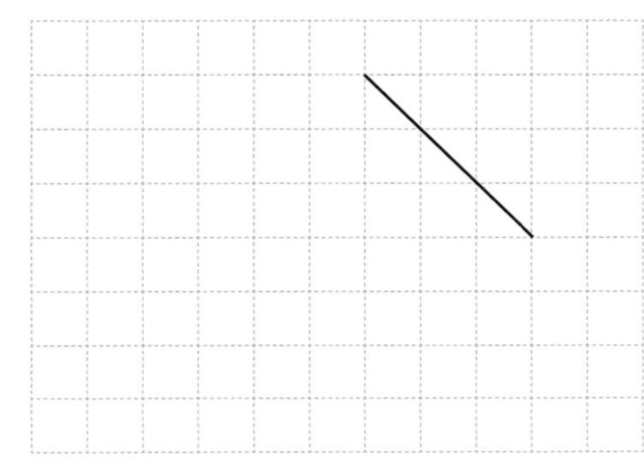

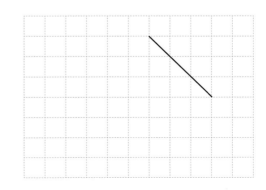

4 직사각형 모양의 종이를 자르면 사다리꼴은 모두 몇 개 만들어지는지 구하시오.

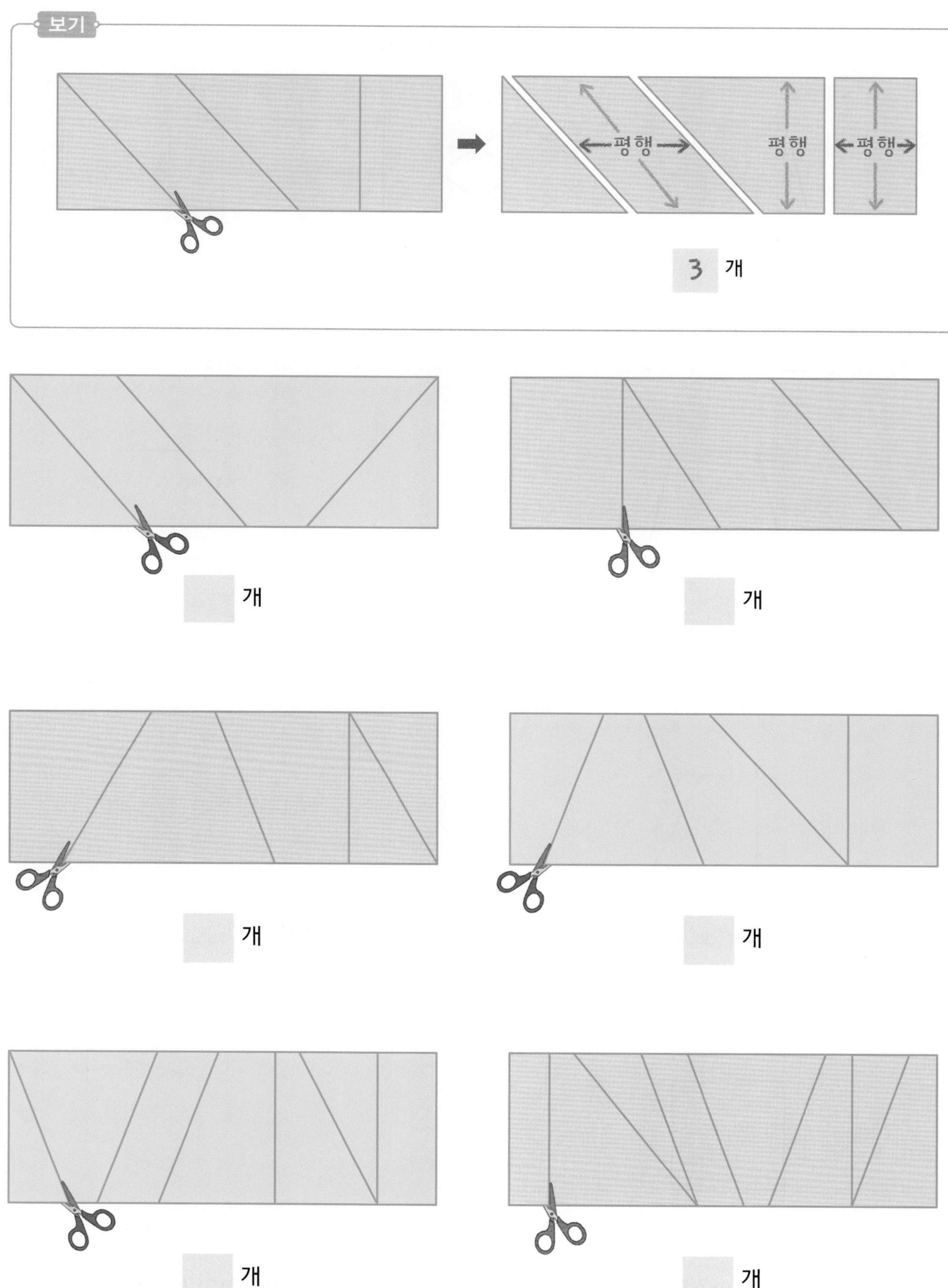

04 평행사변형

정답 31쪽

● **평행사변형**: 마주 보는 **2쌍의 변**이 서로 **평행**한 사각형

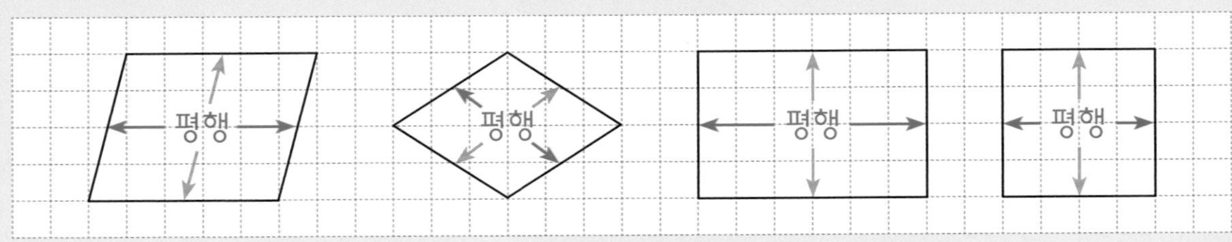

1 사각형을 보고 ☐ 안에 알맞은 수를 써넣고, 알맞은 말에 ◯표 하시오.

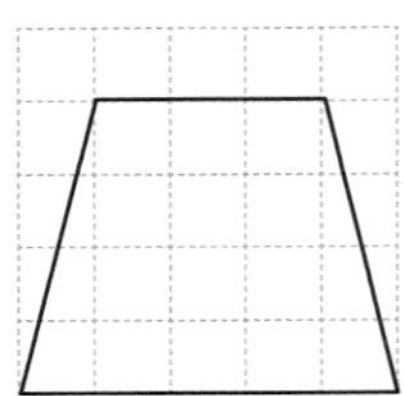

○ 평행한 변이 1 쌍 있음.

➡ 평행사변형이 (맞습니다 , 아닙니다).

○ 평행한 변이 ☐ 쌍 있음.

➡ 평행사변형이 (맞습니다 , 아닙니다).

○ 평행한 변이 ☐ 쌍 있음.

➡ 평행사변형이 (맞습니다 , 아닙니다).

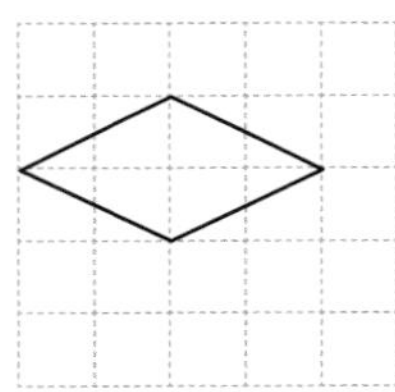

○ 평행한 변이 ☐ 쌍 있음.

➡ 평행사변형이 (맞습니다 , 아닙니다).

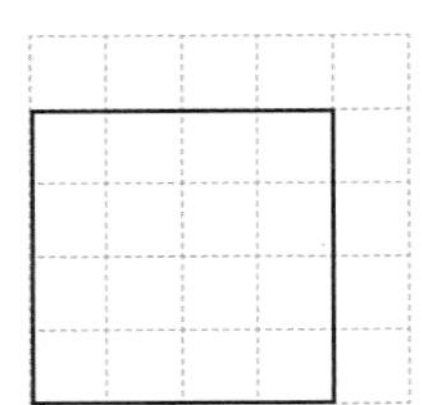

○ 평행한 변이 ☐ 쌍 있음.

➡ 평행사변형이 (맞습니다 , 아닙니다).

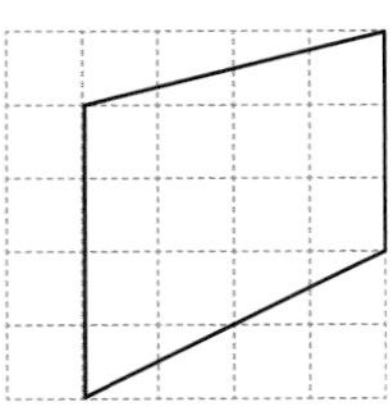

○ 평행한 변이 ☐ 쌍 있음.

➡ 평행사변형이 (맞습니다 , 아닙니다).

2 평행사변형을 완성해 보시오.

보기

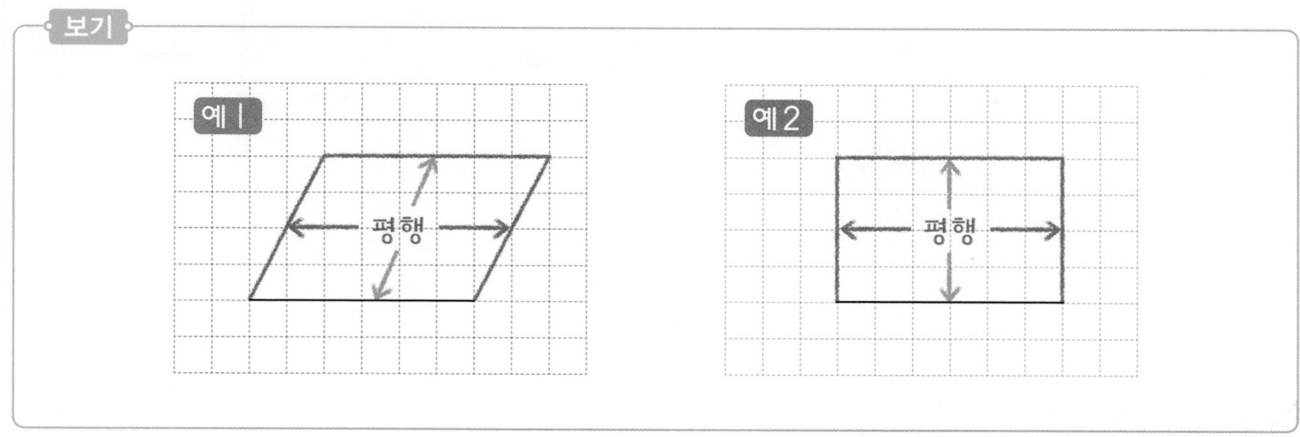

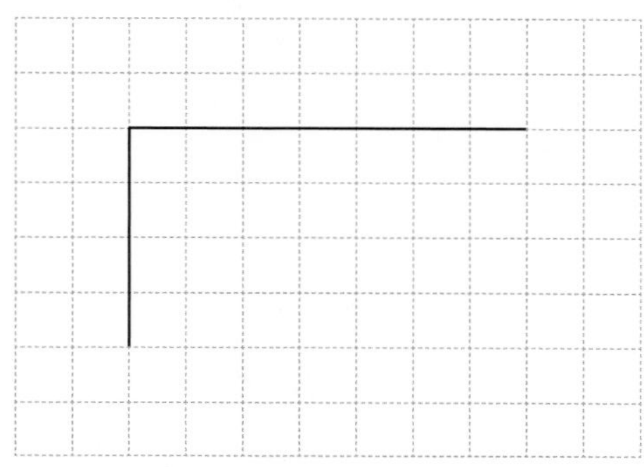

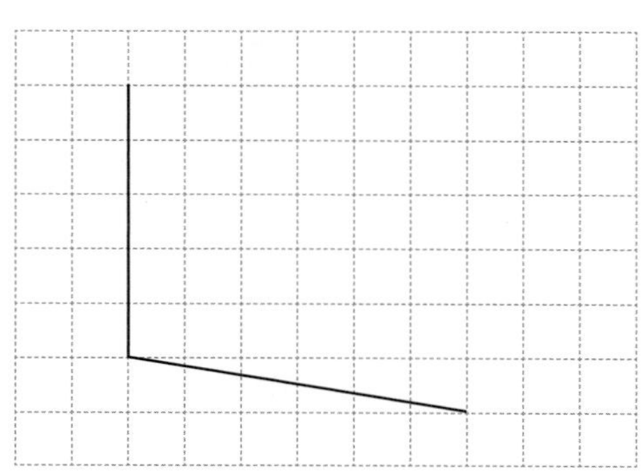

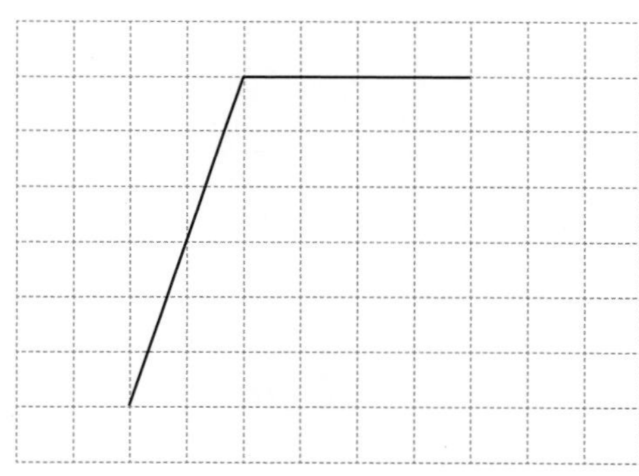

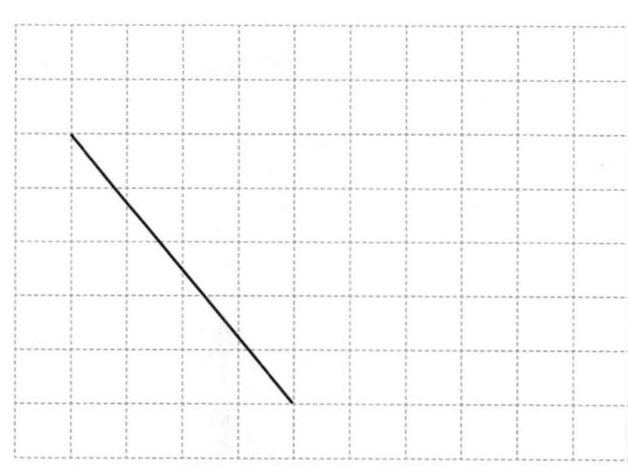

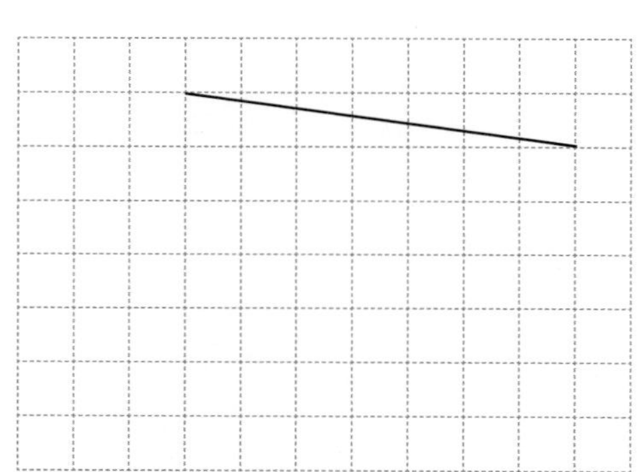

평행사변형의 성질 ① 마주 보는 두 변의 길이가 같습니다.

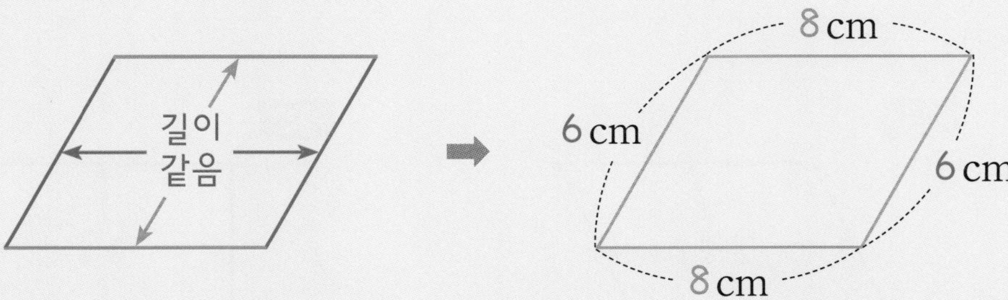

3 평행사변형입니다. ☐ 안에 알맞은 수를 써넣으시오.

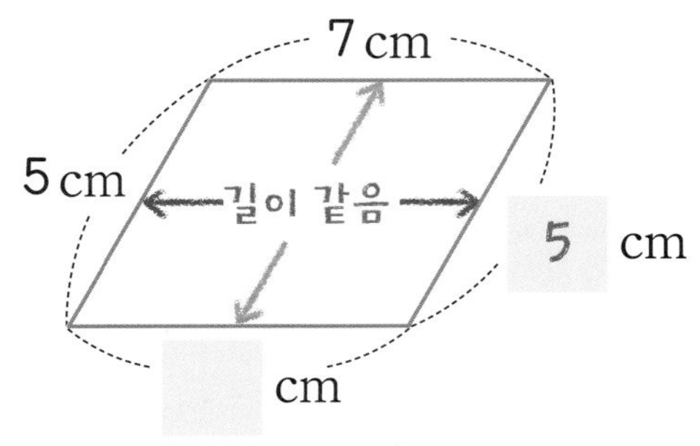

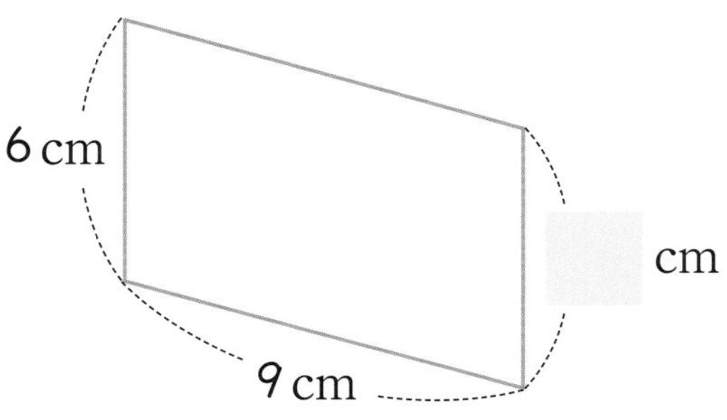

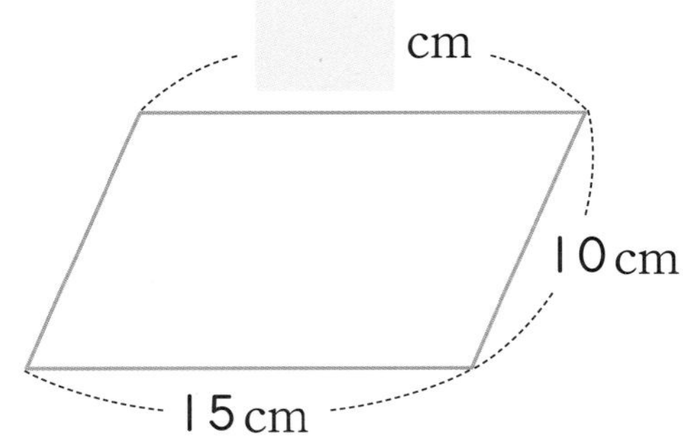

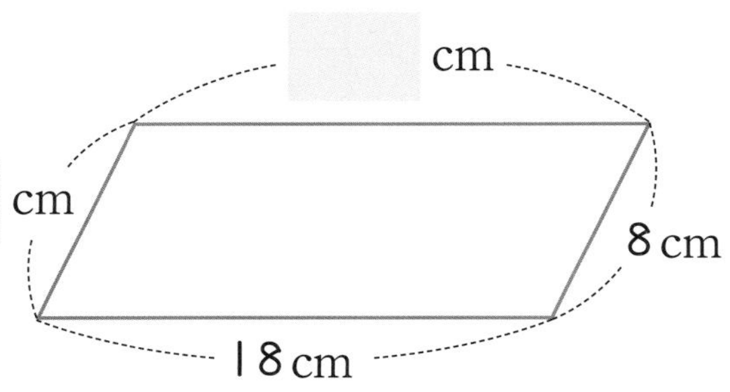

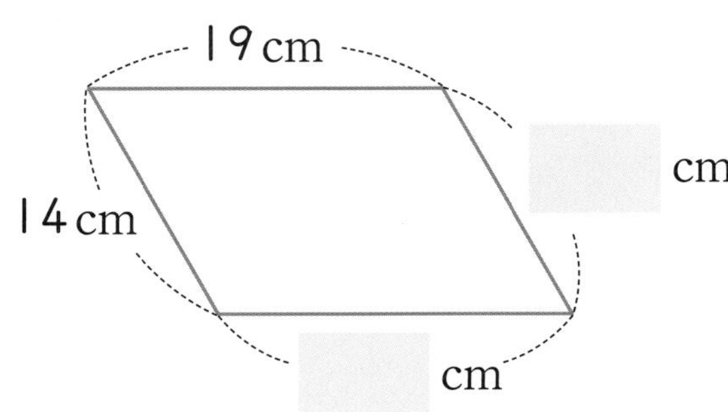

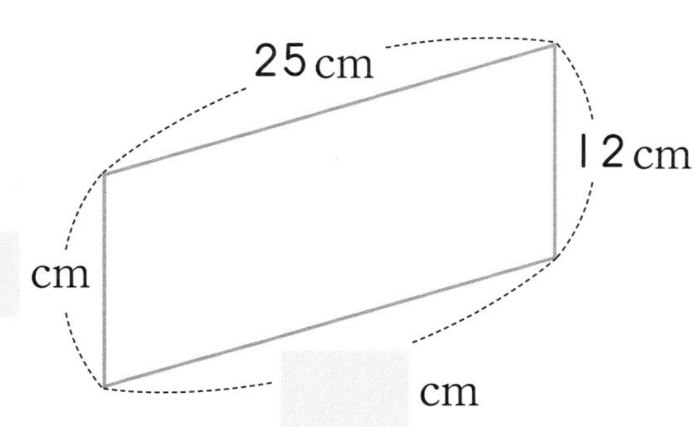

평행사변형의 성질 ②	마주 보는 두 각의 크기가 같습니다.

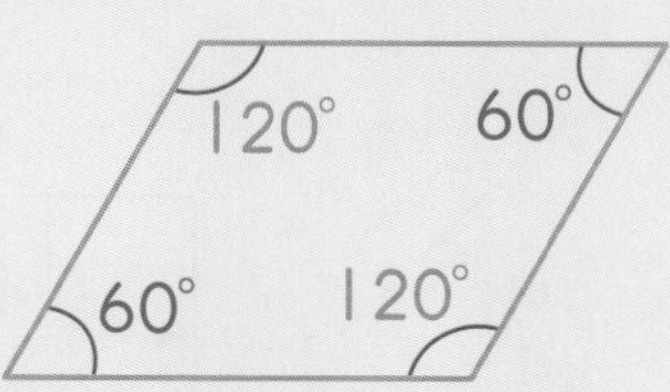

평행사변형의 성질 ③	이웃한 두 각의 크기의 합이 180°입니다.

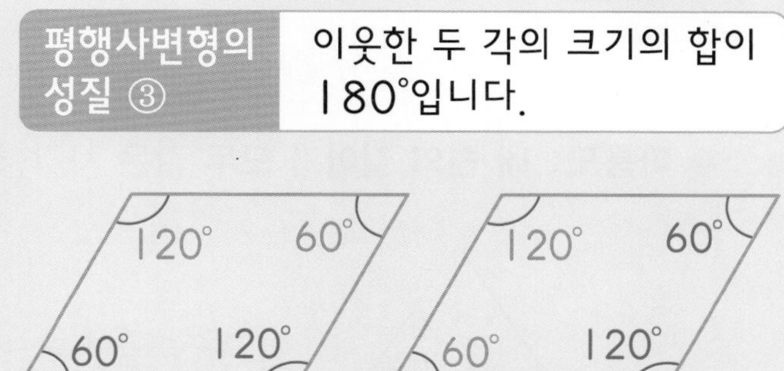

$120° + 60° = 180°$

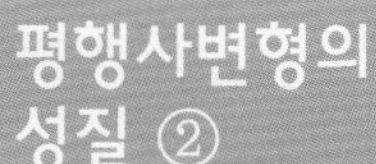

4 평행사변형입니다. ▭ 안에 알맞은 각도를 써넣으시오.

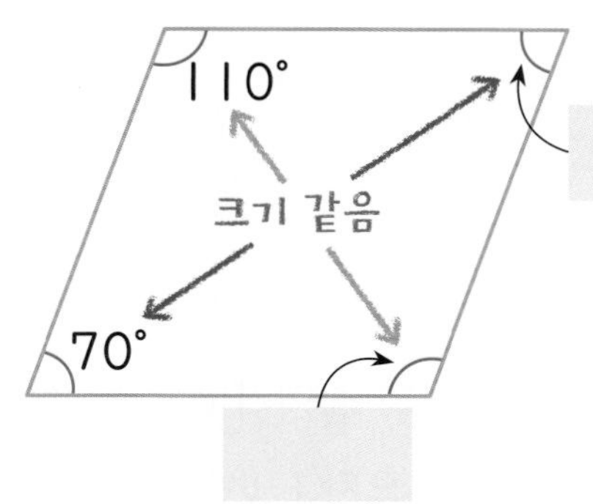

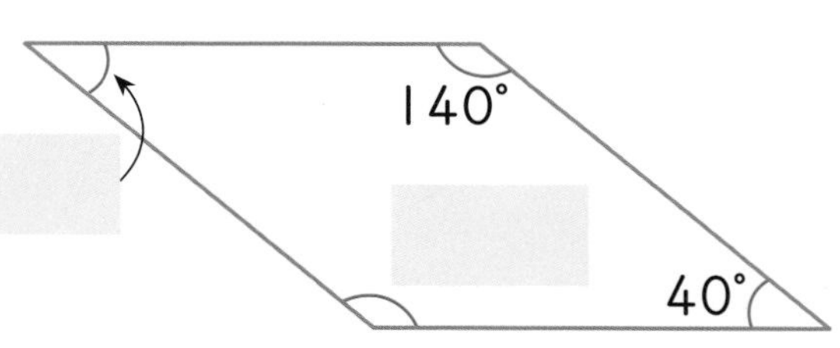

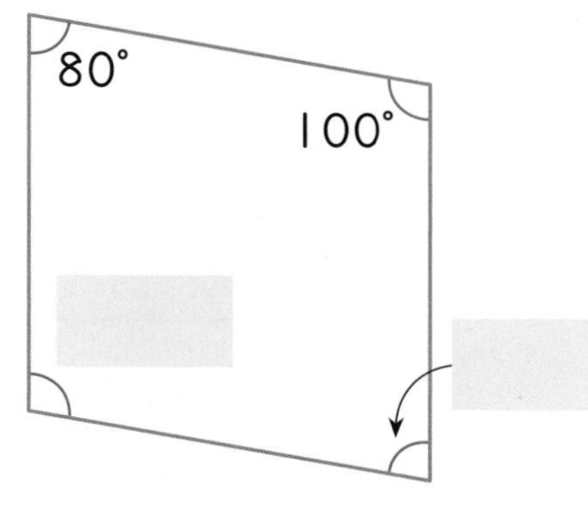

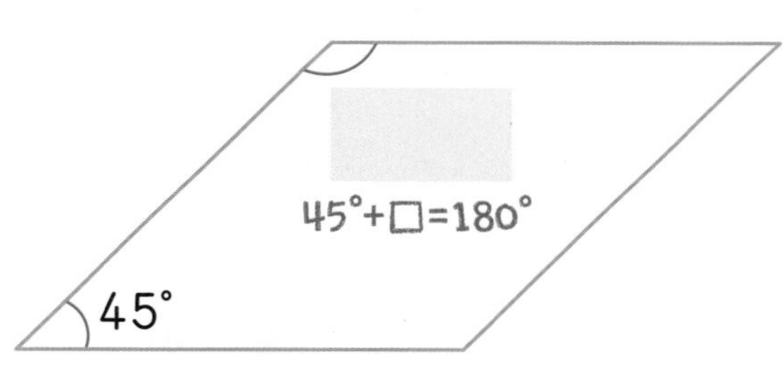

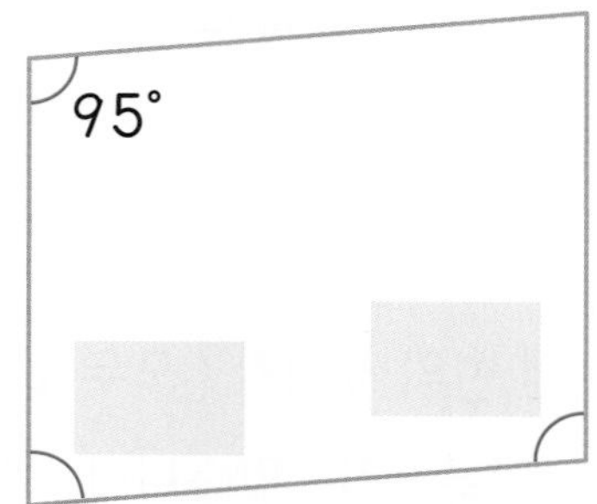

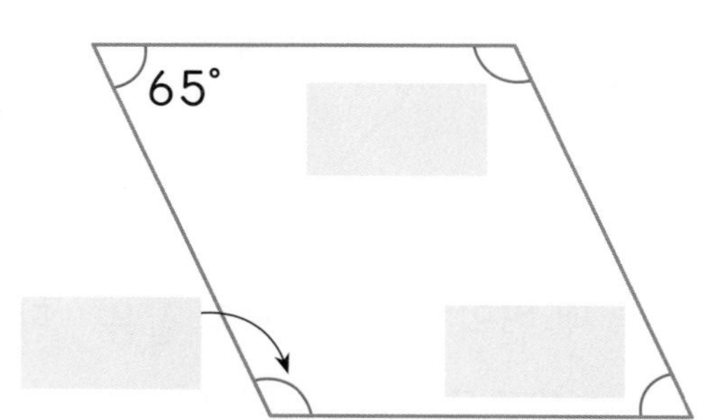

05 마름모

정답 32쪽

초등 4-2 ❹ 사각형

● **마름모**: **네 변의 길이**가 **모두 같은** 사각형

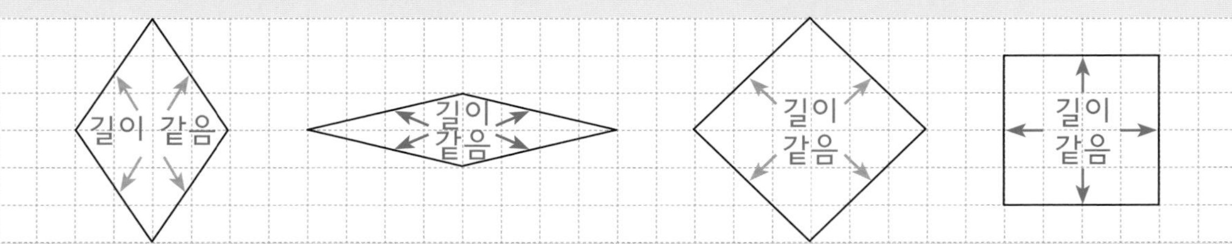

1 사각형을 보고 알맞은 말에 ◯표 하시오.

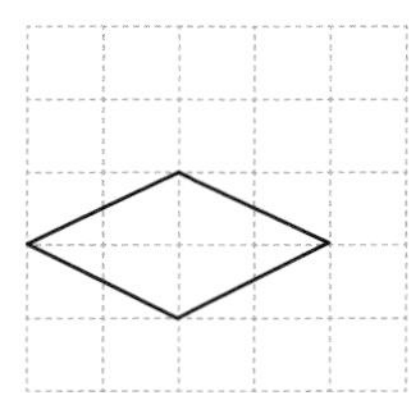

◦ 네 변의 길이가 (모두 같음 , 다름).

➡ 마름모가 (맞습니다 , 아닙니다).

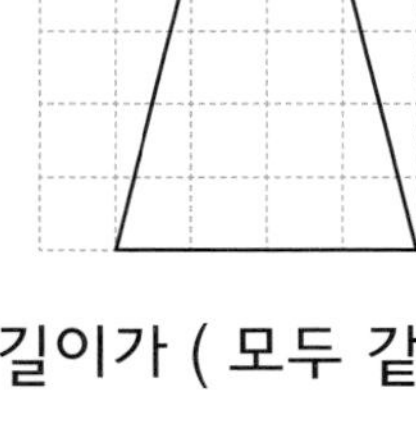

◦ 네 변의 길이가 (모두 같음 , 다름).

➡ 마름모가 (맞습니다 , 아닙니다).

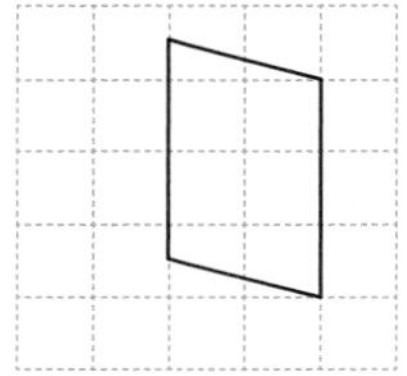

◦ 네 변의 길이가 (모두 같음 , 다름).

➡ 마름모가 (맞습니다 , 아닙니다).

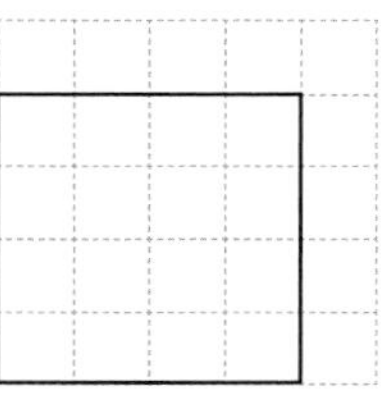

◦ 네 변의 길이가 (모두 같음 , 다름).

➡ 마름모가 (맞습니다 , 아닙니다).

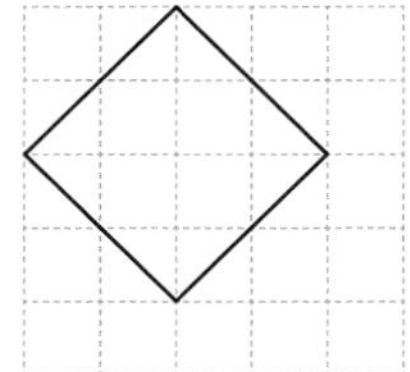

◦ 네 변의 길이가 (모두 같음 , 다름).

➡ 마름모가 (맞습니다 , 아닙니다).

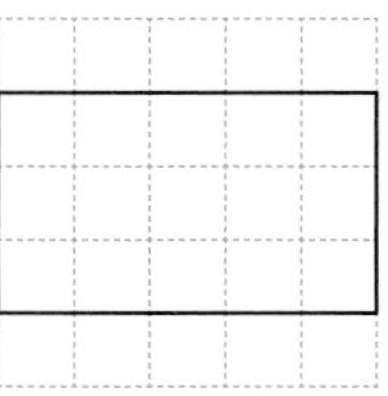

◦ 네 변의 길이가 (모두 같음 , 다름).

➡ 마름모가 (맞습니다 , 아닙니다).

2 마름모를 완성해 보시오.

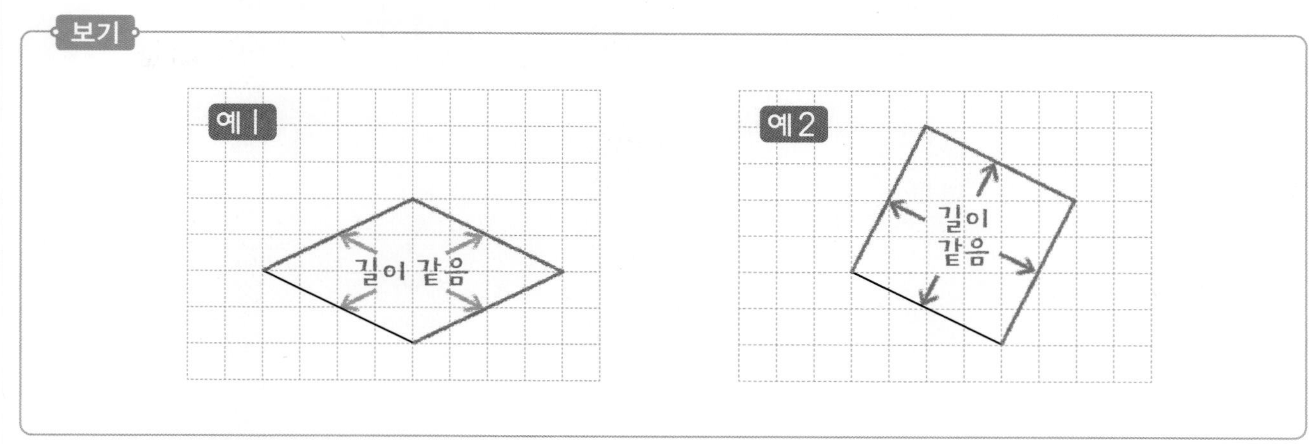

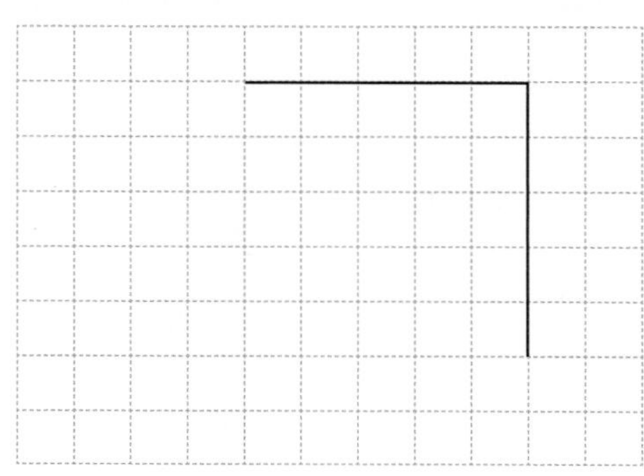

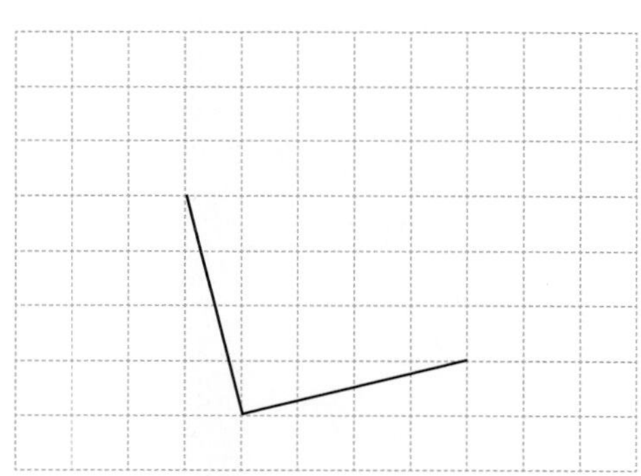

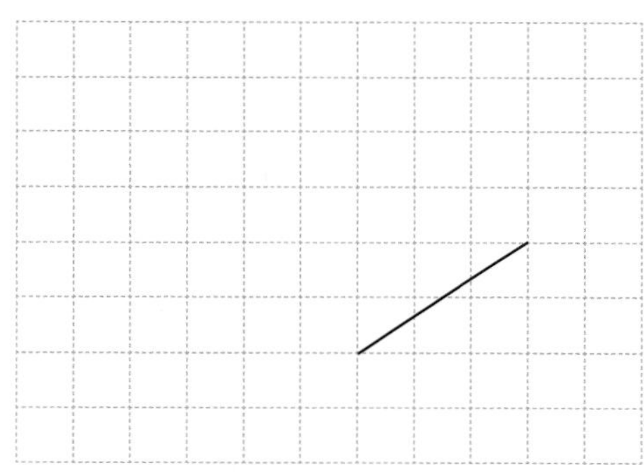

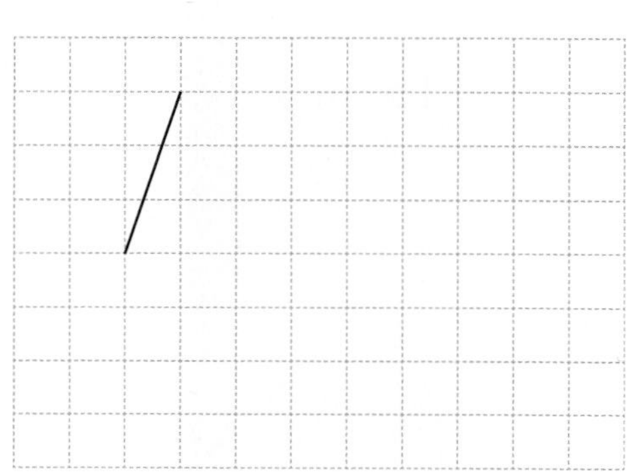

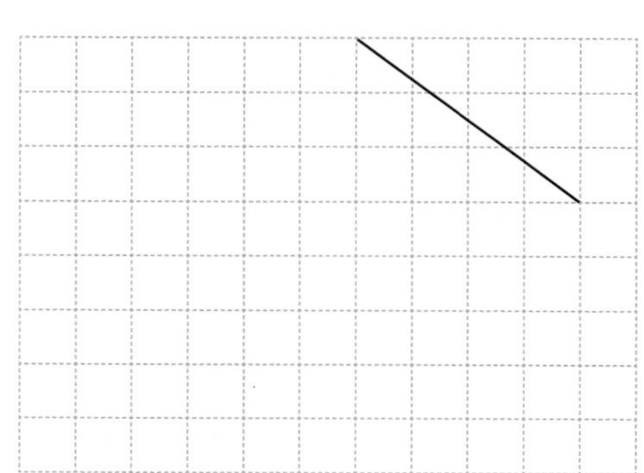

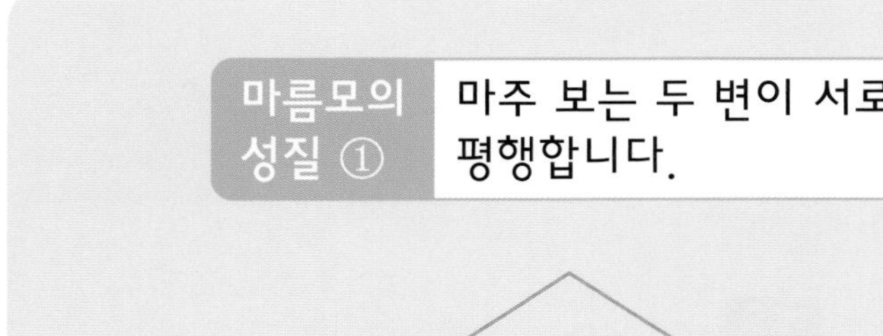

마름모의 성질 ① 마주 보는 두 변이 서로 평행합니다.

마름모의 성질 ② 네 변의 길이가 모두 같습니다.

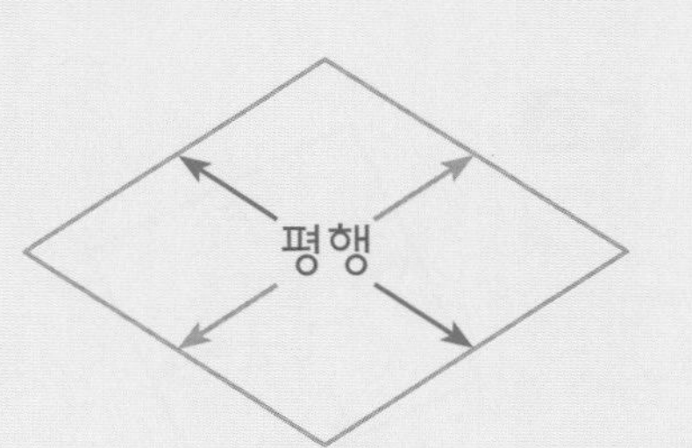

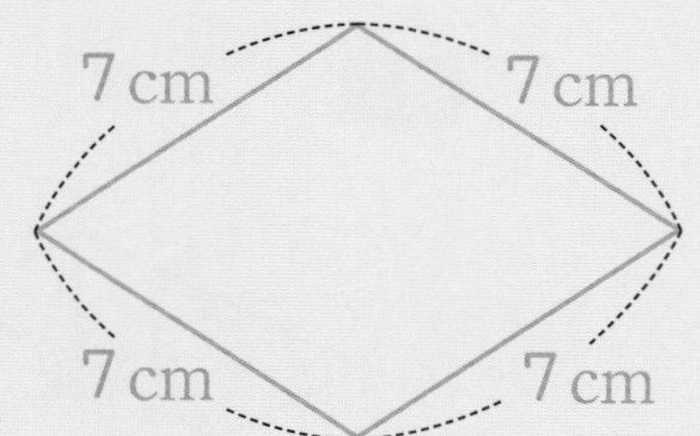

3 마름모입니다. □ 안에 알맞은 수를 써넣으시오.

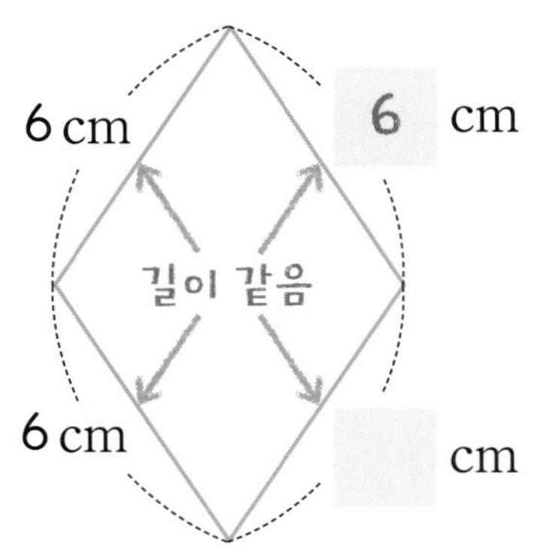

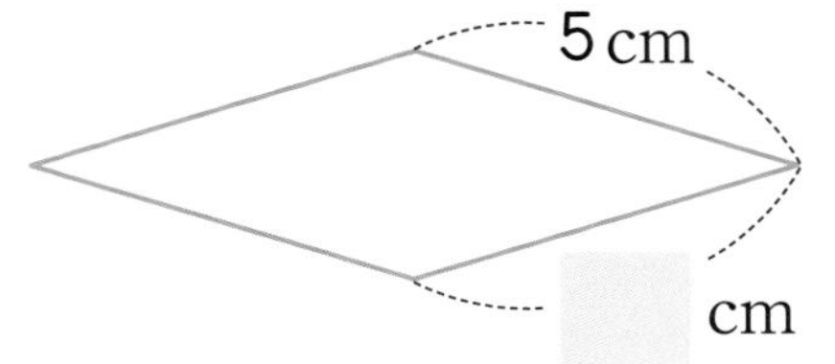

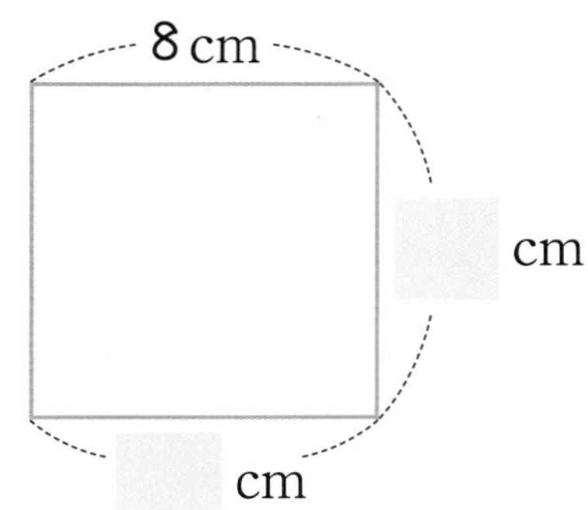

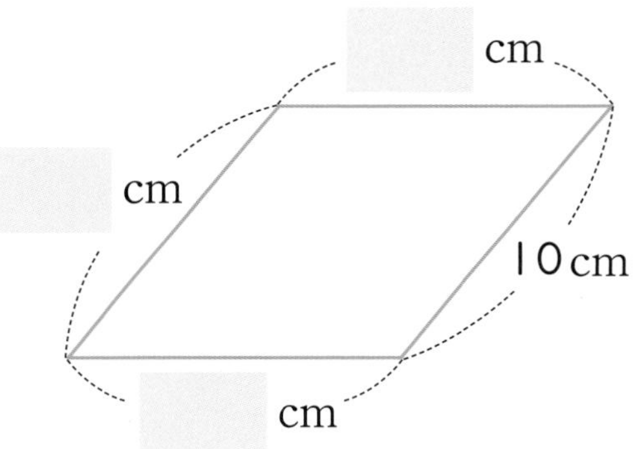

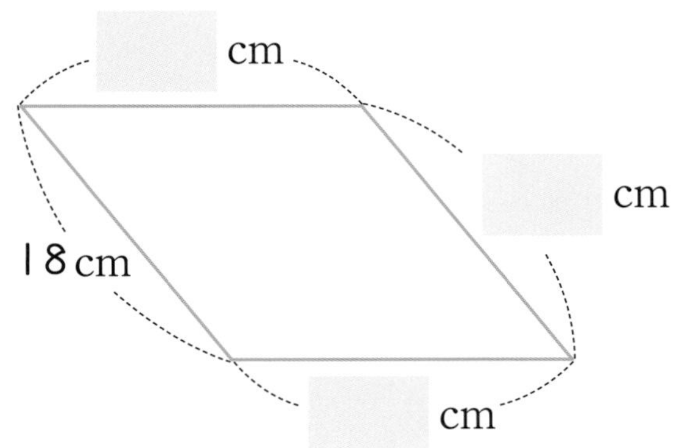

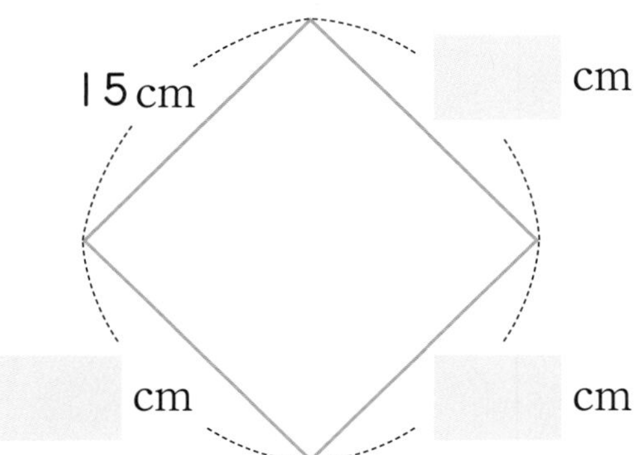

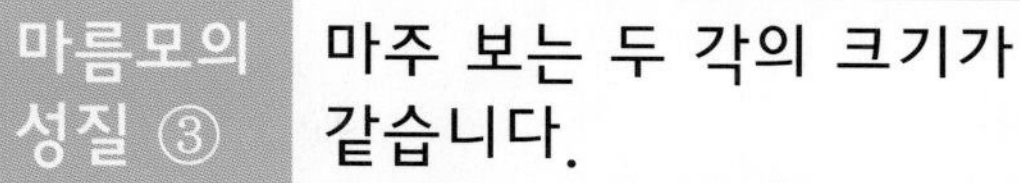

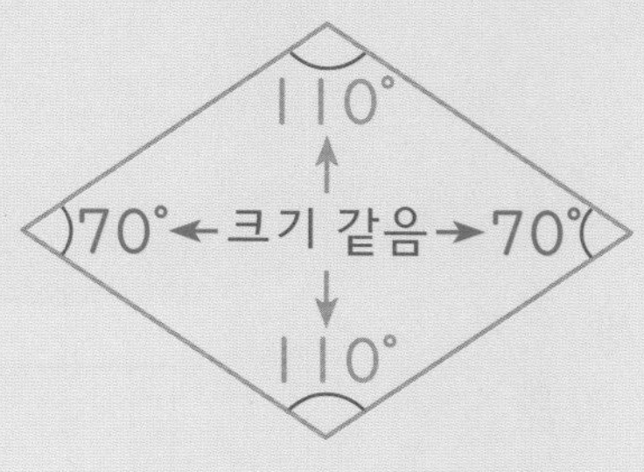

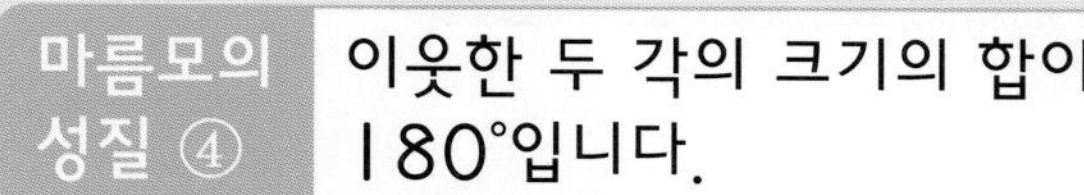

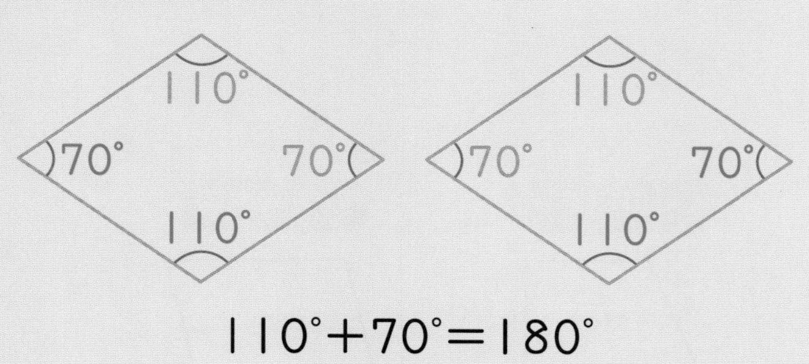

4 마름모입니다. 안에 알맞은 각도를 써넣으시오.

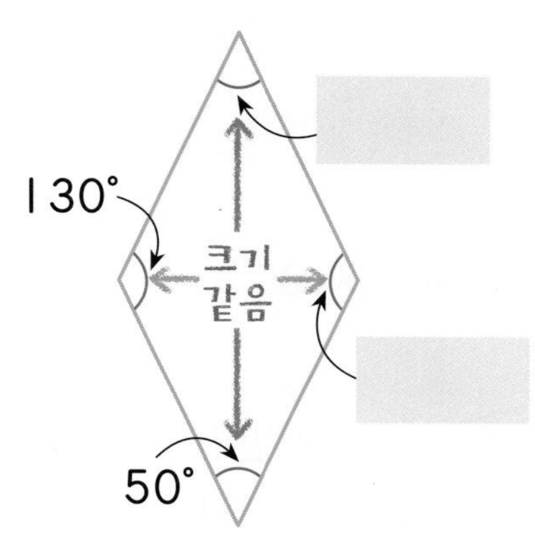

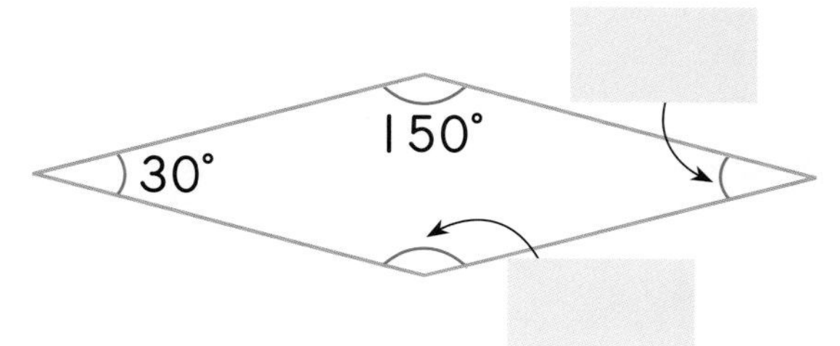

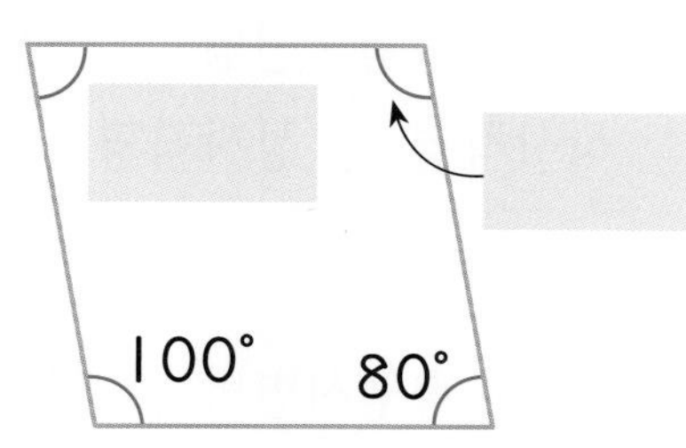

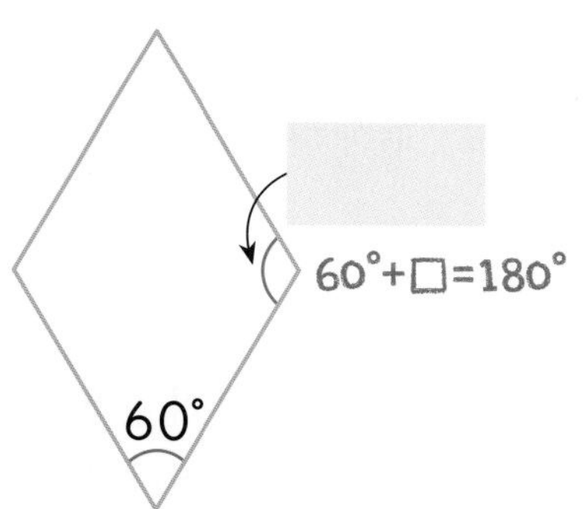

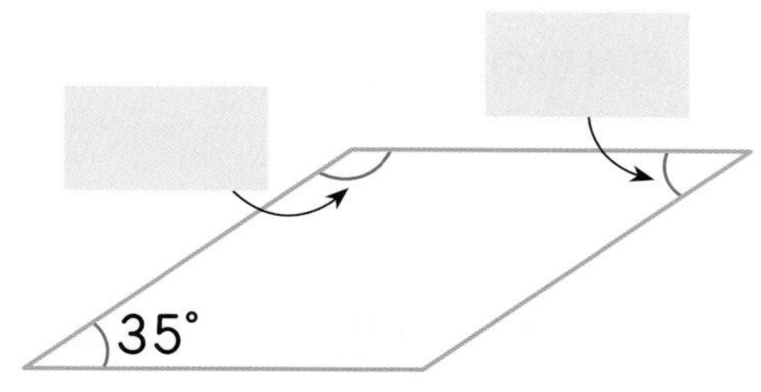

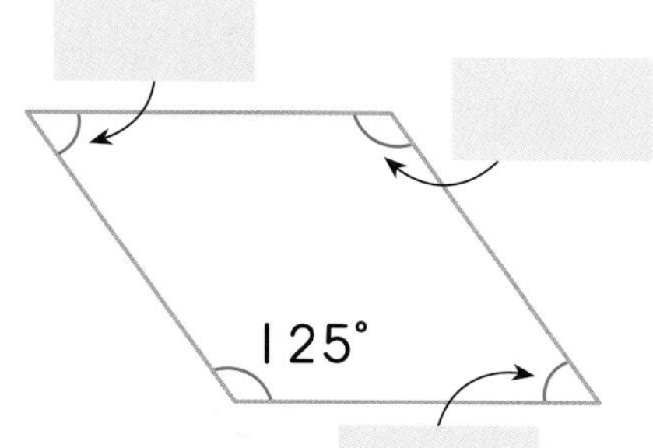

도전! 응용문제

정답 33쪽

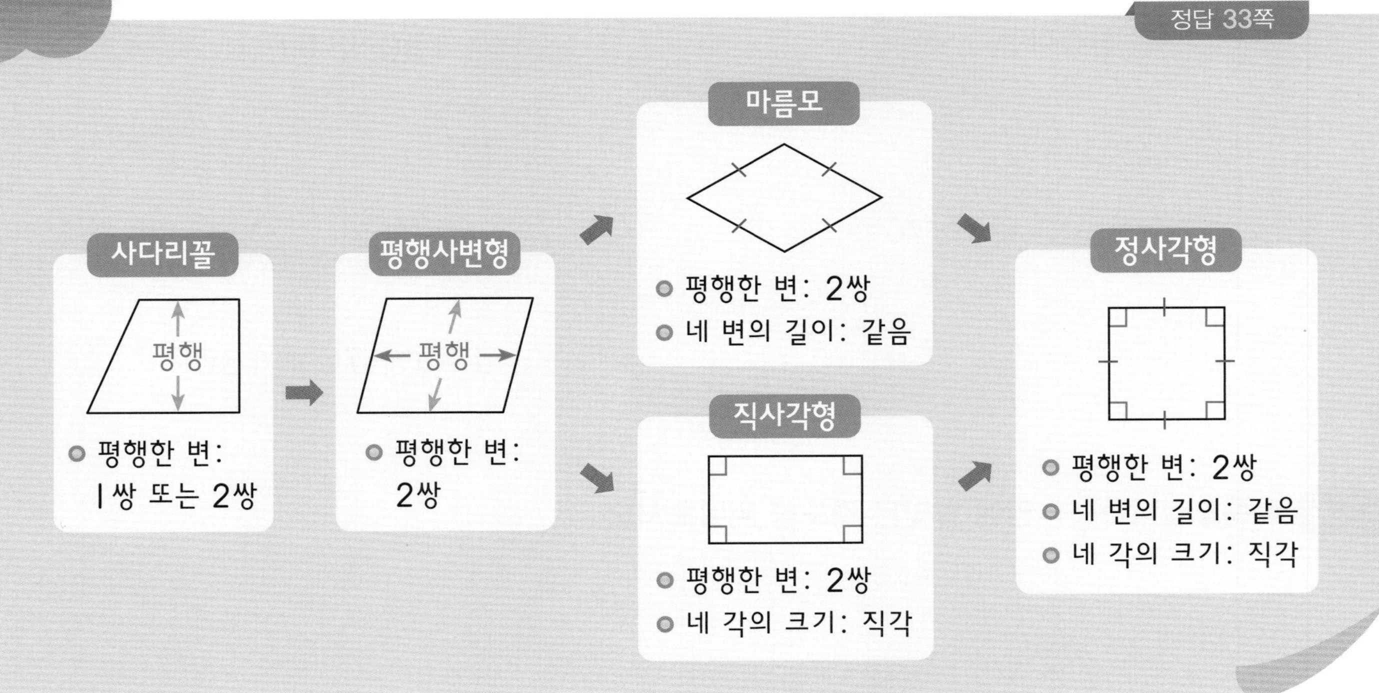

응용 1 조건 에 해당하는 도형의 이름으로 알맞은 것에 모두 ◯표 하시오.

조건

평행한 변이 I쌍입니다.

(사다리꼴) 평행사변형 마름모 직사각형 정사각형

사다리꼴, 평행사변형, 마름모, 직사각형, 정사각형

조건

평행한 변이 2쌍입니다.

사다리꼴 평행사변형 마름모 직사각형 정사각형

조건

- 평행한 변이 2쌍입니다.
- 네 변의 길이가 같습니다.

사다리꼴 평행사변형 마름모 직사각형 정사각형

조건

- 평행한 변이 2쌍입니다.
- 네 각이 모두 직각입니다.

사다리꼴 평행사변형 마름모 직사각형 정사각형

조건

- 평행한 변이 2쌍입니다.
- 네 변의 길이가 같습니다.
- 네 각이 모두 직각입니다.

사다리꼴 평행사변형 마름모 직사각형 정사각형

응용 ② 도형을 보고 해당하는 것에 모두 ○표 하고, 도형의 이름으로 알맞은 것에 모두 ⬭표 하시오.

평행한 변: 1쌍 (　　)
평행한 변: 2쌍 (　　)
네 변의 길이: 같음 (　　)
네 각의 크기: 직각 (　　)

사다리꼴　평행사변형　마름모　직사각형　정사각형

평행한 변: 1쌍 (　　)
평행한 변: 2쌍 (　　)
네 변의 길이: 같음 (　　)
네 각의 크기: 직각 (　　)

사다리꼴　평행사변형　마름모　직사각형　정사각형

평행한 변: 1쌍 (　　)
평행한 변: 2쌍 (　　)
네 변의 길이: 같음 (　　)
네 각의 크기: 직각 (　　)

사다리꼴　평행사변형　마름모　직사각형　정사각형

평행한 변: 1쌍 (　　)
평행한 변: 2쌍 (　　)
네 변의 길이: 같음 (　　)
네 각의 크기: 직각 (　　)

사다리꼴　평행사변형　마름모　직사각형　정사각형

평행한 변: 1쌍 (　　)
평행한 변: 2쌍 (　　)
네 변의 길이: 같음 (　　)
네 각의 크기: 직각 (　　)

사다리꼴　평행사변형　마름모　직사각형　정사각형

응용 3 그림을 보고 ▢ 안에 알맞은 기호를 써넣으시오.

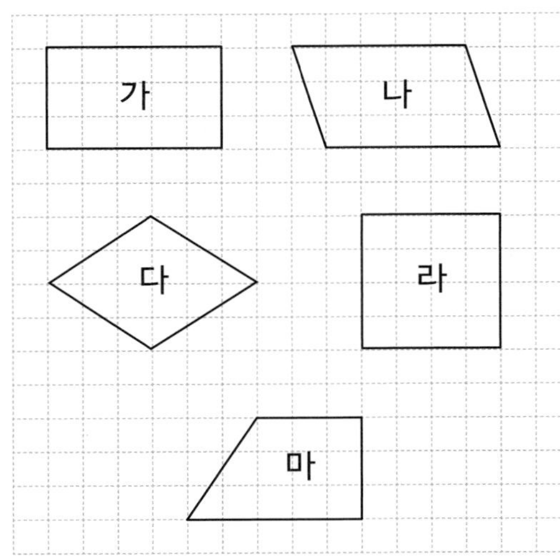

- 사다리꼴: 가, ▢, ▢, ▢, ▢
  - 평행한 변: 1쌍 또는 2쌍
- 평행사변형: ▢, ▢, ▢, ▢
  - 평행한 변: 2쌍
- 마름모: ▢, ▢
  - 평행한 변: 2쌍, 네 변의 길이: 같음
- 직사각형: ▢, ▢
  - 평행한 변: 2쌍, 네 각의 크기: 직각
- 정사각형: ▢
  - 평행한 변: 2쌍, 네 변의 길이: 같음, 네 각의 크기: 직각

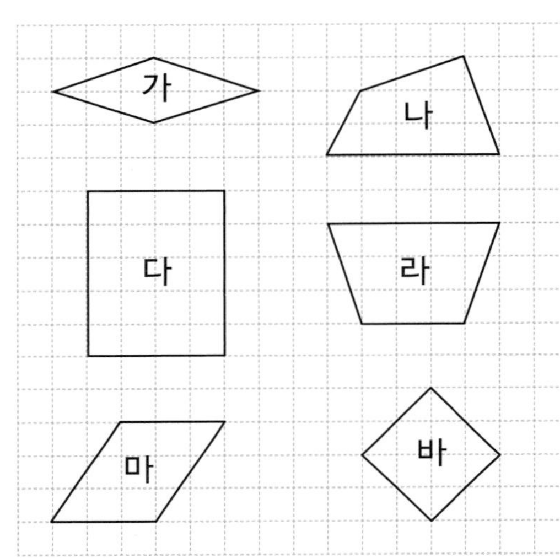

- 사다리꼴: ▢, ▢, ▢, ▢, ▢
- 평행사변형: ▢, ▢, ▢, ▢
- 마름모: ▢, ▢
- 직사각형: ▢, ▢
- 정사각형: ▢

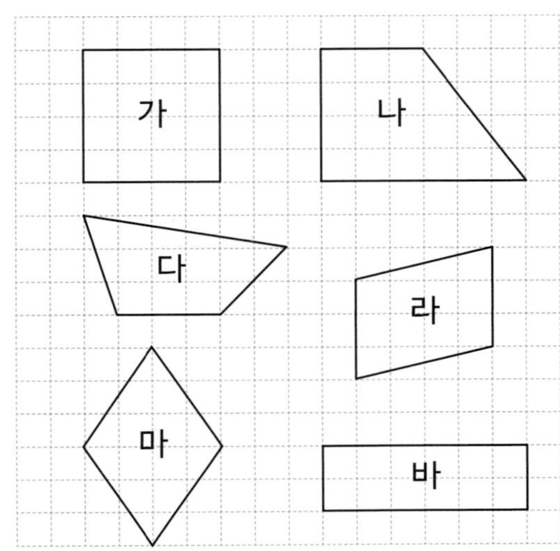

- 사다리꼴: ▢, ▢, ▢, ▢, ▢
- 평행사변형: ▢, ▢, ▢, ▢
- 마름모: ▢, ▢
- 직사각형: ▢, ▢
- 정사각형: ▢

응용 ④ 조건 을 모두 만족하는 사각형을 하나만 그려 보시오.

조건

평행한 변이 1쌍입니다.

← 사다리꼴, 평행사변형, 마름모, 직사각형, 정사각형

조건

- 평행한 변이 2쌍입니다.
- 네 각이 모두 직각입니다.

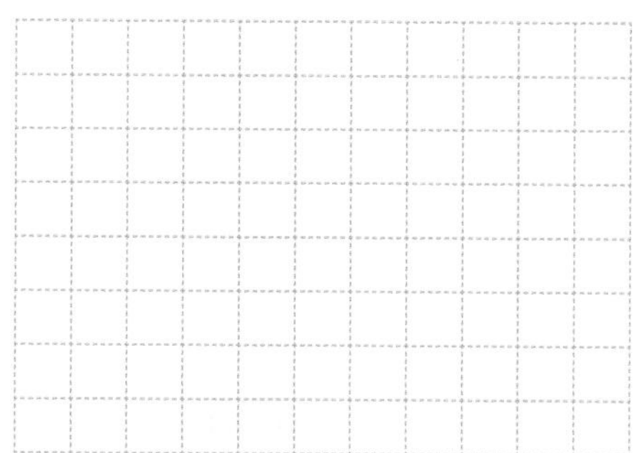

조건

- 평행한 변이 2쌍입니다.
- 네 변의 길이가 같습니다.

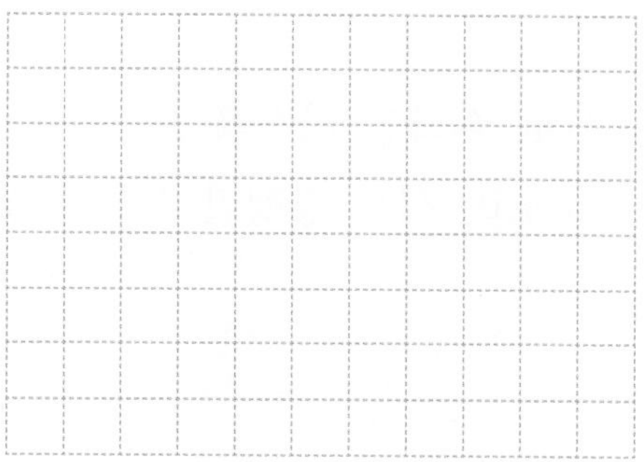

조건

평행한 변이 2쌍입니다.

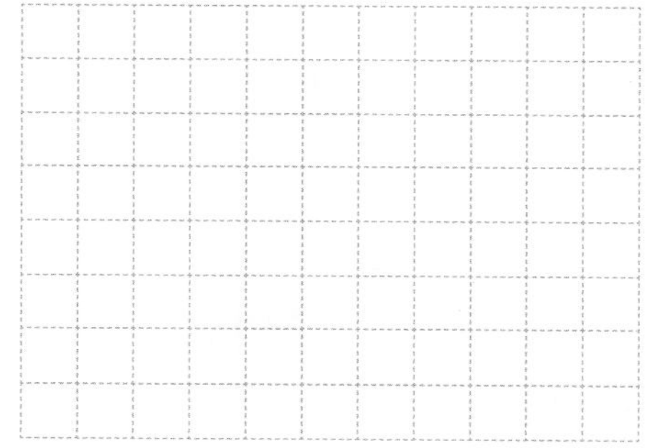

조건

- 평행한 변이 2쌍입니다.
- 네 변의 길이가 같습니다.
- 네 각이 모두 직각입니다.

형성평가

정답 34쪽 걸린 시간: 분 점 수: 점

01 서로 수직인 변을 모두 찾아 ⊾로 표시해 보시오.

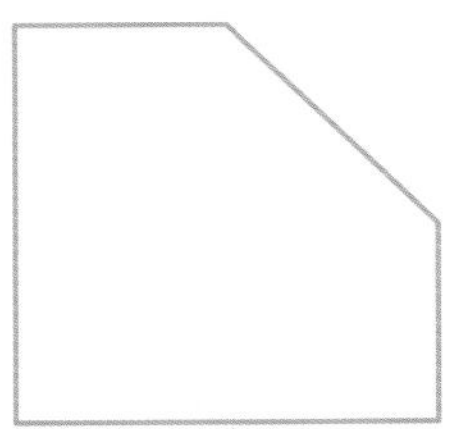

02 직선 가에 대한 수선을 찾아 쓰시오.

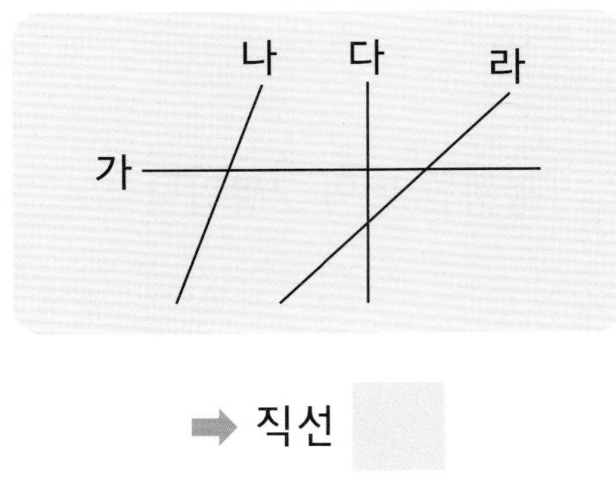

➡ 직선

03 삼각자를 사용하여 주어진 그림을 그려 보시오.

(1)

(2)

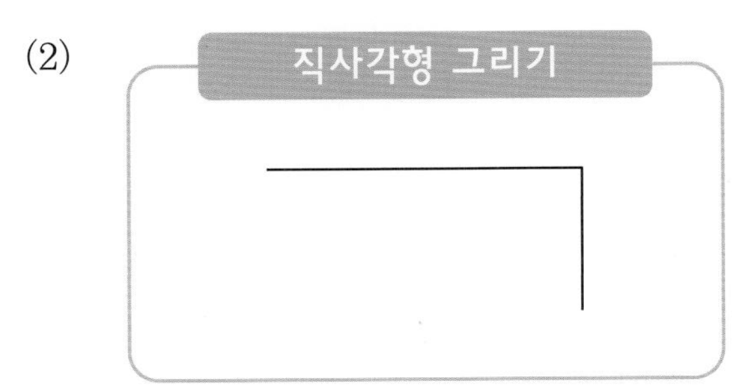

04 자와 각도기를 사용하여 주어진 그림을 그려 보시오.

(1)

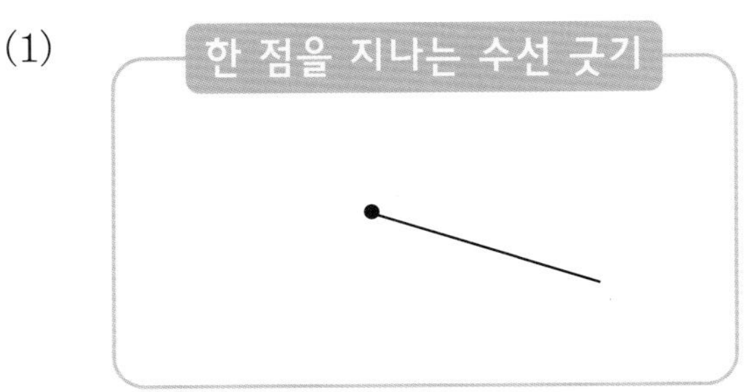

(2)

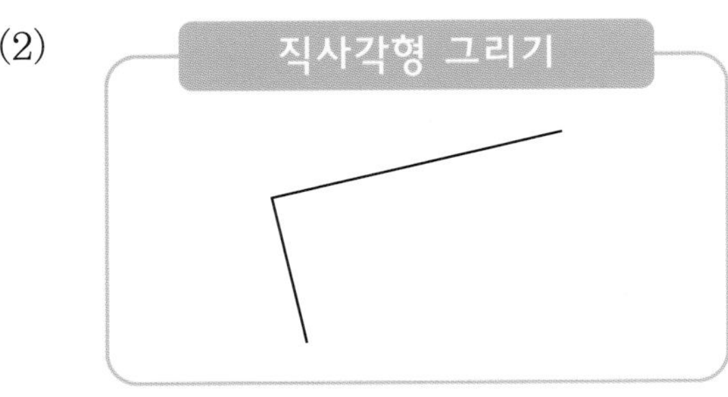

05 서로 수직인 직선을 모두 찾아 ⊾로 표시하고, 서로 평행한 직선을 찾아 쓰시오.

(1)

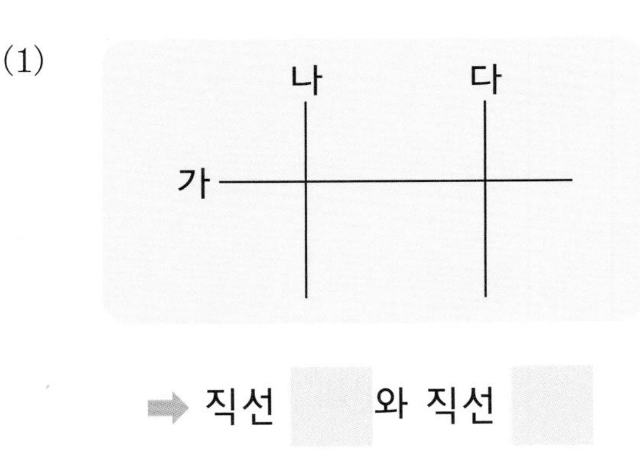

➡ 직선 와 직선

(2)

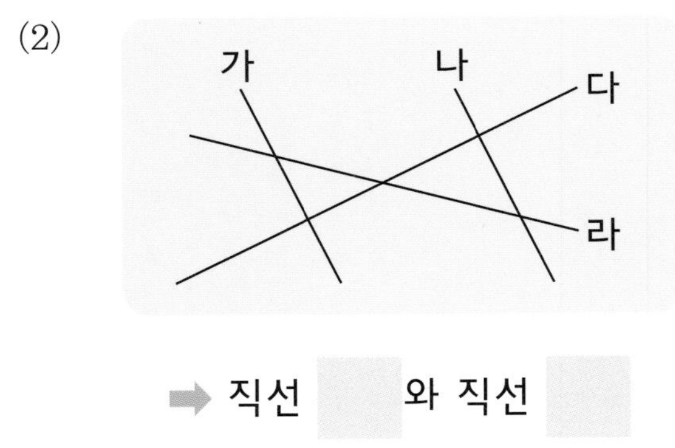

➡ 직선 와 직선

06 평행선 사이에 수선을 긋고, 평행선 사이의 거리를 재어 보시오.

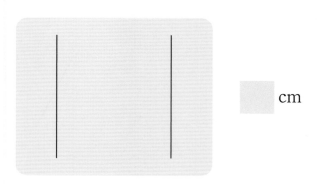

cm

07 삼각자를 사용하여 주어진 직선과 평행한 직선을 그어 보시오.

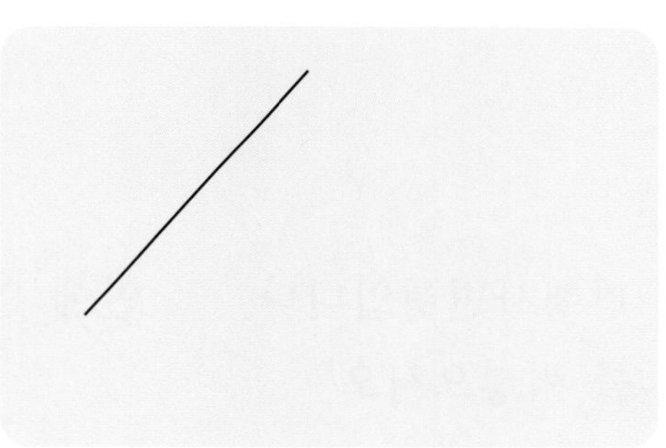

08 삼각자를 사용하여 점 ㄱ을 지나고 직선 가와 평행한 직선을 그어 보시오.

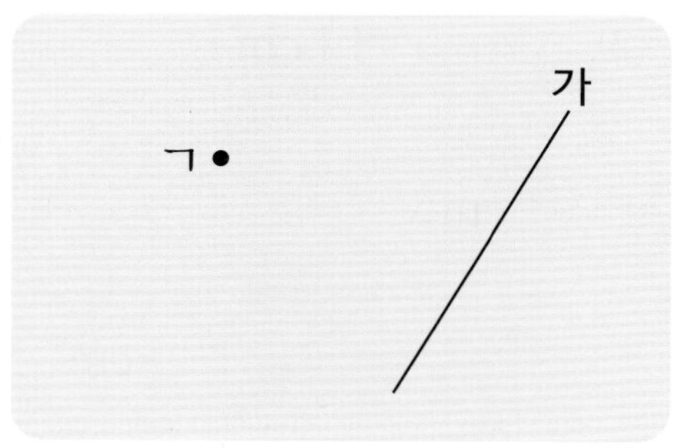

09 사각형을 보고 알맞은 말에 ◯표 하시오.

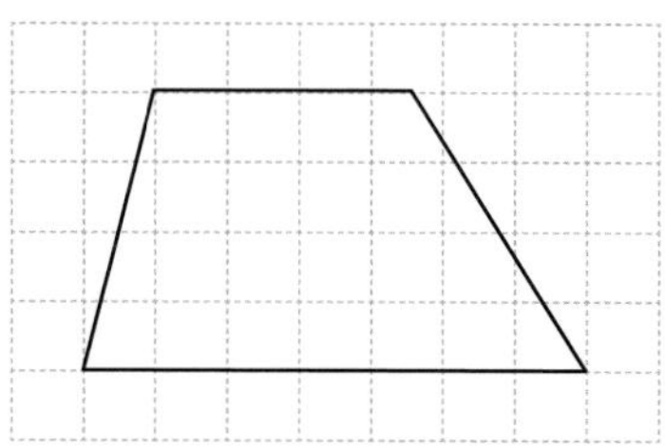

- 평행한 변이 (있음 , 없음).
- ➡ 사다리꼴이 (맞습니다 , 아닙니다).

10 사다리꼴이면 ◯표, 아니면 ✕표를 하시오.

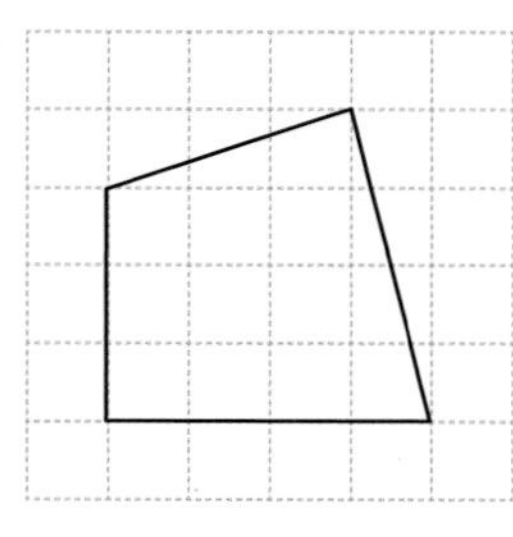

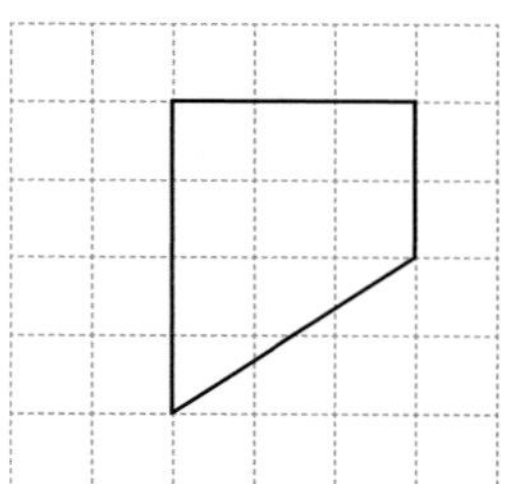

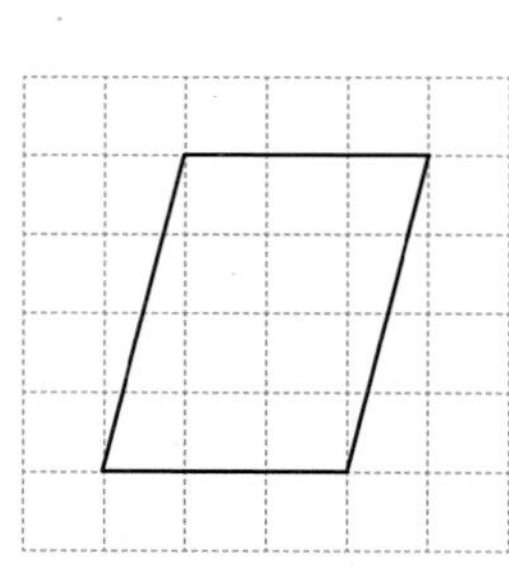

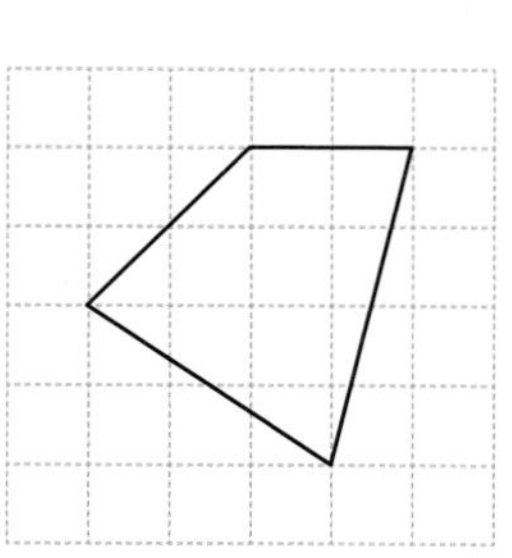

11 주어진 선분을 사용하여 사다리꼴을 완성해 보시오.

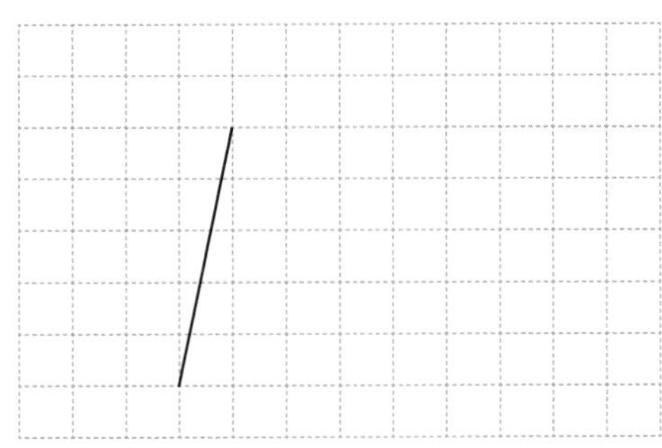

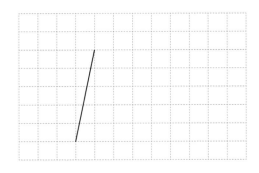

12 직사각형 모양의 종이를 자르면 사다리꼴은 모두 몇 개 만들어집니까?

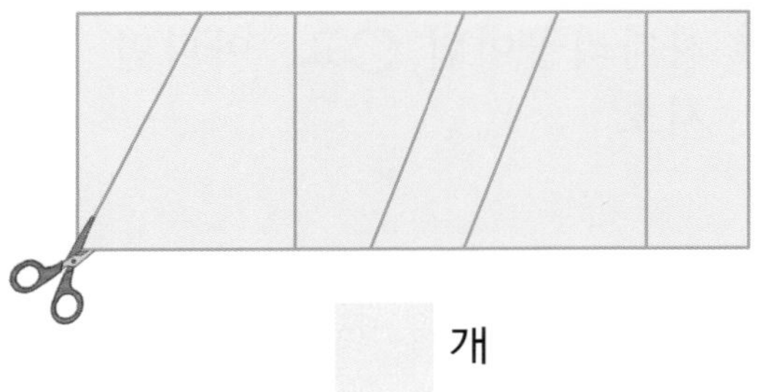

( ) 개

13 사각형을 보고 ☐ 안에 알맞은 수를 써넣고, 알맞은 말에 ○표 하시오.

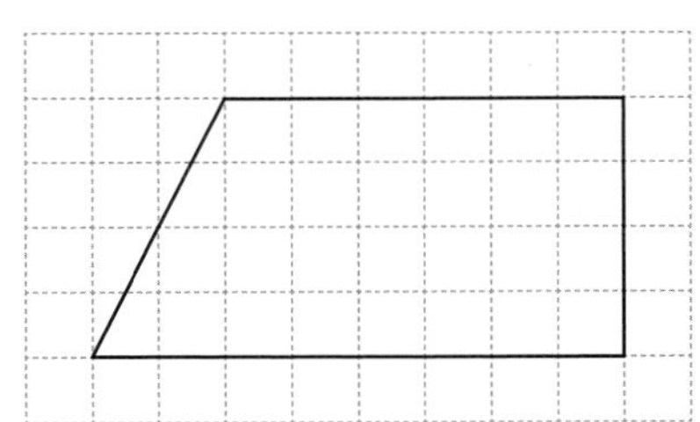

- 평행한 변이 ☐ 쌍 있음.

➡ 평행사변형이 (맞습니다 , 아닙니다).

14 주어진 선분을 사용하여 평행사변형을 완성해 보시오.

(1)

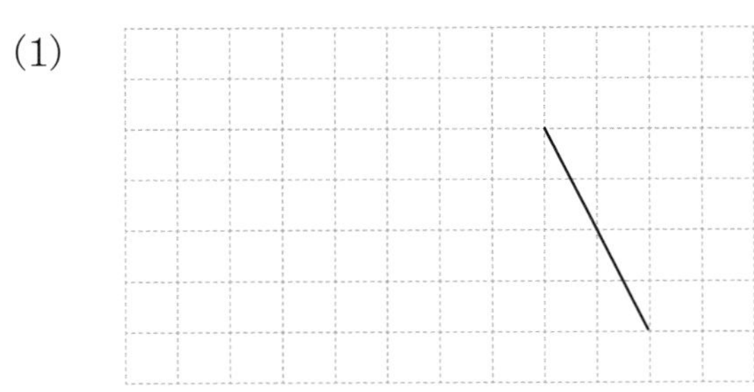

(2)

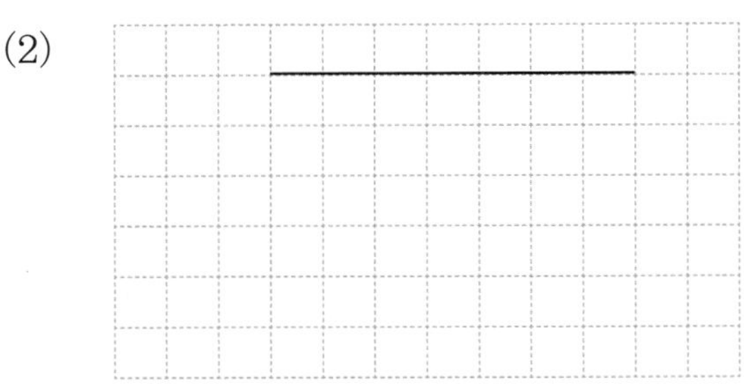

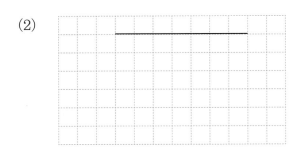

15 평행사변형입니다. ☐ 안에 알맞은 수를 써넣으시오.

(1)

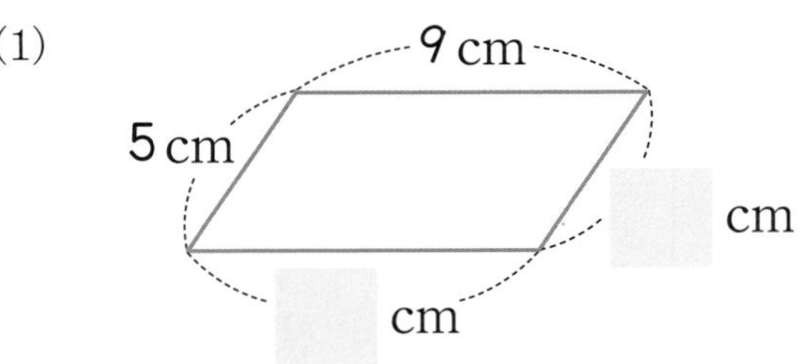

(2)

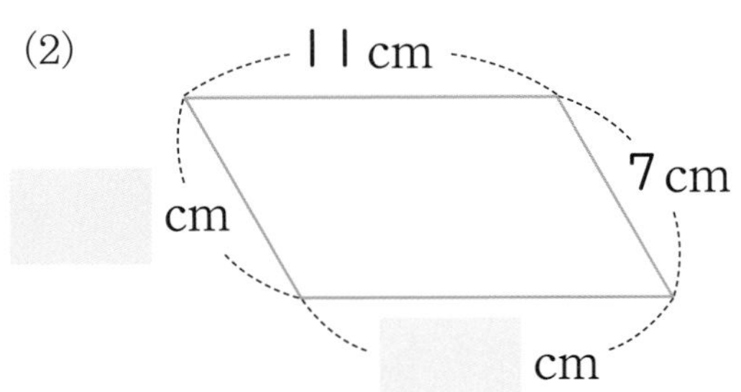

16 평행사변형입니다. ▢ 안에 알맞은 각도를 써넣으시오.

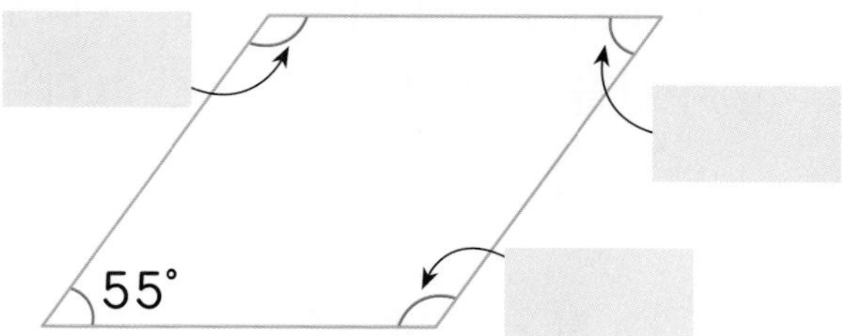

17 사각형을 보고 알맞은 말에 ◯표 하시오.

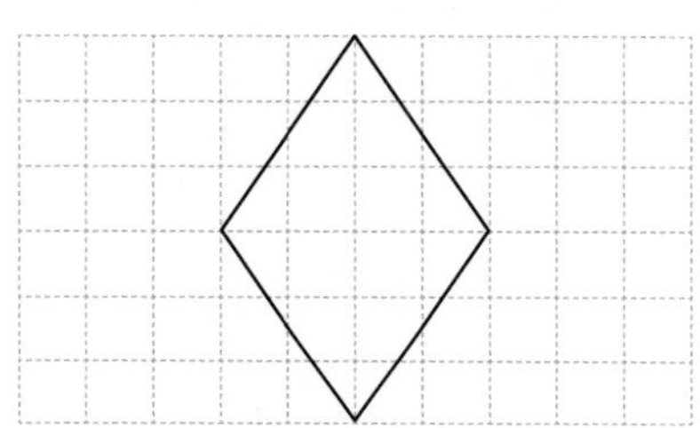

- 네 변의 길이가 (모두 같음 , 다름).

➡ 마름모가 (맞습니다 , 아닙니다).

18 주어진 선분을 사용하여 마름모를 완성해 보시오.

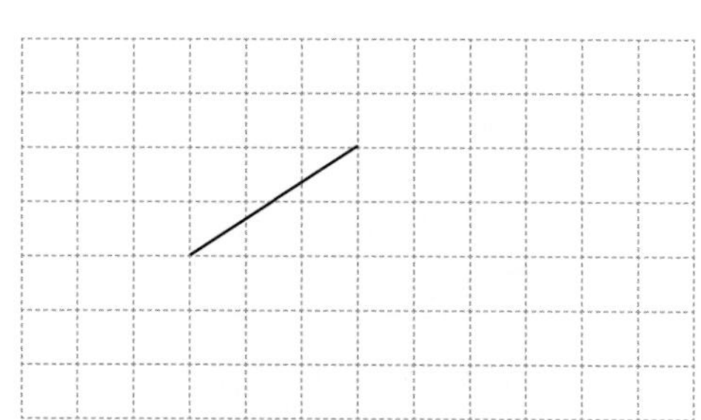

19 마름모입니다. ▢ 안에 알맞은 수를 써넣으시오.

(1)

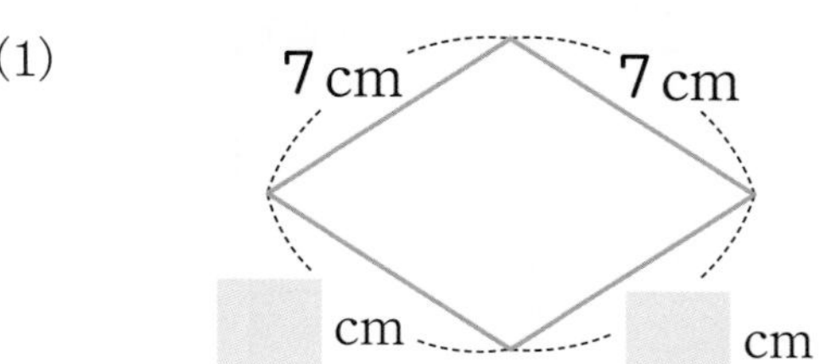

(2)

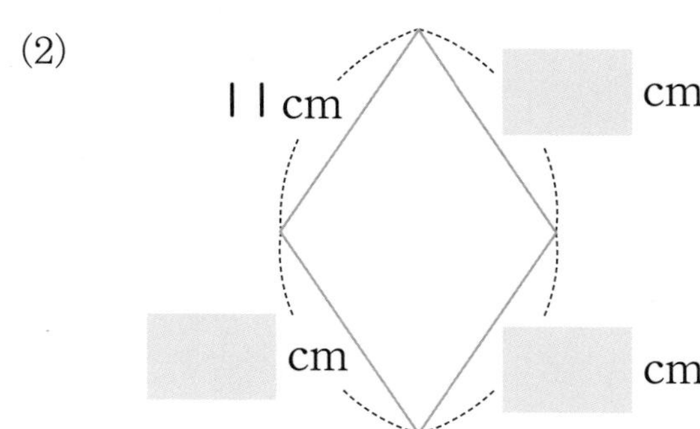

20 마름모입니다. ▢ 안에 알맞은 각도를 써넣으시오.

(1)

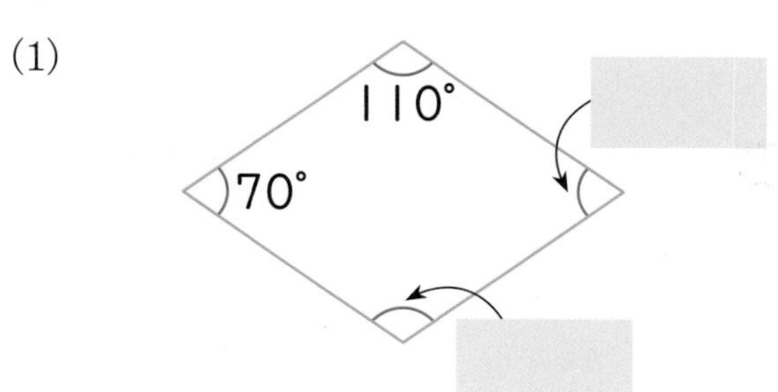

(2)

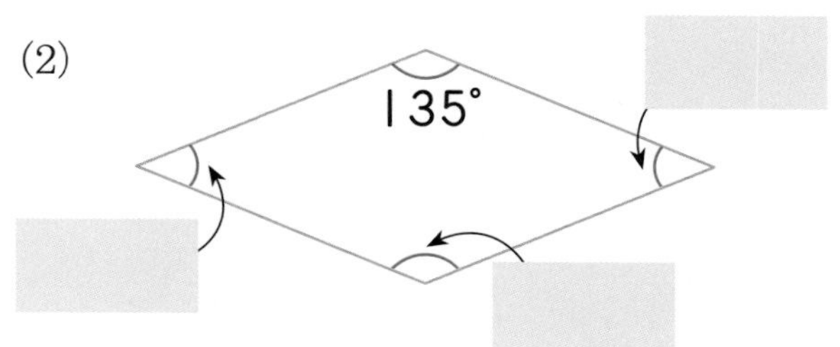

정답 35쪽

[1~2] 그림을 보고 물음에 답하시오.

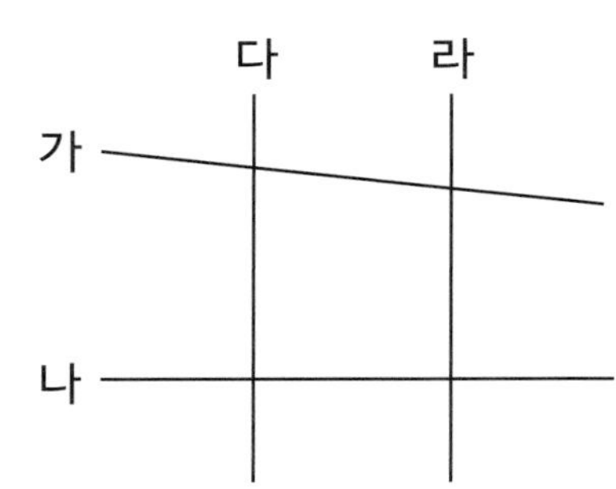

1 직선 다에 수직인 직선을 찾아 쓰시오.

( )

2 직선 다와 평행한 직선을 찾아 쓰시오.

( )

3 도형에서 변 ㄷㄹ에 수직인 변은 모두 몇 개입니까?

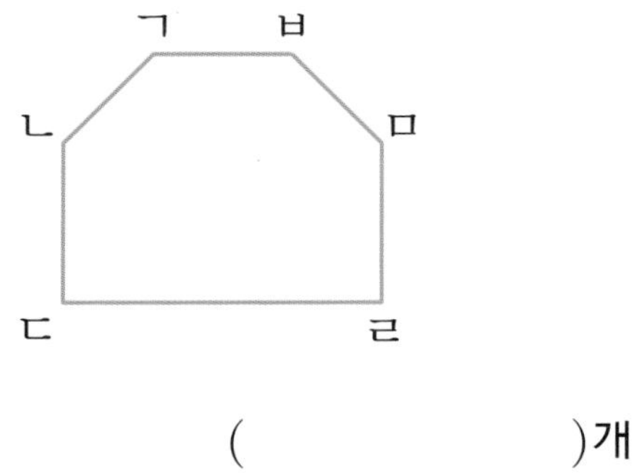

( )개

4 각도기를 사용하여 선분 ㄱㄴ에 대한 수선을 그리려고 합니다. 그리는 순서에 맞게 기호를 쓰시오.

㉠ 점 ㄷ과 점 ㄹ을 선으로 잇습니다.
㉡ 주어진 선분 ㄱㄴ 위에 점 ㄷ을 찍습니다.
㉢ 각도기에서 90°가 되는 눈금 위에 점 ㄹ을 찍습니다.
㉣ 각도기의 중심을 점 ㄷ에 맞추고 각도기의 밑금을 선분 ㄱㄴ에 맞춥니다.

( )

5 다음 중 평행선은 어느 것입니까?

( )

① 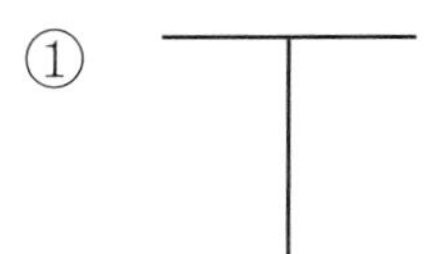
② 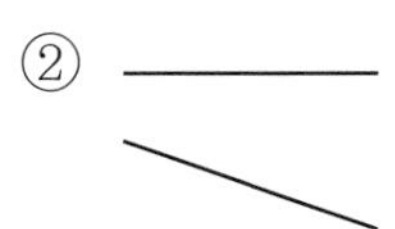
③ 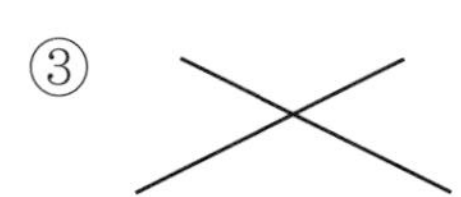
④ 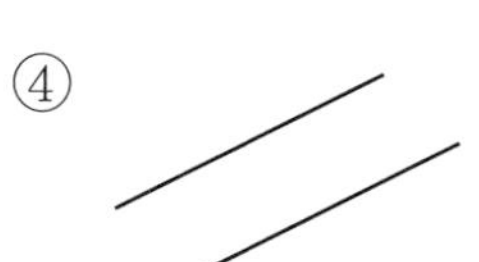
⑤ 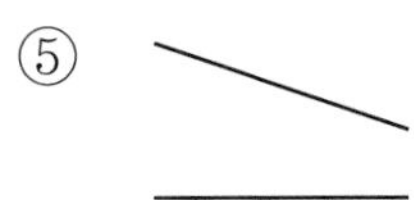

6 수선과 평행선이 모두 있는 도형을 찾아 기호를 쓰시오.

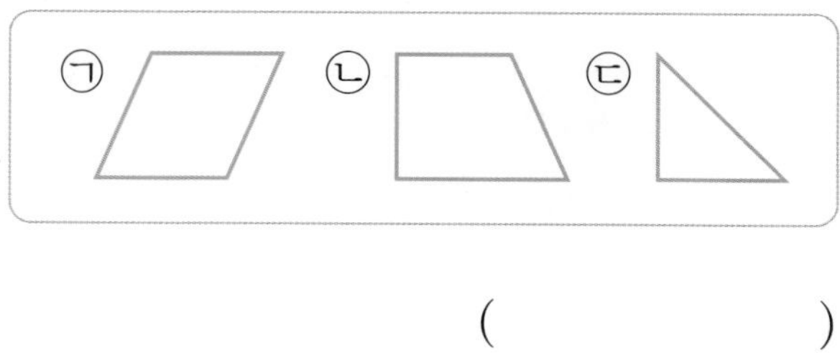

( )

7 도형에서 평행한 변은 모두 몇 쌍입니까?

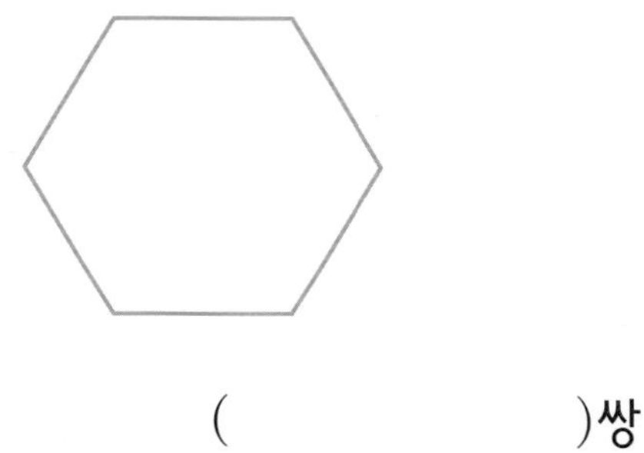

( )쌍

8 도형에서 평행선 사이의 거리는 몇 cm 입니까?

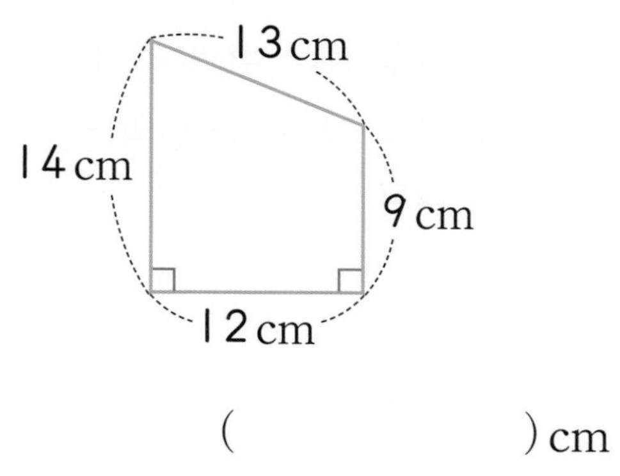

( ) cm

9 그림을 보고 물음에 답하시오.

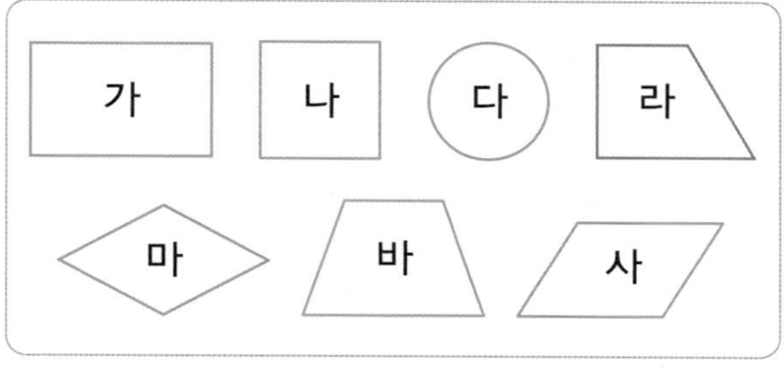

(1) 사다리꼴을 모두 찾아 기호를 쓰시오.

( )

(2) 평행사변형을 모두 찾아 기호를 쓰시오.

( )

(3) 마름모를 모두 찾아 기호를 쓰시오.

( )

(4) 직사각형을 모두 찾아 기호를 쓰시오.

( )

(5) 정사각형을 찾아 기호를 쓰시오.

( )

10 사다리꼴이 아닌 것을 찾아 기호를 쓰시오.

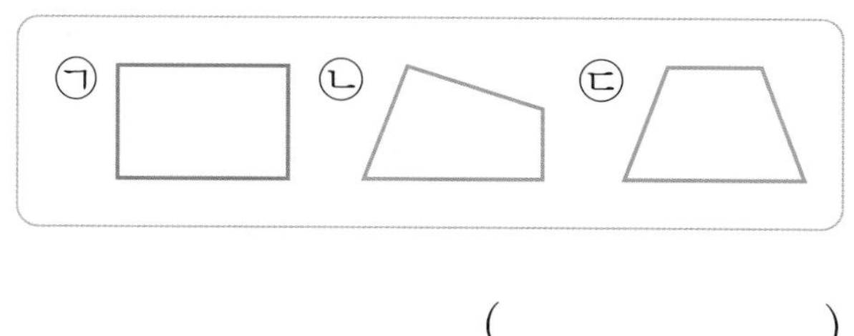

( )

11 직사각형 모양의 색종이를 점선을 따라 잘랐을 때 생기는 사다리꼴은 모두 몇 개입니까?

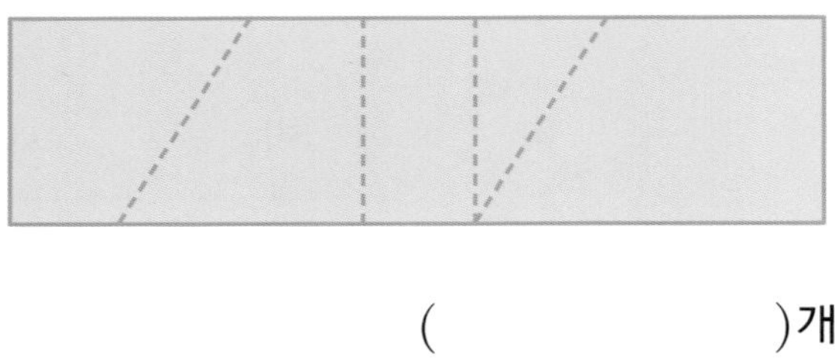

( )개

12 다음 도형이 사다리꼴이 되도록 하려면 어느 점선을 따라 잘라야 하는지 기호를 쓰시오.

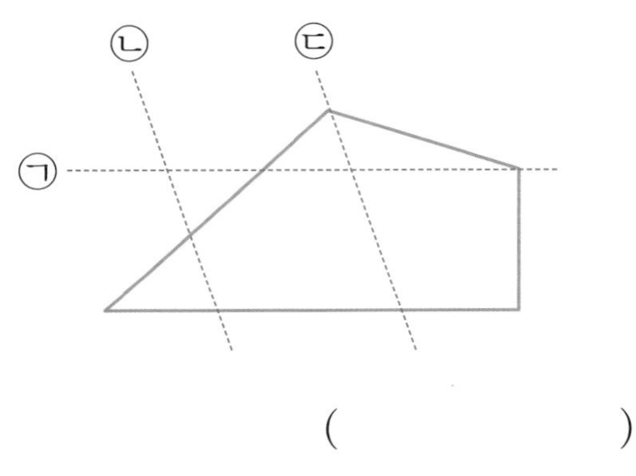

( )

13 주어진 선분을 사용하여 평행사변형을 완성해 보시오.

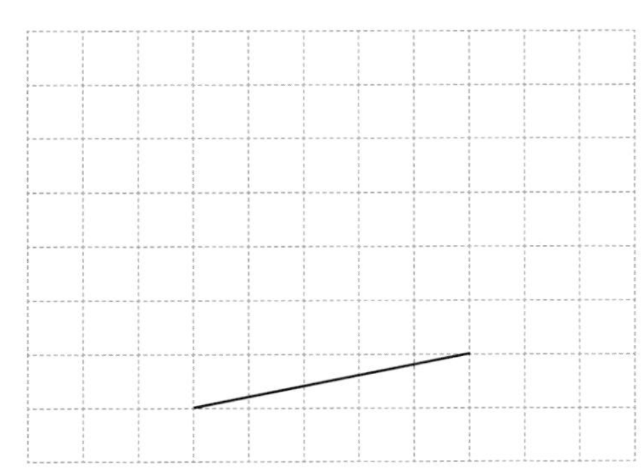

14 평행사변형입니다. ☐ 안에 알맞게 써넣으시오.

(1)

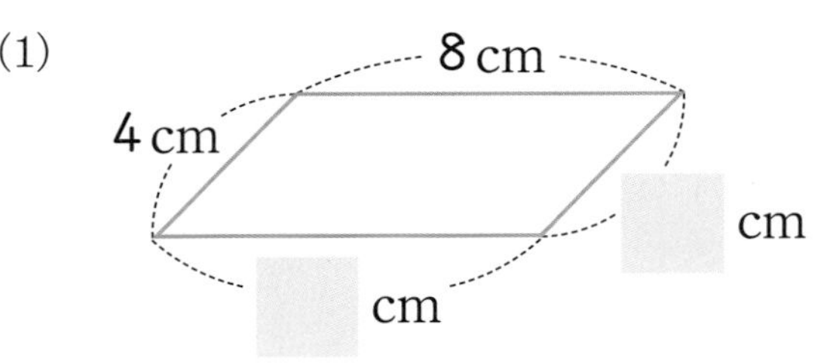

(2)

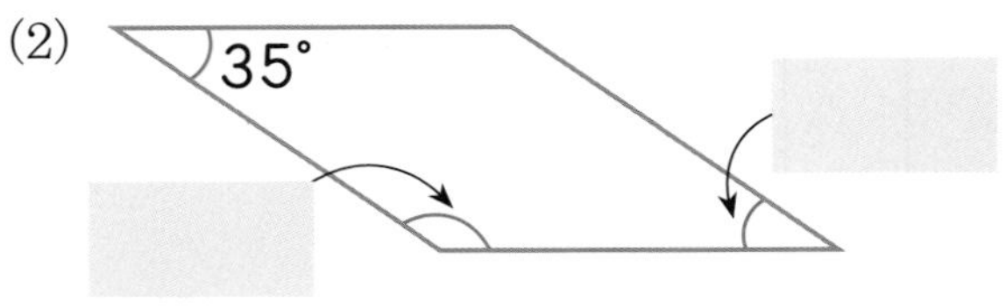

15 다음 중 마름모에 대한 설명으로 잘못된 것은 어느 것입니까? ( )

① 평행사변형입니다.
② 네 변의 길이가 모두 같습니다.
③ 네 각의 크기가 모두 같습니다.
④ 마주 보는 변의 길이가 같습니다.
⑤ 마주 보는 두 쌍의 변이 서로 평행합니다.

16 사각형 ㄱㄴㄷㄹ은 마름모입니다. 네 변의 길이의 합은 몇 cm입니까?

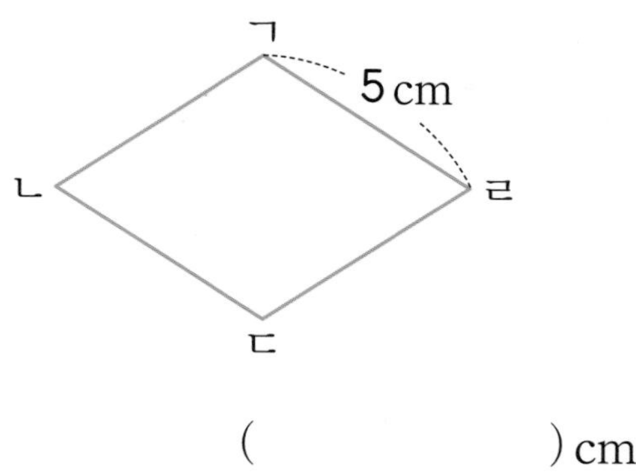

( ) cm

17 사각형 ㄱㄴㄷㄹ은 마름모입니다. ▢ 안에 알맞은 각도를 써넣으시오.

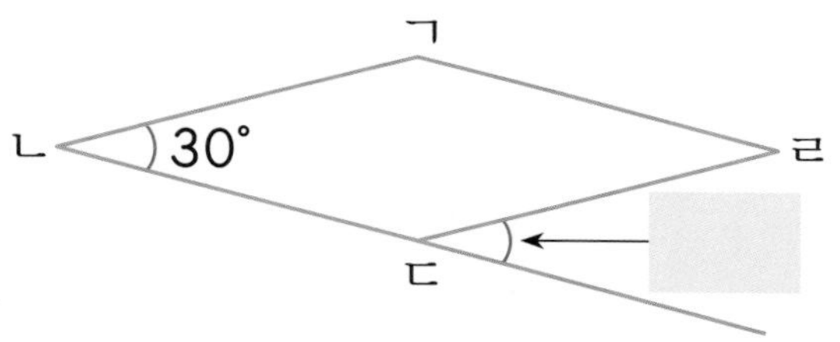

18 다음 설명 중 옳지 않은 것은 어느 것입니까? ( )

① 마름모는 사다리꼴입니다.
② 직사각형은 마름모입니다.
③ 평행사변형은 사다리꼴입니다.
④ 직사각형은 평행사변형입니다.
⑤ 정사각형은 마름모입니다.

19 길이가 68 cm인 철사를 사용하여 가장 큰 마름모 한 개를 만들었습니다. 마름모의 한 변의 길이는 몇 cm인지 풀이 과정을 쓰고 답을 구하시오.

풀이

답

20 다음 도형의 이름이 될 수 있는 것을 모두 찾아 기호를 쓰시오.

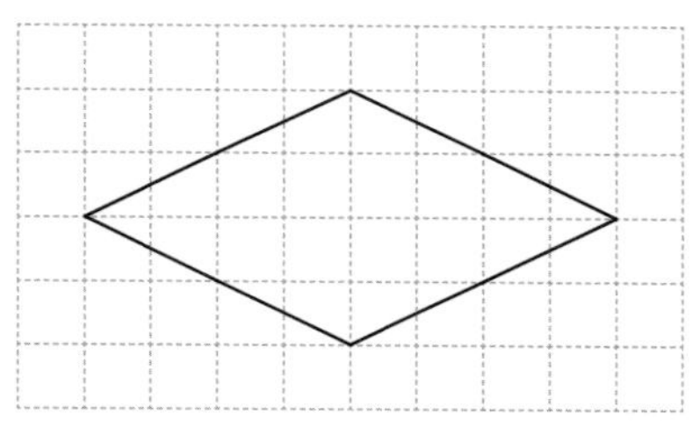

㉠ 사다리꼴 ㉡ 평행사변형
㉢ 직사각형 ㉣ 마름모
㉤ 정사각형

( )

memo

논리적 사고력과 창의적 문제해결력을 키워 주는

매스티안 교재 활용법!

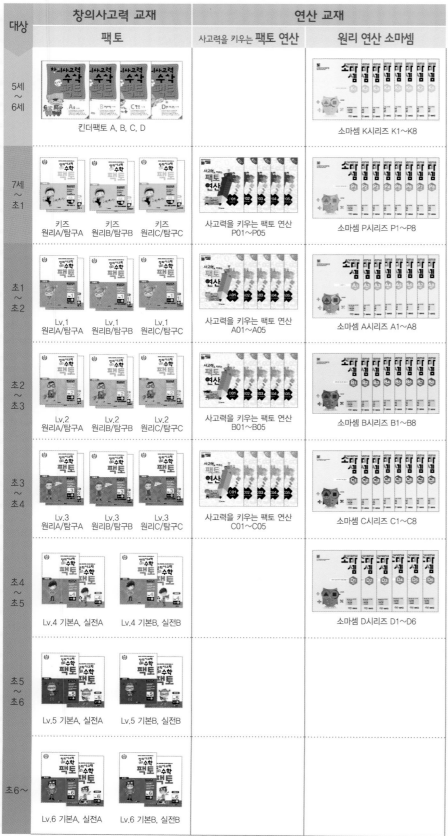

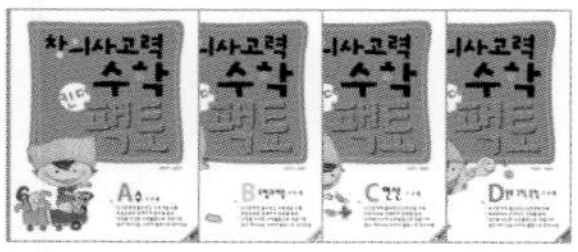

창의사고력 교재 — 팩토

5세~6세

킨더팩토 A, B, C, D

7세~초1

키즈 원리A/탐구A　키즈 원리B/탐구B　키즈 원리C/탐구C

초1~초2

Lv.1 원리A/탐구A　Lv.1 원리B/탐구B　Lv.1 원리C/탐구C

초2~초3

Lv.2 원리A/탐구A　Lv.2 원리B/탐구B　Lv.2 원리C/탐구C

초3~초4

Lv.3 원리A/탐구A　Lv.3 원리B/탐구B　Lv.3 원리C/탐구C

초4~초5

Lv.4 기본A, 실전A　Lv.4 기본B, 실전B

초5~초6

Lv.5 기본A, 실전A　Lv.5 기본B, 실전B

초6~

Lv.6 기본A, 실전A　Lv.6 기본B, 실전B

연산 교재 — 사고력을 키우는 팩토 연산

7세~초1

사고력을 키우는 팩토 연산 P01~P05

초1~초2

사고력을 키우는 팩토 연산 A01~A05

초2~초3

사고력을 키우는 팩토 연산 B01~B05

초3~초4

사고력을 키우는 팩토 연산 C01~C05

연산 교재 — 원리 연산 소마셈

5세~6세

소마셈 K시리즈 K1~K8

7세~초1

소마셈 P시리즈 P1~P8

초1~초2

소마셈 A시리즈 A1~A8

초2~초3

소마셈 B시리즈 B1~B8

초3~초4

소마셈 C시리즈 C1~C8

초4~초5

소마셈 D시리즈 D1~D6

교과 계산력 교재 — 단원별 계산력 수학 단계수

초1

단원별 계산력 수학 1-1학기 (1~5단원 각 권)　단원별 계산력 수학 1-2학기 (1~6단원 각 권)

초2

단원별 계산력 수학 2-1학기 (1~6단원 각 권)　단원별 계산력 수학 2-2학기 (1~6단원 각 권)

초3

단원별 계산력 수학 3-1학기 (1~6단원 각 권)　단원별 계산력 수학 3-2학기 (1~6단원 각 권)

초4

단원별 계산력 수학 4-1학기 (1~6단원 각 권)　단원별 계산력 수학 4-2학기 (1~6단원 각 권)

초5

단원별 계산력 수학 5-1학기 (1~6단원 각 권)　단원별 계산력 수학 5-2학기 (1~6단원 각 권)

초6

단원별 계산력 수학 6-1학기 (1~6단원 각 권)　단원별 계산력 수학 6-2학기 (1~6단원 각 권)

교과 수학 교재 — 팩토 수학교과서/ 익힘책

초1

팩토 수학교과서/익힘책 1-1　팩토 수학교과서/익힘책 1-2

초2

팩토 수학교과서/익힘책 2-1　팩토 수학교과서/익힘책 2-2

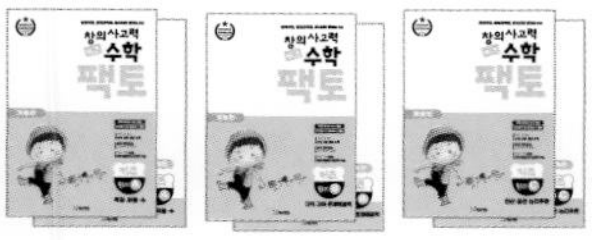

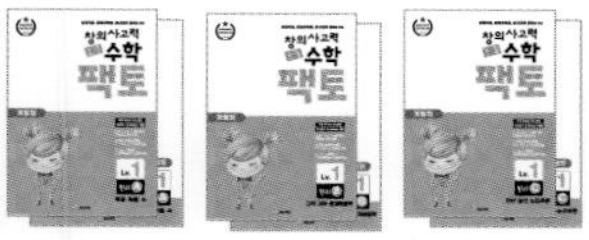

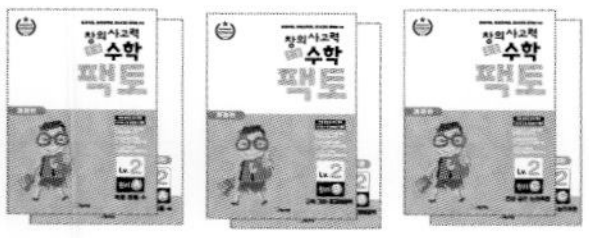

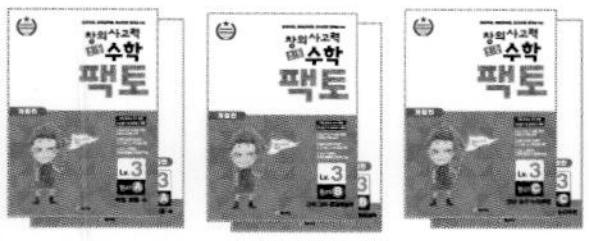

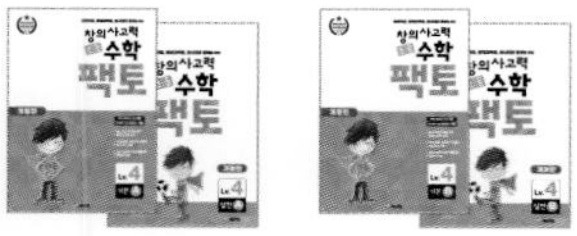

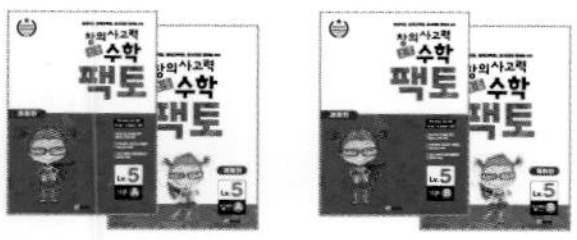

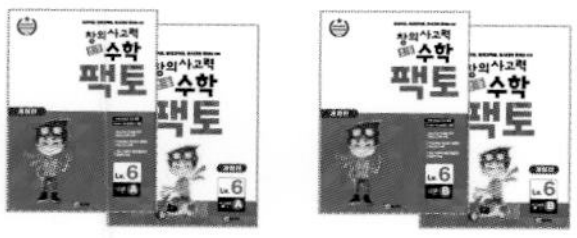

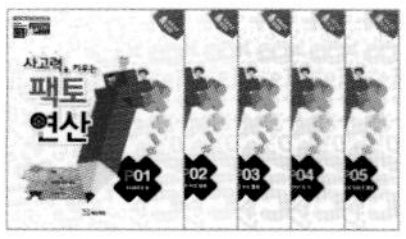

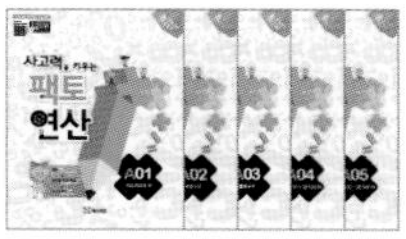

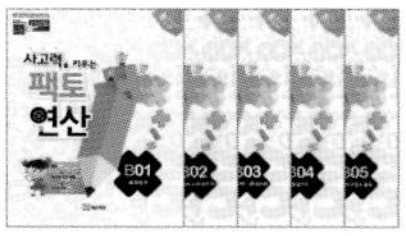

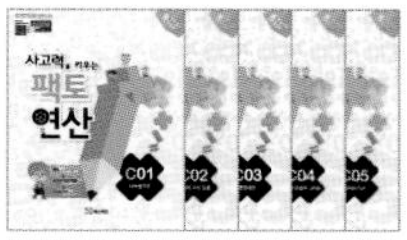

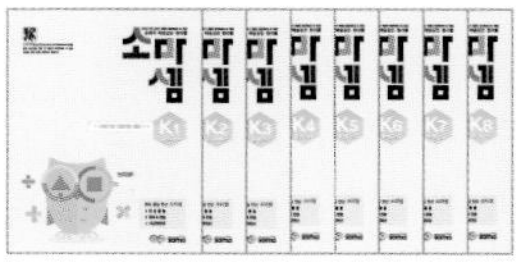

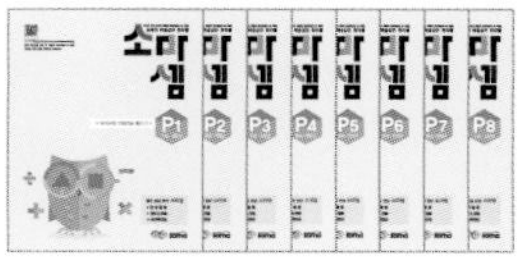

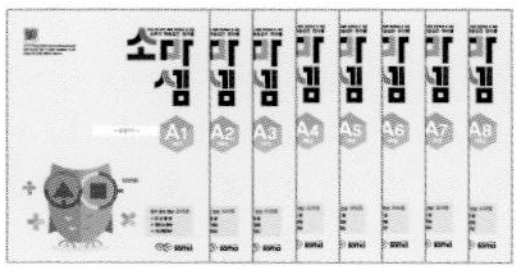

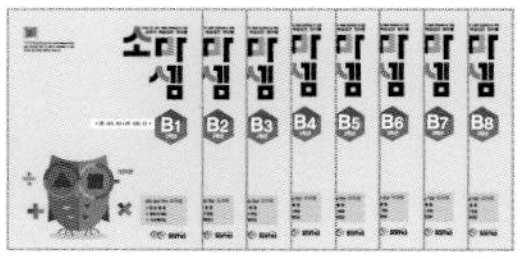

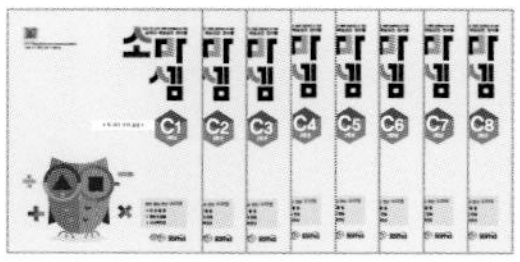

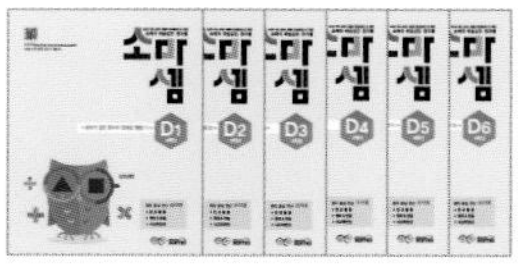

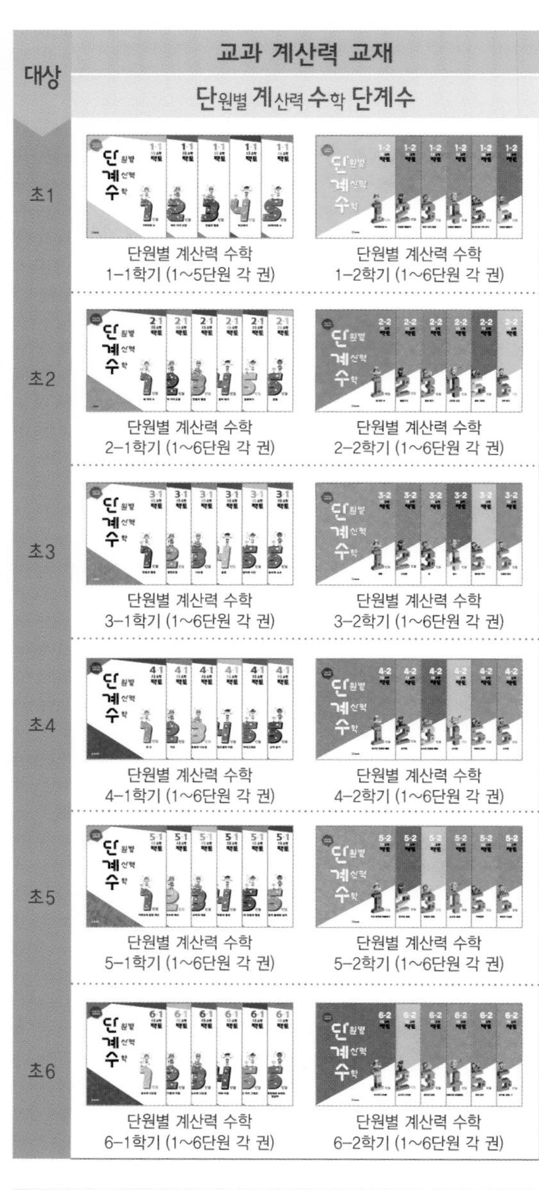

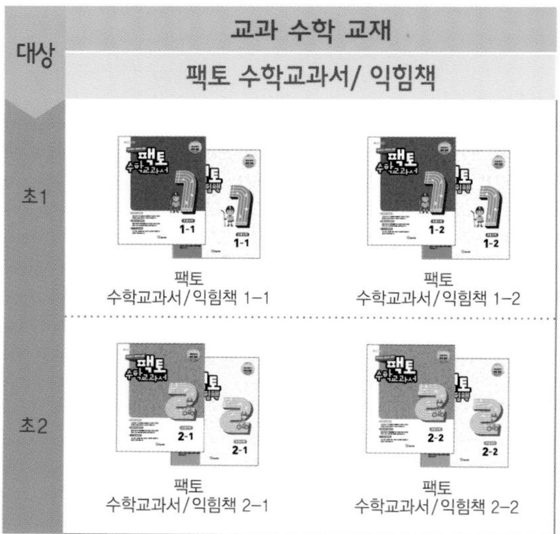

단계수 학습 순서

매일 학습

단원별로 꼭 알아야 할 개념만 쏙쏙 학습하고, 다양한 연산 문제를 통해 필수 개념을 숙달하여 계산력을 쑥쑥 키울 수 있습니다.

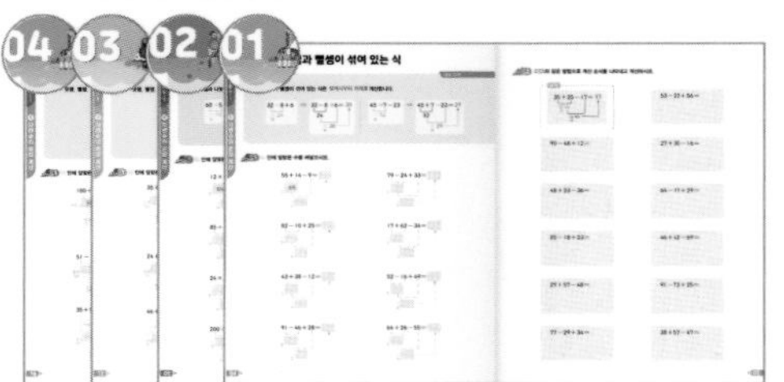

도전! 응용문제

필수 개념을 활용한 **응용** 문제 또는 **서술형** 문제를 통해 사고력과 문제해결력을 기를 수 있습니다.

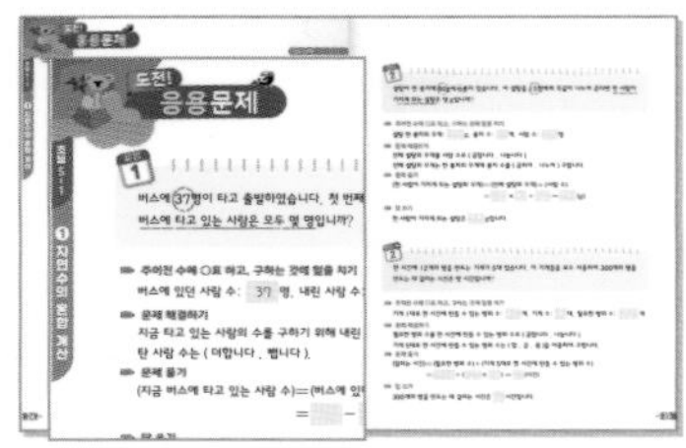

형성 평가

단원의 **복습 단계**로 문제를 풀면서 학습한 내용을 잘 알고 있는지 다시 한 번 확인할 수 있습니다.

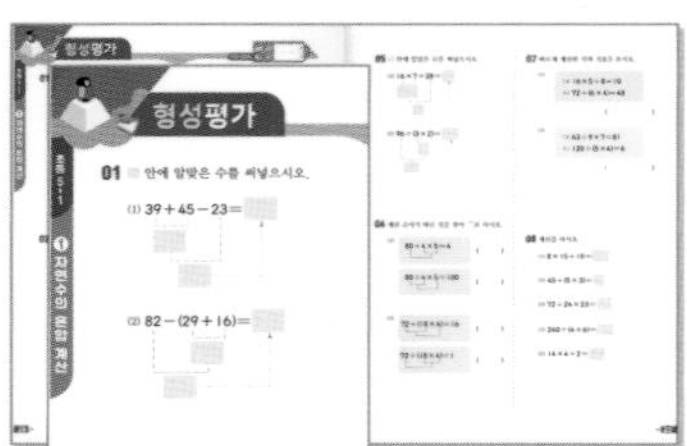

단원 평가

단원의 **마무리 학습**으로 학교 시험에 자주 나오는 문제 유형을 통해서 수시 평가 등 학교 시험에 대비할 수 있습니다.

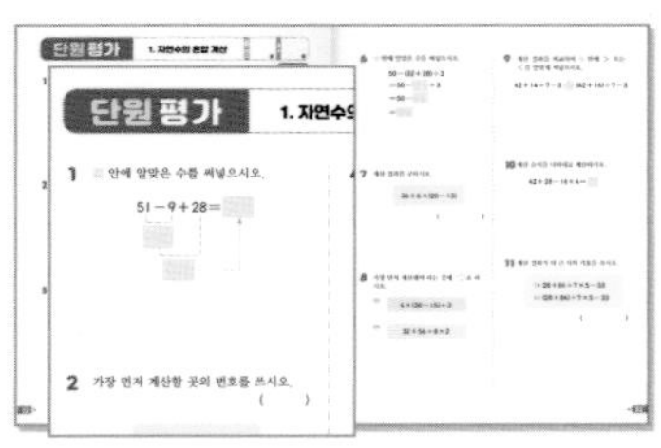

매스티안 http://www.mathtian.com

자율안전확인신고필증번호 : B361H200-4001
1.주소 : 06153 서울특별시 강남구 봉은사로 442 (삼성동)
2.문의전화 : 1588-6066
3.제조국 : 대한민국
4.사용연령 : 11세 이상
※ KC마크는 이 제품이 공통안전기준에 적합하였음을 의미합니다.

⚠ 주의

종이, 모서리에 다칠 수 있으니 주의하세요!

초등학교	반 번
이름	

FACTO school

4-2

초등 수학 팩토

단원별 계산력 수학

5 단원

꺾은선그래프

매스티안

팩토는 자유롭게 자신감있게 창의적으로 생각하는 주니어수학자입니다.

단원별 계산력 수학

펴낸 곳 (주)타임교육C&P **펴낸이** 이길호 **지은이** 매스티안R&D센터
주소 06153 서울특별시 강남구 봉은사로 442 (삼성동) **문의전화** 1588.6066
팩토카페 http://cafe.naver.com/factos **홈페이지** http://www.mathtian.com

※ 정답과 풀이는 온라인 팩토카페(http://cafe.naver.com/factos)를 통해서도 확인할 수 있습니다.

GH2204

생각이 자유로운 사람들! 매스티안R&D센터

매스티안R&D센터의 논리적 사고력과 창의적 문제해결력을 키우는 수학 콘텐츠는 국내외 수많은 교육 현장에서 그 우수성을 높이 평가받고 있습니다. 매스티안R&D센터는 여기에 안주하지 않고 앞으로도 학생, 교사, 학부모 모두가 행복한 수학 시간을 만들 수 있도록 노력하겠습니다.

매스티안 공식 홈페이지 ··· (http://www.mathtian.com)

· 매스티안의 다양한 출간 교재 소개
· 출간 교재와 관련된 학습 자료(보충 학습지, 활동지 등) 제공
· 출간 교재와 관련된 평가 시험 및 분석 제공

매스티안 공식 카페 ··· 팩토 (http://cafe.naver.com/factos)

· 창의사고력 수학 팩토 무료 동영상 강의 제공
· 출간 교재에 관한 질문 및 답변
· 영재교육원 대비 자료(기출 문제, 예상 문제) 제공
· 초등 수학 비법 및 Q&A

FACTO school

4-2

초등 수학 팩토

단원별 계산력 수학

5 단원

꺾은선그래프

매스티안

2-1

5. 분류하기

· 기준에 따라 분류하고 수 세기

2-2

5. 표와 그래프

· 표와 그래프 나타내기와 해석하기

3-2

6. 자료의 정리

· 표와 그림그래프

4-1

5. 막대그래프

· 막대그래프 그리기
· 막대그래프 해석하기

5. 꺾은선그래프

· 꺾은선그래프 그리기
· 꺾은선그래프 해석하기

5 꺾은선그래프

Teaching Guide

- 꺾은선그래프는 막대그래프보다 조사한 자료의 변화 중의 값을 예측할 때 편리합니다. 예를 들면 9시, 11시에 온도를 조사하였지만 10시의 온도를 예상하고 싶을 때에는 꺾은선그래프를 활용하면 알 수 있습니다.
- 많은 아이들은 꺾은선그래프 그리기를 어려워합니다. 그 이유 중 하나는 가로와 세로에 무엇을 적어야 할지, 그리고 눈금 하나의 크기를 얼마로 해야 할지 정하는 것을 어려워하기 때문입니다. 이때는 아이로 하여금 꺾은선그래프를 그릴 때 먼저 가로와 세로에 무엇을 나타낼 것인지 정하도록 합니다. 다음에 자료값에서 가장 작은 값과 큰 값을 보고, 세로 눈금 한 칸의 크기를 적절하게 정하도록 지도합니다.

5. 여러 가지 그래프

· 그림그래프, 띠그래프, 원그래프 나타내기와 해석하기

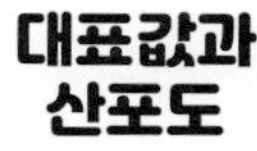

상관관계

6. 평균과 가능성

· 평균
· 일이 일어날 가능성

경우의 수

5-2

중학 2-2

공부한 날짜

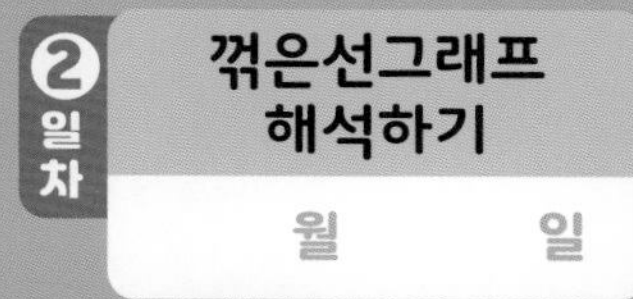

01 꺾은선그래프

정답 36쪽

● **꺾은선그래프**: 수량을 점으로 표시하고, 그 점들을 선분으로 이어 그린 그래프

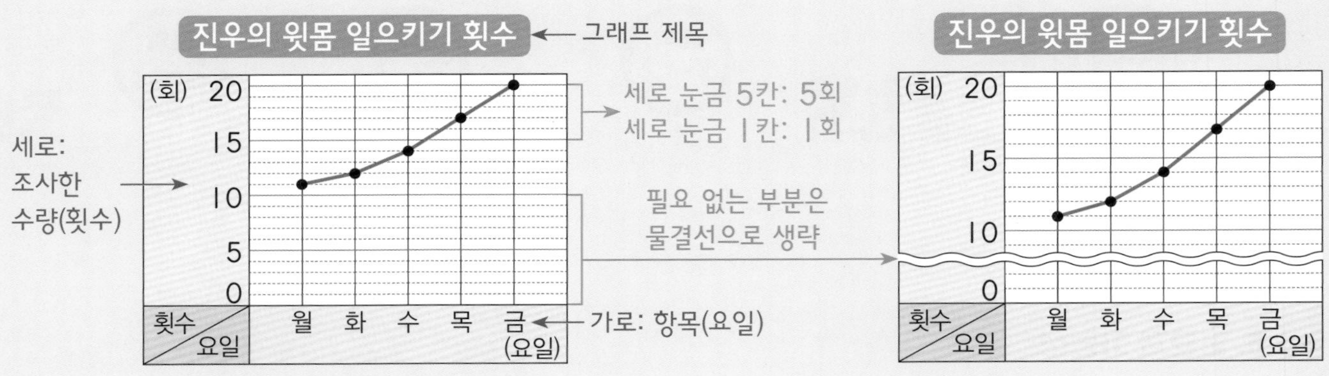

1 꺾은선그래프에서 각각은 무엇을 나타내는지 써 보시오.

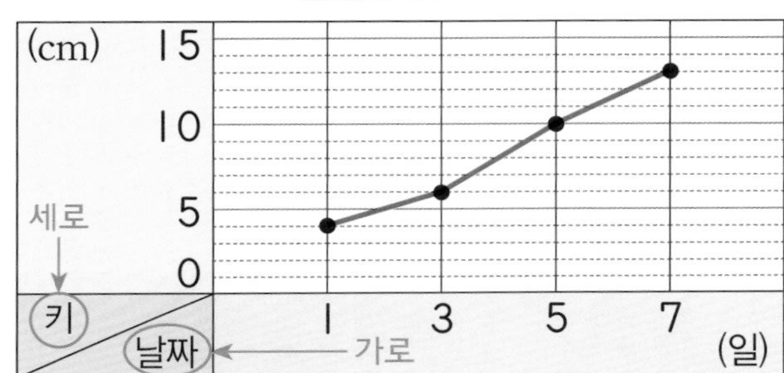

가로: ______ 세로: ______

꺾은선: 콩나물의 키의 변화

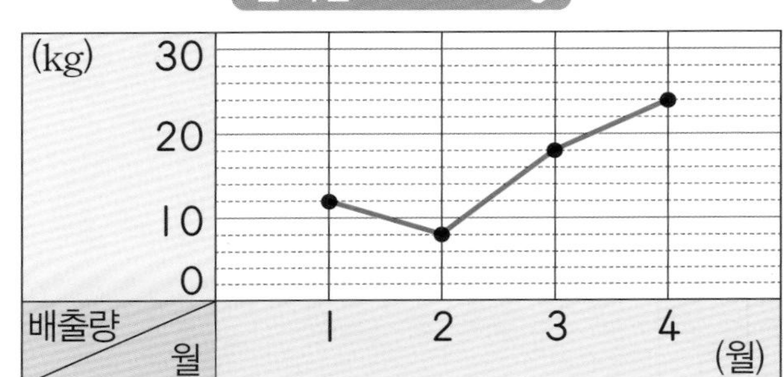

가로: ______ 세로: ______

꺾은선: ______

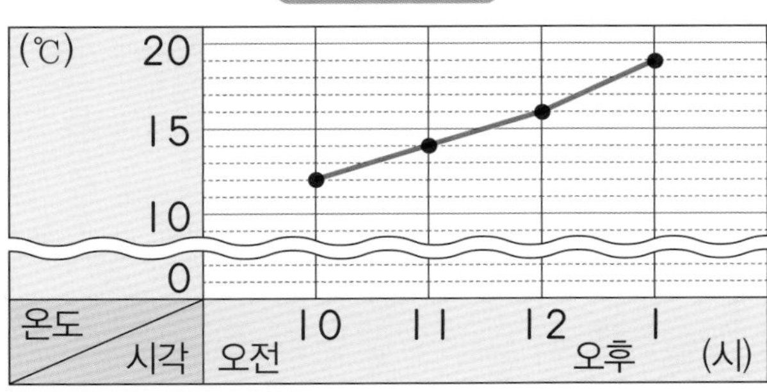

가로: ______ 세로: ______

꺾은선: ______

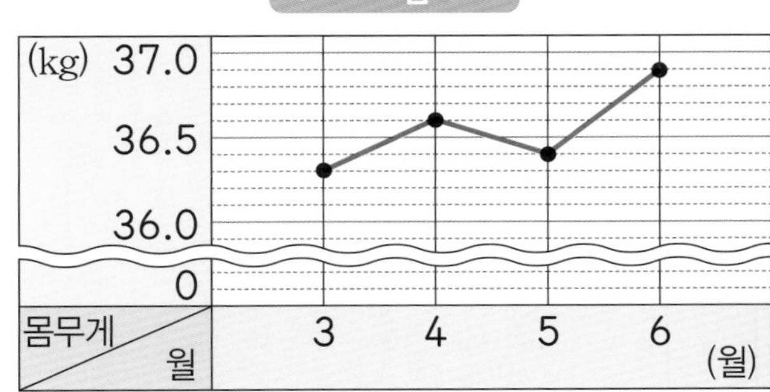

가로: ______ 세로: ______

꺾은선: ______

2 세로 눈금 한 칸은 얼마를 나타내는지 ☐ 안에 써넣으시오.

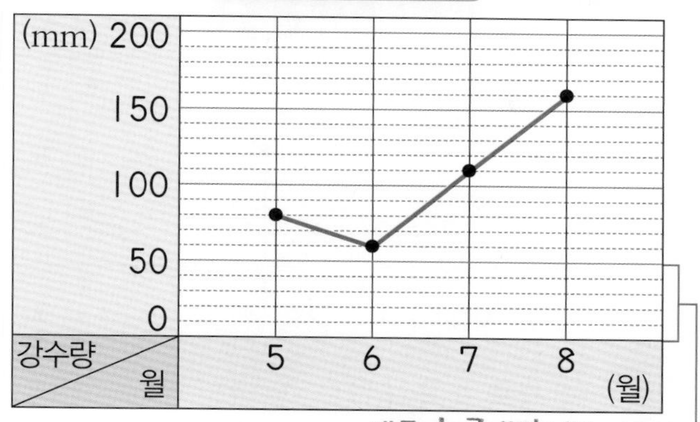

세로 눈금 1칸: ☐ mm

50(mm)÷5(칸)

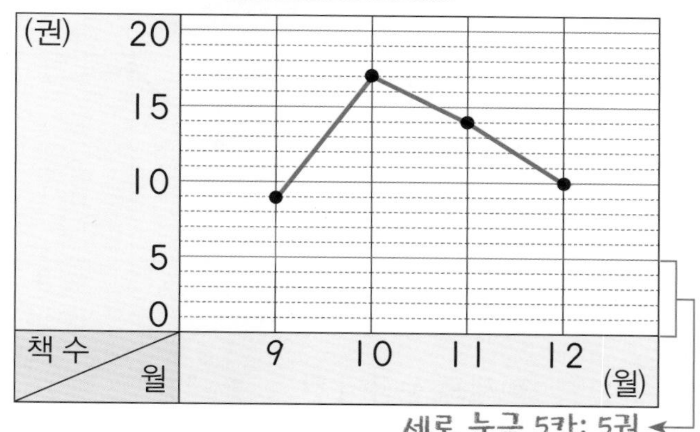

세로 눈금 1칸: ☐ 권

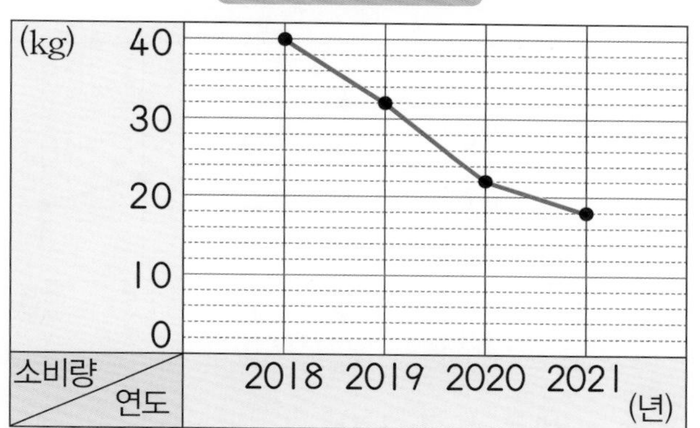

세로 눈금 1칸: ☐ kg

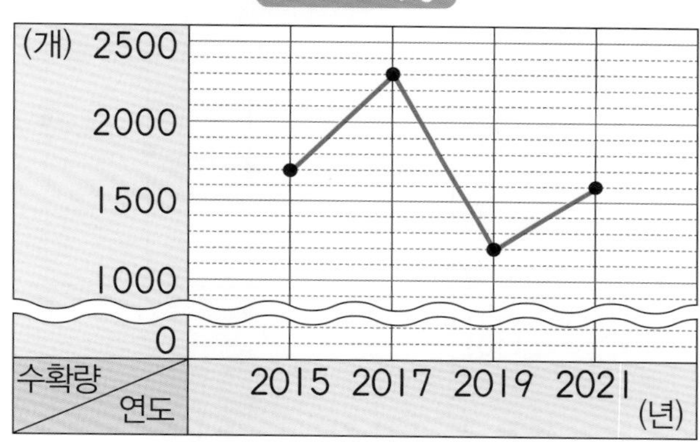

세로 눈금 1칸: ☐ 개

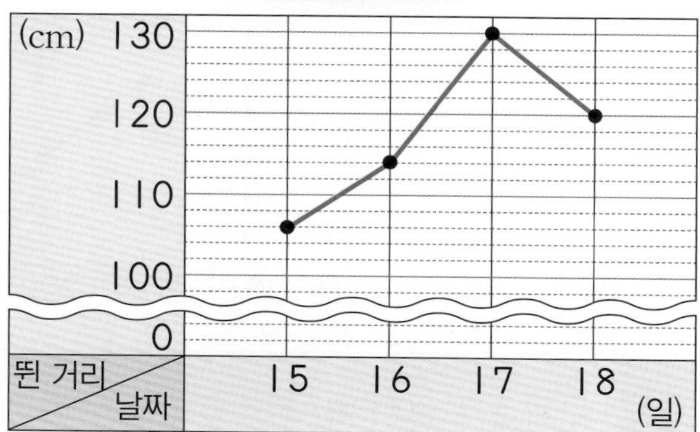

세로 눈금 1칸: ☐ cm

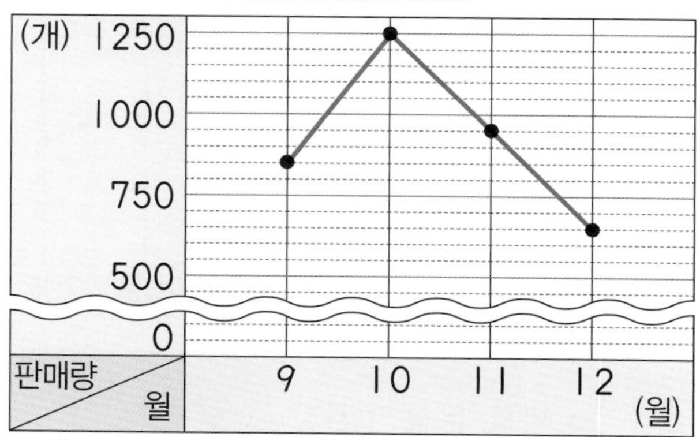

세로 눈금 1칸: ☐ 개

3 꺾은선그래프를 보고 ☐ 안에 알맞은 수를 써넣으시오.

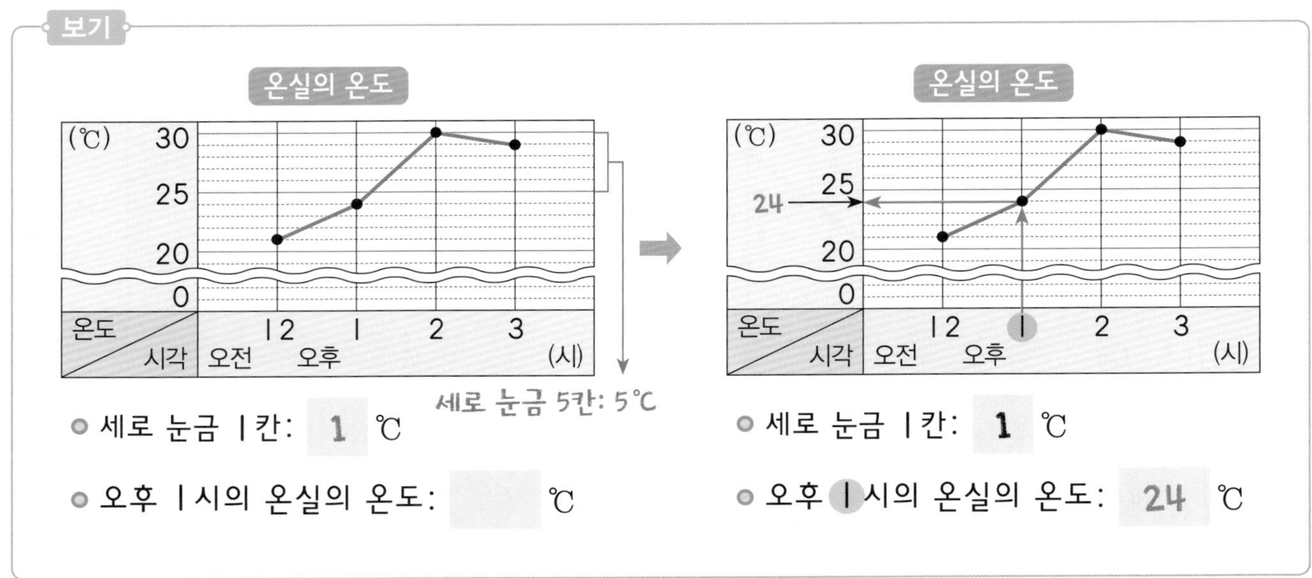

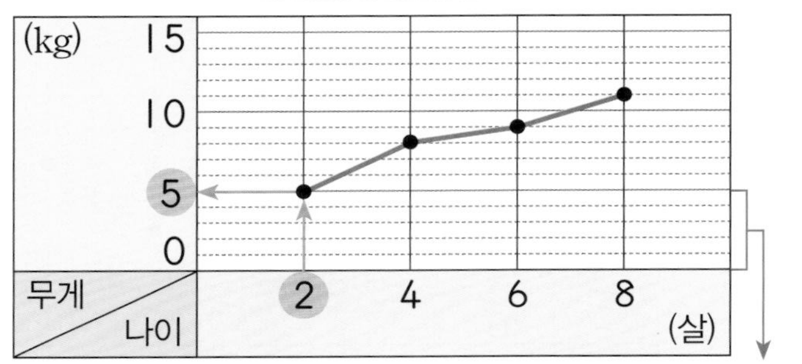

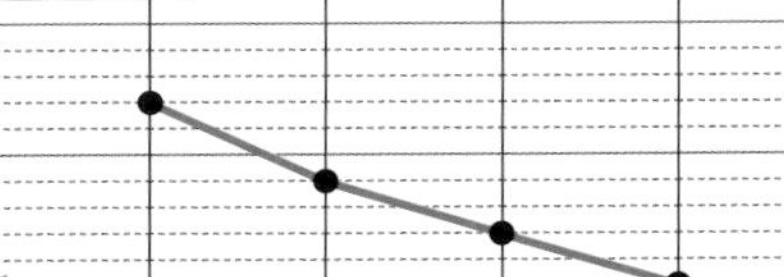

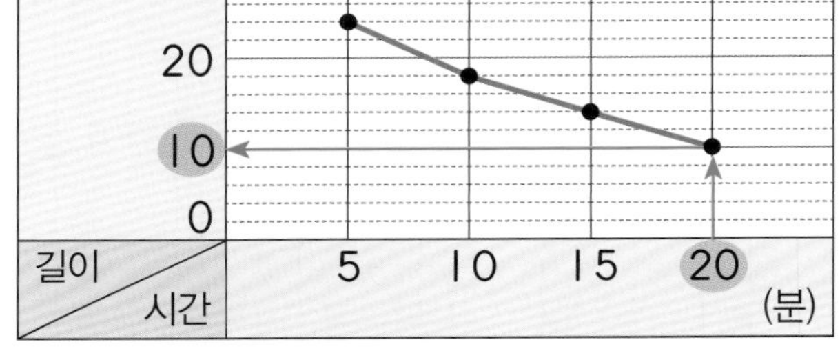

- 세로 눈금 1칸: ☐ kg
- 2살일 때 강아지의 무게: ☐ kg

- 세로 눈금 1칸: ☐ cm
- 20분 후의 양초의 길이: ☐ cm

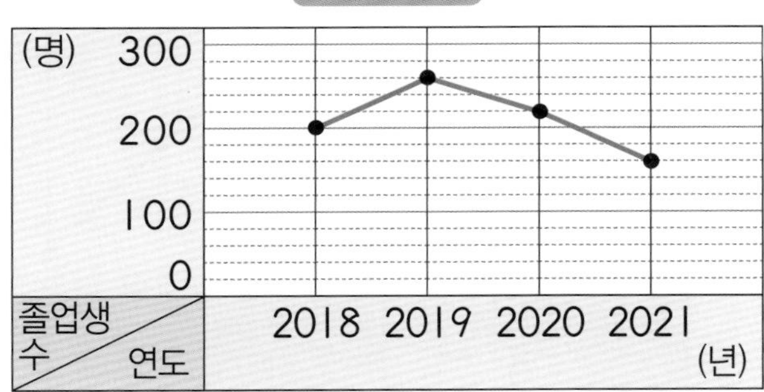

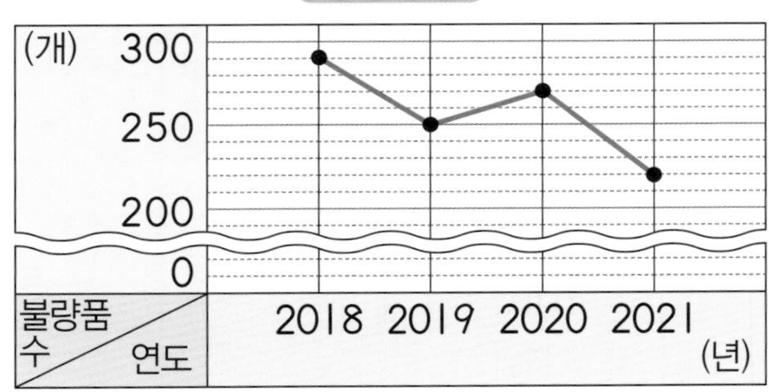

- 세로 눈금 1칸: ☐ 명
- 2019년의 졸업생 수: ☐ 명

- 세로 눈금 1칸: ☐ 개
- 2020년의 불량품 수: ☐ 개

4 꺾은선그래프를 보고 표를 완성하시오.

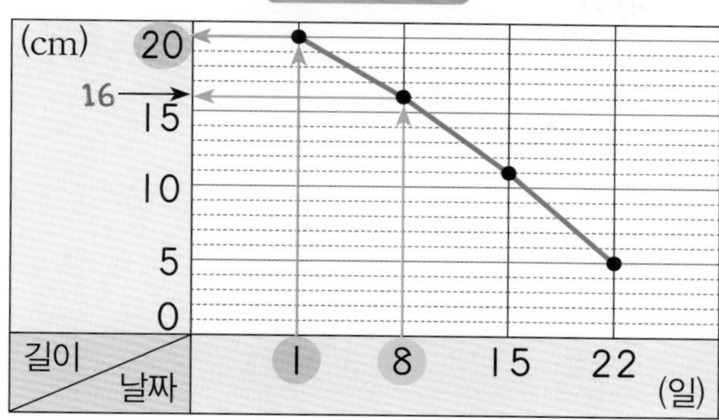

연필의 길이

날짜(일)	1	8	15	22
길이 (cm)	20			

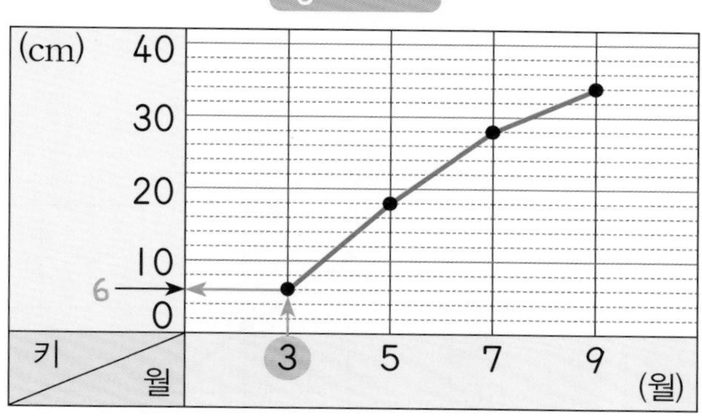

장미의 키

월	3	5	7	9
키 (cm)				

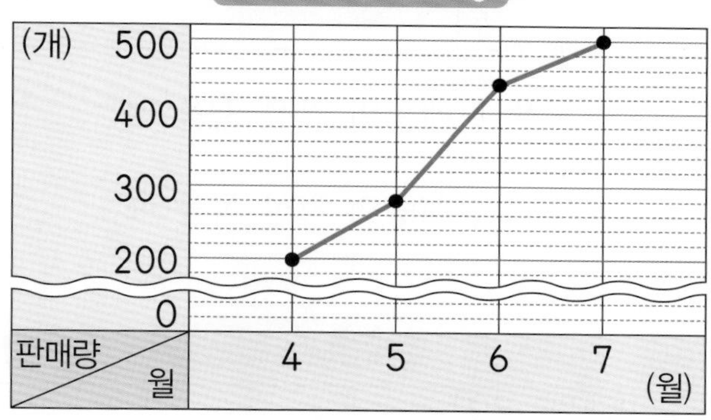

아이스크림 판매량

월	4	5	6	7
판매량 (개)				

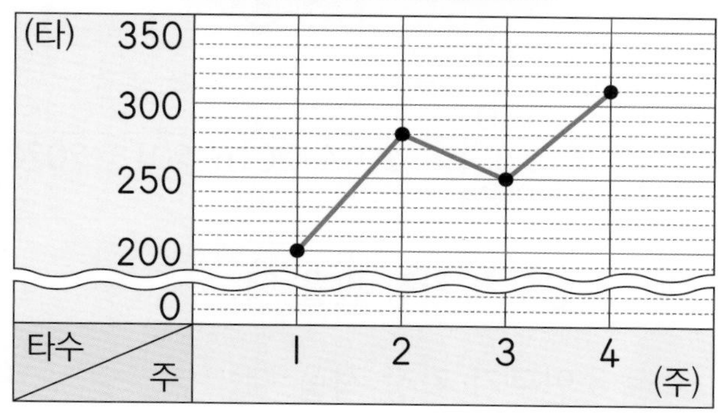

하연이의 주별 최고 타수

주	1	2	3	4
타수 (타)				

02 꺾은선그래프 해석하기

정답 37쪽

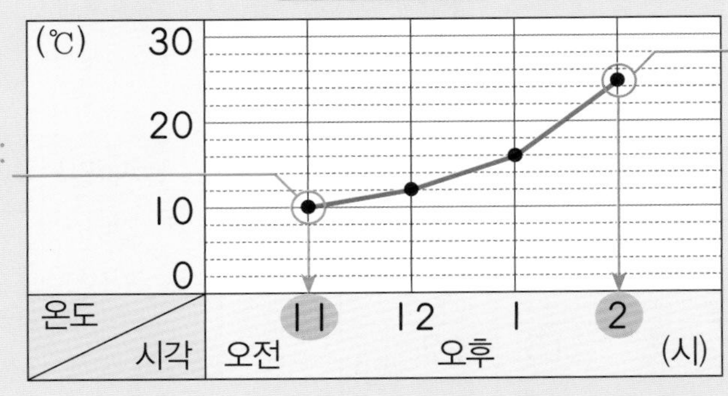

1 꺾은선그래프를 보고 □ 안에 알맞은 수를 써넣으시오.

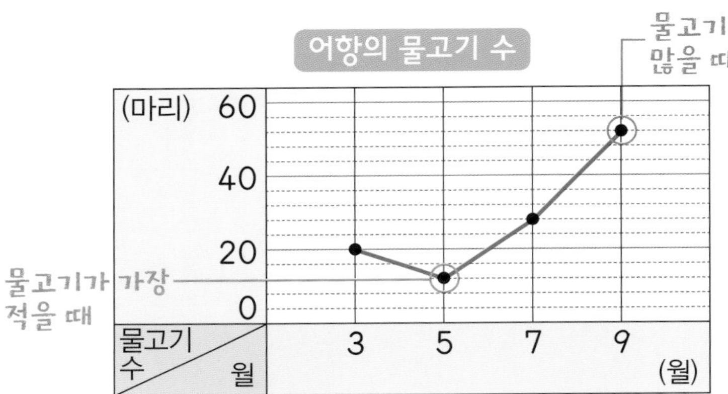

- 물고기가 가장 많을 때: □ 월
- 물고기가 가장 적을 때: □ 월

공책 판매량

판매량 \ 주	1	2	3	4

(권) 150, 100, 50, 0 / (주)

- 공책 판매량이 가장 많을 때: □ 주
- 공책 판매량이 가장 적을 때: □ 주

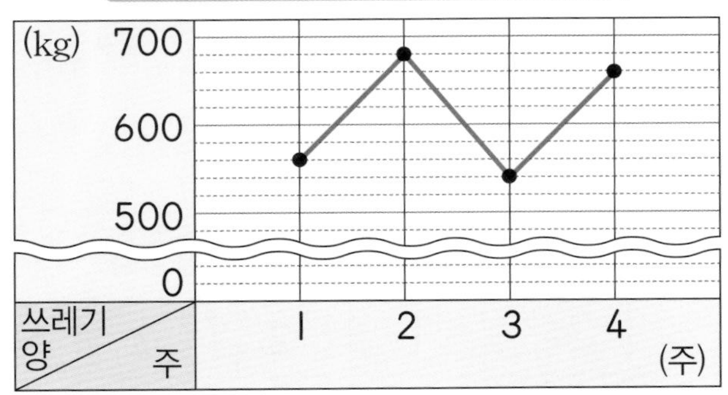

- 쓰레기의 양이 가장 많을 때: □ 주
- 쓰레기의 양이 가장 적을 때: □ 주

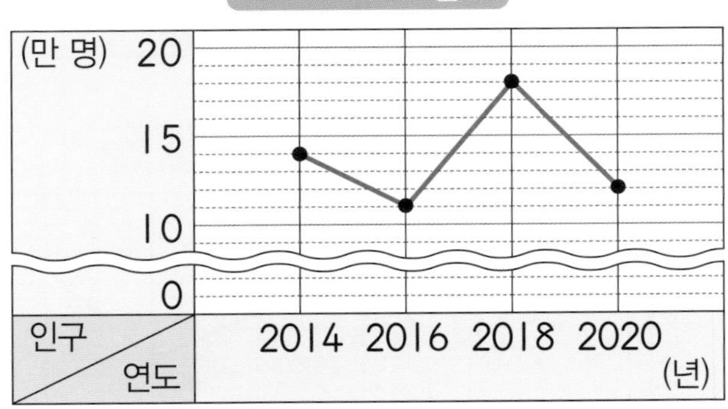

- 인구가 가장 많을 때: □ 년
- 인구가 가장 적을 때: □ 년

2 꺾은선그래프를 보고 ☐ 안에 알맞은 수를 써넣으시오.

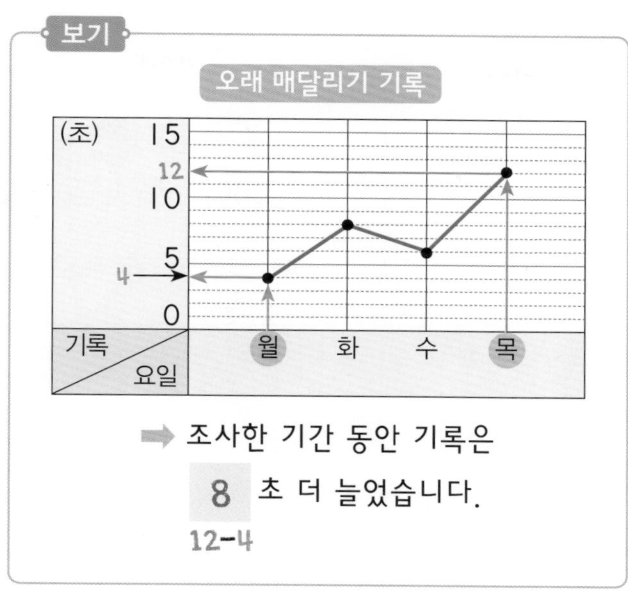

죽순의 길이

(cm) 30, 26, 20, 10, 6, 0

길이 / 날짜: 1, 3, 5, 7 (일)

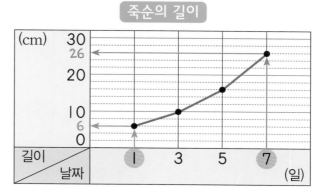

➡ 조사한 기간 동안 죽순의 길이는 ☐ cm 더 길어졌습니다.

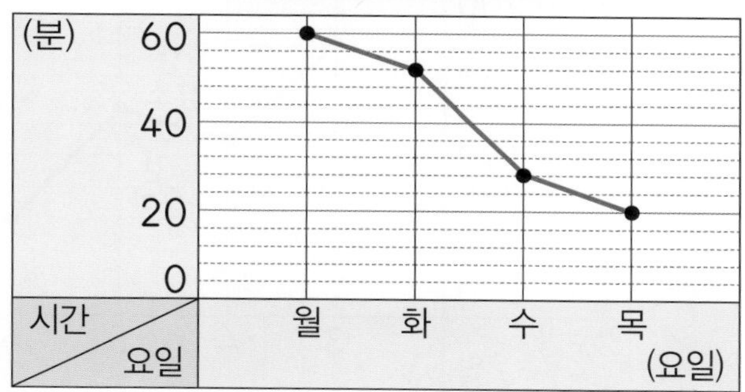

➡ 조사한 기간 동안 게임 시간은 ☐ 분 더 줄었습니다.

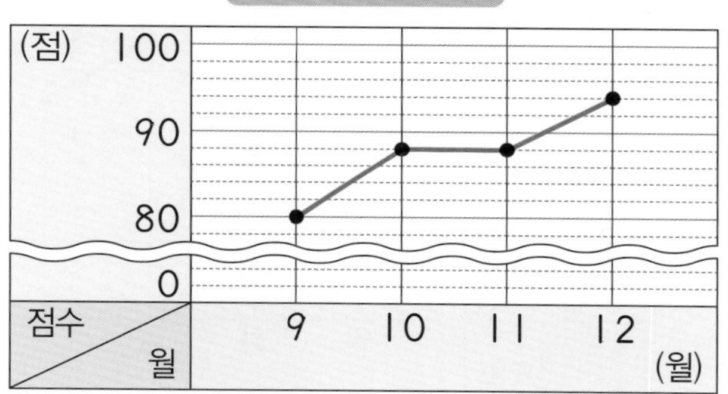

➡ 조사한 기간 동안 국어 점수는 ☐ 점 더 높아졌습니다.

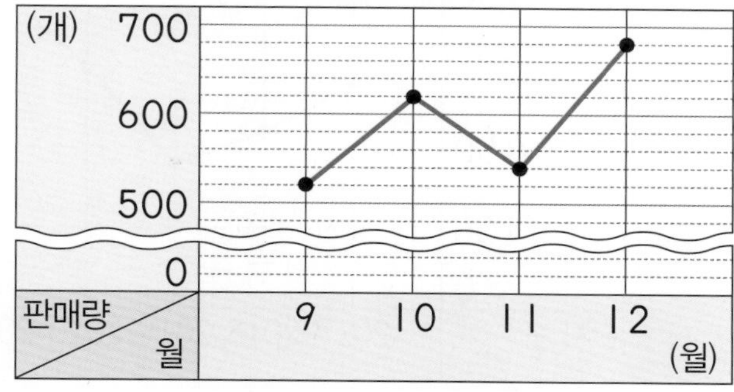

➡ 조사한 기간 동안 판매량은 ☐ 개 더 늘었습니다.

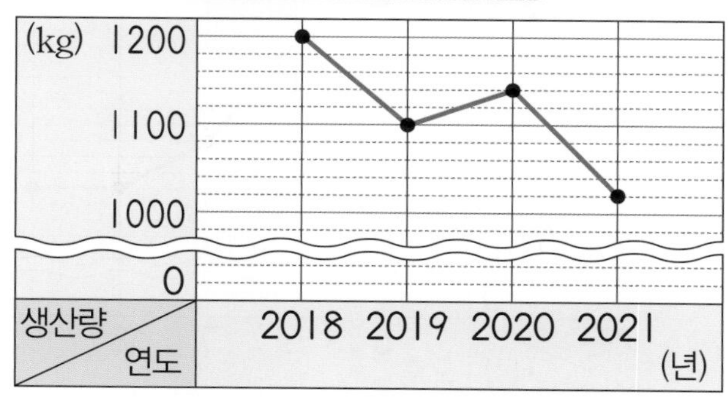

➡ 조사한 기간 동안 생산량은 ☐ kg 더 줄었습니다.

선분의 기울어진 정도와 방향에 따라 자료의 변화 정도를 알 수 있습니다.

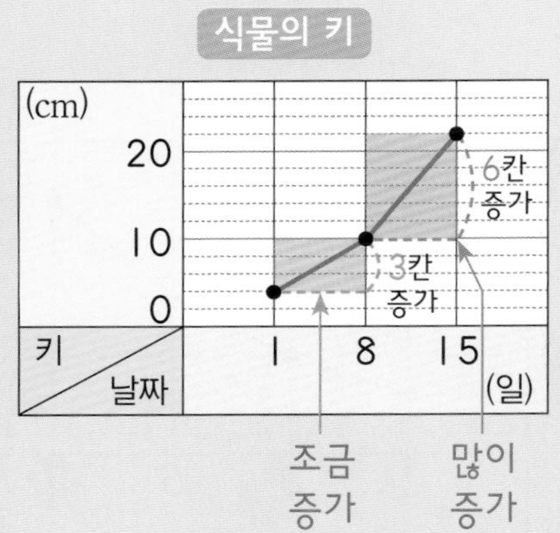

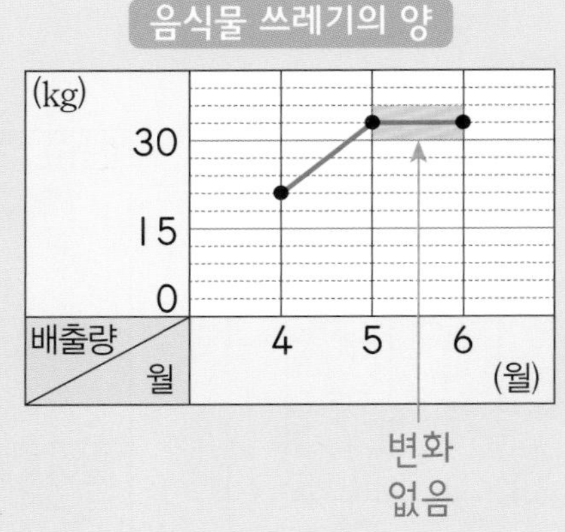

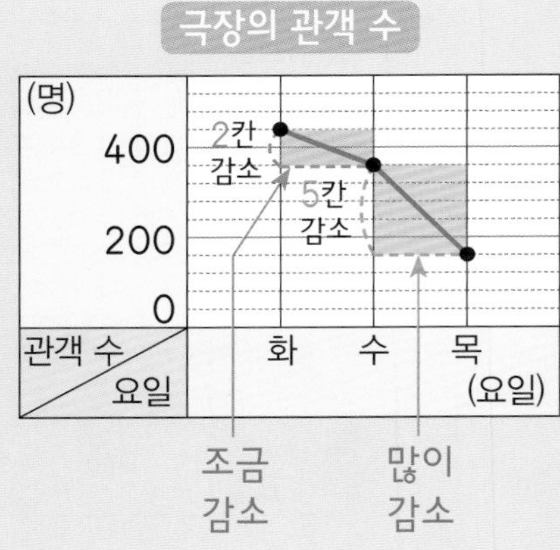

3 꺾은선그래프를 보고 ☐ 안에 알맞게 써넣으시오.

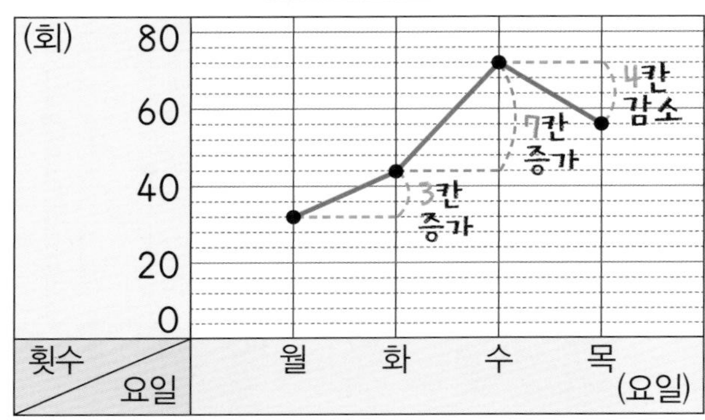

줄넘기 기록이 가장 많이 늘어난 때

➡ 화 요일과 ☐ 요일 사이

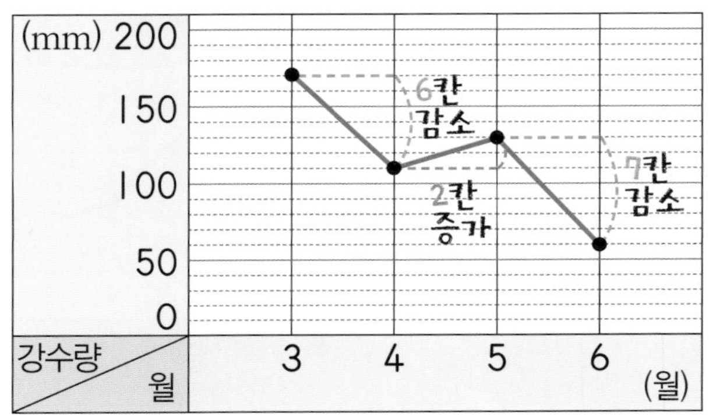

강수량이 가장 많이 줄어든 때

➡ ☐ 월과 ☐ 월 사이

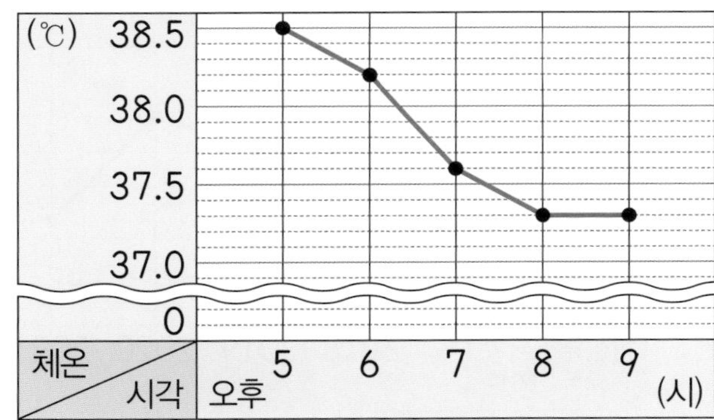

주희의 체온이 변화가 없는 때

➡ 오후 ☐ 시와 오후 ☐ 시 사이

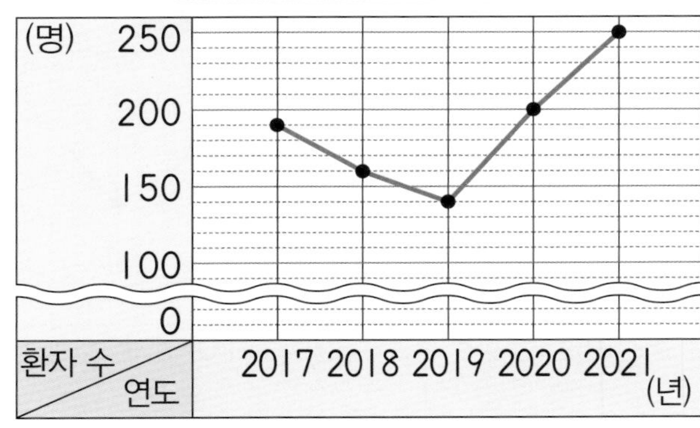

입원 환자가 가장 많이 늘어난 때

➡ ☐ 년과 ☐ 년 사이

4 꺾은선그래프를 보고 ☐ 안에 알맞은 수를 써넣으시오.

보기

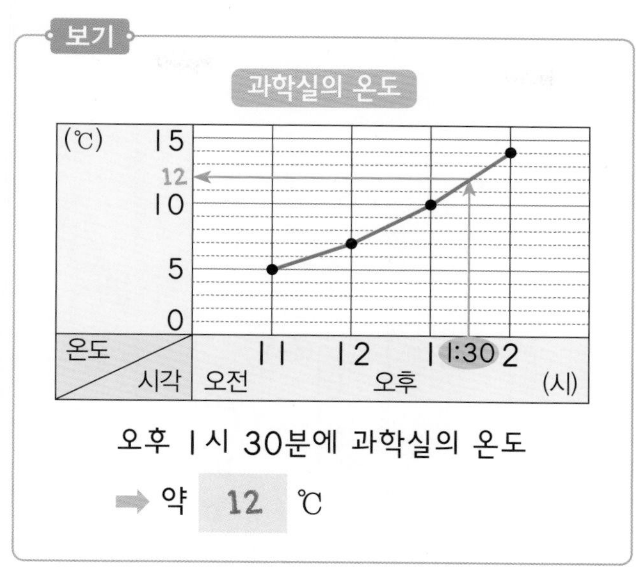

오후 1시 30분에 과학실의 온도

➡ 약 12 ℃

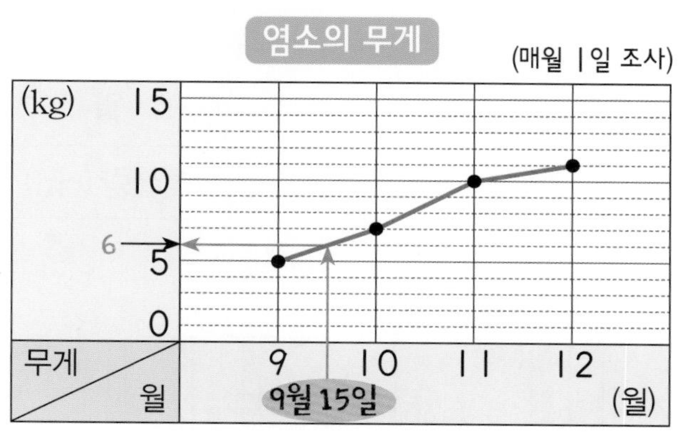

9월 15일에 염소의 무게

➡ 약 ☐ kg

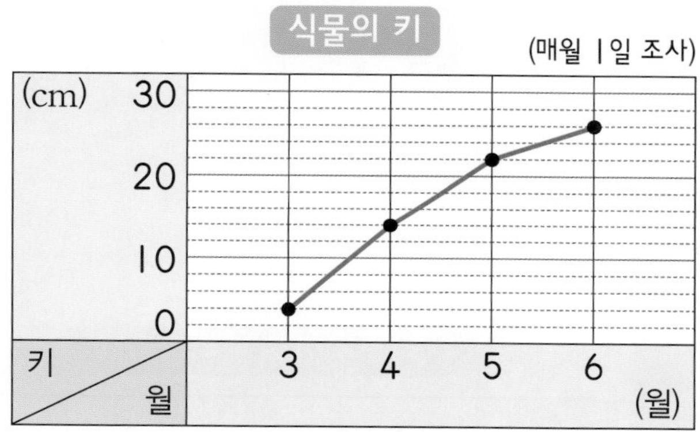

4월 15일에 식물의 키

➡ 약 ☐ cm

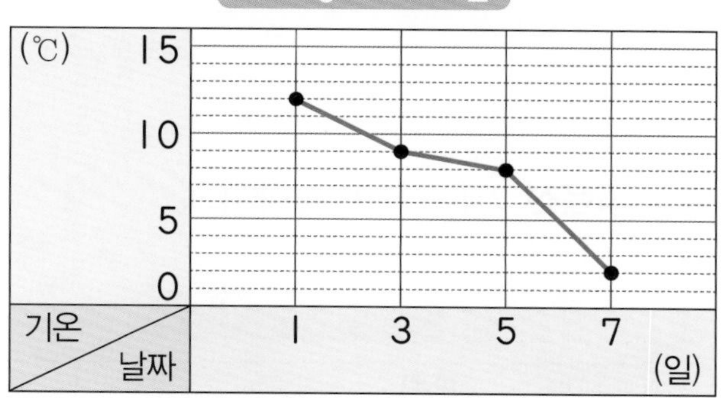

6일에 최저 기온

➡ 약 ☐ ℃

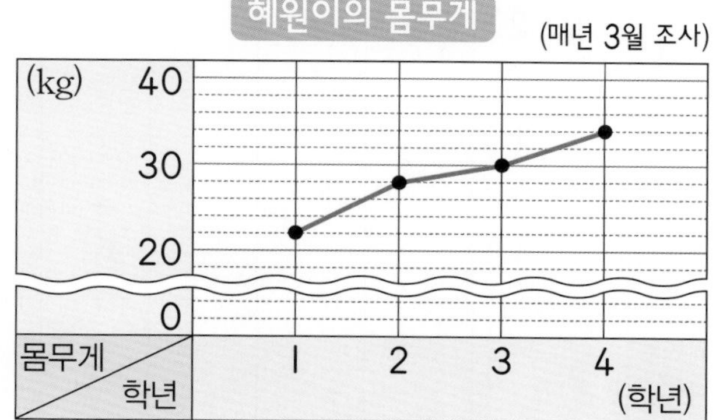

혜원이가 3학년일 때 9월의 몸무게

➡ 약 ☐ kg

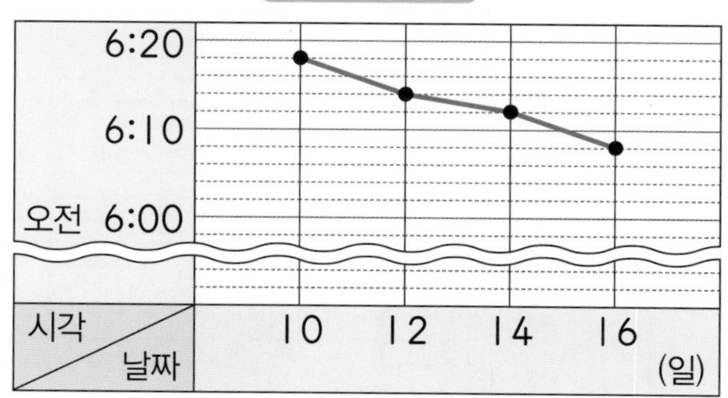

11일에 해 뜨는 시각

➡ 약 오전 ☐ 시 ☐ 분

03 꺾은선그래프 그리기

정답 38쪽

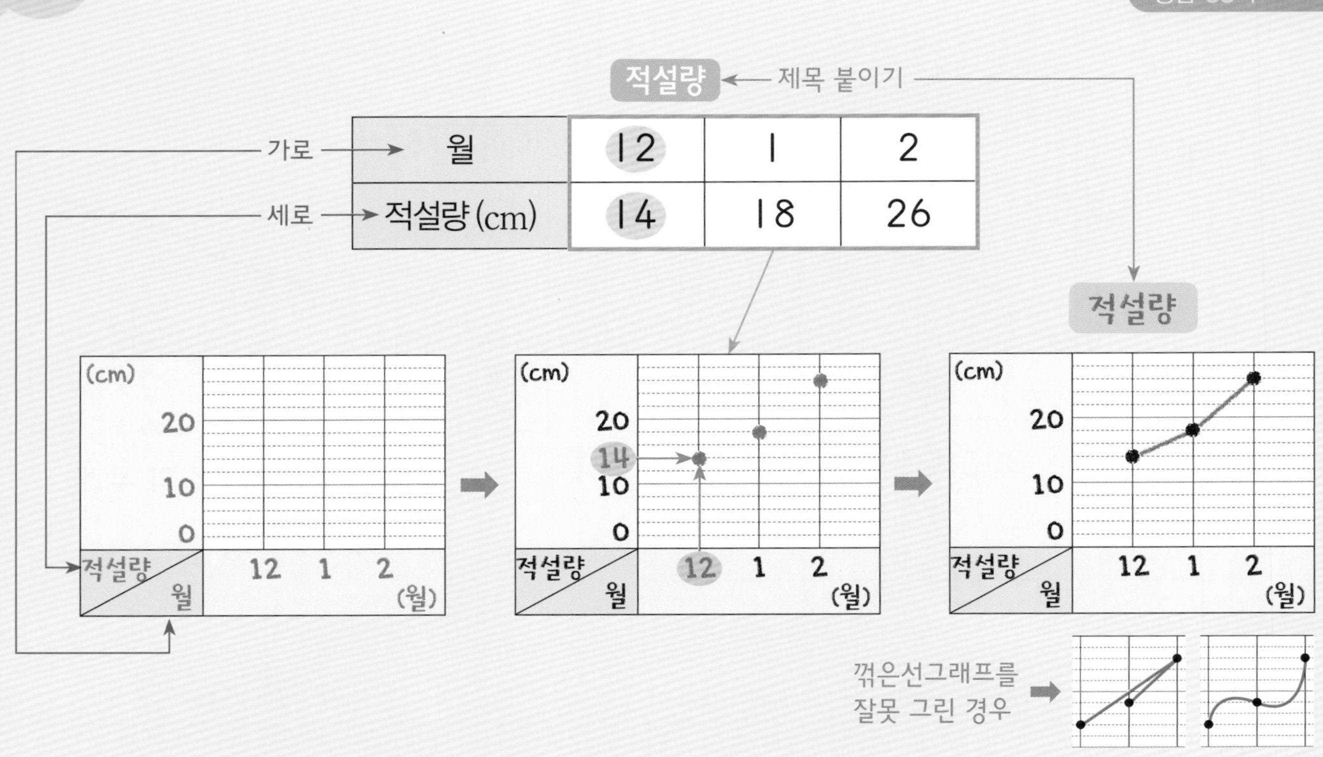

1 꺾은선그래프를 완성하시오.

학교 운동장의 온도

시각	오전 11시	낮 12시	오후 1시	오후 2시
온도(℃)	8	12	15	20

기온이 영하로 내려간 날수

월	12	1	2	3
날수(일)	14	20	18	5

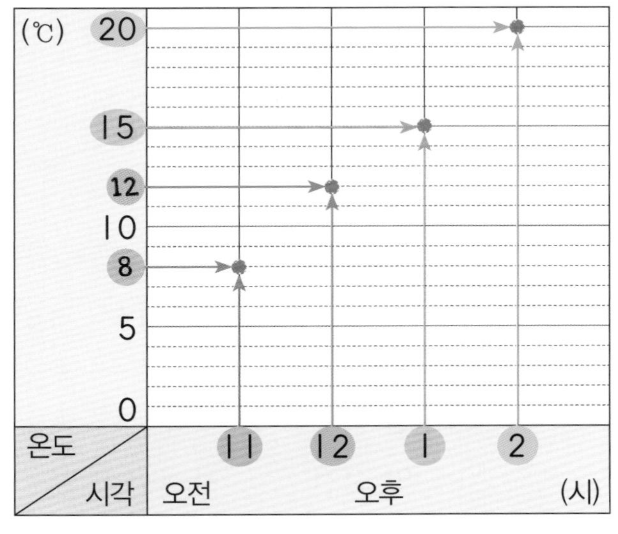

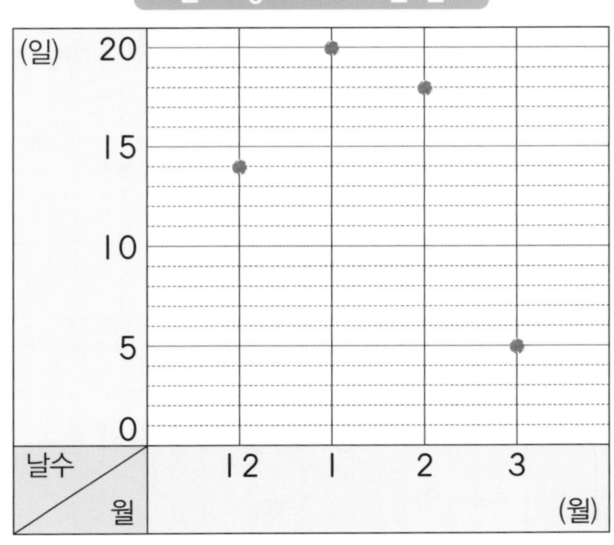

2 표를 보고 꺾은선그래프를 완성하시오.

지우개의 무게

날짜 (일)	1	8	15	22
무게 (g)	20	17	12	5

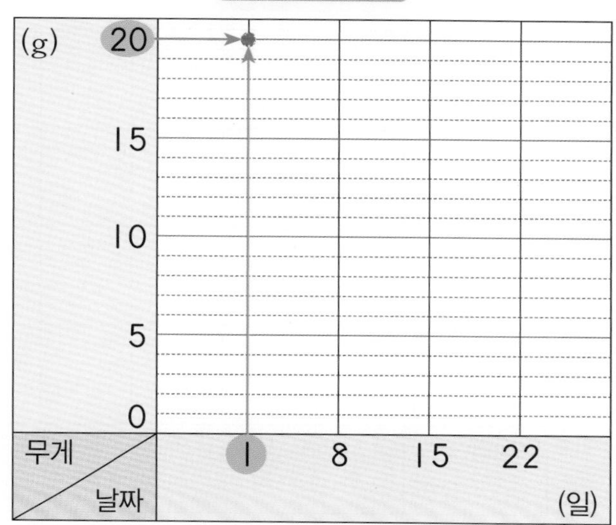

우유 판매량

요일	일	월	화	수
우유 수 (개)	36	14	20	28

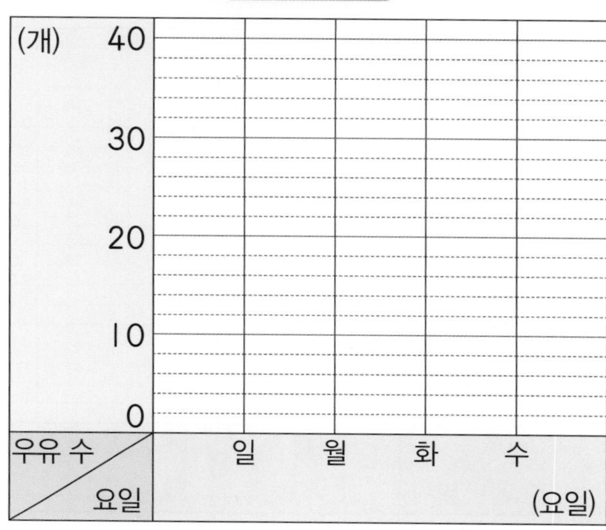

포도 수확량

연도 (년)	2018	2019	2020	2021
수확량 (kg)	680	560	720	780

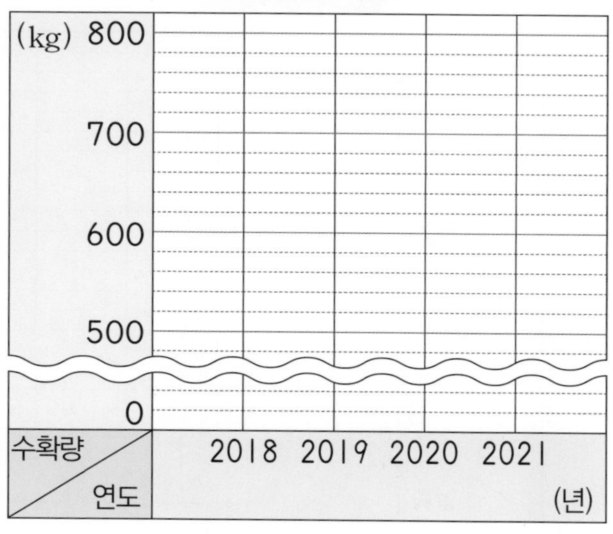

전시회의 관람객 수

월	1	2	3	4
관람객 수 (명)	1200	1800	1800	2300

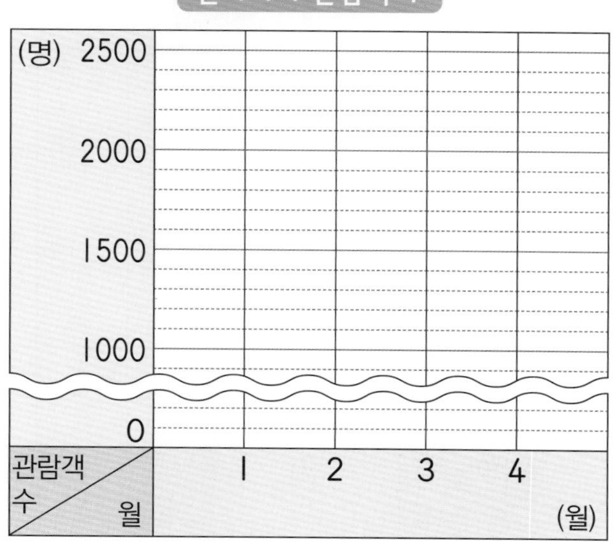

3 표를 보고 꺾은선그래프를 완성하시오.

강낭콩 싹의 키

날짜(일)	1	8	15	22
키(cm)	3	9	16	18

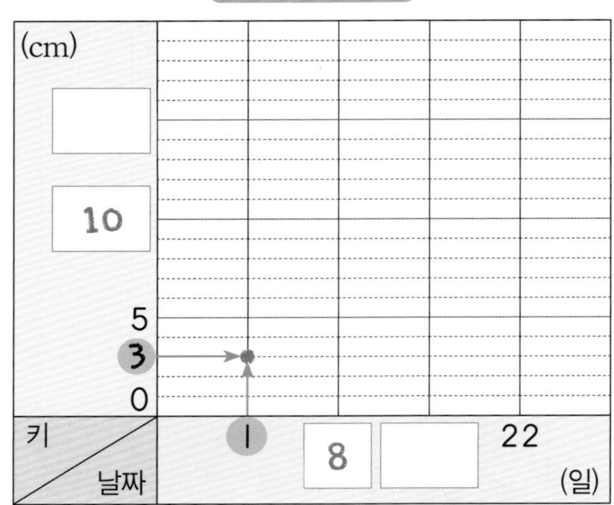

피자 판매량

요일	월	화	수	목
판매량(판)	18	26	16	34

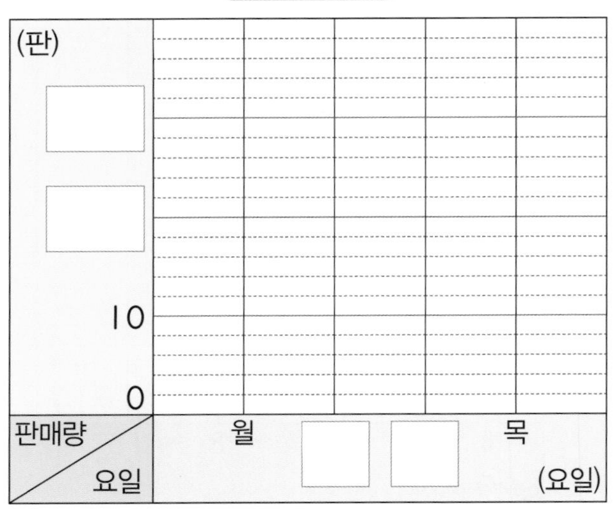

신생아 수

월	9	10	11	12
신생아 수(명)	56	44	50	62

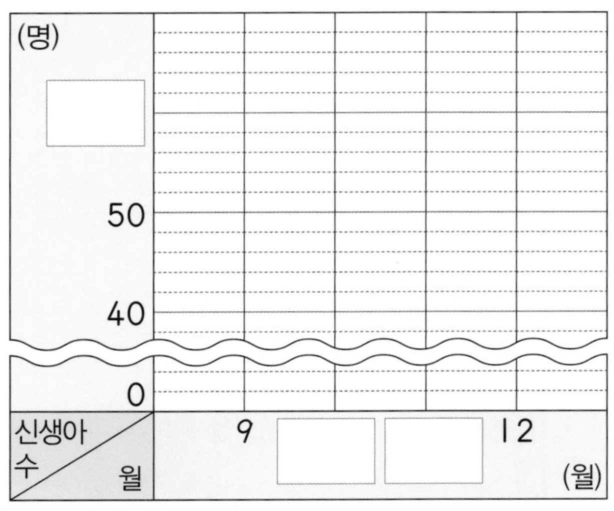

마트에서 사용한 금액

날짜(일)	1	2	3	4
금액(원)	6500	9000	11500	8000

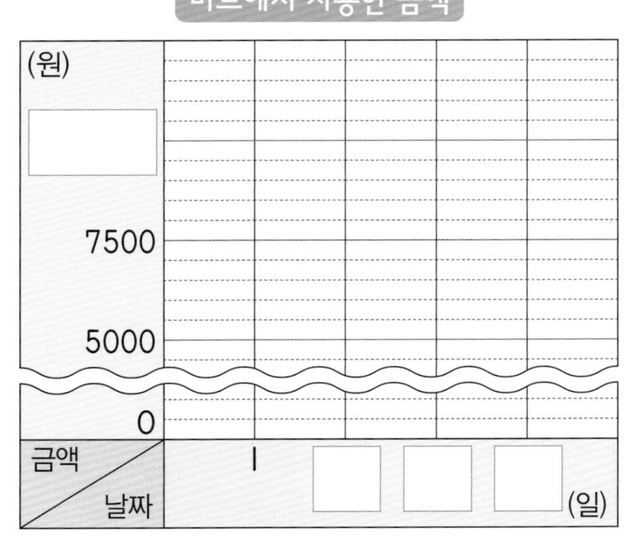

4 표를 보고 꺾은선그래프를 완성하시오.

빌려간 책 수

요일	월	화	수	목	금
책 수(권)	34	16	30	24	42

빌려간 책 수

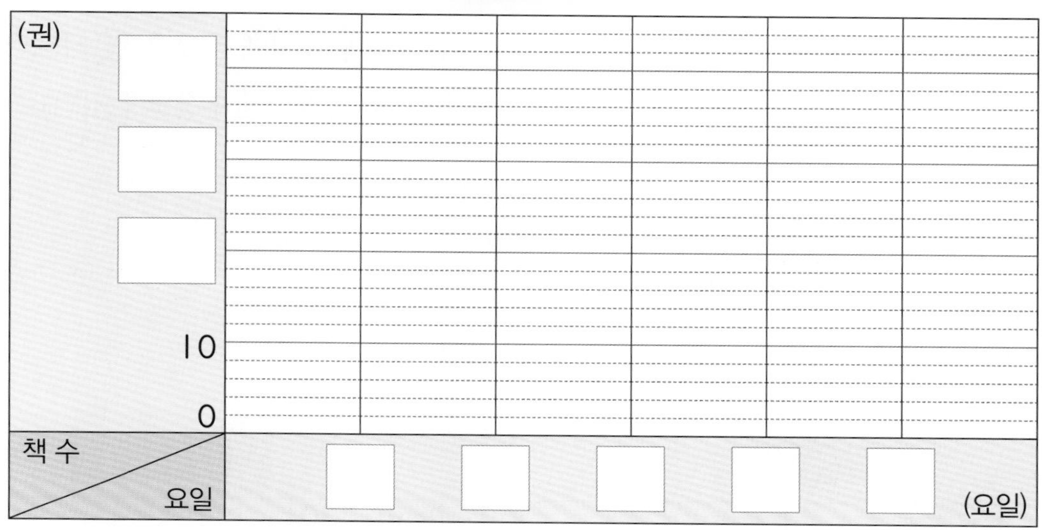

미란이의 키

나이(살)	7	8	9	10	11
키(cm)	124	130	138	144	152

미란이의 키

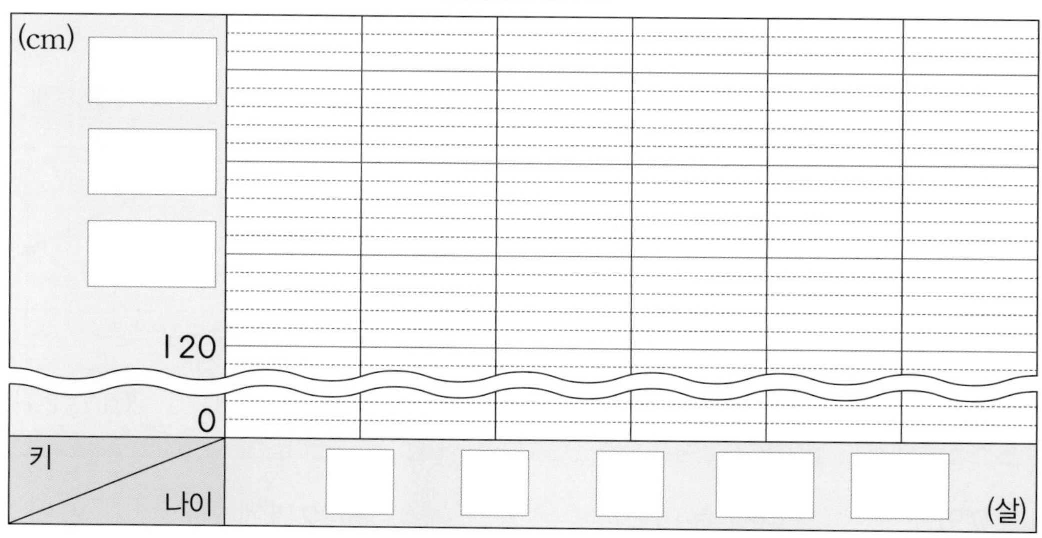

도전! 응용문제

정답 39쪽

일정하게 늘어나거나 줄어드는 꺾은선그래프 해석하기

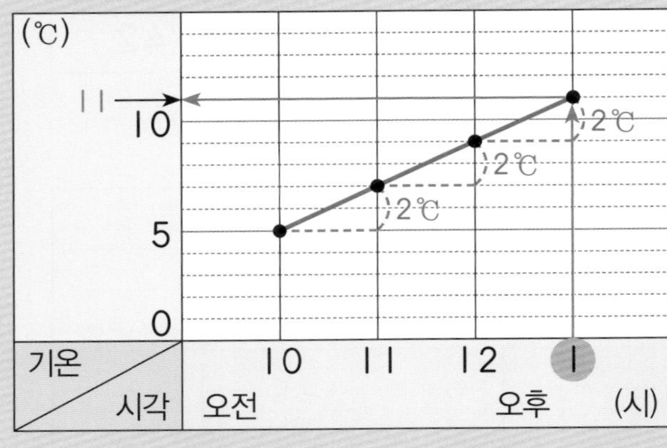

- 기온이 1시간에 2 ℃씩 오르고 있음
- 오후 2시에는 오후 1시보다 2 ℃ 더 높은 11+2=13(℃)로 예상함

응용 1 꺾은선그래프를 보고 ☐ 안에 알맞은 수를 써넣으시오.

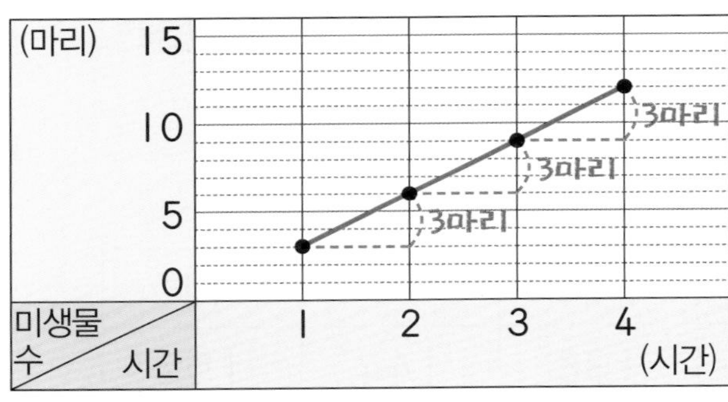

➡ 1시간에 ☐ 마리씩 늘어남

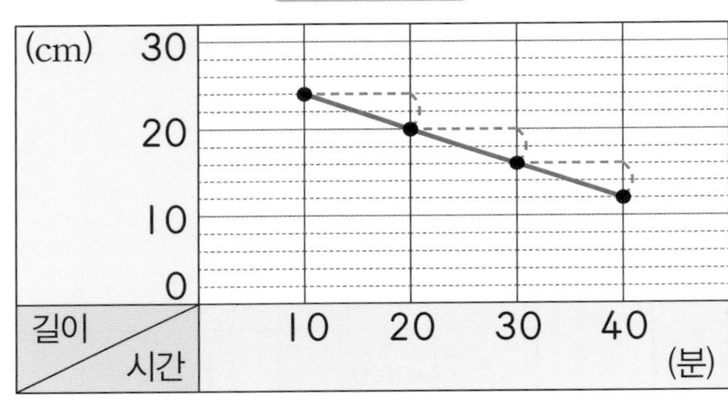

➡ 10분에 ☐ cm씩 줄어듦

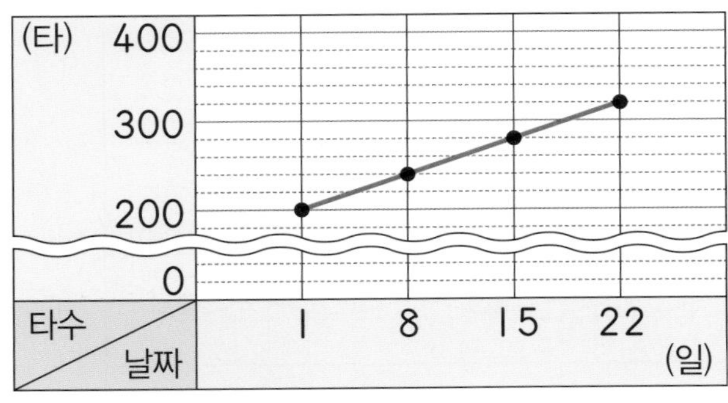

➡ 7일에 ☐ 타씩 늘어남

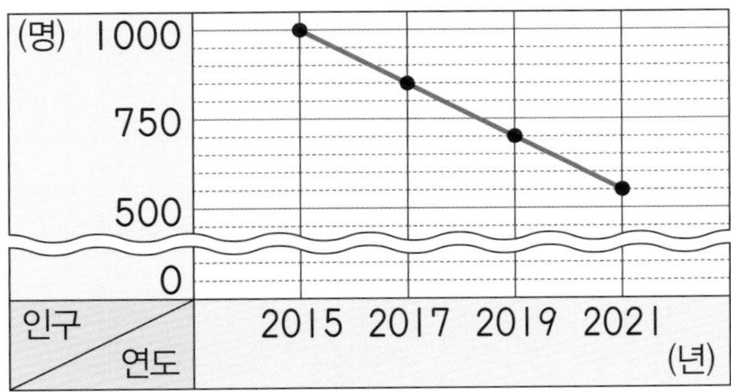

➡ 2년에 ☐ 명씩 줄어듦

응용 ② 꺾은선그래프를 보고 ☐ 안에 알맞은 수를 써넣으시오.

보기

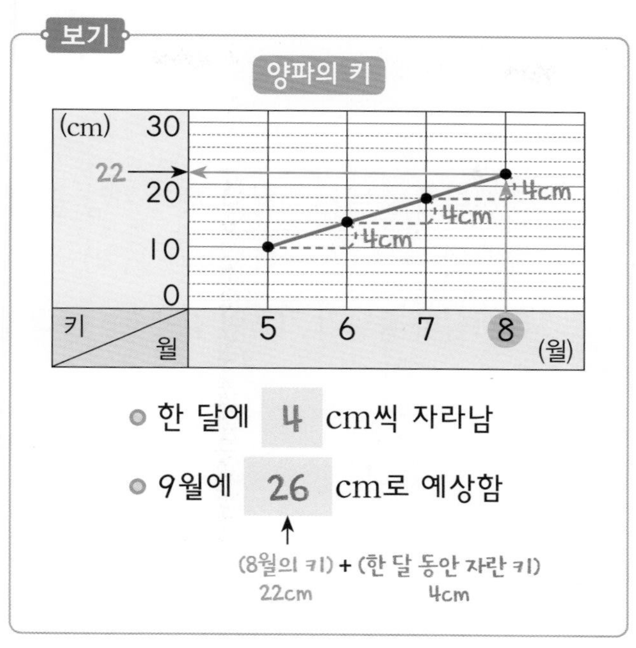

- 한 달에 4 cm씩 자라남
- 9월에 26 cm로 예상함

(8월의 키) + (한 달 동안 자란 키)
22cm 4cm

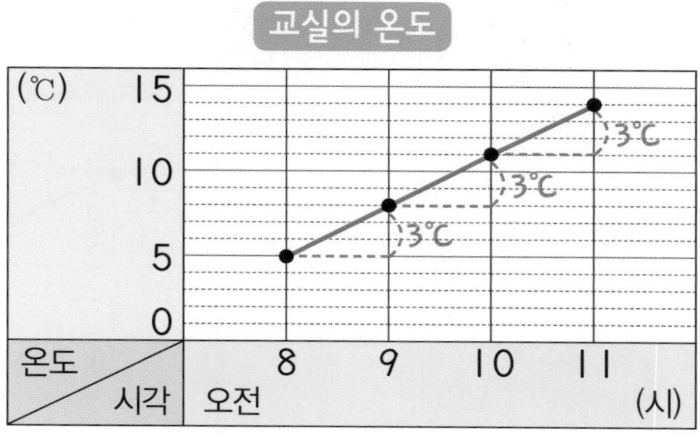

- 1시간에 ☐ ℃씩 올라감
- 낮 12시에 ☐ ℃로 예상함

(오전 11시 온도)
+(1시간 동안 오른 온도)

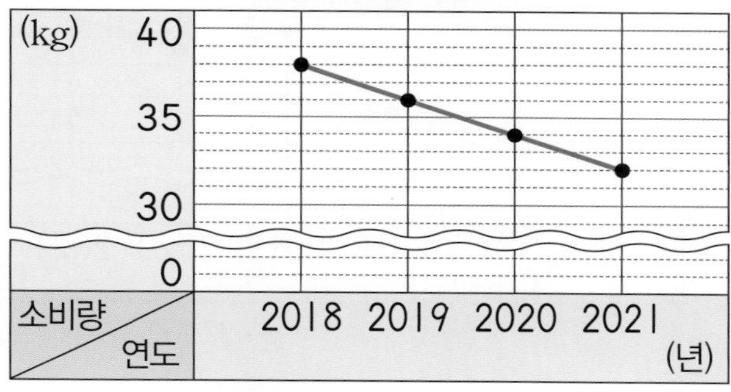

- 1년에 ☐ kg씩 줄어듦
- 2022년에 ☐ kg으로 예상함

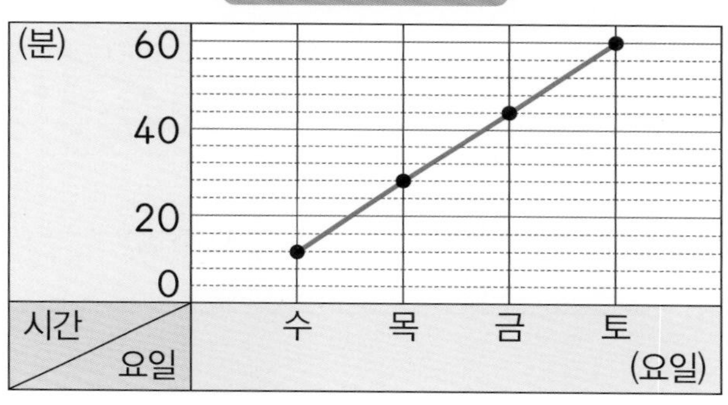

- 하루에 ☐ 분씩 늘어남
- 일요일에 ☐ 분으로 예상함

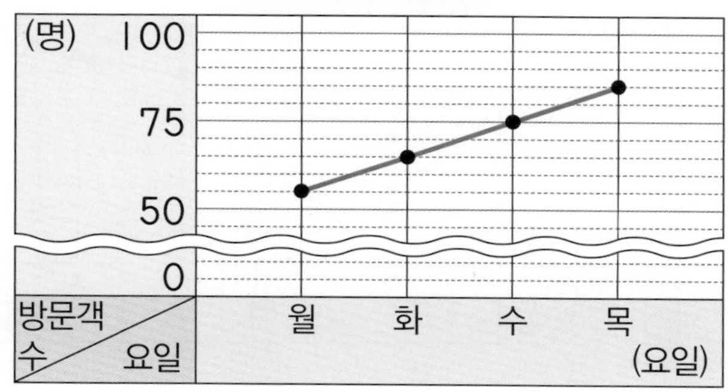

- 하루에 ☐ 명씩 늘어남
- 금요일에 ☐ 명으로 예상함

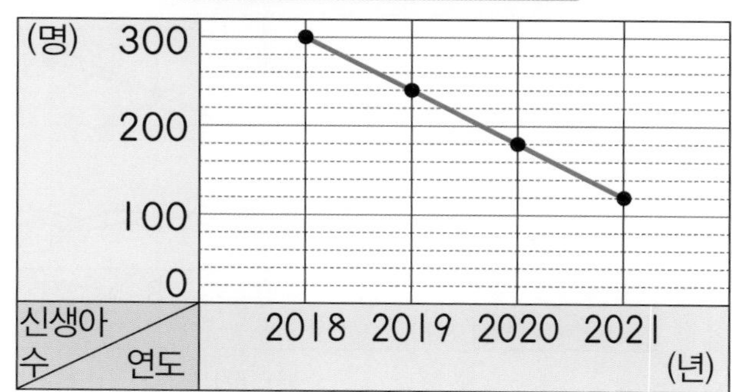

- 1년에 ☐ 명씩 줄어듦
- 2022년에 ☐ 명으로 예상함

두 가지 자료를 나타낸 꺾은선그래프 해석하기

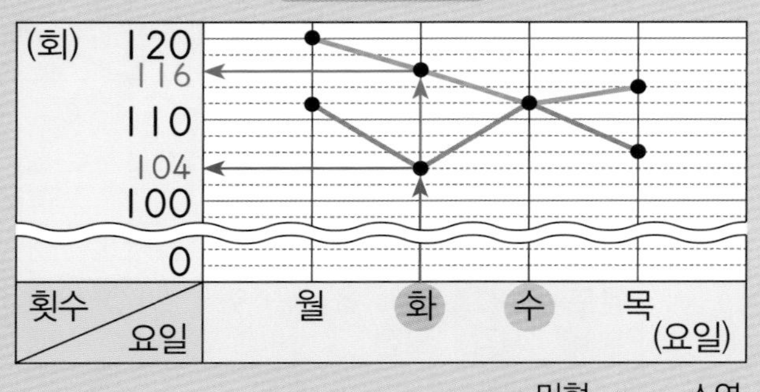

- 두 사람의 줄넘기 기록의 차가 가장 클 때: 화요일 → 116－104＝12(회)
- 두 사람의 줄넘기 기록이 같을 때: 수요일

응용 3 꺾은선그래프를 보고 ☐ 안에 알맞은 수를 써넣으시오.

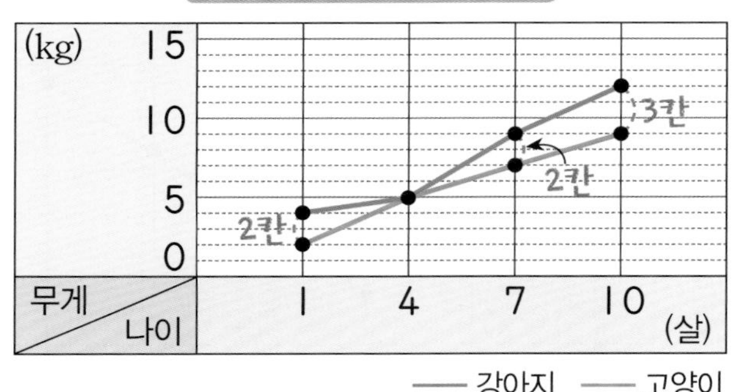

- 무게가 같을 때: 4 살
- 무게의 차가 가장 클 때: ☐ 살

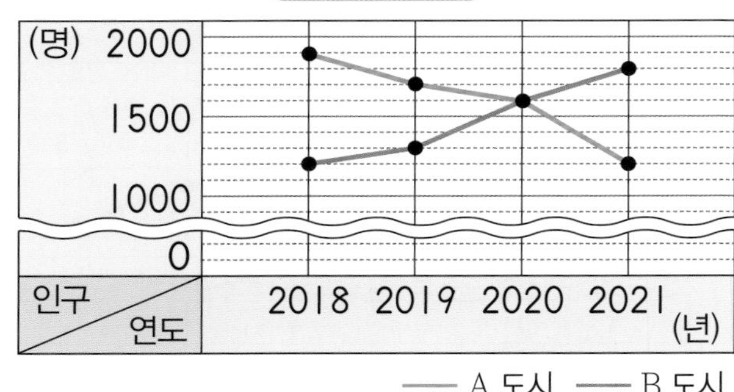

- 인구가 같을 때: ☐ 년
- 인구 차가 가장 클 때: ☐ 년

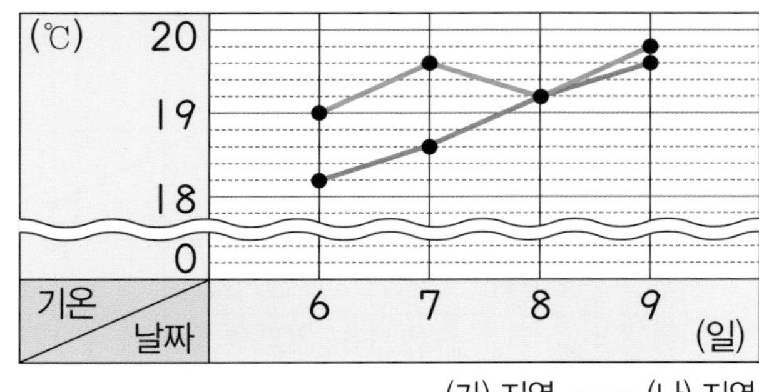

- 최고 기온이 같을 때: ☐ 일
- 최고 기온의 차가 가장 클 때: ☐ 일

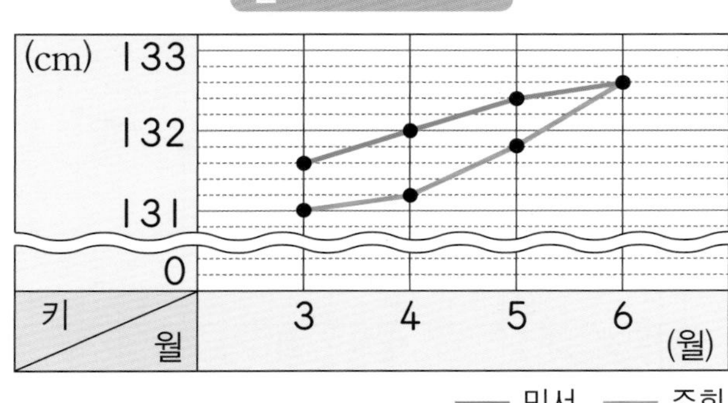

- 키가 같을 때: ☐ 월
- 키의 차가 가장 클 때: ☐ 월

응용 ④ 꺾은선그래프를 보고 ☐ 안에 알맞게 써넣으시오.

보기

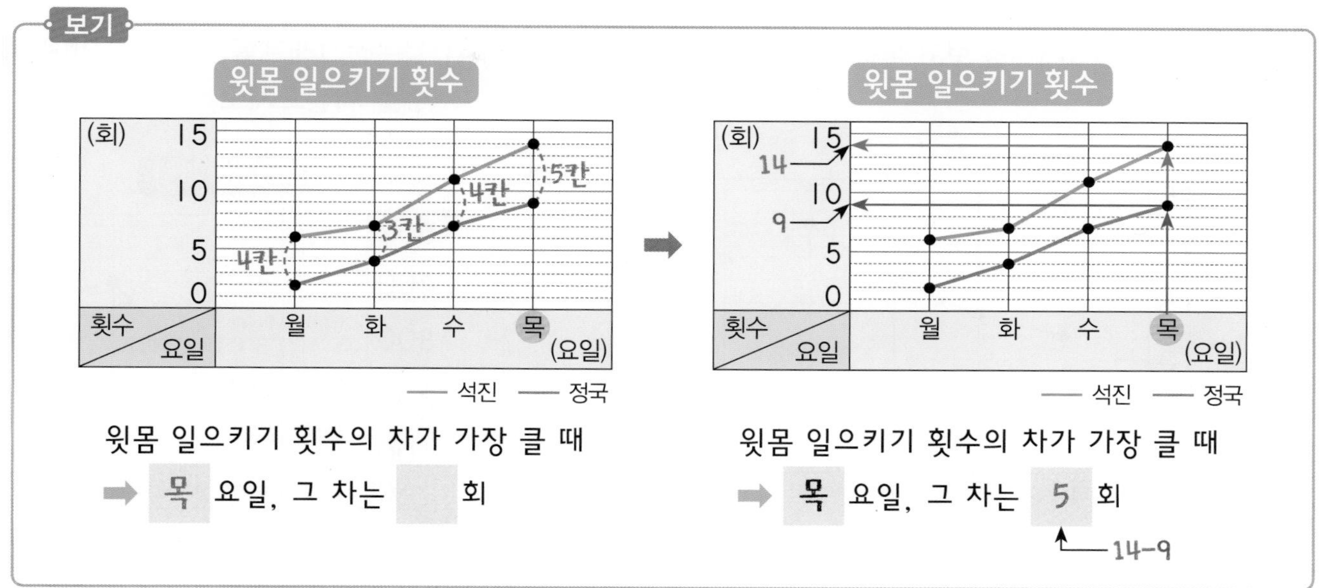

윗몸 일으키기 횟수의 차가 가장 클 때

➡ 목 요일, 그 차는 ☐ 회

윗몸 일으키기 횟수의 차가 가장 클 때

➡ 목 요일, 그 차는 5 회

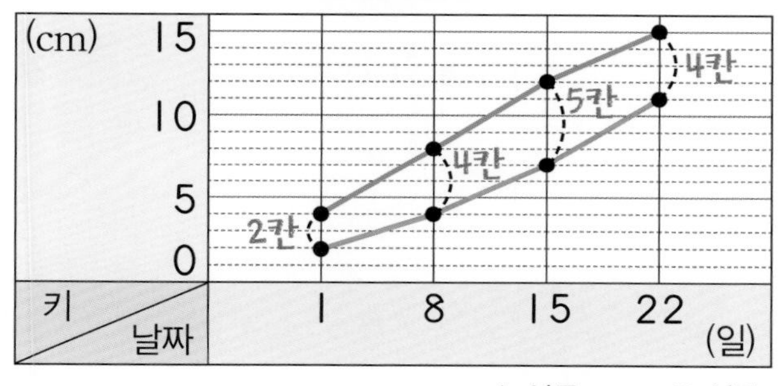

두 식물의 키의 차가 가장 클 때

➡ ☐ 일, 그 차는 ☐ cm

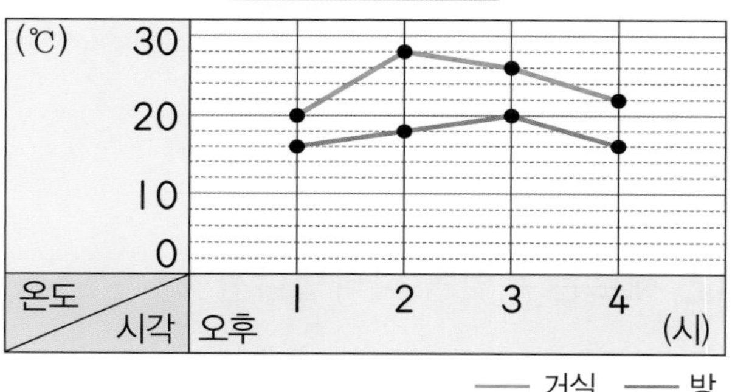

거실과 방의 온도 차가 가장 클 때

➡ 오후 ☐ 시, 그 차는 ☐ ℃

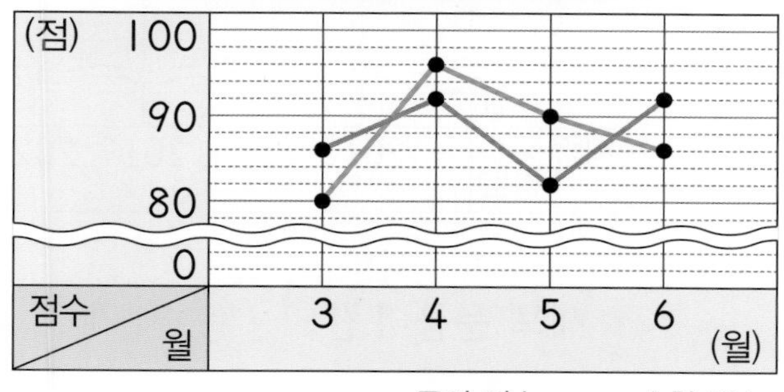

국어와 수학 점수 차가 가장 클 때

➡ ☐ 월, 그 차는 ☐ 점

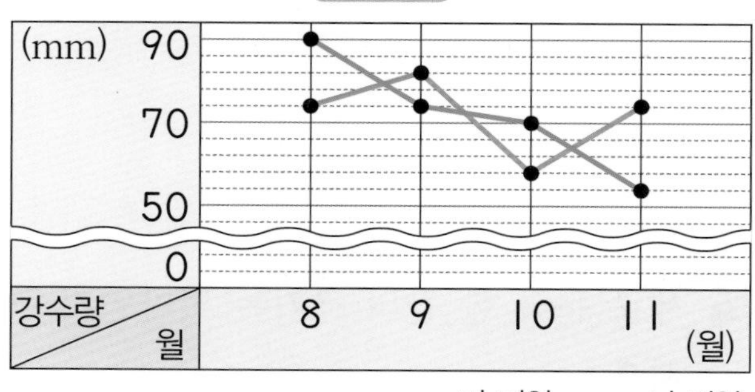

두 지역의 강수량 차가 가장 클 때

➡ ☐ 월, 그 차는 ☐ mm

형성평가

정답 40쪽 | 걸린 시간: 분 | 점 수: 점

[01~04] 꺾은선그래프를 보고 물음에 답하시오.

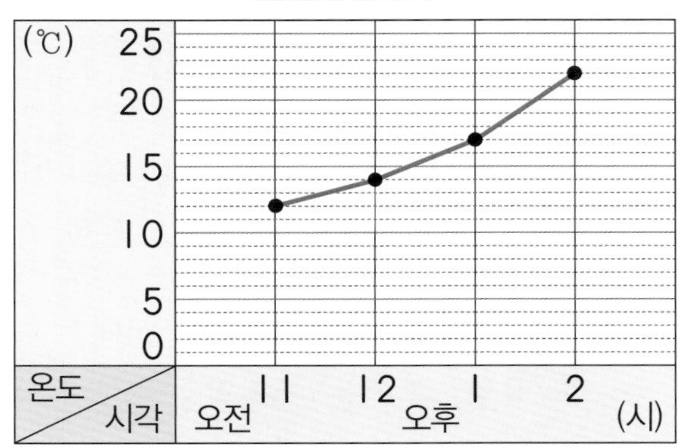

01 가로는 무엇을 나타냅니까?

( )

02 세로는 무엇을 나타냅니까?

( )

03 꺾은선은 무엇을 나타냅니까?

( )

04 세로 눈금 한 칸의 크기는 얼마인지 구하시오.

( )℃

[05~06] 꺾은선그래프를 보고 ▢ 안에 알맞은 수를 써넣으시오.

05

과자 판매량

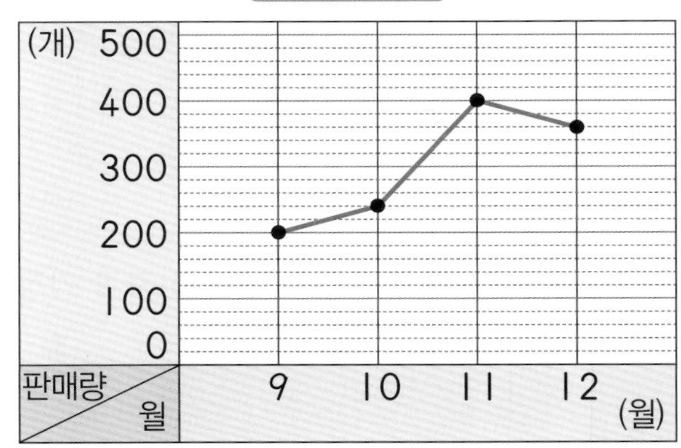

- 세로 눈금 1칸: ▢개
- 11월의 판매량: ▢개

06

사과 수확량

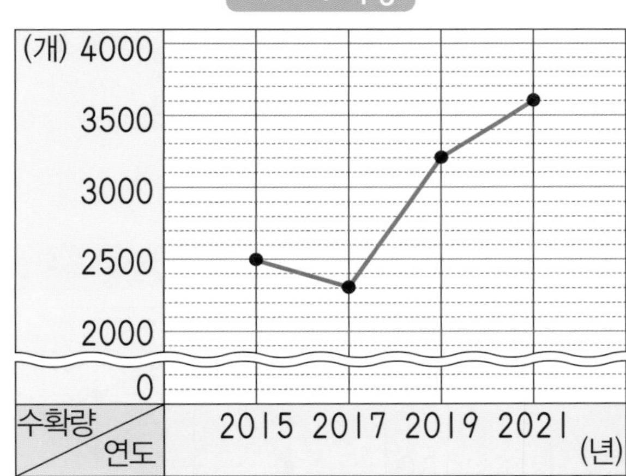

- 세로 눈금 1칸: ▢개
- 2021년의 수확량: ▢개

[07~08] 꺾은선그래프를 보고 표를 완성하시오.

07

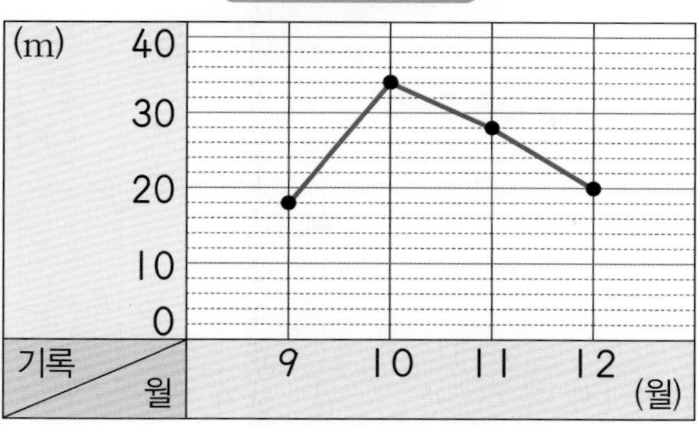

공 던지기 기록

월	9	10	11	12
기록(m)				

08

식물의 키

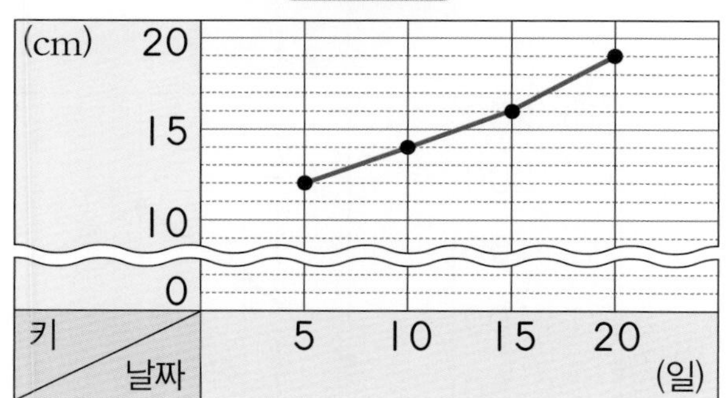

식물의 키

날짜(일)	5	10	15	20
키(cm)				

[09~11] 꺾은선그래프를 보고 물음에 답하시오.

입학생 수

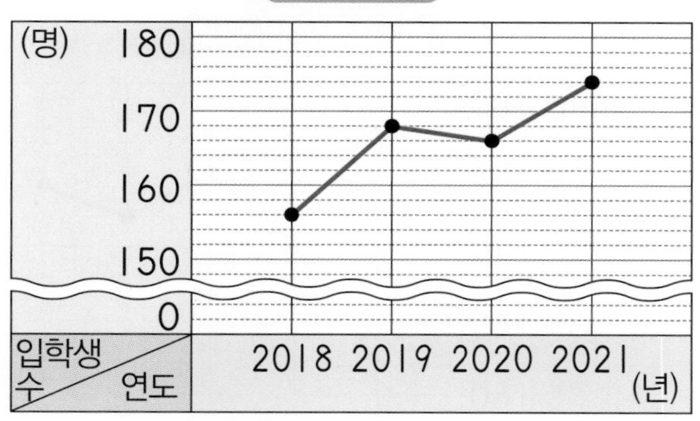

09 입학생 수가 가장 많을 때는 몇 년입니까?

( )년

10 입학생 수가 가장 적을 때는 몇 년입니까?

( )년

11 조사한 기간 동안 입학생 수는 몇 명 더 늘었습니까?

( )명

12 꺾은선그래프를 보고 ☐ 안에 알맞은 수를 써넣으시오.

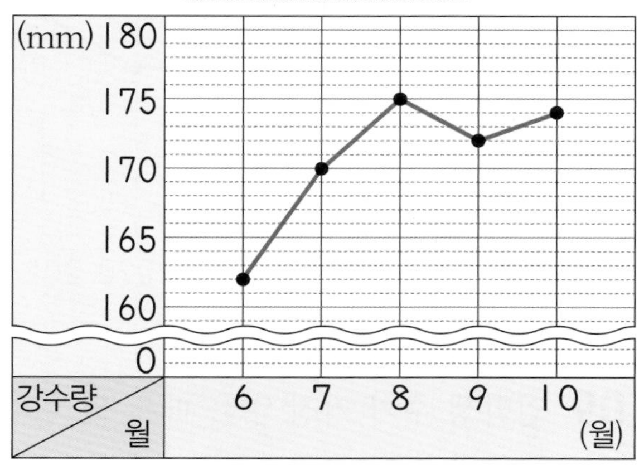

강수량이 가장 많이 늘어난 때

➡ ☐ 월과 ☐ 월 사이

15 꺾은선그래프를 보고 ☐ 안에 알맞은 수를 써넣으시오.

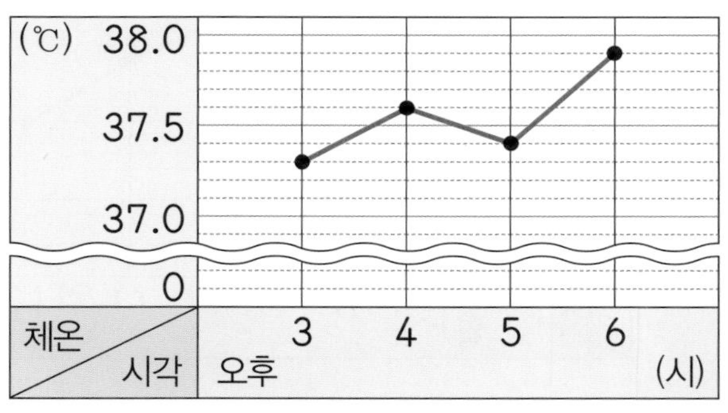

오후 4시 30분에 성미의 체온

➡ 약 ☐ ℃

[13~14] 꺾은선그래프를 보고 ☐ 안에 알맞은 수를 써넣으시오.

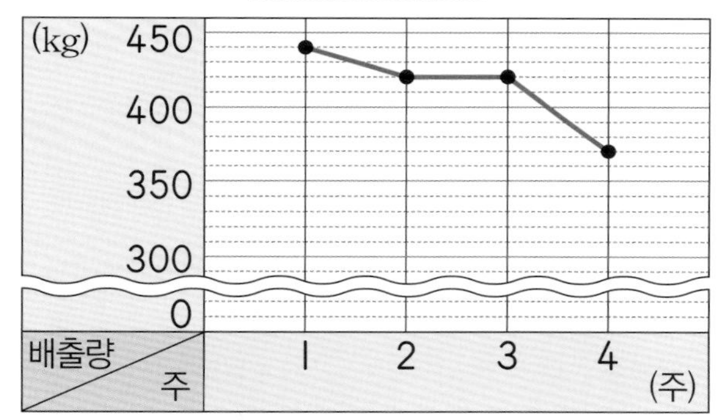

13 쓰레기 배출량이 가장 많이 줄어든 때는 ☐ 주와 ☐ 주 사이입니다.

14 쓰레기 배출량이 변화가 없을 때는 ☐ 주와 ☐ 주 사이입니다.

16 꺾은선그래프를 보고 ☐ 안에 알맞은 수를 써넣으시오.

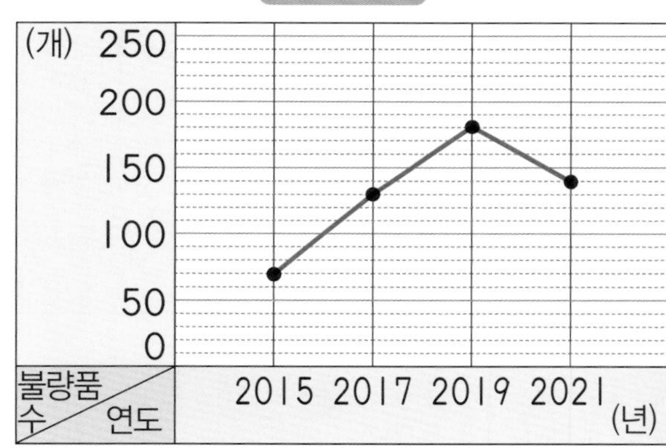

2020년에 발생한 불량품 수

➡ 약 ☐ 개

[17~18] 표를 보고 꺾은선그래프를 완성하시오.

17

핫초코 판매량

월	12	1	2	3
판매량 (개)	110	160	140	100

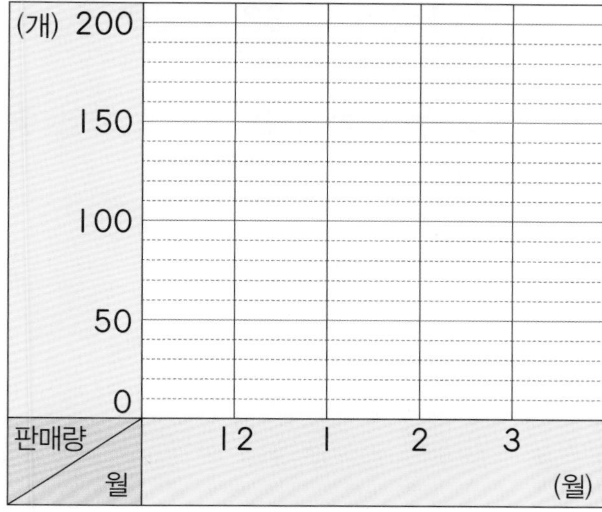

18

턱걸이 기록

요일	월	화	수	목
횟수 (회)	14	26	24	32

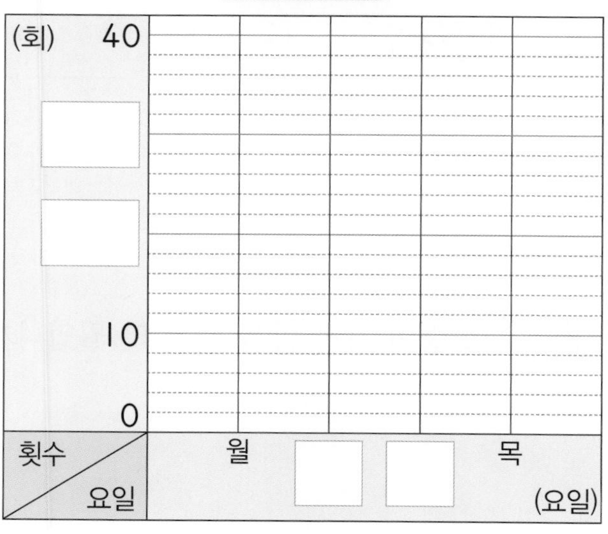

[19~20] 표를 보고 꺾은선그래프를 완성하시오.

19

동진이의 수학 점수

월	9	10	11	12
점수 (점)	74	86	86	92

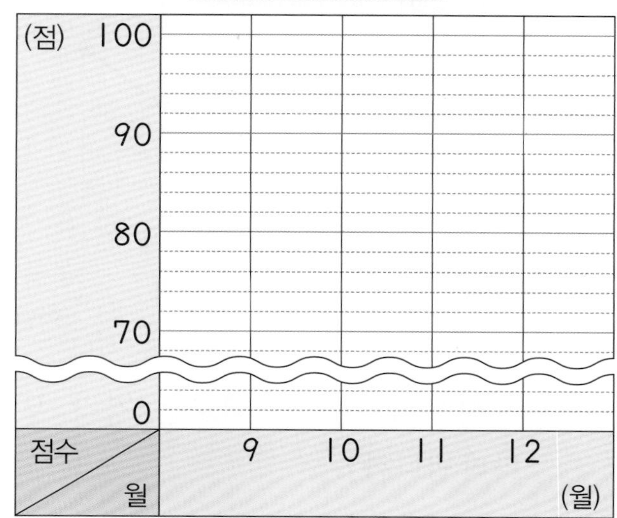

20

박물관의 관람객 수

월	7	8	9	10
관람객 수 (명)	2700	2400	3100	2800

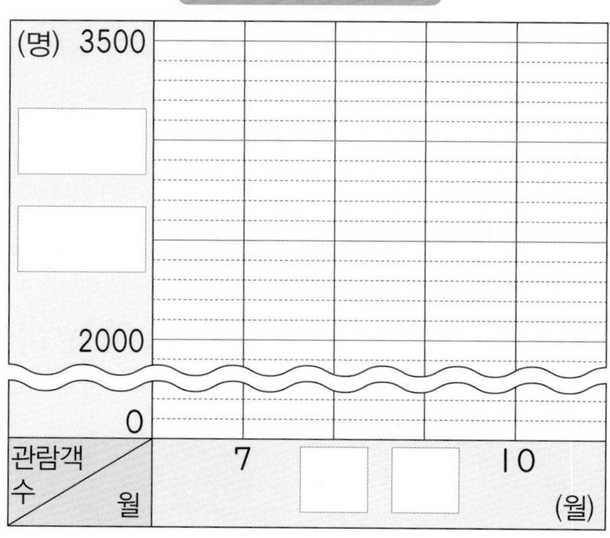

단원 평가

5. 꺾은선그래프

걸린 시간 분 점수 점

정답 41쪽

[1~3] 각 학년에 따른 민기의 몸무게를 매년 3월에 조사하여 나타낸 꺾은선그래프입니다. 물음에 답하시오.

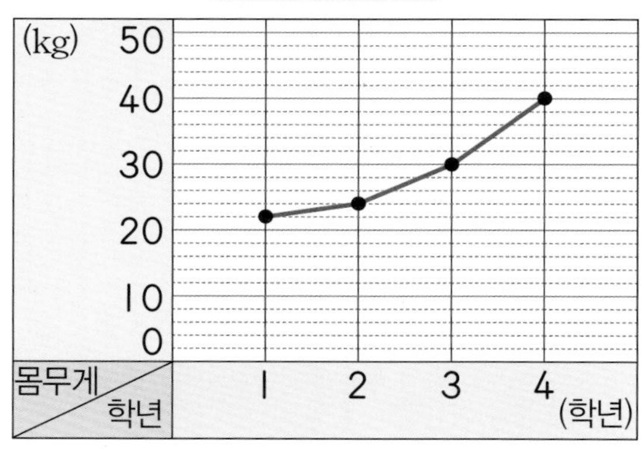

1 그래프의 가로와 세로는 각각 무엇을 나타냅니까?

가로 (　　　　　　)

세로 (　　　　　　)

2 세로 눈금 한 칸의 크기는 몇 kg입니까?

(　　　　　　)kg

3 민기의 3학년 때 몸무게는 몇 kg입니까?

(　　　　　　)kg

[4~6] 어느 지역의 적설량을 조사하여 나타낸 표입니다. 물음에 답하시오.

적설량

월	12	1	2	3
적설량 (mm)	26	38	30	14

4 세로 눈금 한 칸은 얼마로 하면 좋겠습니까?

(　　　　　　)mm

5 표를 보고 꺾은선그래프로 나타내시오.

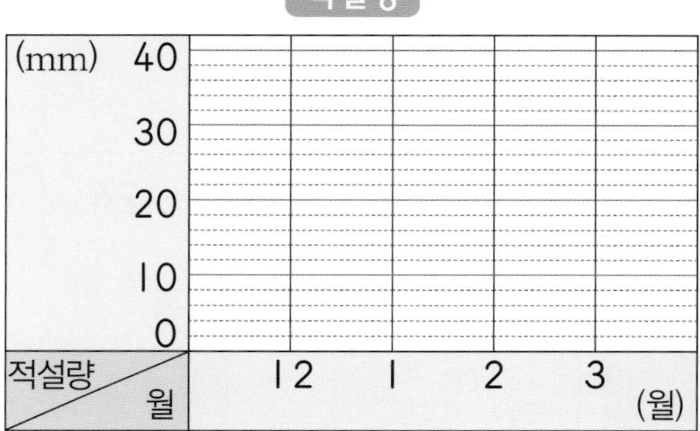

6 적설량이 가장 많을 때는 몇 월입니까?

(　　　　　　)월

7 표를 보고 그래프로 나타낼 때 알맞은 그래프를 보기 에서 골라 기호를 쓰시오.

보기
㉠ 막대그래프　　㉡ 꺾은선그래프

(1) 연도별 사과 생산량

연도(년)	2018	2019	2020	2021
생산량(개)	1000	1050	1250	1300

(　　　　　)

(2) 반별 학생 수

반	1	2	3	4	5
학생 수(명)	24	23	21	25	22

(　　　　　)

8 꺾은선그래프를 보고 표를 완성하시오.

초콜릿 판매량

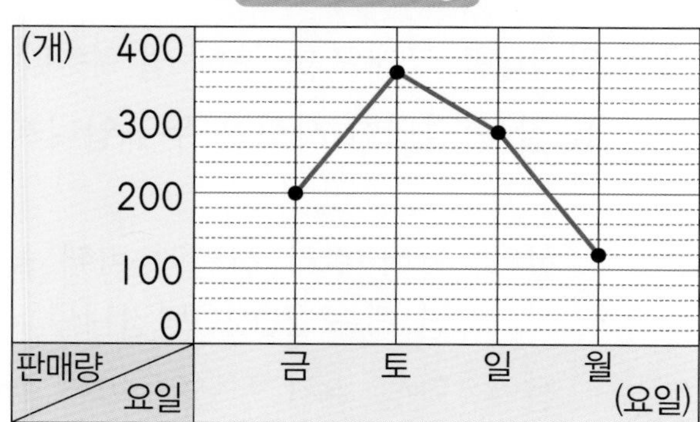

초콜릿 판매량

요일	금	토	일	월
판매량(개)				

[9~11] 정국이의 키를 매월 1일에 조사하여 나타낸 표를 물결선을 이용하여 꺾은선그래프로 나타내려고 합니다. 물음에 답하시오.

정국이의 키

월	5	6	7	8
키(cm)	130	130.3	130.9	131.3

9 그래프를 그리는 데 꼭 필요한 부분은 몇 cm부터 몇 cm까지입니까?

(　　　　)cm부터 (　　　　)cm까지

10 표를 보고 꺾은선그래프로 나타내시오.

정국이의 키

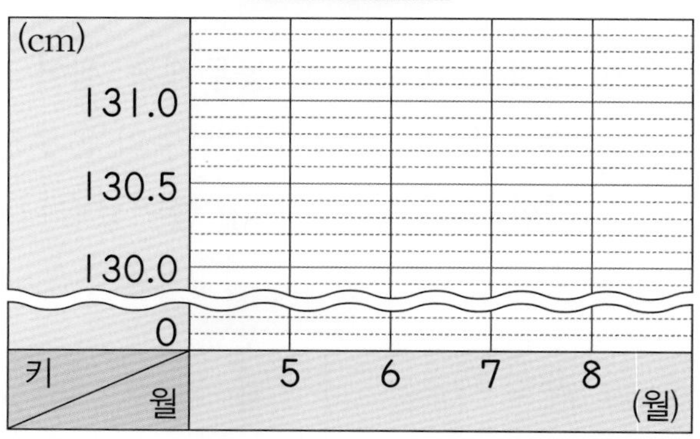

11 정국이의 키의 변화가 가장 클 때는 몇 월과 몇 월 사이입니까?

(　　　　)월과 (　　　　)월 사이

12 비닐하우스의 온도를 조사하여 나타낸 꺾은선그래프입니다. 오전 11시 30분의 온도는 약 몇 ℃입니까?

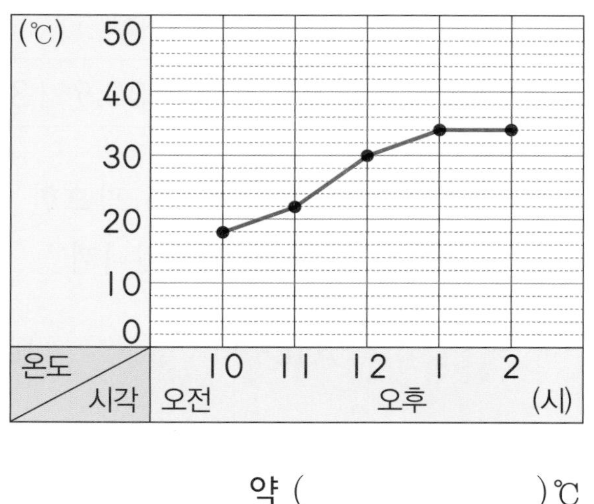

약 (　　　　　　)℃

13 매월 말에 진수의 몸무게를 재어 나타낸 꺾은선그래프입니다. 진수의 몸무게는 조사한 기간 동안 몇 kg 늘어났습니까?

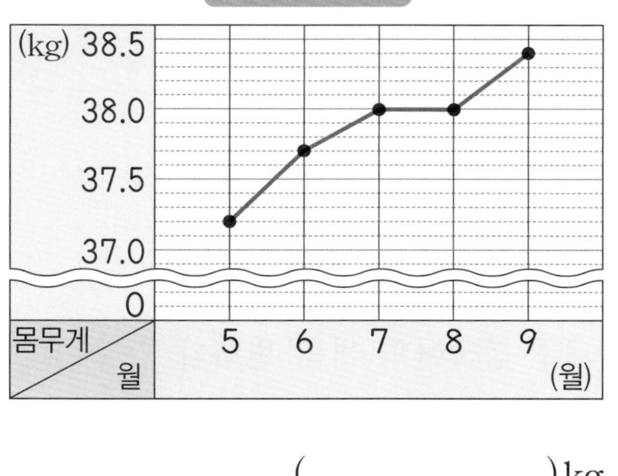

(　　　　　　)kg

[14~15] 어느 학교의 연도별 4학년 학생 수를 매년 3월에 조사하여 나타낸 표입니다. 물음에 답하시오.

연도별 4학년 학생 수

연도(년)	2018	2019	2020	2021
학생 수(명)	174	187	178	180

14 표를 보고 물결선을 사용한 꺾은선그래프로 나타내시오.

15 위 **14**번 그래프를 통해 알 수 있는 점을 잘못 설명한 사람은 누구입니까?

선아: 학생 수가 전년에 비해 늘어난 해는 2020년입니다.

진아: 학생 수가 전년에 비해 가장 많이 늘어난 해는 2019년입니다.

(　　　　　　)

[16~18] 두 식물의 키의 변화를 조사하여 나타낸 꺾은선그래프입니다. 물음에 답하시오.

(가) 식물의 키

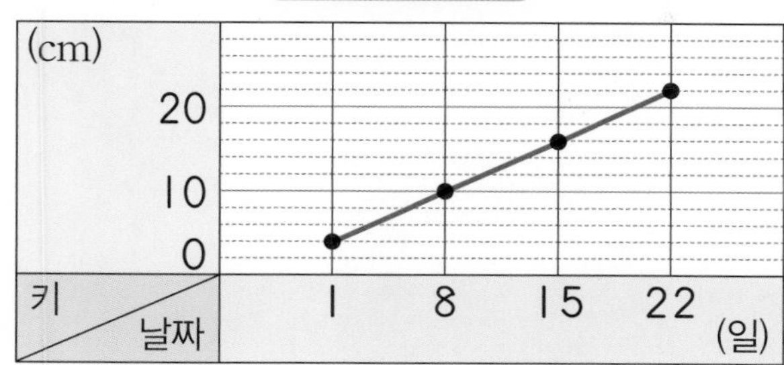

(나) 식물의 키

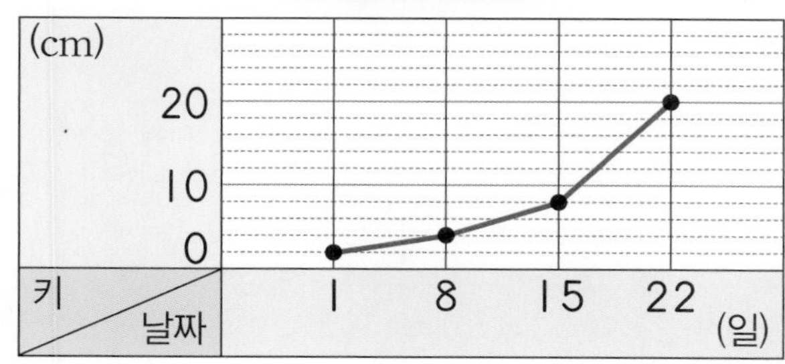

16 처음에는 천천히 자라다가 시간이 지나면서 빠르게 자라는 식물은 어느 것입니까?

(　　　　　　) 식물

17 키가 일정하게 자라는 식물은 어느 것입니까?

(　　　　　　) 식물

18 (가) 식물의 키는 29일에 몇 cm일 것이라고 예상합니까?

(　　　　　　)cm

[19~20] 행복 아파트와 사랑 아파트의 음식물 쓰레기의 양을 각각 조사하여 나타낸 꺾은선그래프입니다. 물음에 답하시오.

음식물 쓰레기의 양

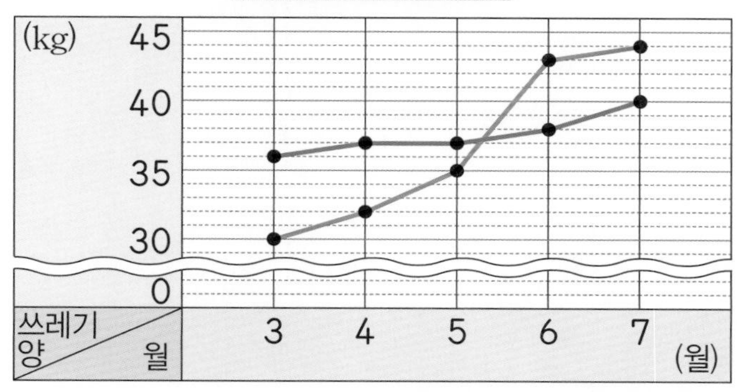

19 5월의 행복 아파트의 음식물 쓰레기의 양과 사랑 아파트의 음식물 쓰레기의 양의 합은 몇 kg인지 풀이 과정을 쓰고 답을 구하시오.

풀이

답

20 행복 아파트의 음식물 쓰레기의 양과 사랑 아파트의 음식물 쓰레기의 양의 차이가 가장 많이 난 달은 어느 달이고, 몇 kg 차이가 나는지 구하시오.

(　　　　)월, (　　　　)kg

memo

논리적 사고력과 창의적 문제해결력을 키워 주는

매스티안 교재 활용법!

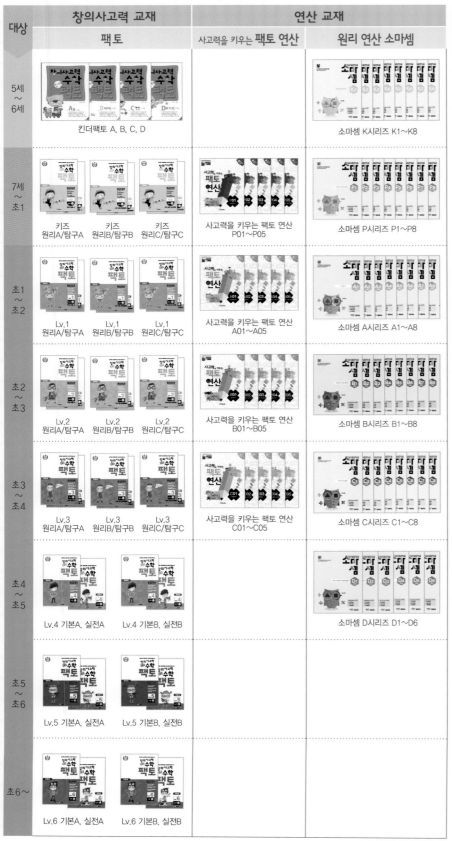

대상	창의사고력 교재 팩토	연산 교재 사고력을 키우는 팩토 연산	연산 교재 원리 연산 소마셈
5세 ~ 6세	 킨더팩토 A, B, C, D		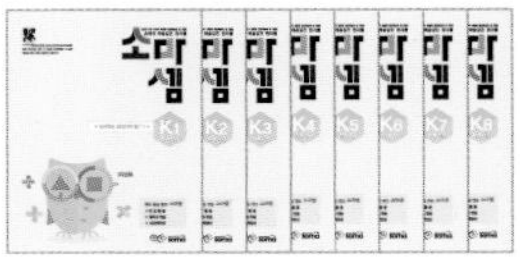 소마셈 K시리즈 K1~K8
7세 ~ 초1	 키즈 원리A/탐구A, 키즈 원리B/탐구B, 키즈 원리C/탐구C	 사고력을 키우는 팩토 연산 P01~P05	 소마셈 P시리즈 P1~P8
초1 ~ 초2	 Lv.1 원리A/탐구A, Lv.1 원리B/탐구B, Lv.1 원리C/탐구C	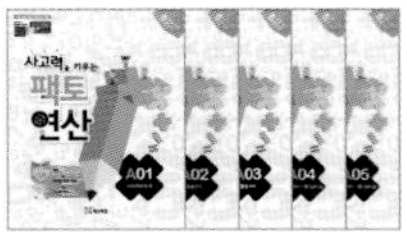 사고력을 키우는 팩토 연산 A01~A05	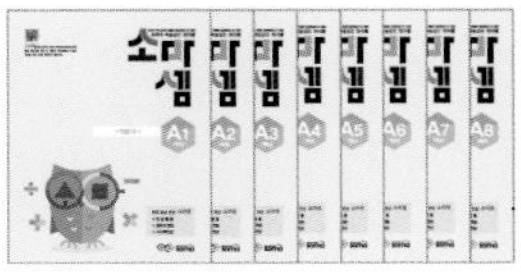 소마셈 A시리즈 A1~A8
초2 ~ 초3	 Lv.2 원리A/탐구A, Lv.2 원리B/탐구B, Lv.2 원리C/탐구C	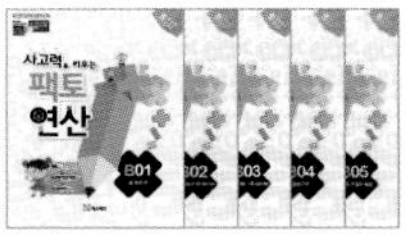 사고력을 키우는 팩토 연산 B01~B05	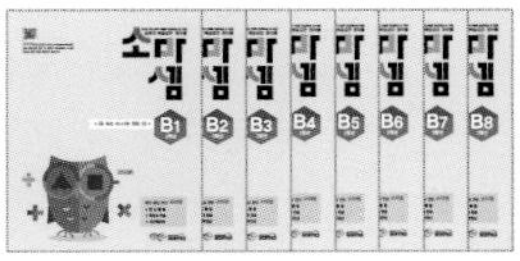 소마셈 B시리즈 B1~B8
초3 ~ 초4	 Lv.3 원리A/탐구A, Lv.3 원리B/탐구B, Lv.3 원리C/탐구C	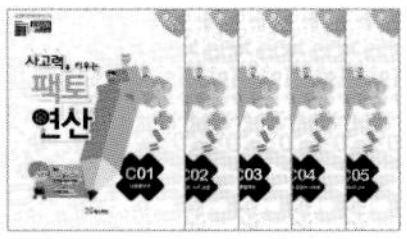 사고력을 키우는 팩토 연산 C01~C05	 소마셈 C시리즈 C1~C8
초4 ~ 초5	 Lv.4 기본A, 실전A / Lv.4 기본B, 실전B		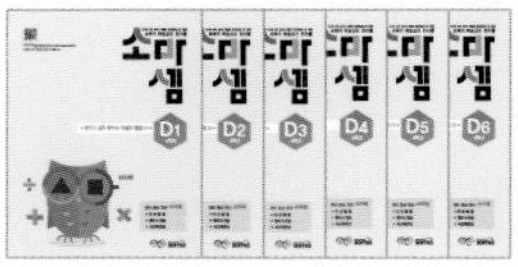 소마셈 D시리즈 D1~D6
초5 ~ 초6	 Lv.5 기본A, 실전A / Lv.5 기본B, 실전B		
초6~	 Lv.6 기본A, 실전A / Lv.6 기본B, 실전B		

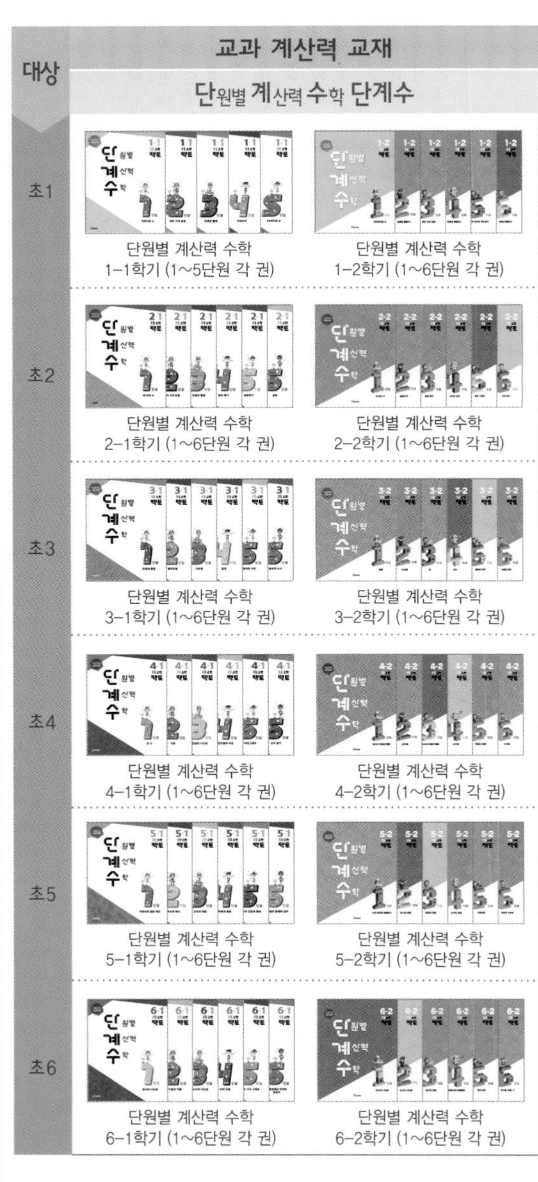

대상	교과 계산력 교재 단원별 계산력 수학 단계수	
초1	단원별 계산력 수학 1-1학기 (1~5단원 각 권)	단원별 계산력 수학 1-2학기 (1~6단원 각 권)
초2	단원별 계산력 수학 2-1학기 (1~6단원 각 권)	단원별 계산력 수학 2-2학기 (1~6단원 각 권)
초3	단원별 계산력 수학 3-1학기 (1~6단원 각 권)	단원별 계산력 수학 3-2학기 (1~6단원 각 권)
초4	단원별 계산력 수학 4-1학기 (1~6단원 각 권)	단원별 계산력 수학 4-2학기 (1~6단원 각 권)
초5	단원별 계산력 수학 5-1학기 (1~6단원 각 권)	단원별 계산력 수학 5-2학기 (1~6단원 각 권)
초6	단원별 계산력 수학 6-1학기 (1~6단원 각 권)	단원별 계산력 수학 6-2학기 (1~6단원 각 권)

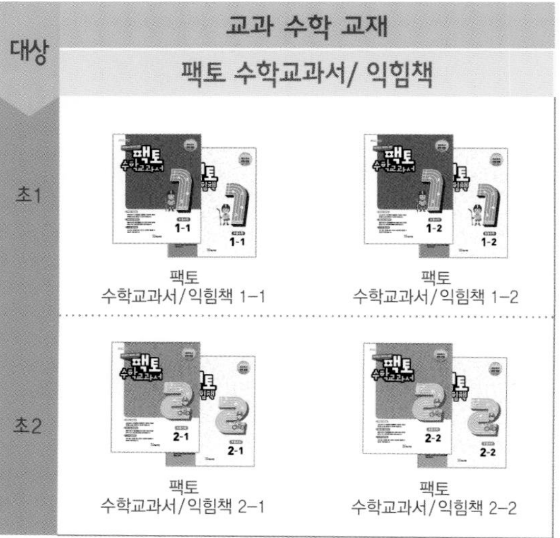

대상	교과 수학 교재 팩토 수학교과서/ 익힘책	
초1	팩토 수학교과서/익힘책 1-1	팩토 수학교과서/익힘책 1-2
초2	팩토 수학교과서/익힘책 2-1	팩토 수학교과서/익힘책 2-2

단계수 학습 순서

매일 학습

단원별로 꼭 알아야 할 개념만 쏙쏙 학습하고, 다양한 연산 문제를 통해 필수 개념을 숙달하여 계산력을 쑥쑥 키울 수 있습니다.

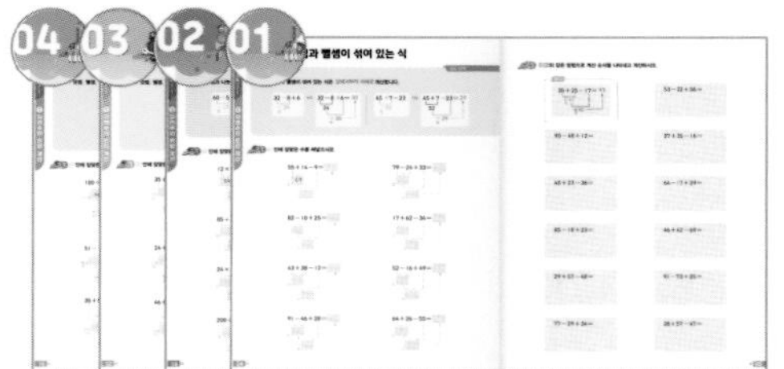

도전! 응용문제

필수 개념을 활용한 **응용** 문제 또는 **서술형** 문제를 통해 사고력과 문제해결력을 기를 수 있습니다.

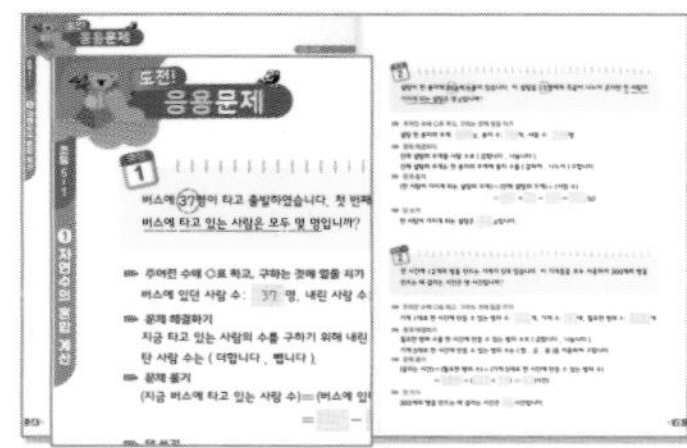

형성 평가

단원의 **복습 단계**로 문제를 풀면서 학습한 내용을 잘 알고 있는지 다시 한 번 확인할 수 있습니다.

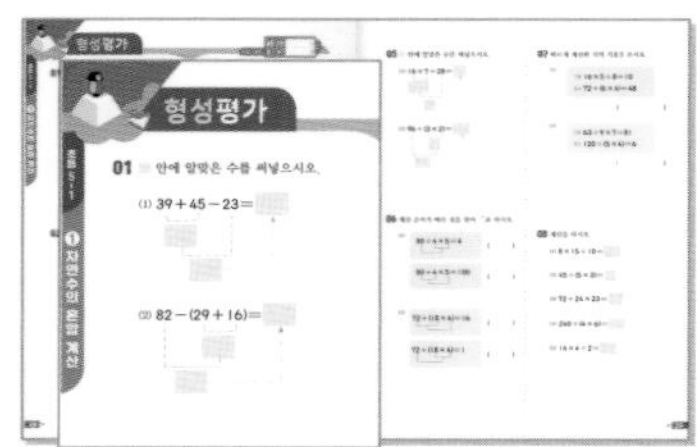

단원 평가

단원의 **마무리 학습**으로 학교 시험에 자주 나오는 문제 유형을 통해서 수시 평가 등 학교 시험에 대비할 수 있습니다.

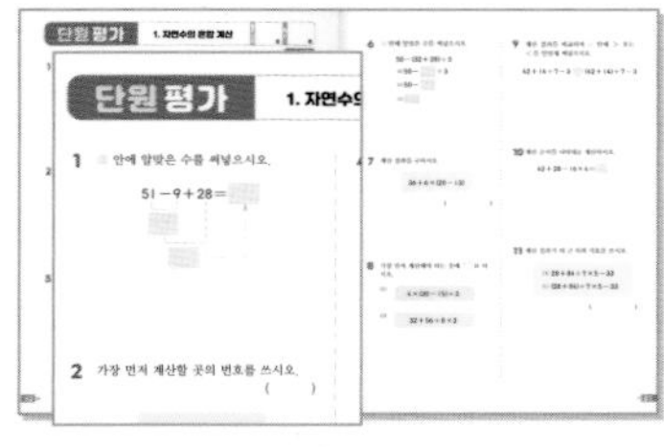

자율안전확인신고필증번호 : B361H200-4001
1. 주소 : 06153 서울특별시 강남구 봉은사로 442 (삼성동)
2. 문의전화 : 1588-6066
3. 제조국 : 대한민국
4. 사용연령 : 11세 이상
※ KC마크는 이 제품이 공통안전기준에 적합하였음을 의미합니다.

주의

종이, 모서리에 다칠 수 있으니 주의하세요!

초등학교	반 번
이름	

FACTO school

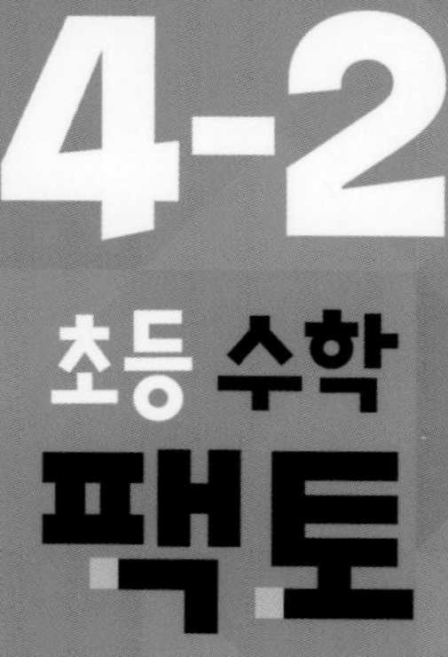

단원별 계산력 수학

6단원

다각형

매스티안

팩토는 자유롭게 자신감있게 창의적으로 생각하는 주니어수학자입니다.

단원별 계산력 수학

펴낸 곳 (主)타임교육C&P 펴낸이 이길호 지은이 매스티안R&D센터
주소 06153 서울특별시 강남구 봉은사로 442 (삼성동) 문의전화 1588.6066
팩토카페 http://cafe.naver.com/factos 홈페이지 http://www.mathtian.com

※ 정답과 풀이는 온라인 팩토카페(http://cafe.naver.com/factos)를 통해서도 확인할 수 있습니다.

GH2204

FACTO school

4-2

초등 수학 팩토

단원별 계산력 수학

6 단원

다각형

매스티안

4. 평면도형의 이동

· 평면도형 밀기, 뒤집기, 돌리기
· 평면도형 뒤집고 돌리기
· 규칙적인 무늬 만들기

4-1

6. 다각형

· 다각형, 정다각형, 대각선
· 모양 만들기와 채우기

4-2

4. 사각형

· 수직과 수선, 평행과 평행선
· 사각형의 종류

4-2

4-2

3-1

2. 삼각형

· 이등변삼각형, 정삼각형
· 예각삼각형, 둔각삼각형

중학 2-2 **사각형의 성질**

중학 1-2 **다각형**

2. 평면도형

· 선분, 반직선, 직선
· 각, 직각
· 직각삼각형, 직사각형, 정사각형

6 다각형

Teaching Guide

- 다각형이라는 용어 때문에 아이들은 다각형에 대하여 '각이 여러 개인 도형', '여러 개의 각으로 이루어진 도형' 등으로 잘못 알고 있을 수 있습니다. 다각형은 선분으로 이루어져 있어야 하고, 닫혀 있어야 한다는 두 가지 조건이 내포되어 있다는 것을 확실히 지도할 필요가 있습니다.
- 다각형은 볼록다각형과 오목다각형으로 나눌 수 있습니다. 교과서에는 볼록다각형만 제시하고 있지만, 아이가 여러 가지 활동을 하는 상황에서 오목다각형을 만들 수 있습니다. 이 경우에도 다각형을 만든 것으로 인정해 줍니다.

6. 다각형의 둘레와 넓이
- 평면도형의 둘레
- $1cm^2$, $1m^2$, $1km^2$
- 삼각형과 사각형의 넓이

5. 원의 넓이
- 원주와 지름의 관계
- 원주율
- 원주와 지름, 원의 넓이

원과 부채꼴

원의 성질

3. 합동과 대칭
- 합동
- 선대칭도형, 점대칭도형

중학 1-2

작도와 합동

중학 2-2

삼각형의 성질
도형의 닮음
피타고라스의 정리

삼각비

공부한 날짜

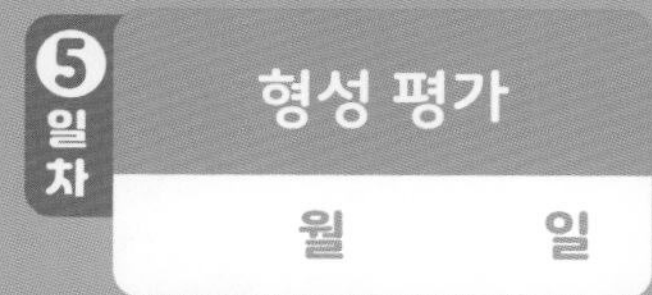

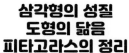

01 다각형

정답 42쪽

● 다각형

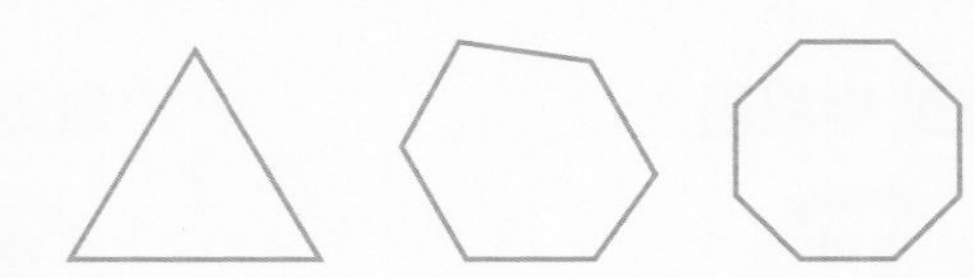

① 선분만 있습니다.
② 둘러싸여 있습니다.

● 다각형이 아닌 도형

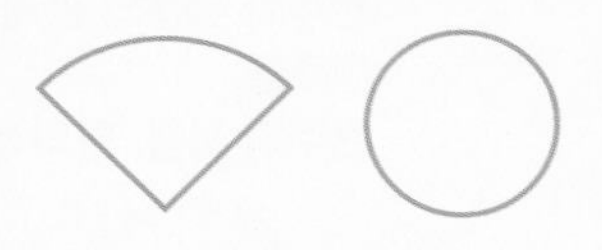

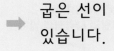

➡ 굽은 선이 있습니다.

➡ 둘러싸여 있지 않습니다.

1 그림에 대한 설명이 맞으면 ○표, 틀리면 ×표 하고, 알맞은 말에 ◯표 하시오.

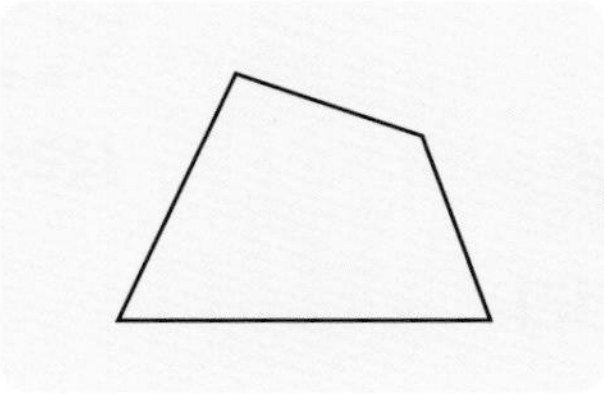

선분만 있습니다. (○)
둘러싸여 있습니다. ( )
➡ 다각형이 (맞습니다 , 아닙니다).

선분만 있습니다. ( )
둘러싸여 있습니다. ( )
➡ 다각형이 (맞습니다 , 아닙니다).

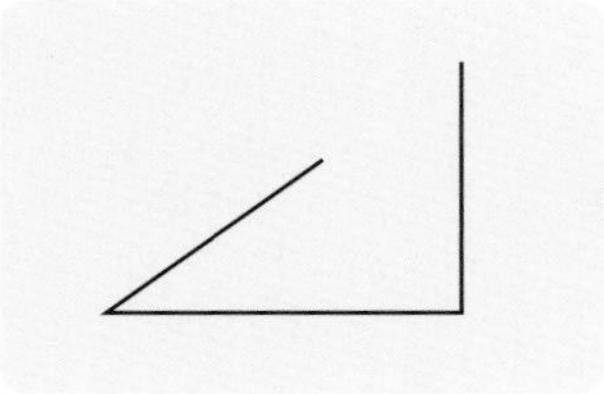

선분만 있습니다. ( )
둘러싸여 있습니다. ( )
➡ 다각형이 (맞습니다 , 아닙니다).

선분만 있습니다. ( )
둘러싸여 있습니다. ( )
➡ 다각형이 (맞습니다 , 아닙니다).

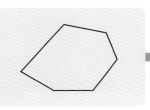

● 다각형의 이름

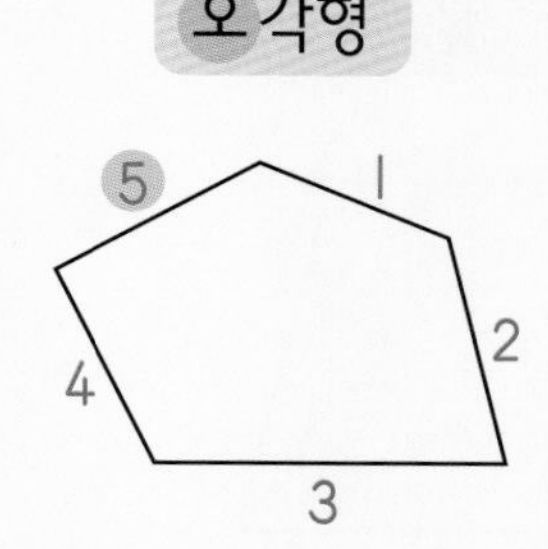

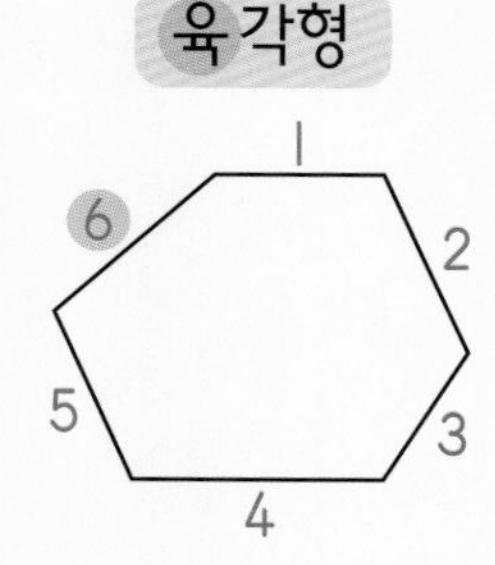

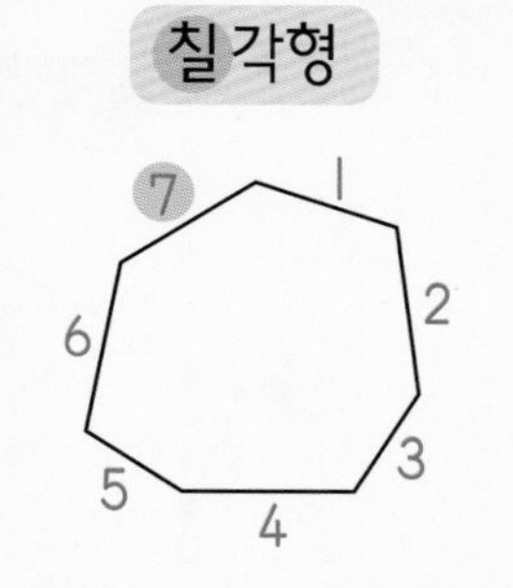

2 다각형의 이름을 쓰시오.

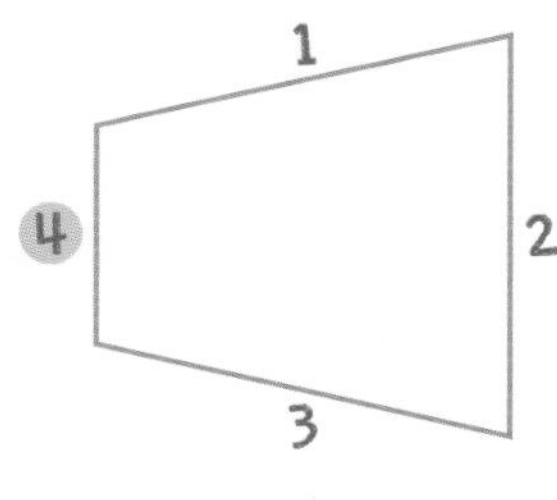

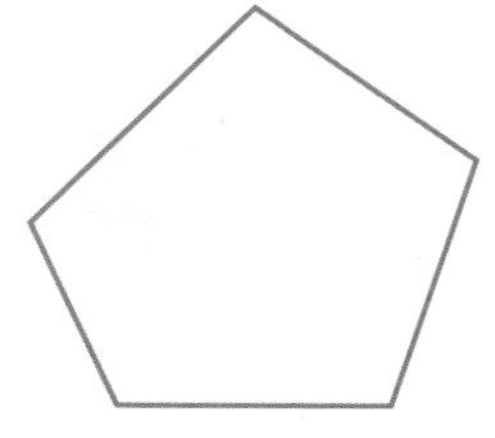

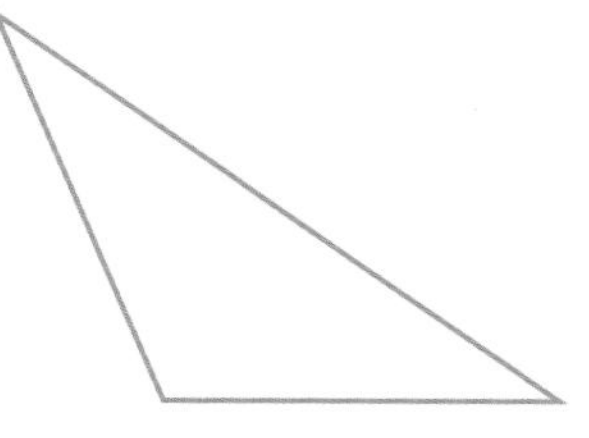

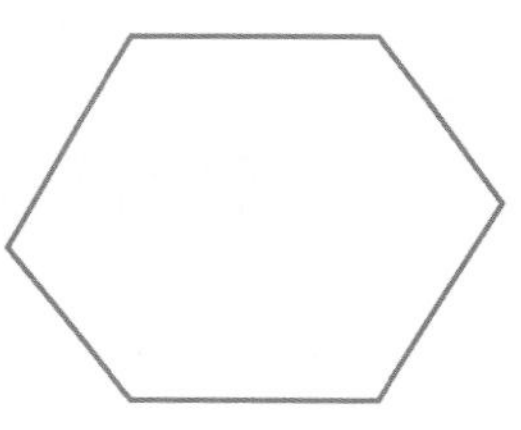

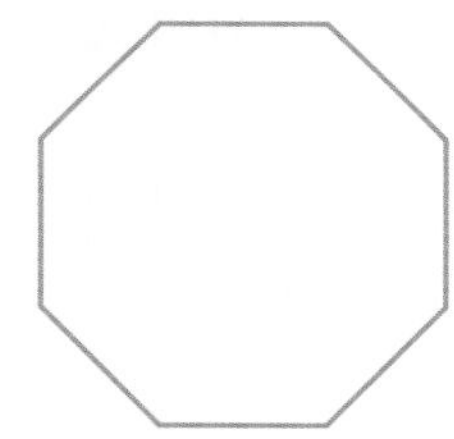

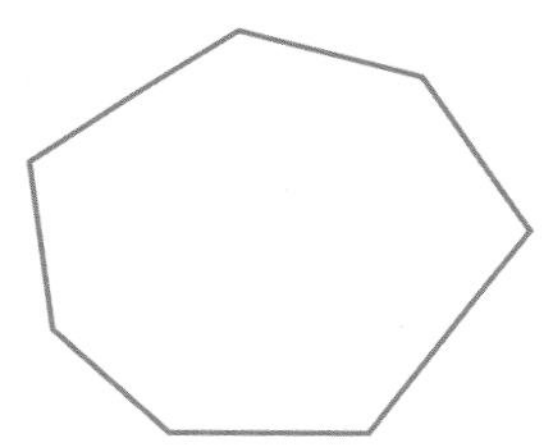

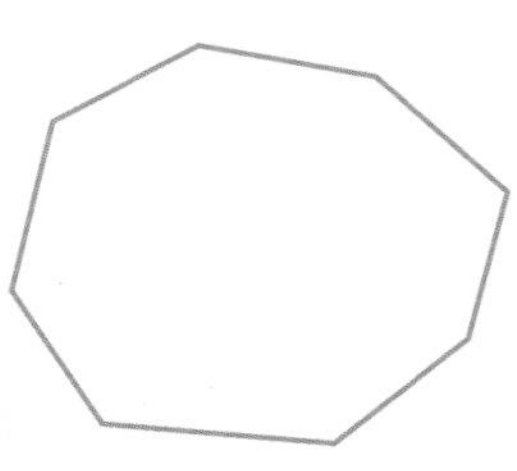

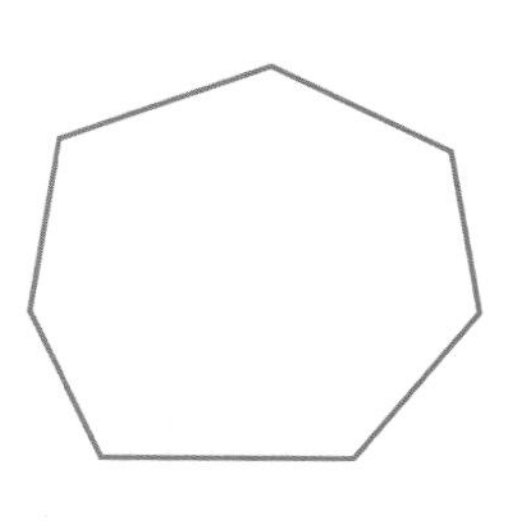

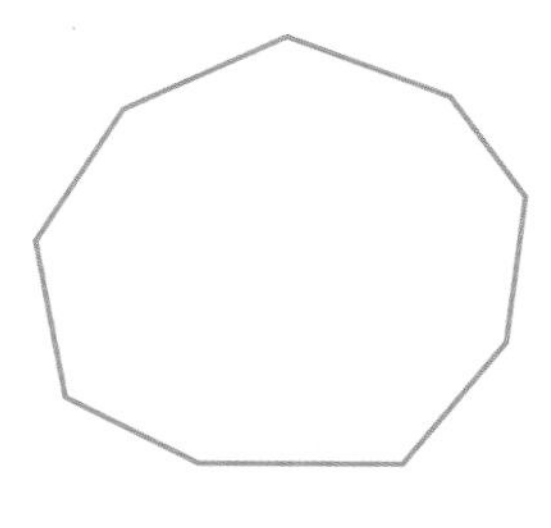

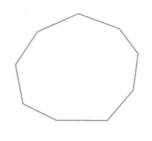

3 다각형을 보고 변의 수와 꼭짓점의 수를 구하시오.

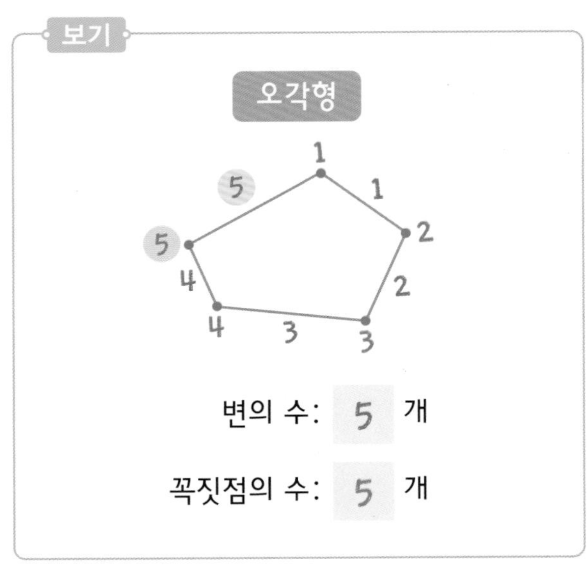

사각형

변의 수: 개

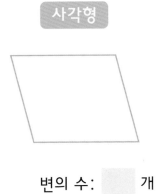

꼭짓점의 수: 개

삼각형

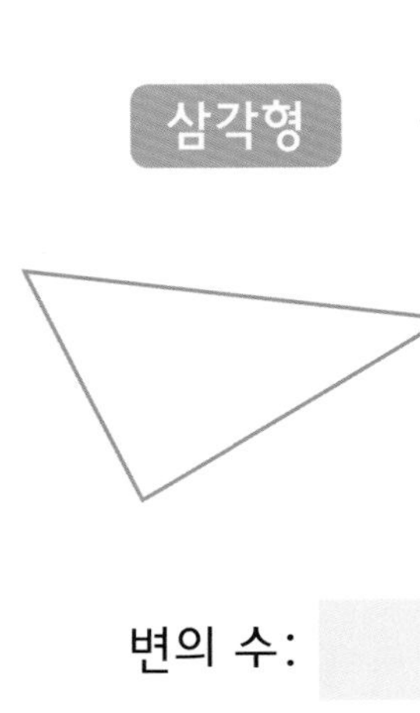

변의 수: 개

꼭짓점의 수: 개

칠각형

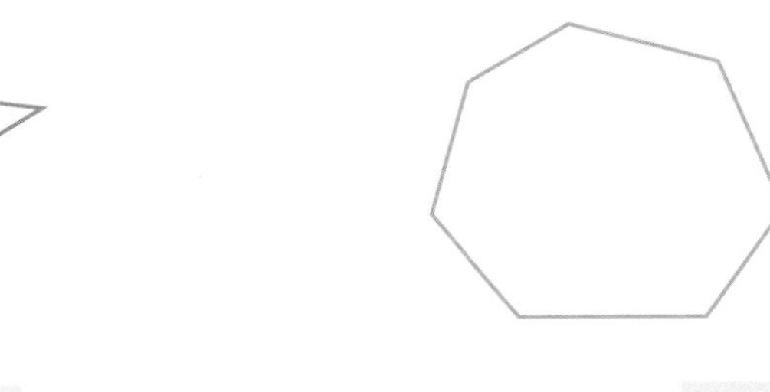

변의 수: 개

꼭짓점의 수: 개

육각형

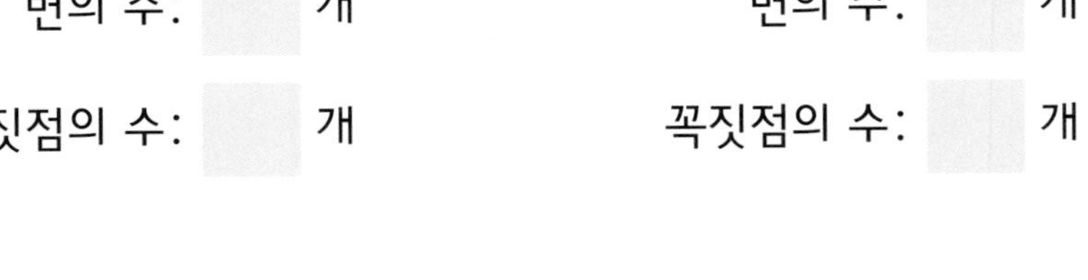

변의 수: 개

꼭짓점의 수: 개

팔각형

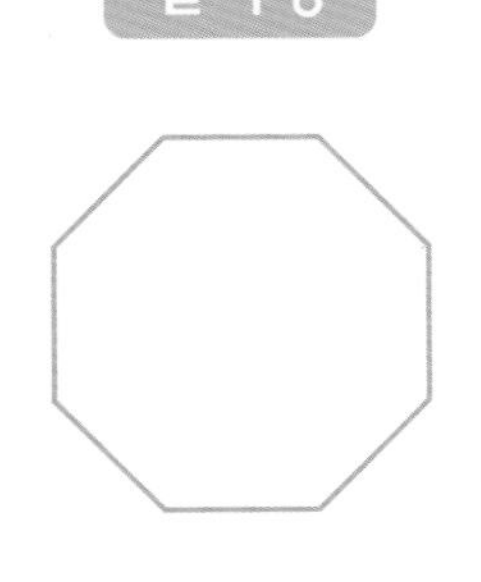

변의 수: 개

꼭짓점의 수: 개

십각형

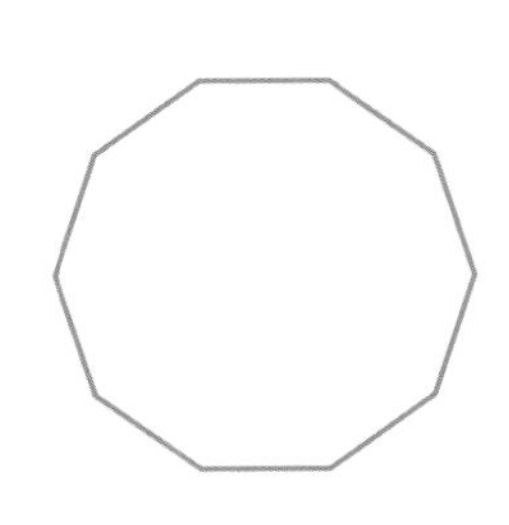

변의 수: 개

꼭짓점의 수: 개

구각형

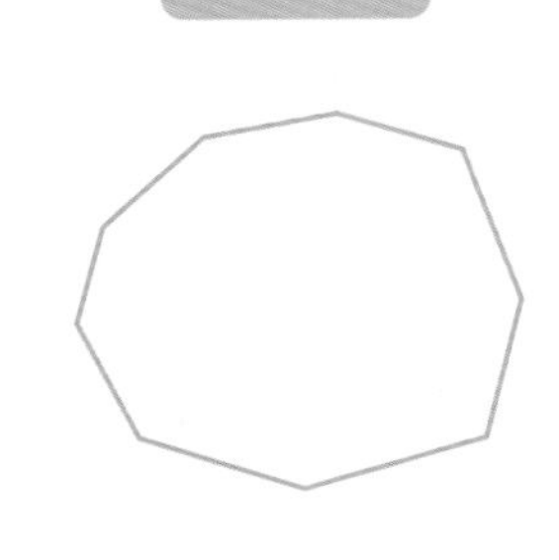

변의 수: 개

꼭짓점의 수: 개

4 주어진 다각형을 그려 보시오.

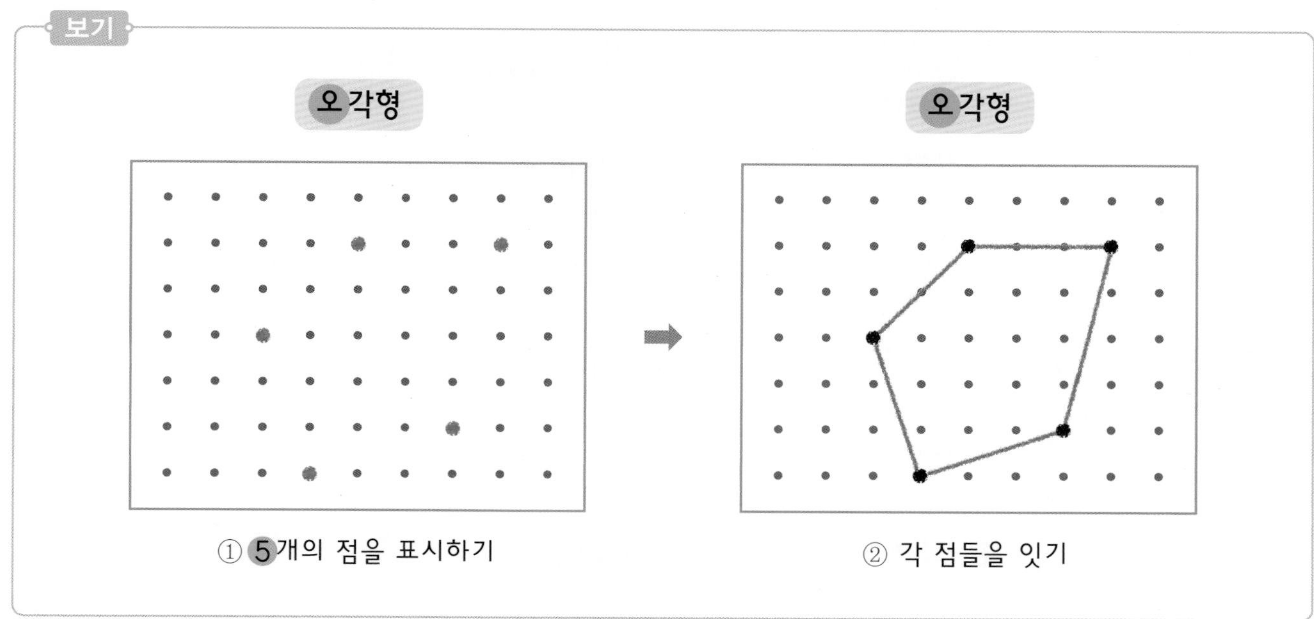

육각형

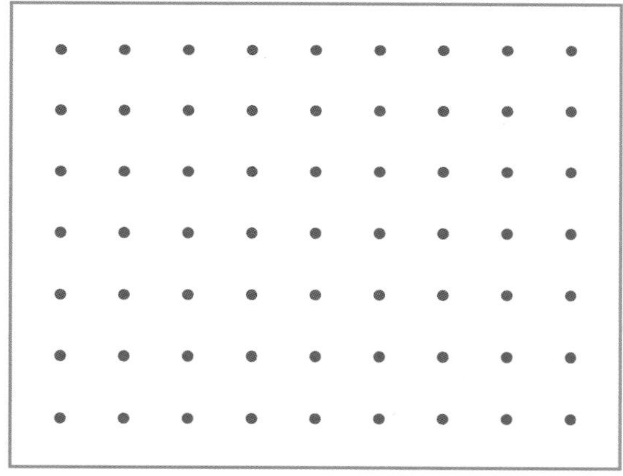

팔각형

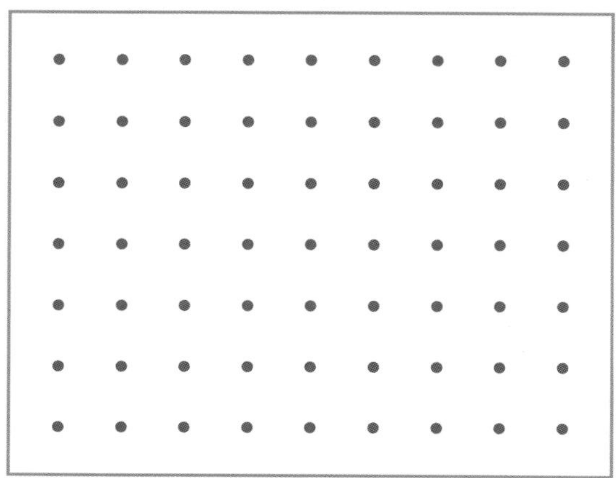

칠각형

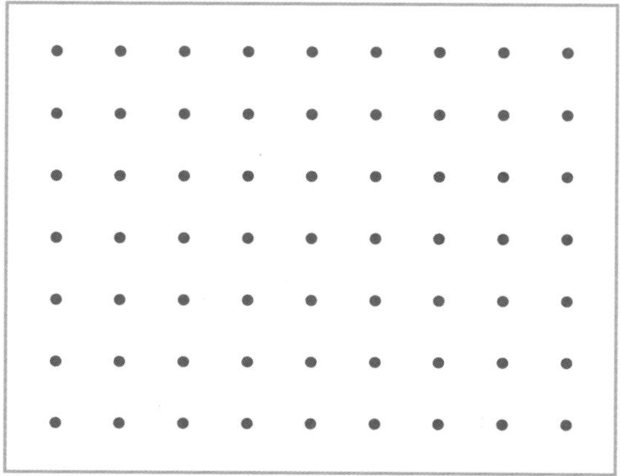

02 정다각형

정답 43쪽

● **정다각형**: **변의 길이**가 모두 같고, **각의 크기**가 모두 같은 다각형

정삼각형 정사각형 정오각형

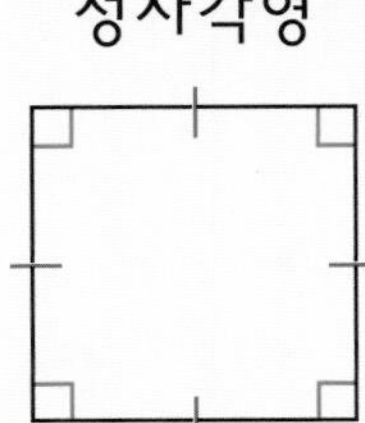

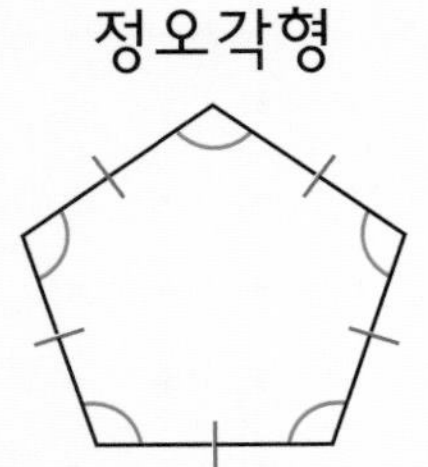

1 정다각형이면 ○표, 정다각형이 아니면 ×표 하시오.

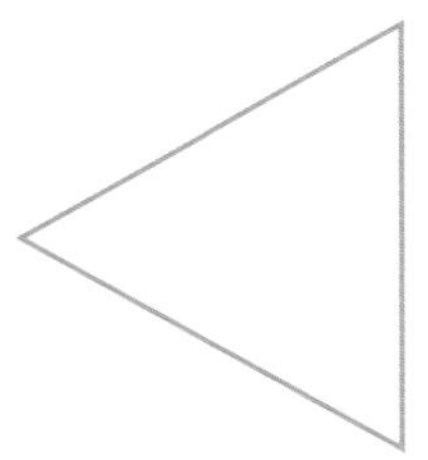

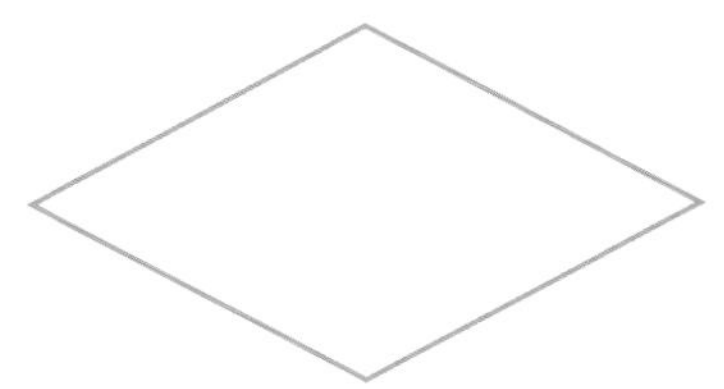

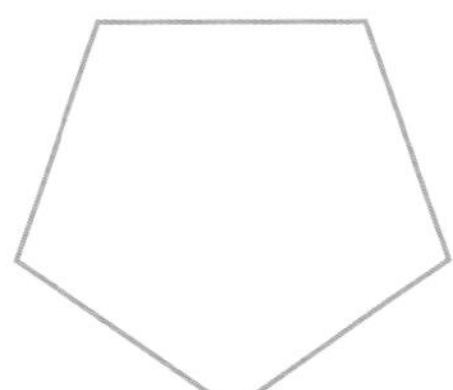

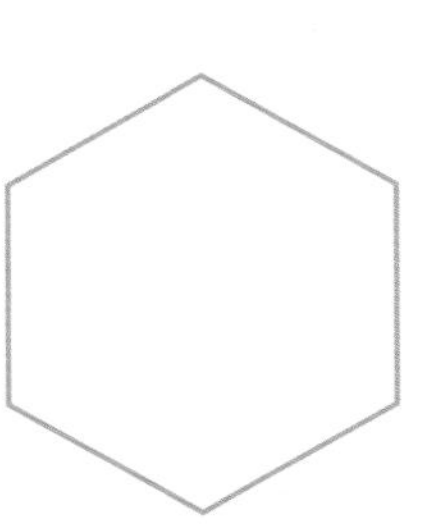

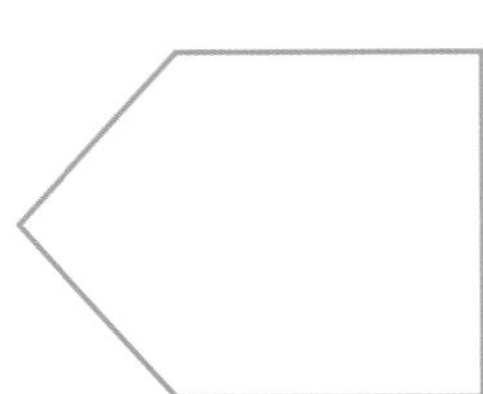

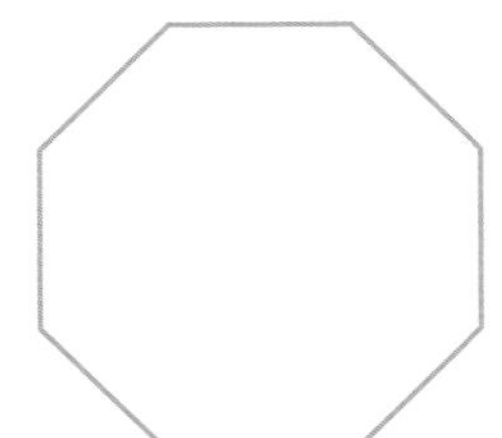

2 정다각형의 이름을 쓰시오.

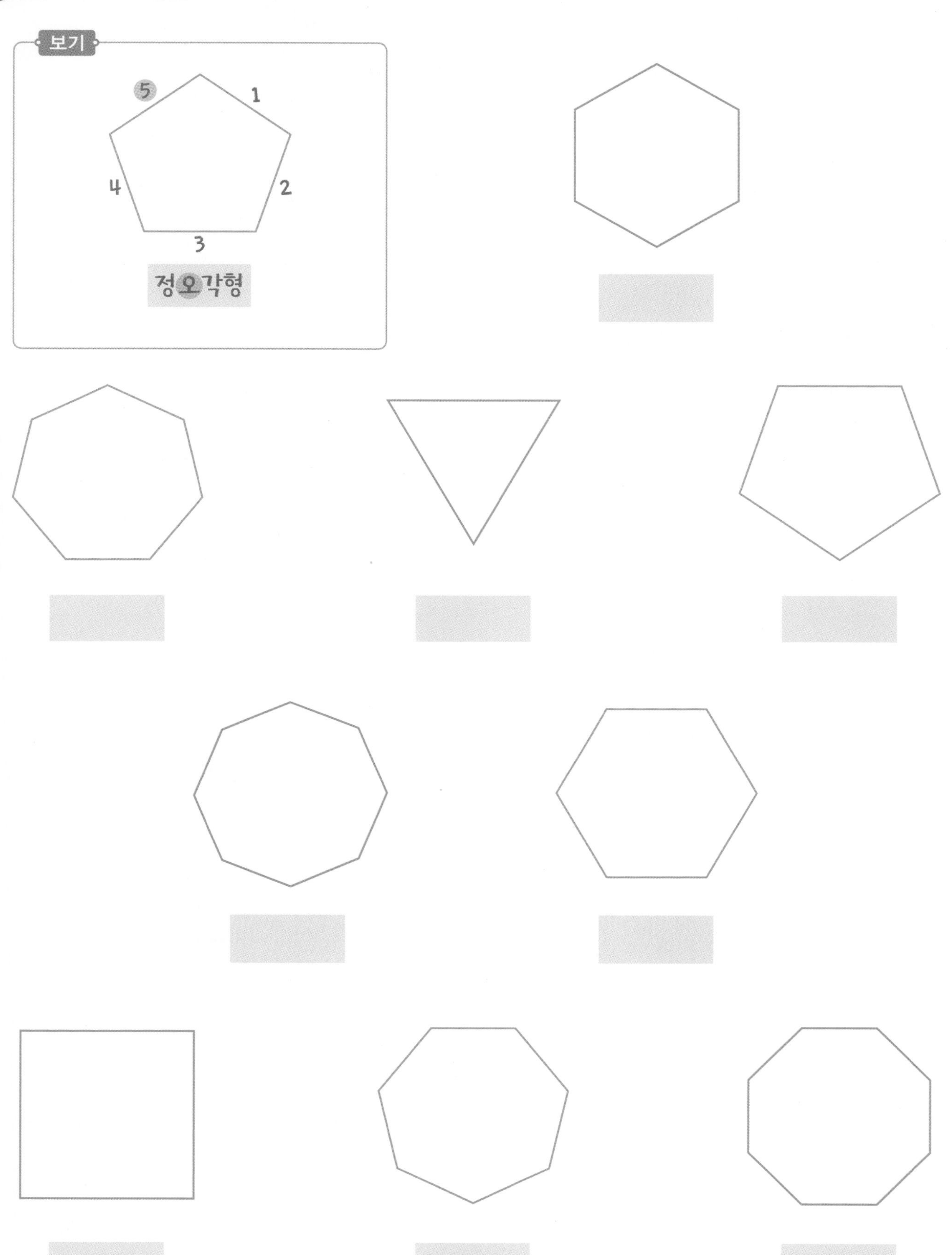

① 정다각형은 **변의 길이**가 모두 같습니다.

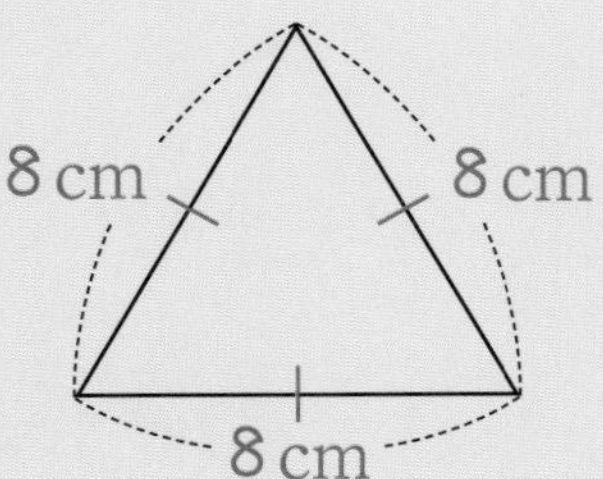

② 정다각형은 **각의 크기**가 모두 같습니다.

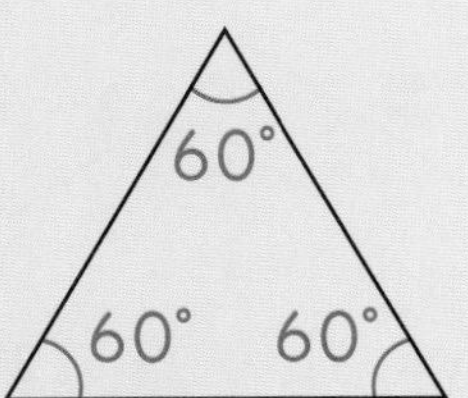

3 **정다각형입니다. ☐ 안에 알맞게 써넣으시오.**

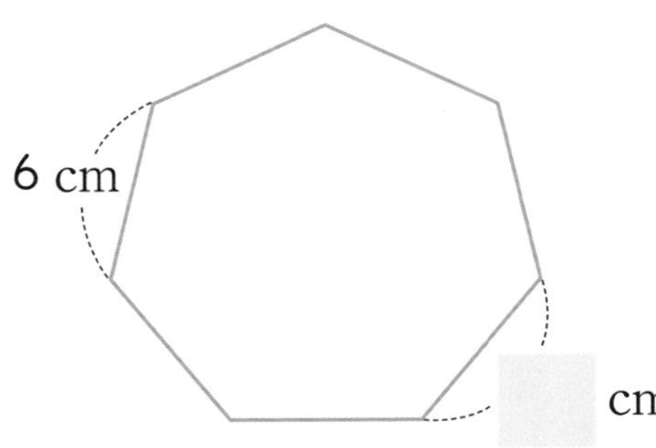

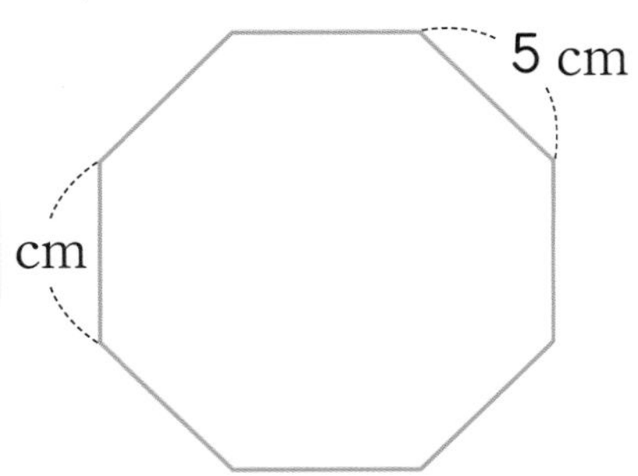

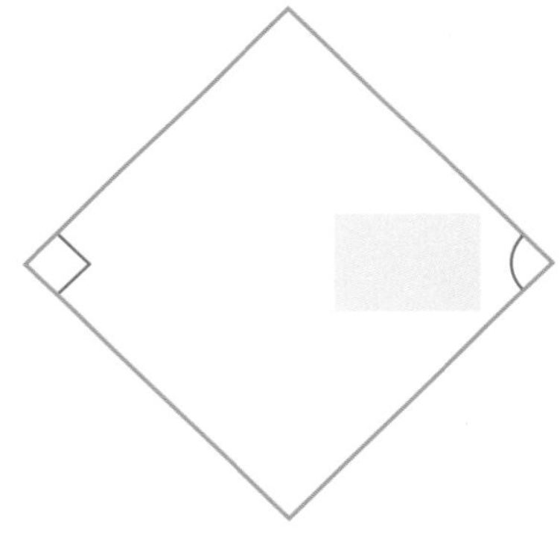

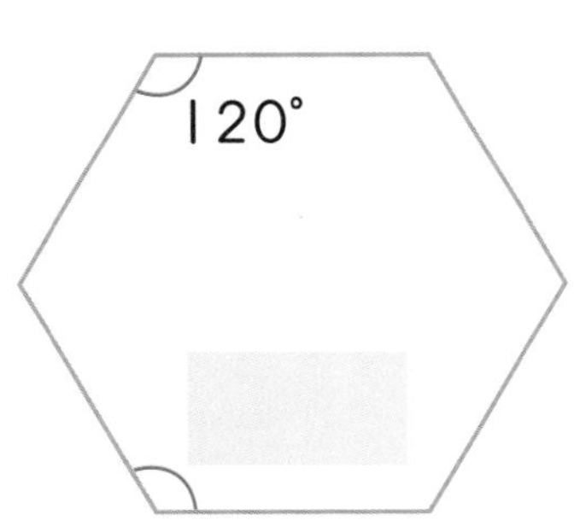

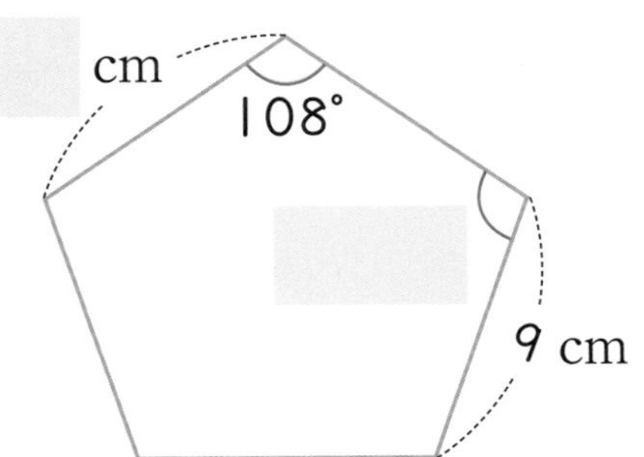

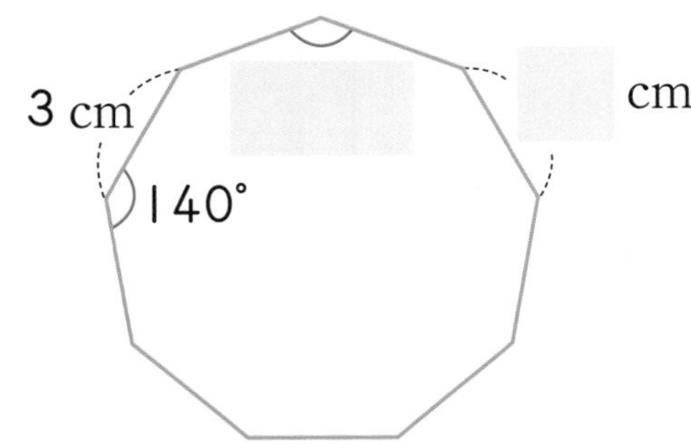

4 정다각형입니다. ☐ 안에 알맞게 써넣으시오.

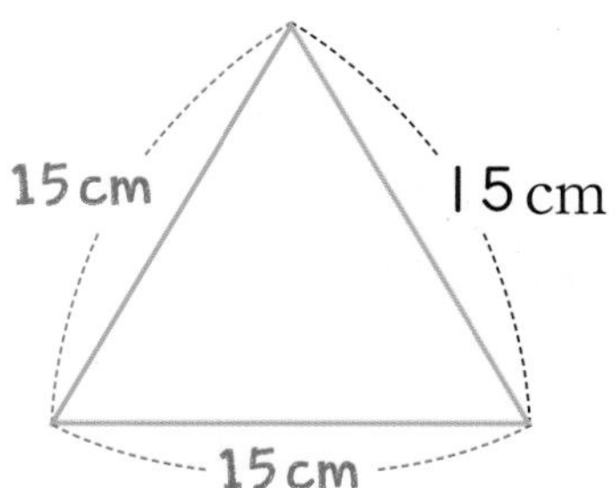

도형의 이름: 정삼각형

모든 변의 길이의 합: ☐ cm

↑
(한 변의 길이) × (변의 수)
15 × 3

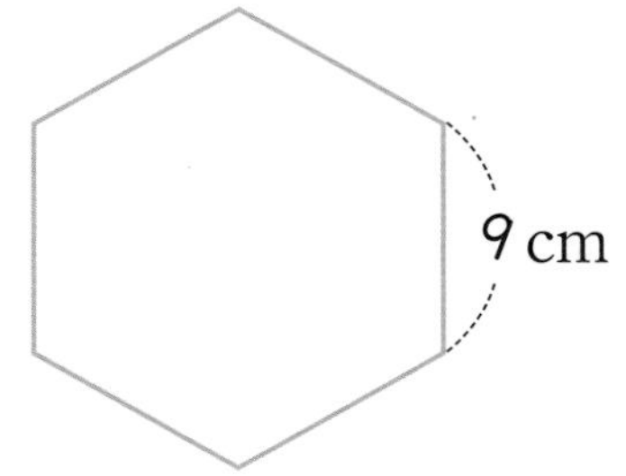

도형의 이름: ☐

모든 변의 길이의 합: ☐ cm

↑
(한 변의 길이) × (변의 수)

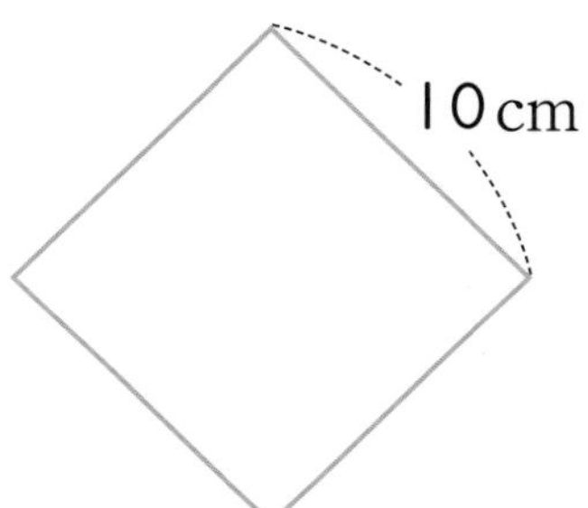

도형의 이름: ☐

모든 변의 길이의 합: ☐ cm

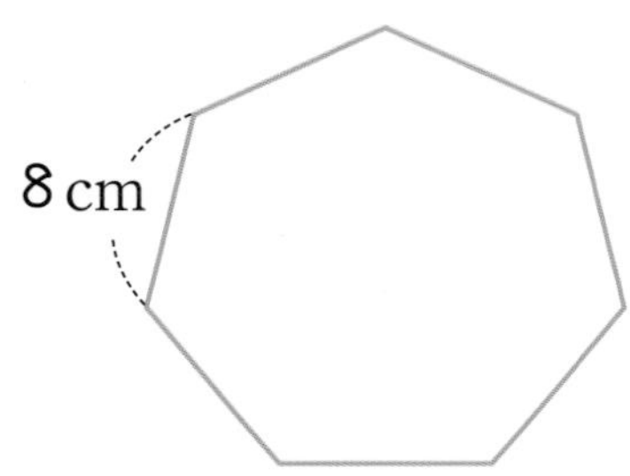

도형의 이름: ☐

모든 변의 길이의 합: ☐ cm

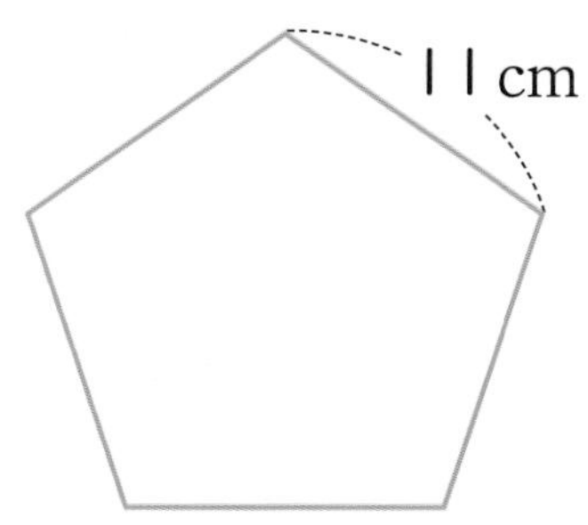

도형의 이름: ☐

모든 변의 길이의 합: ☐ cm

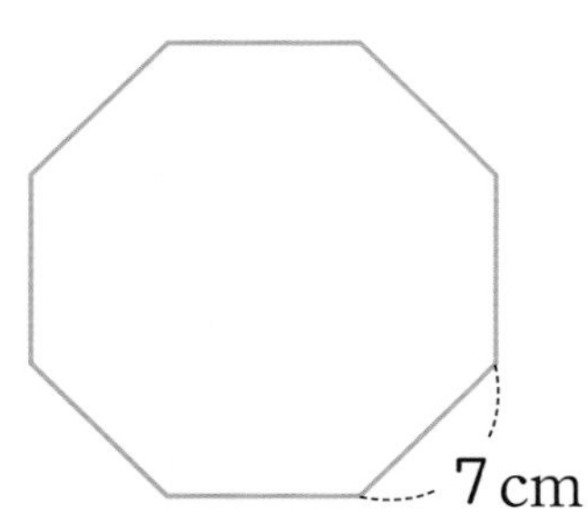

도형의 이름: ☐

모든 변의 길이의 합: ☐ cm

03 대각선

정답 44쪽

● **대각선**: 다각형에서 서로 이웃하지 않는 두 꼭짓점을 이은 선분

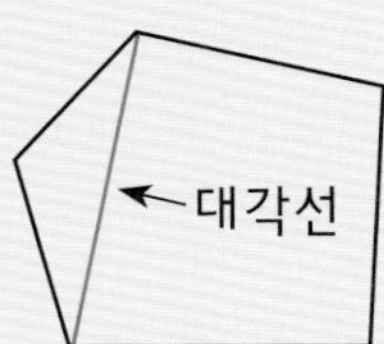

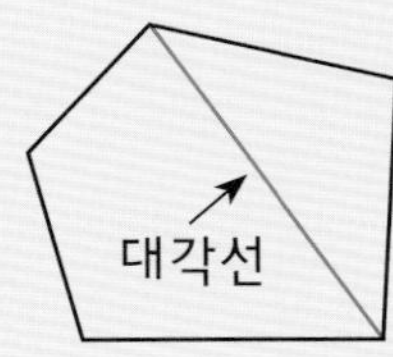

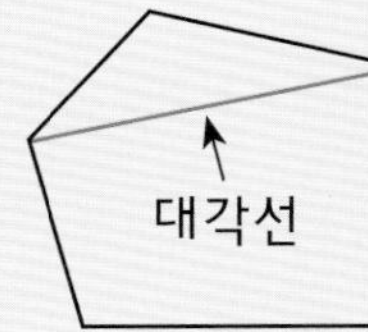

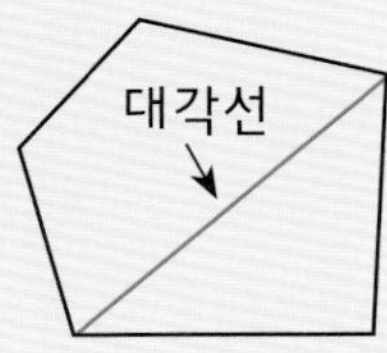

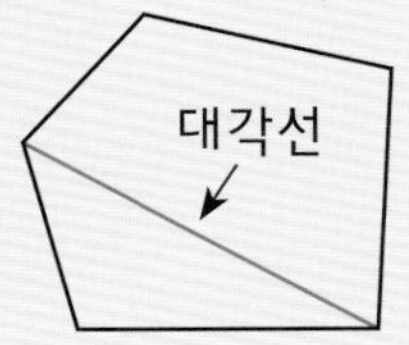

1 도형의 한 꼭짓점(●)에서 그을 수 있는 대각선을 모두 그어 보고, 대각선의 수를 구하시오.

준비물 자

보기

오각형

2 개

사각형

개

오각형

개

육각형

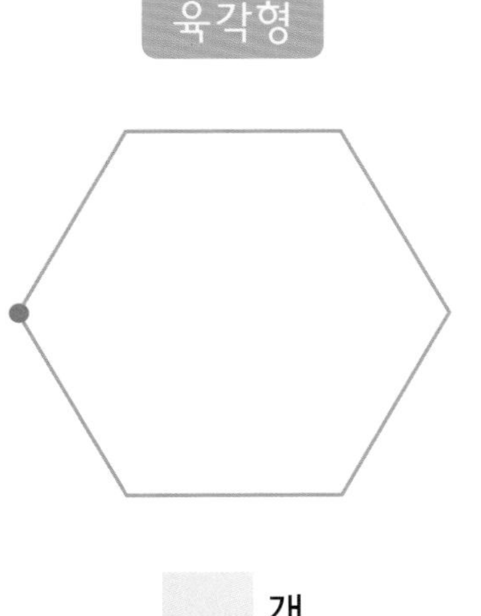

개

칠각형

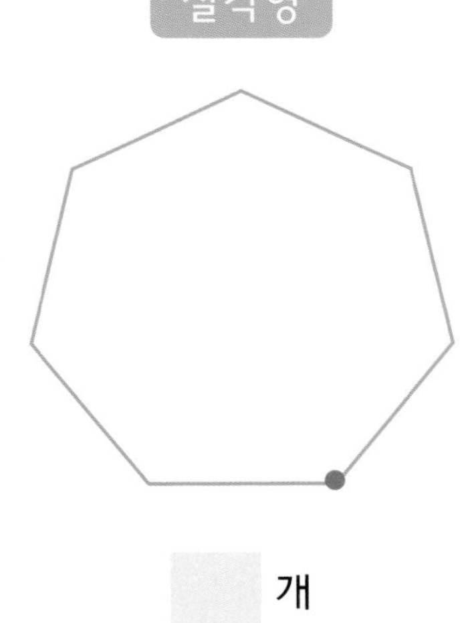

개

팔각형

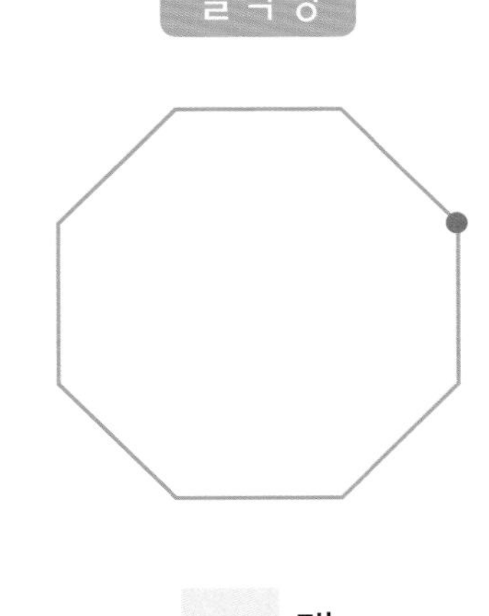

개

2 도형에 대각선을 모두 그어 보고, 그을 수 있는 대각선의 수를 구하시오. 

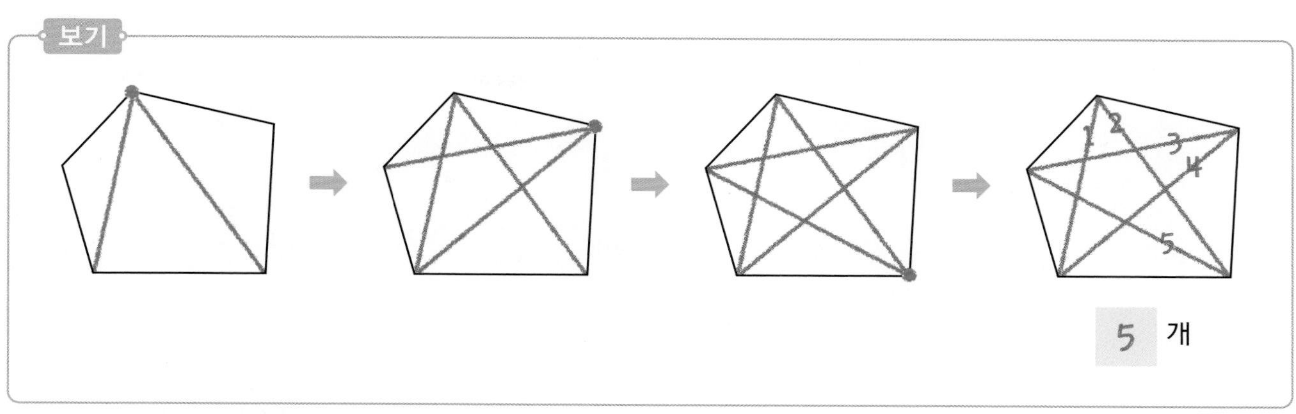

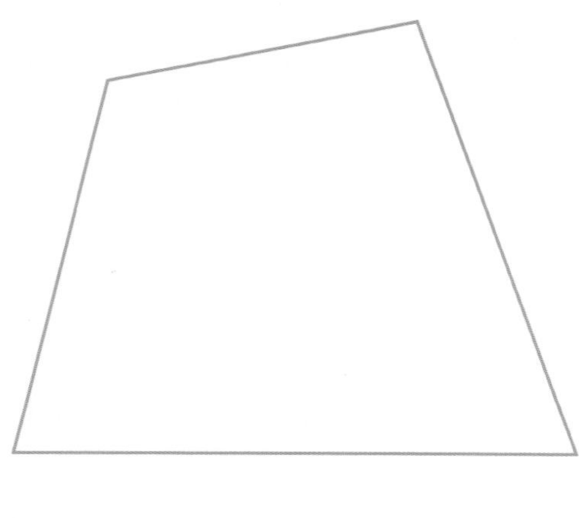

개

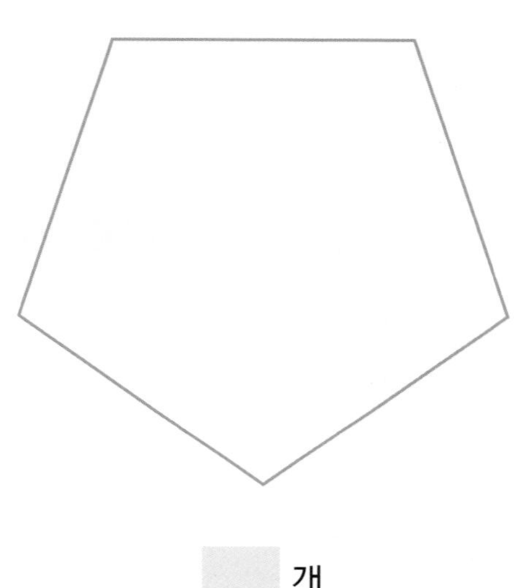

개

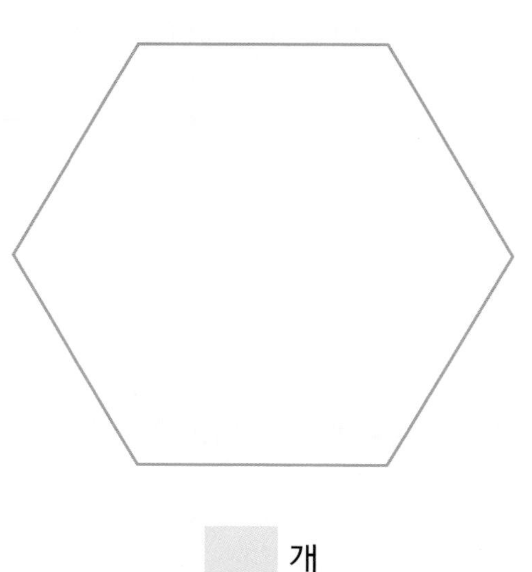

개

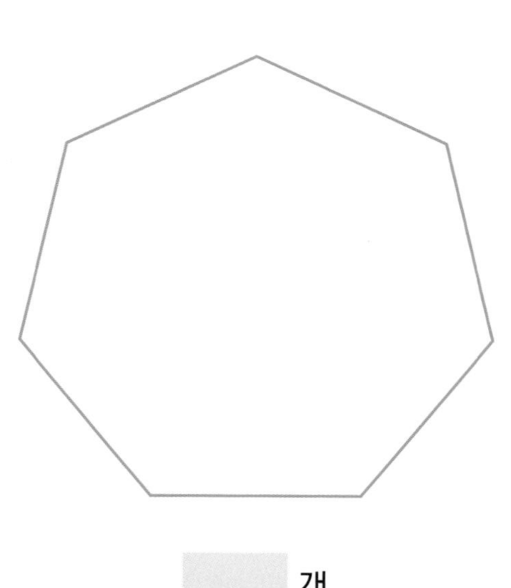

개

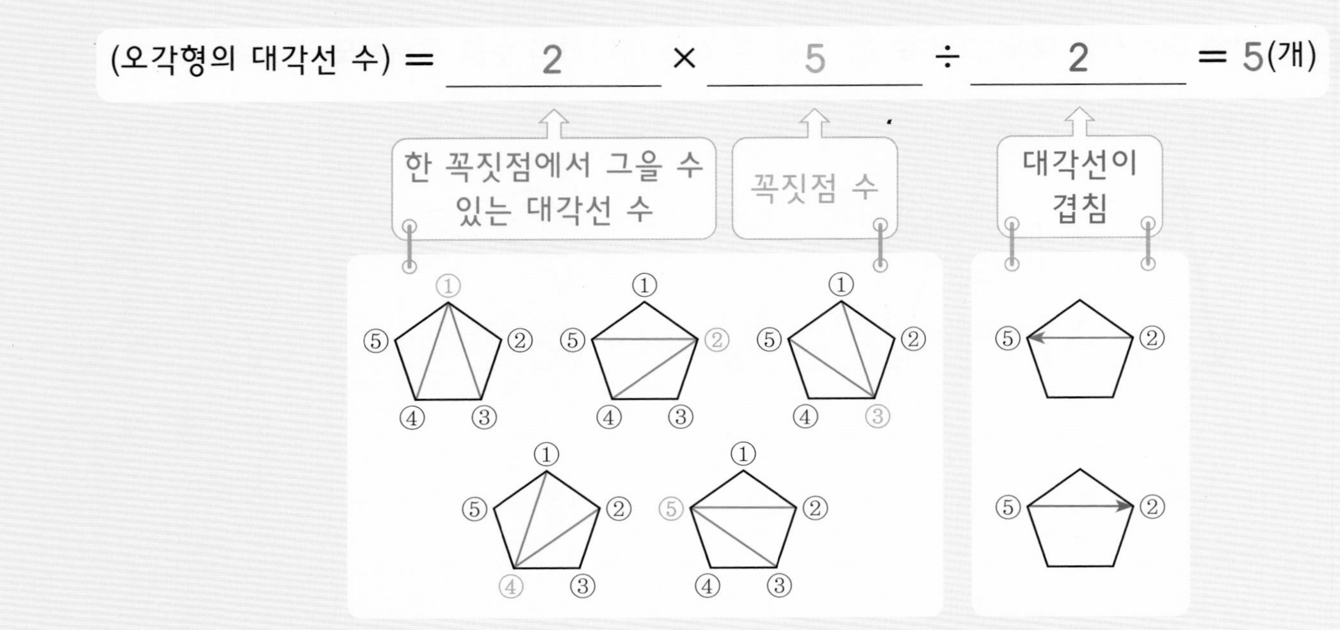

3 ▢ 안에 알맞은 수를 써넣으시오.

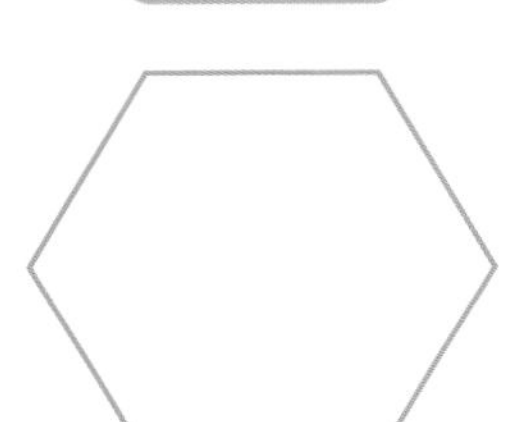

(육각형의 대각선 수)

=(한 꼭짓점에서 그을 수 있는 대각선 수)×(꼭짓점 수)÷2

= 3 × 6 ÷2

= ▢ (개)

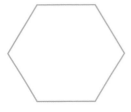

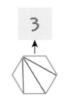

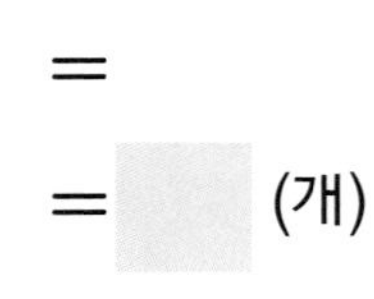

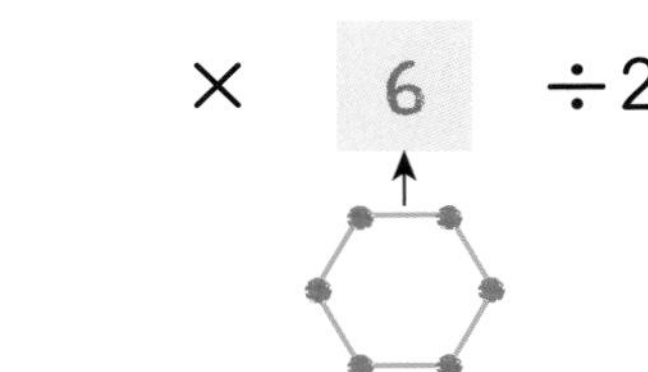

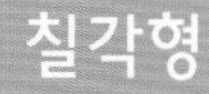

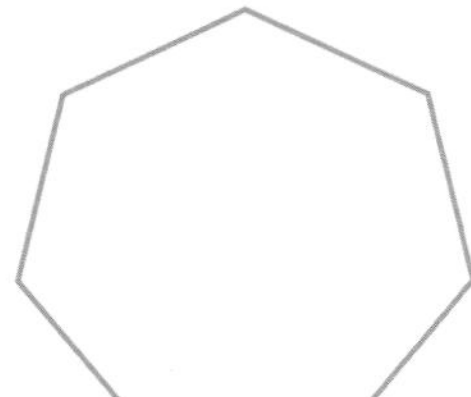

(칠각형의 대각선 수)

=(한 꼭짓점에서 그을 수 있는 대각선 수)×(꼭짓점 수)÷2

= ▢ × ▢ ÷2

= ▢ (개)

팔각형

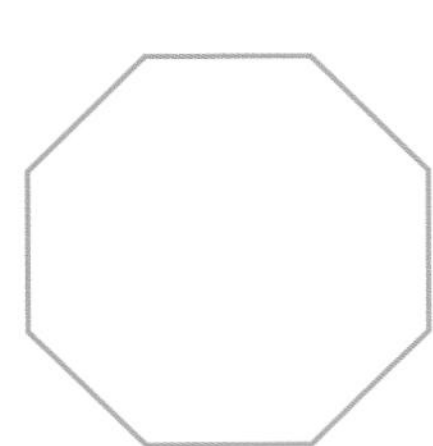

(팔각형의 대각선 수)

=(한 꼭짓점에서 그을 수 있는 대각선 수)×(꼭짓점 수)÷2

= ▢ × ▢ ÷2

= ▢ (개)

4 ▢ 안에 알맞은 수를 써넣으시오.

오각형

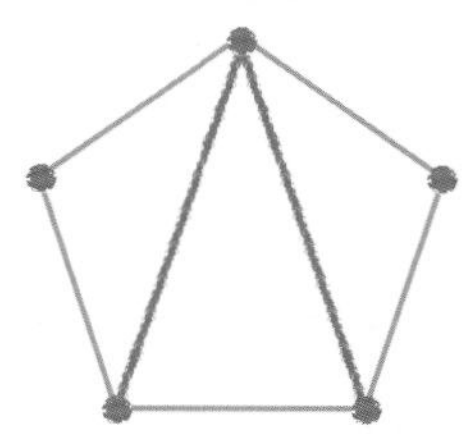

- 한 꼭짓점에서 그을 수 있는 대각선 수: 2 개
- 오각형의 대각선 수: ▢ 개

(한 꼭짓점에서 그을 수 있는 대각선 수) × (꼭짓점 수) ÷ 2
2 × 5 ÷ 2

팔각형

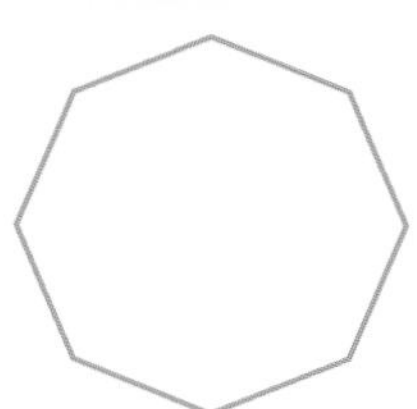

- 한 꼭짓점에서 그을 수 있는 대각선 수: ▢ 개
- 팔각형의 대각선 수: ▢ 개

육각형

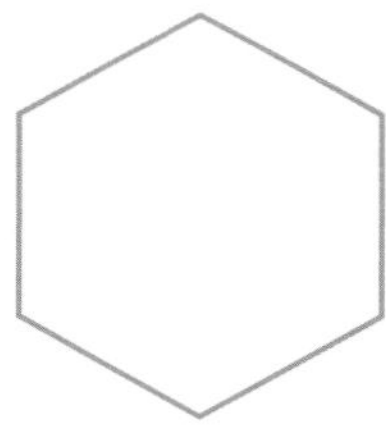

- 한 꼭짓점에서 그을 수 있는 대각선 수: ▢ 개
- 육각형의 대각선 수: ▢ 개

구각형

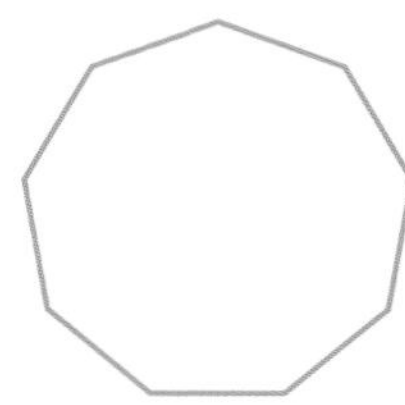

- 한 꼭짓점에서 그을 수 있는 대각선 수: ▢ 개
- 구각형의 대각선 수: ▢ 개

칠각형

- 한 꼭짓점에서 그을 수 있는 대각선 수: ▢ 개
- 칠각형의 대각선 수: ▢ 개

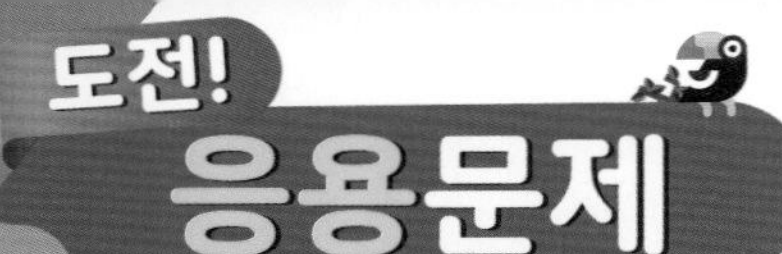

정답 45쪽

사각형의 대각선의 성질

① 두 대각선의 길이가 같습니다.

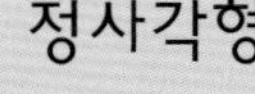

직사각형 정사각형

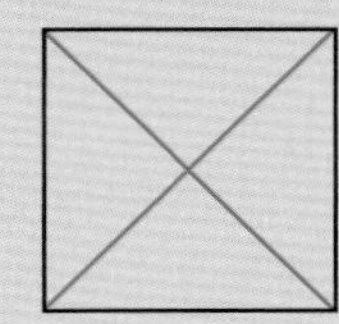

② 두 대각선이 서로 수직으로 만납니다.

마름모 정사각형

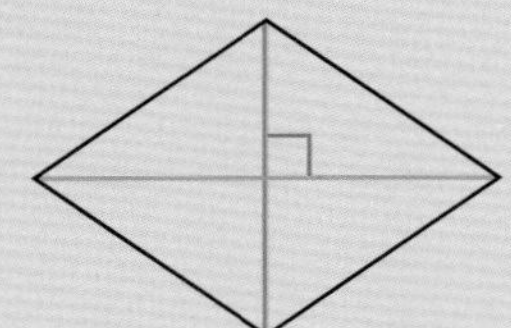
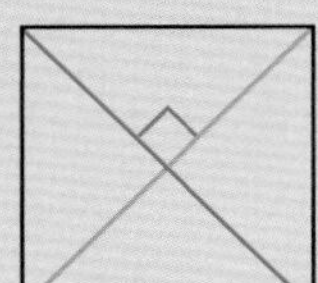

응용 1 도형을 보고 알맞은 말에 ◯표 하시오.

직사각형

- 두 대각선의 길이가 (같습니다 , 다릅니다).
- 두 대각선이 서로 수직으로 (만납니다 , 만나지 않습니다).

마름모

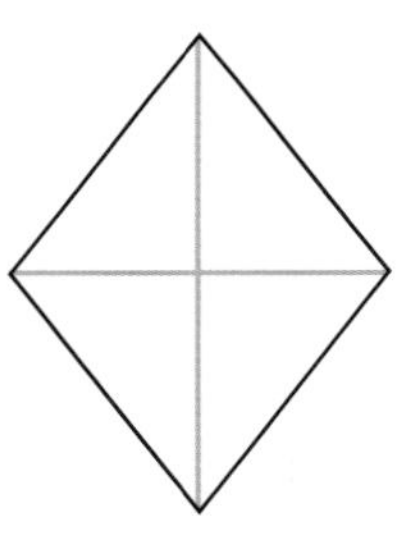

- 두 대각선의 길이가 (같습니다 , 다릅니다).
- 두 대각선이 서로 수직으로 (만납니다 , 만나지 않습니다).

정사각형

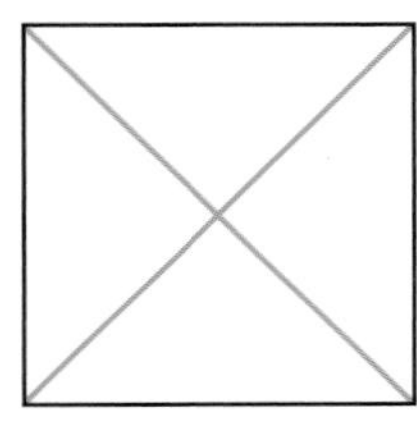

- 두 대각선의 길이가 (같습니다 , 다릅니다).
- 두 대각선이 서로 수직으로 (만납니다 , 만나지 않습니다).

응용 ② 사각형의 이름을 쓰고, ☐ 안에 알맞은 기호를 써넣으시오.

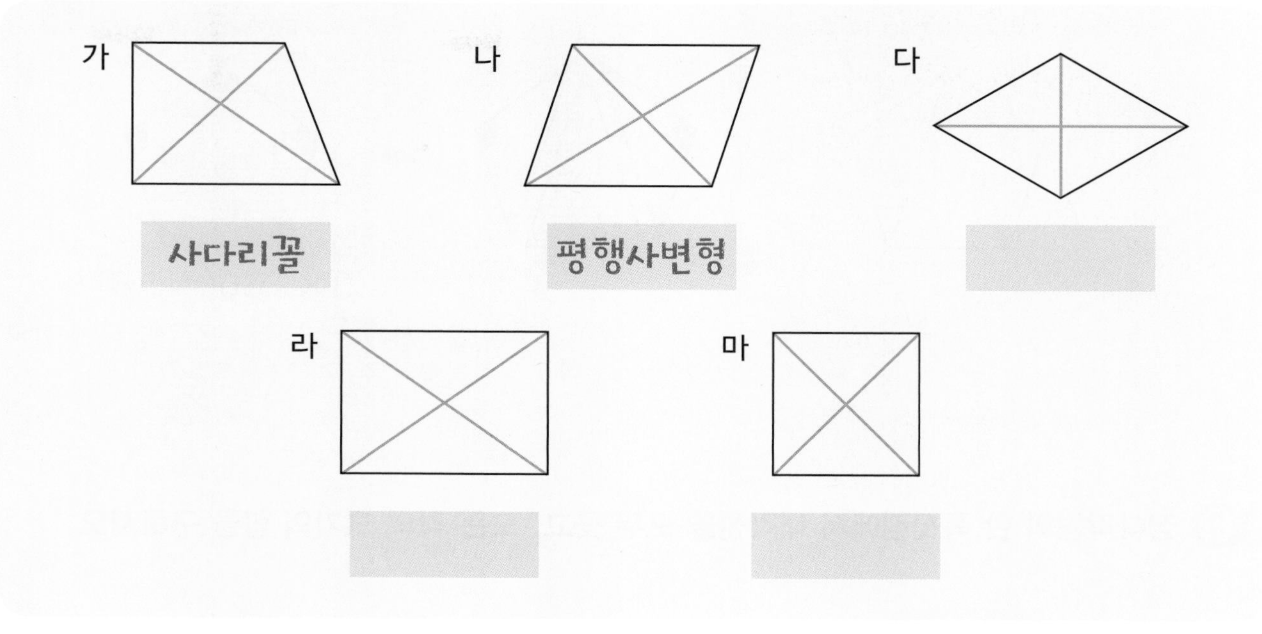

- 두 대각선의 길이가 같은 사각형 ➡ ☐, ☐
- 두 대각선이 서로 수직으로 만나는 사각형 ➡ ☐, ☐

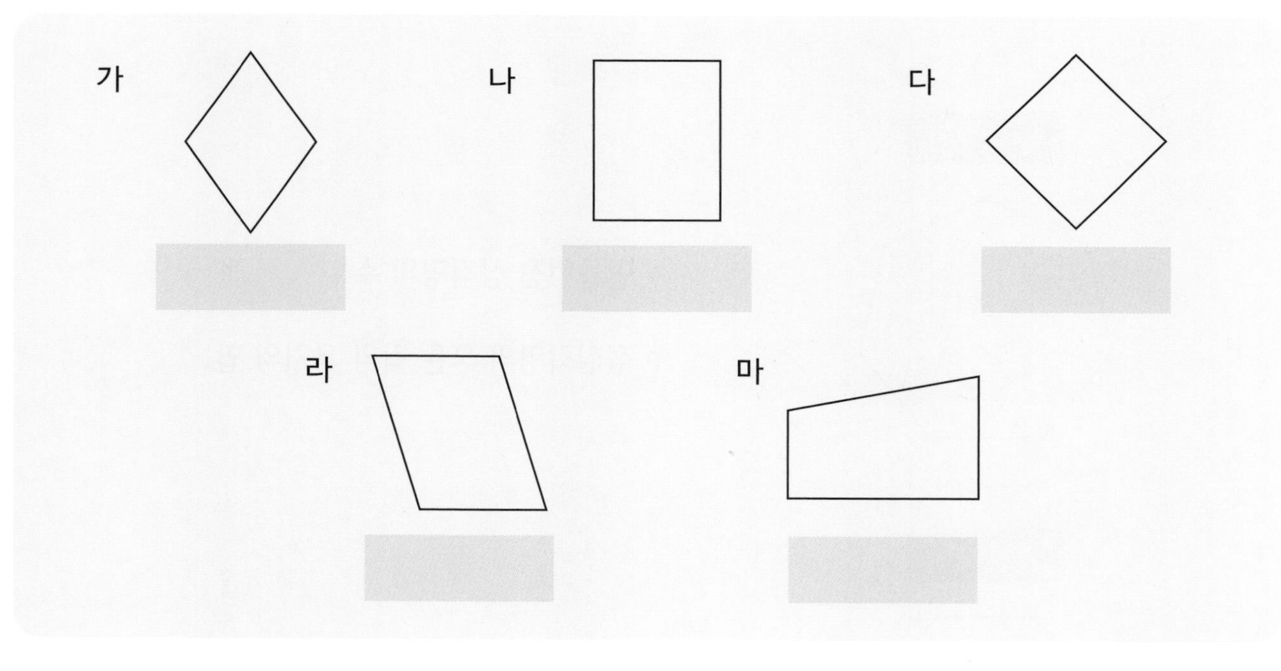

- 두 대각선의 길이가 같은 사각형 ➡ ☐, ☐
- 두 대각선이 서로 수직으로 만나는 사각형 ➡ ☐, ☐

- 정오각형의 모든 각의 크기의 합 구하기

한 꼭짓점에서 대각선 모두 긋기 → 모든 각의 크기의 합 구하기

$3 \times 180° = 540°$

만들어진 삼각형의 수 / 삼각형의 세 각의 크기의 합

응용 3 정다각형의 한 꼭짓점에서 대각선을 모두 긋고, 모든 각의 크기의 합을 구하시오.

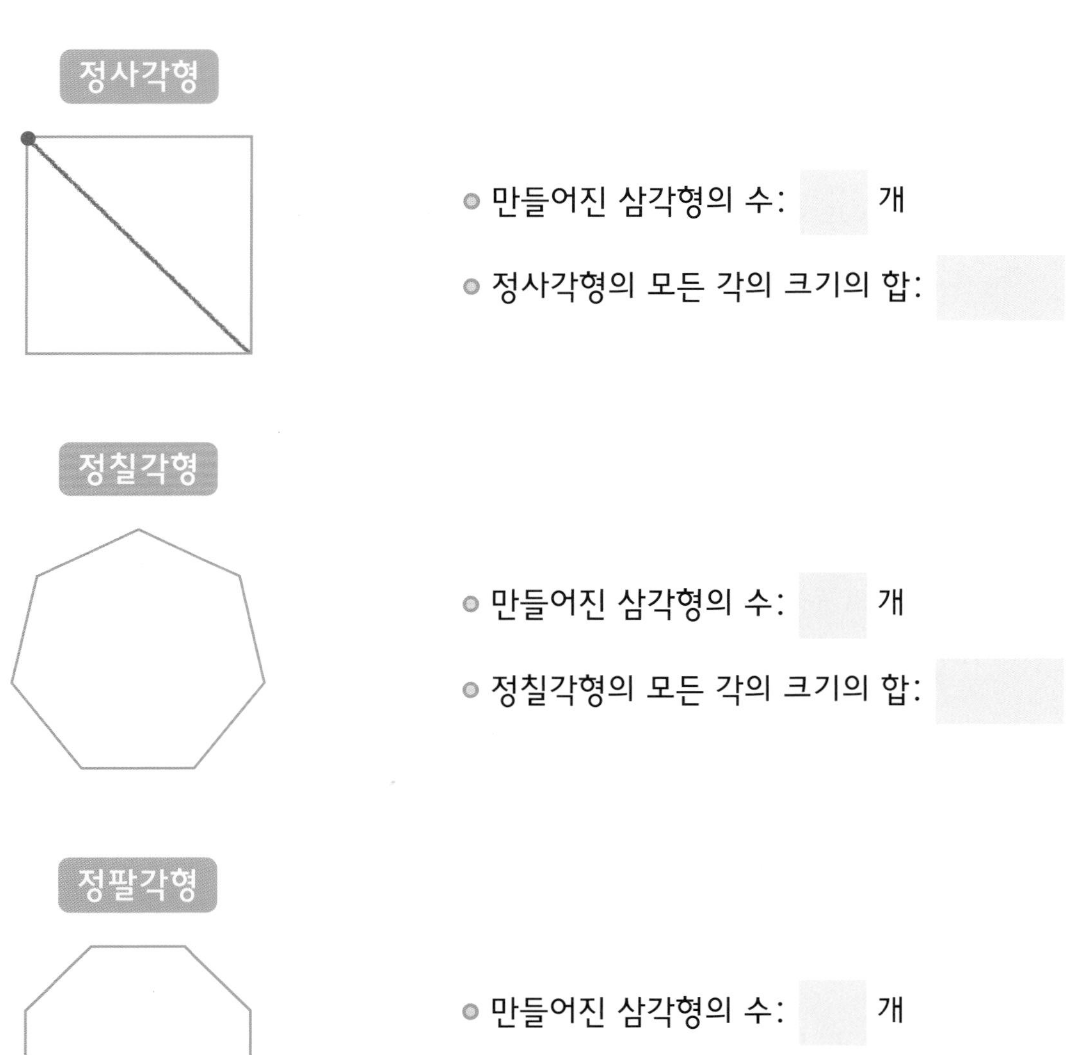

정사각형

- 만들어진 삼각형의 수: [ ] 개
- 정사각형의 모든 각의 크기의 합: [ ]

정칠각형

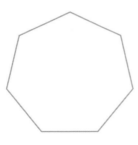

- 만들어진 삼각형의 수: [ ] 개
- 정칠각형의 모든 각의 크기의 합: [ ]

정팔각형

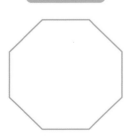

- 만들어진 삼각형의 수: [ ] 개
- 정팔각형의 모든 각의 크기의 합: [ ]

응용 ④ 정다각형의 한 꼭짓점에서 대각선을 모두 긋고, 한 각의 크기를 구하시오.

정육각형

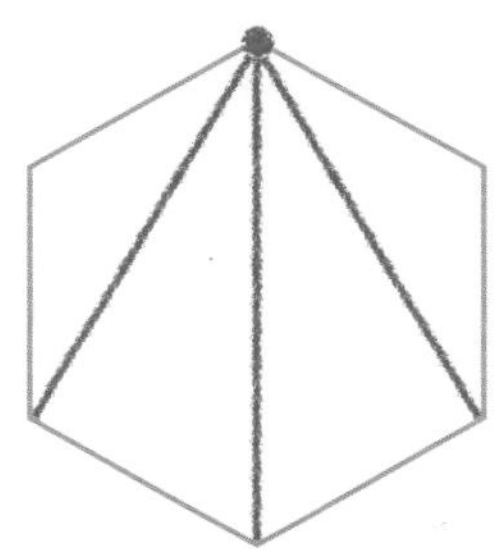

- 만들어진 삼각형의 수: 4 개
- 정육각형의 모든 각의 크기의 합:
- 정육각형의 한 각의 크기:

정구각형

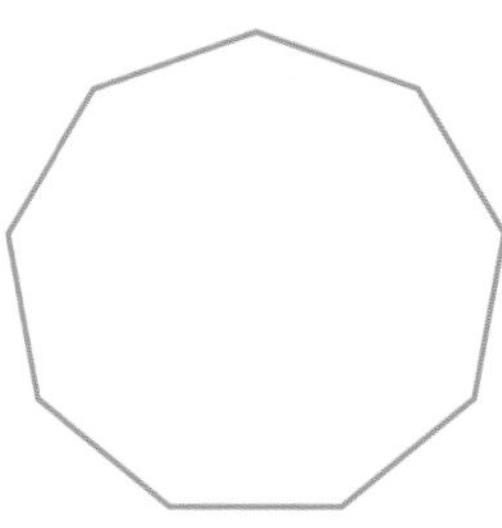

- 만들어진 삼각형의 수: 개
- 정구각형의 모든 각의 크기의 합:
- 정구각형의 한 각의 크기:

정십각형

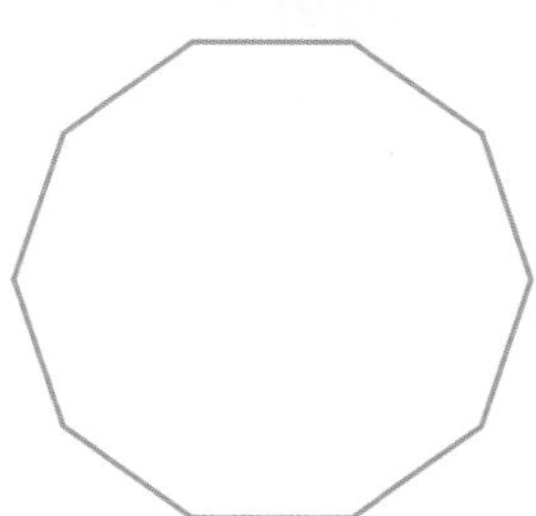

- 만들어진 삼각형의 수: 개
- 정십각형의 모든 각의 크기의 합:
- 정십각형의 한 각의 크기:

형성평가

정답 46쪽 걸린 시간: 분 점 수: 점

01 그림에 대한 설명이 맞으면 ○표, 틀리면 ×표 하고, 알맞은 말에 ◯표 하시오.

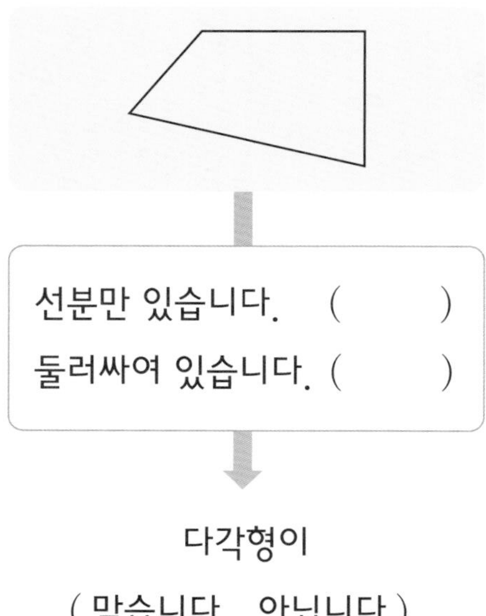

선분만 있습니다. (　　)
둘러싸여 있습니다. (　　)

다각형이
(맞습니다 , 아닙니다).

[02~03] 다각형의 이름을 쓰시오.

02

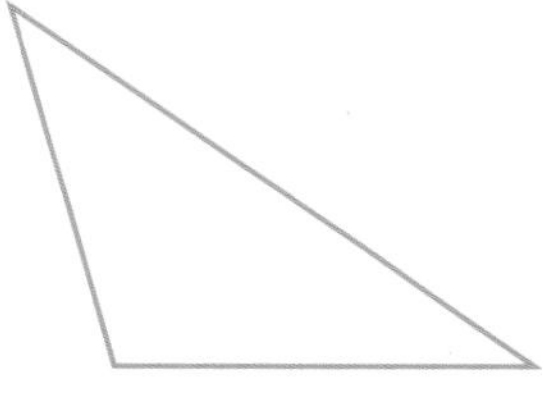

03

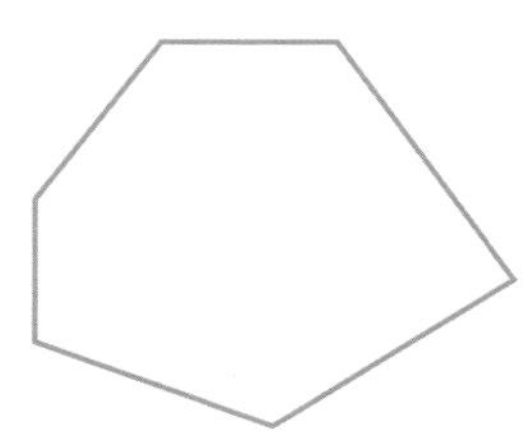

[04~05] 다각형을 보고 변의 수와 꼭짓점의 수를 구하시오.

04

오각형

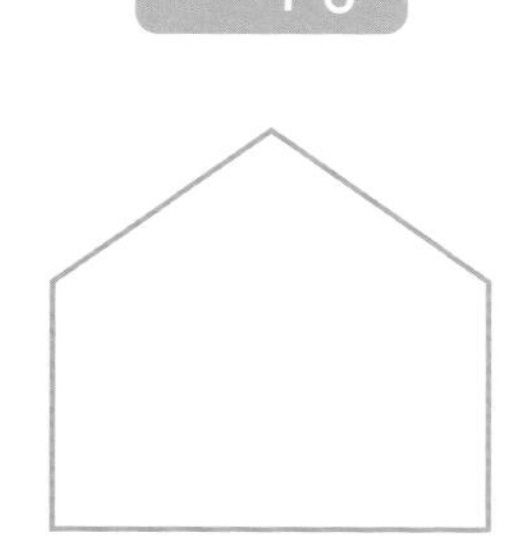

변의 수: 　개

꼭짓점의 수: 　개

05

팔각형

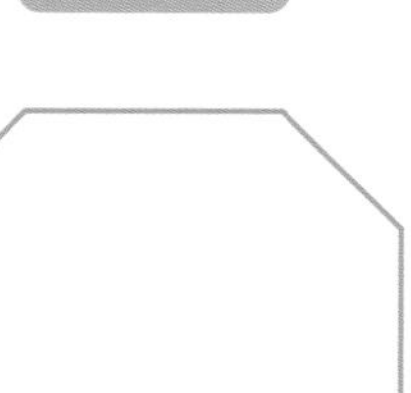

변의 수: 　개

꼭짓점의 수: 　개

[06~07] 주어진 다각형을 그려 보시오.

06 육각형

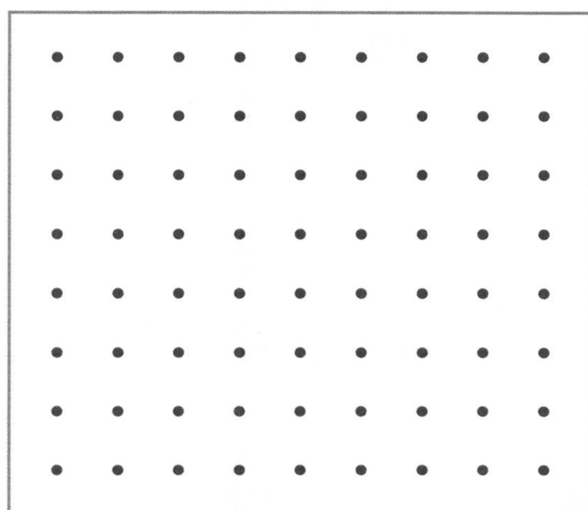

07 칠각형

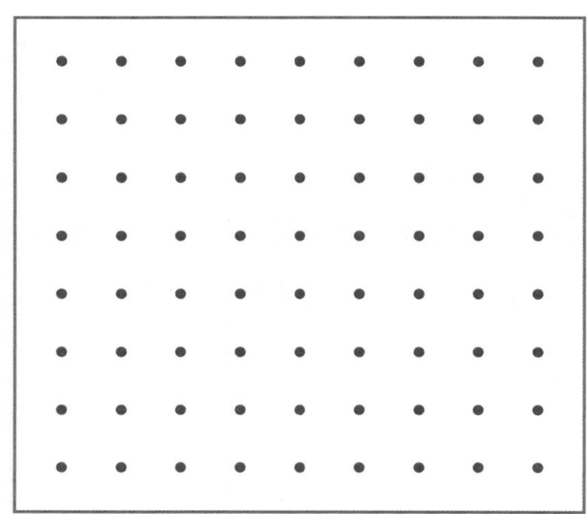

08 정다각형이면 ○표, 정다각형이 아니면 ╳표 하시오.

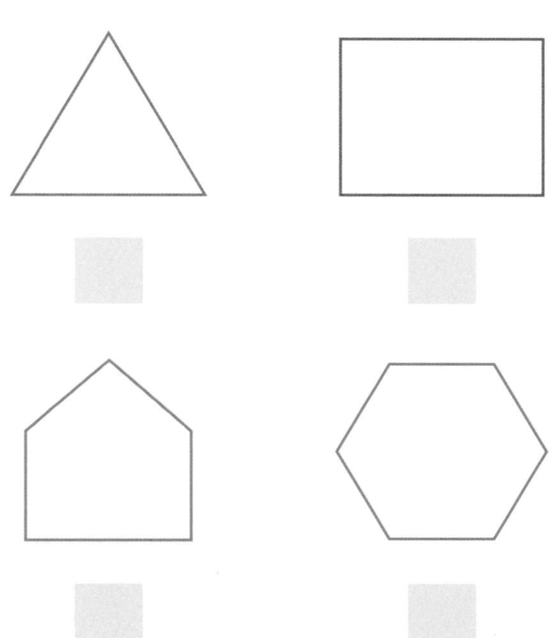

[09~10] 정다각형의 이름을 쓰시오.

09

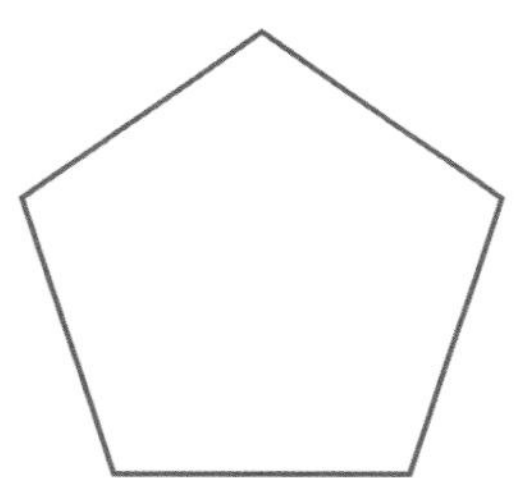

10

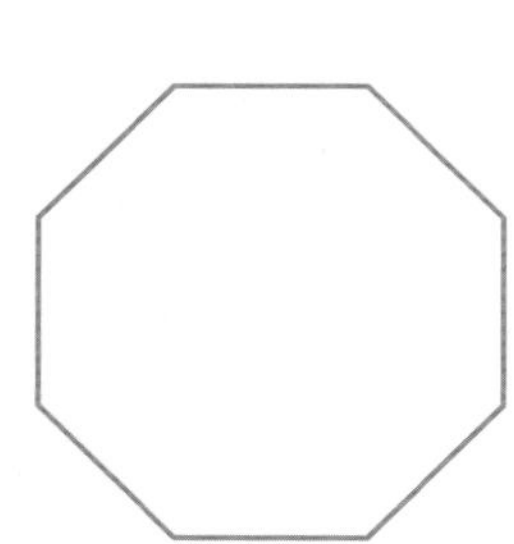

11 정다각형입니다. ▒ 안에 알맞은 수를 써넣으시오.

(1)

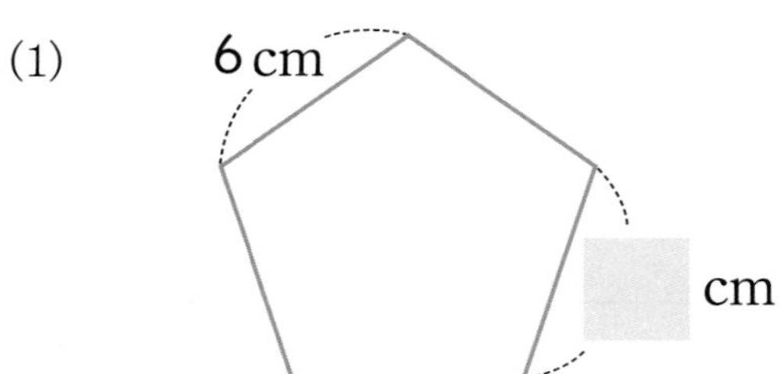

(2)

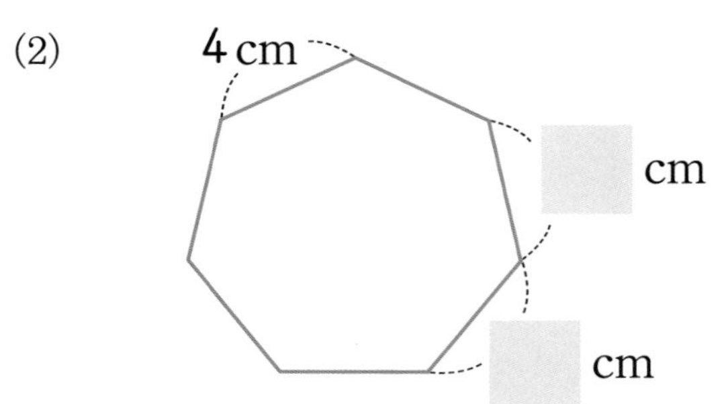

12 정다각형입니다. ▒ 안에 알맞게 써넣으시오.

(1)

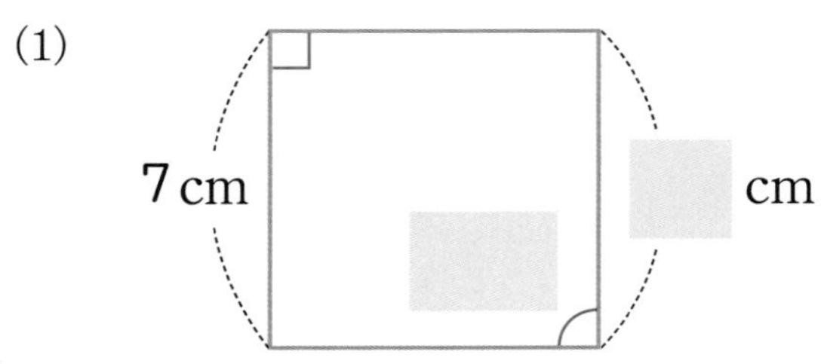

(2)

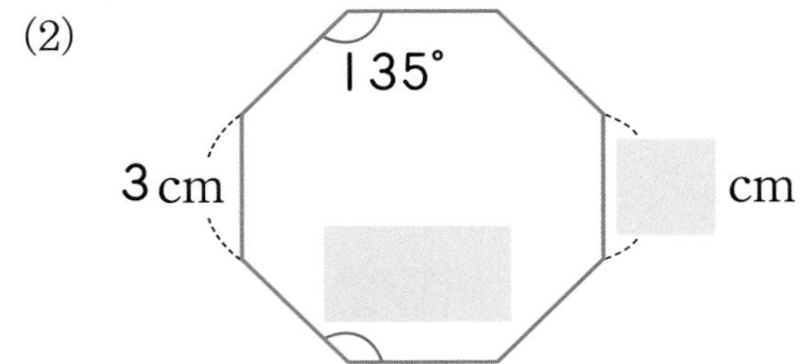

[13~14] 정다각형입니다. ▒ 안에 알맞게 써넣으시오.

13

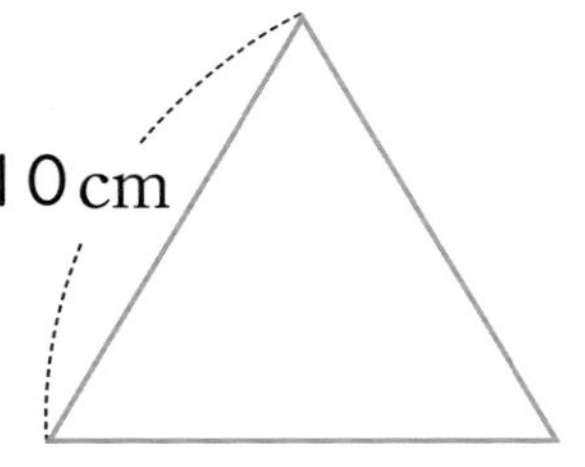

도형의 이름: ▒

모든 변의 길이의 합: ▒ cm

14

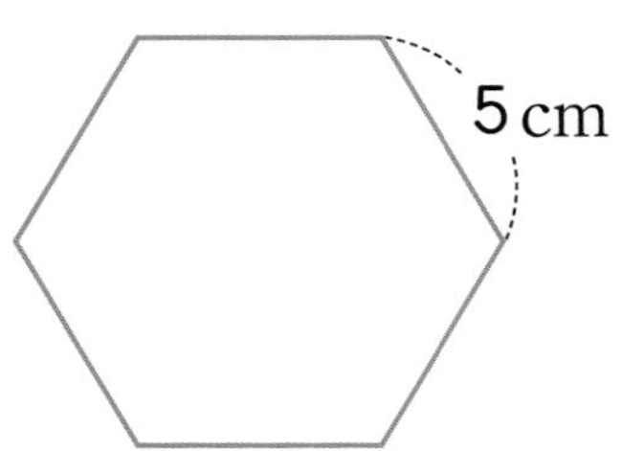

도형의 이름: ▒

모든 변의 길이의 합: ▒ cm

15 도형의 한 꼭짓점(●)에서 그을 수 있는 대각선을 모두 그어 보시오.

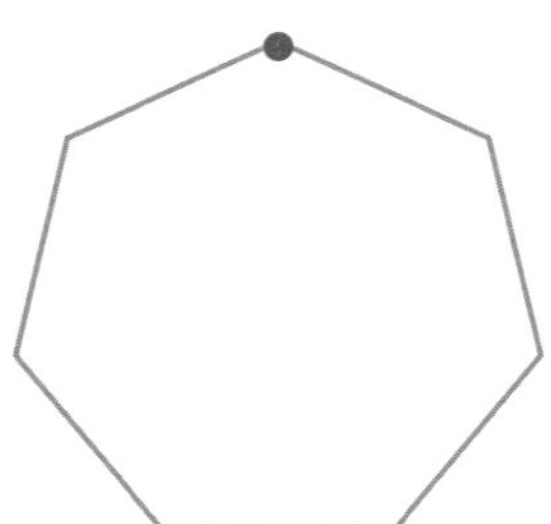

[16~18] 도형에 대각선을 모두 그어 보고, 그을 수 있는 대각선의 수를 구하시오.

16

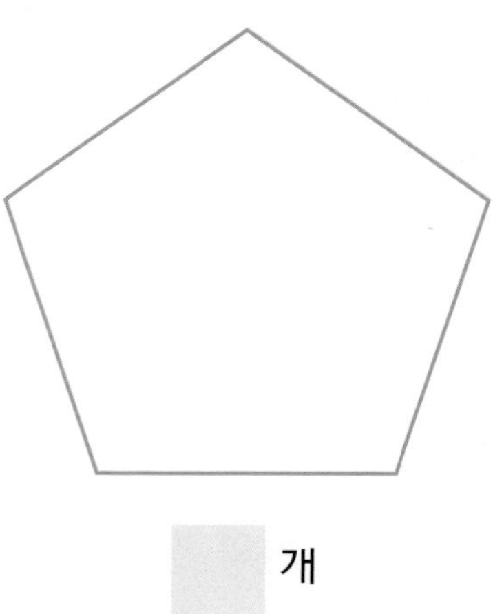

☐ 개

17

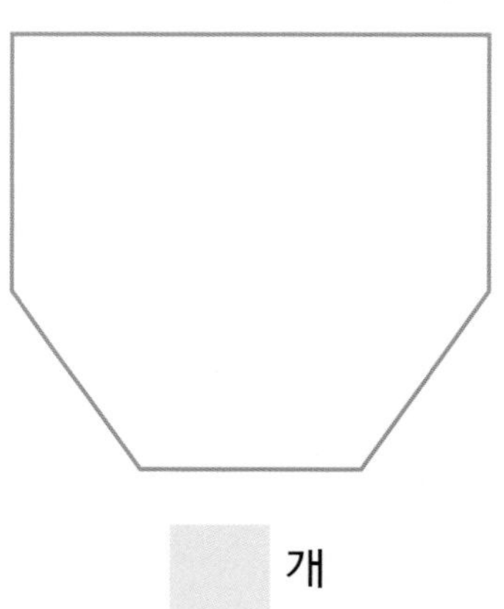

☐ 개

18

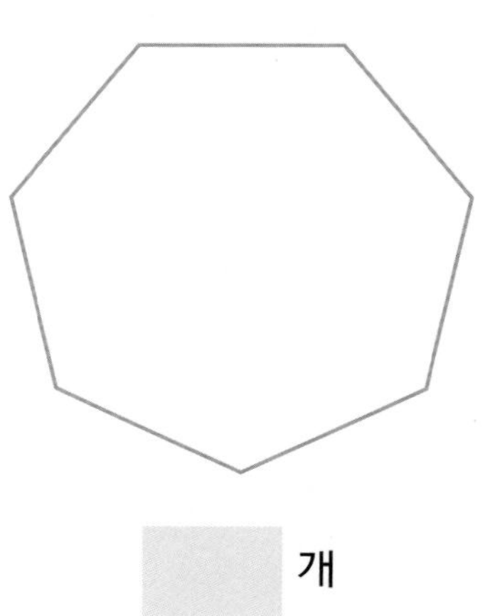

☐ 개

[19~20] ☐ 안에 알맞은 수를 써넣으시오.

19

오각형

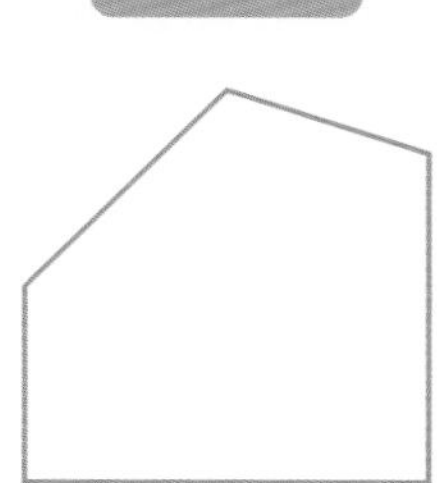

(오각형의 대각선 수)
=(한 꼭짓점에서 그을 수 있는 대각선 수)
×(꼭짓점 수)÷2
=☐×☐÷2
=☐(개)

20

구각형

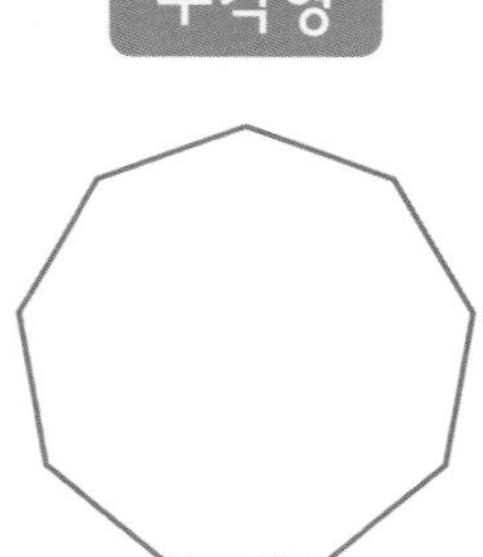

(구각형의 대각선 수)
=(한 꼭짓점에서 그을 수 있는 대각선 수)
×(꼭짓점 수)÷2
=☐×☐÷2
=☐(개)

정답 47쪽

1 도형을 보고 물음에 답하시오.

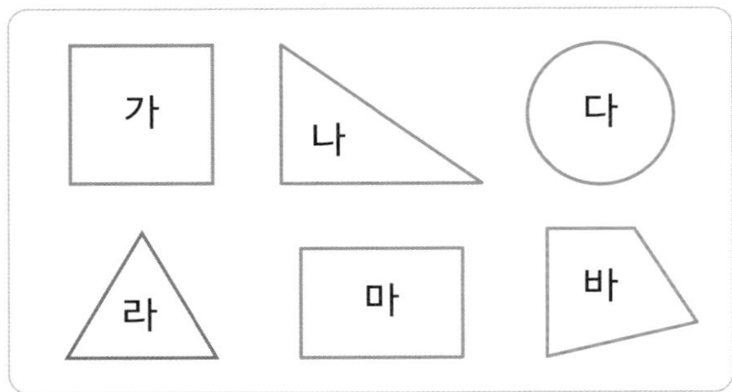

(1) 다각형을 모두 찾아 기호를 쓰시오.

(　　　　　　　　　　　　)

(2) 정다각형을 모두 찾아 기호를 쓰시오.

(　　　　　　　　)

2 다음 중 다각형이 아닌 것을 모두 고르시오. (　　　　　　)

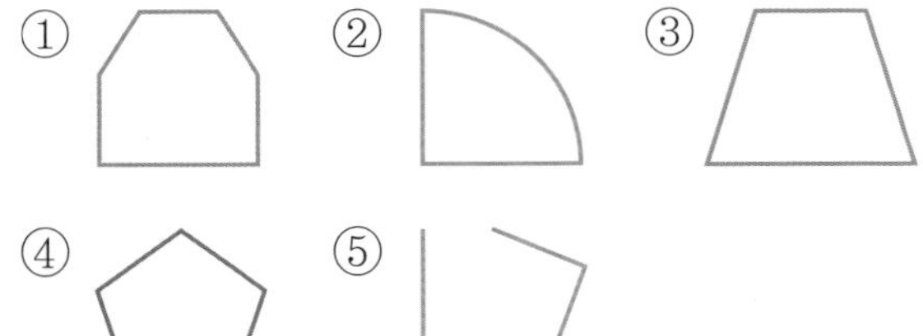

3 다각형의 이름을 쓰시오.

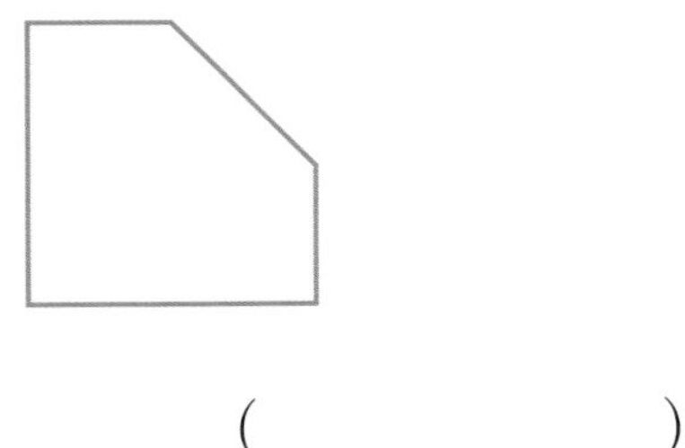

(　　　　　　)

4 도형을 보고 바르게 말한 사람은 누구입니까?

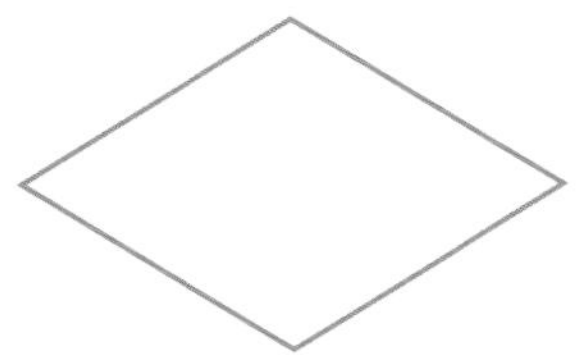

선주: 네 변의 길이가 모두 같으므로 정다각형이야.

재준: 각의 크기가 모두 같지 않으므로 정다각형이 아니야.

(　　　　　　)

5 관계있는 것끼리 선으로 이으시오.

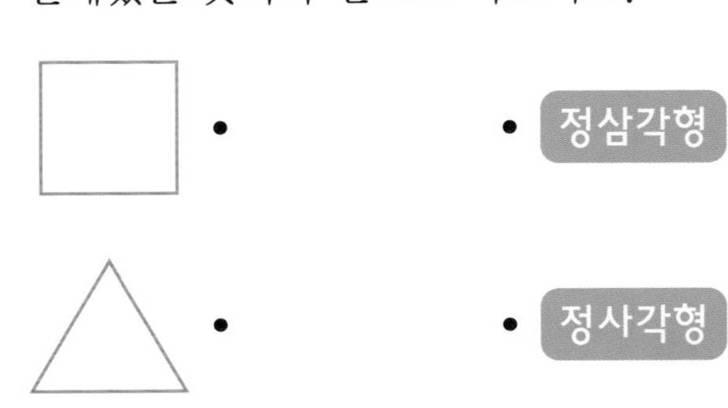

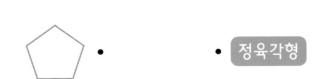

6 정다각형입니다. ▢ 안에 알맞게 써넣으시오.

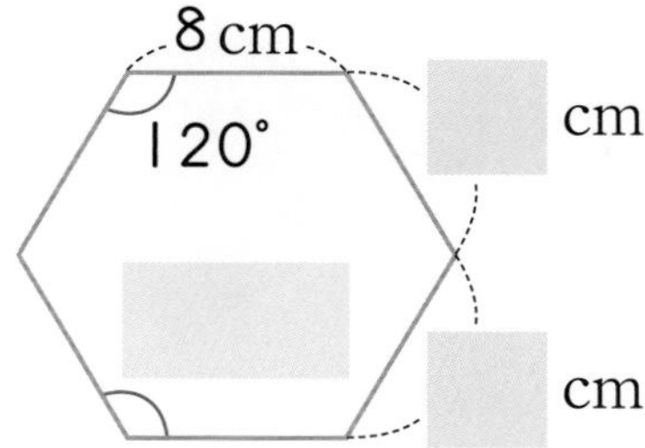

7 정오각형의 모든 변의 길이의 합은 몇 cm 입니까?

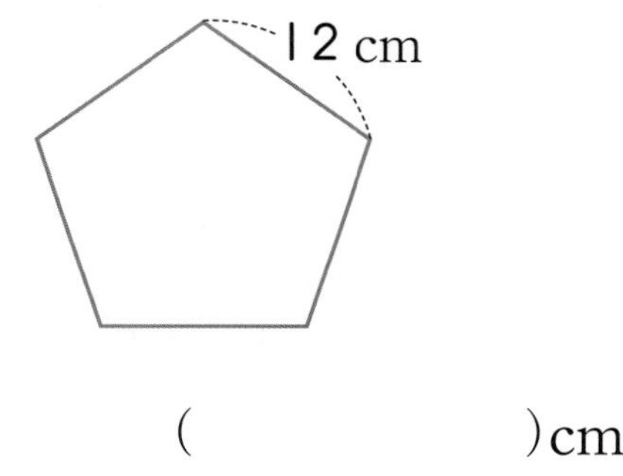

( )cm

8 사각형 ㄱㄴㄷㄹ에서 대각선은 어느 것입니까? ( )

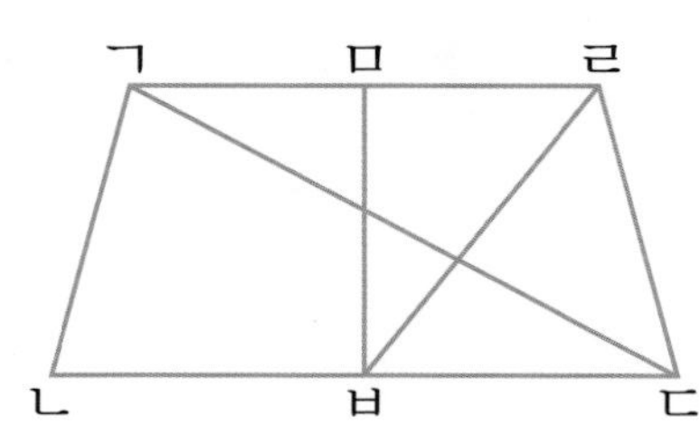

① 선분 ㄱㄴ ② 선분 ㄴㄷ
③ 선분 ㄱㄷ ④ 선분 ㄹㅂ
⑤ 선분 ㅁㅂ

9 육각형의 한 꼭짓점에서 그을 수 있는 대각선은 몇 개입니까?

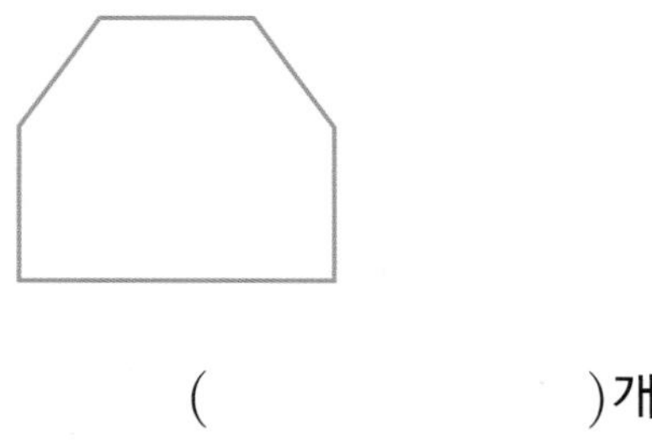

( )개

10 도형에 그을 수 있는 대각선은 모두 몇 개입니까?

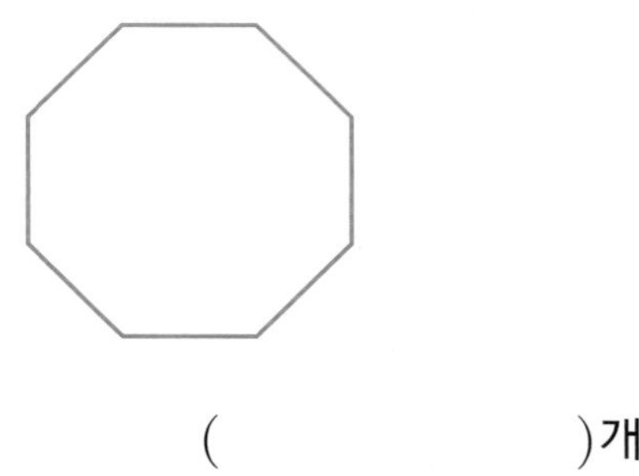

( )개

11 대각선을 가장 많이 그을 수 있는 도형을 찾아 기호를 쓰시오.

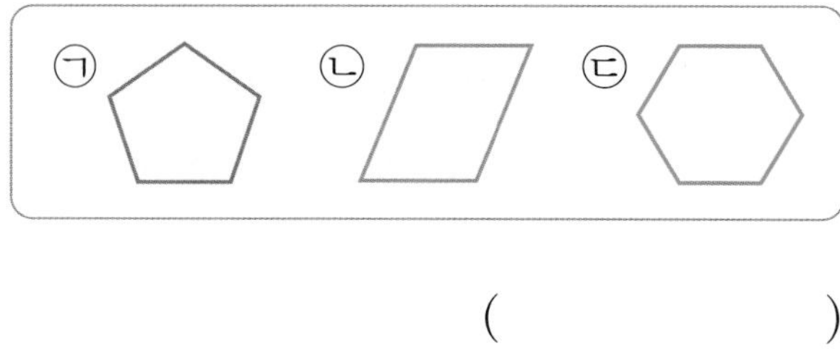

( )

12 다음 중 바르게 설명한 것을 찾아 기호를 쓰시오.

㉠ 마름모는 두 대각선이 평행합니다.
㉡ 삼각형에는 대각선을 그을 수 없습니다.
㉢ 대각선은 서로 이웃한 두 꼭짓점을 이은 선분입니다.

( )

13 두 대각선의 길이가 같은 사각형을 모두 찾아 기호를 쓰시오.

㉠ 평행사변형	㉡ 마름모
㉢ 직사각형	㉣ 정사각형

( )

14 다음을 만족하는 사각형의 이름을 쓰시오.

- 두 대각선의 길이가 같습니다.
- 두 대각선이 서로 수직으로 만납니다.

( )

15 모양을 만드는 데 사용한 정다각형을 모두 찾아 이름을 쓰시오.

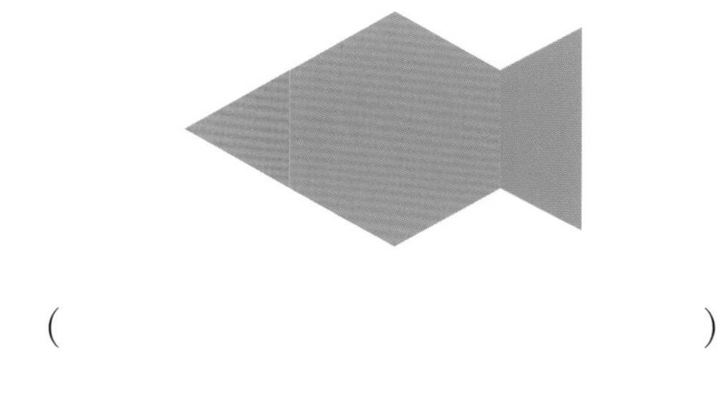

( )

16 정육각형을 겹치지 않게 빈틈없이 채울 수 없는 모양 조각을 찾아 기호를 쓰시오.

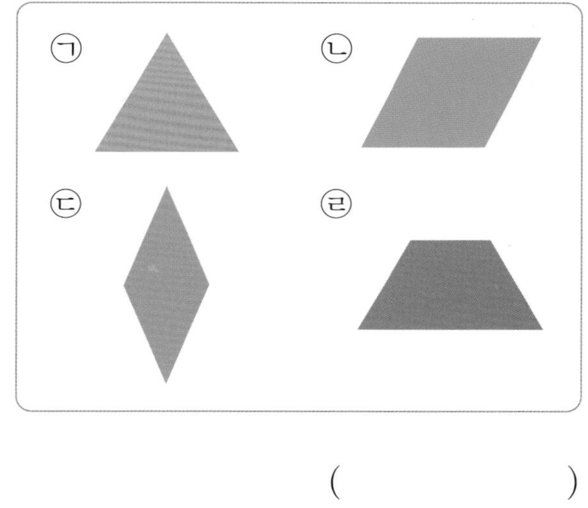

( )

17 주어진 모양 조각을 모두 사용하여 육각형을 만들어 보시오.

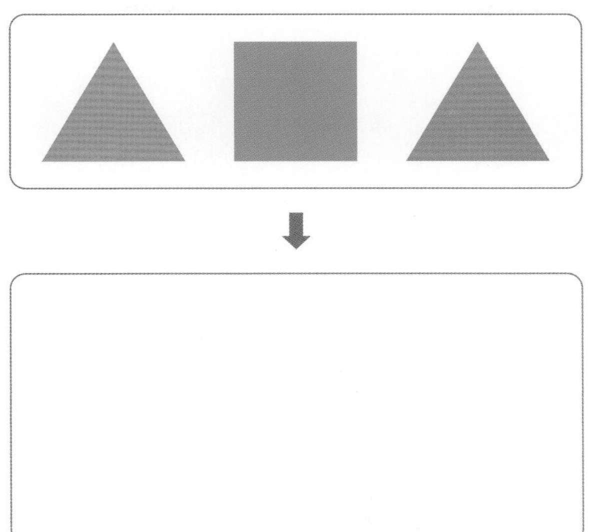

18 ㉠ 모양 조각 6개와 ㉡ 모양 조각 2개를 사용하여 주어진 다각형을 만들려고 합니다. 모양 조각을 어떻게 놓아야 할지 선을 그어 나타내시오.

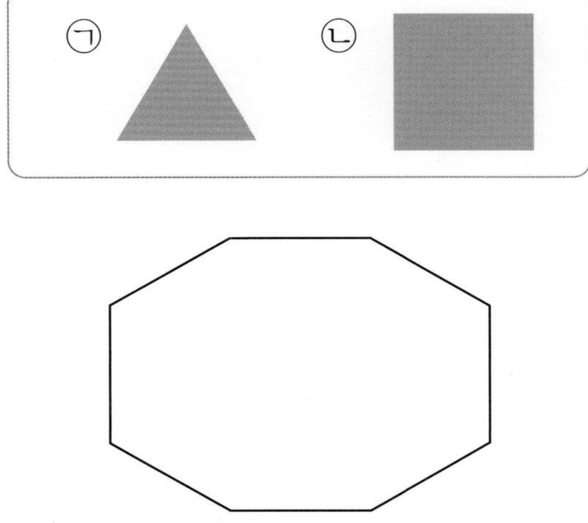

19 한 변의 길이가 14 cm이고, 모든 변의 길이의 합이 84 cm인 정다각형이 있습니다. 이 정다각형의 이름은 무엇인지 풀이 과정을 쓰고 답을 구하시오.

풀이

답

20 두 도형에 그을 수 있는 대각선의 수의 차는 몇 개인지 풀이 과정을 쓰고 답을 구하시오.

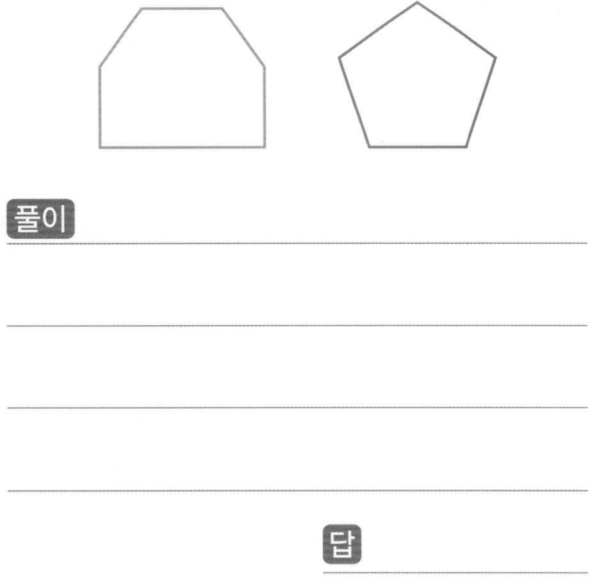

풀이

답

memo

논리적 사고력과 창의적 문제해결력을 키워 주는

매스티안 교재 활용법!

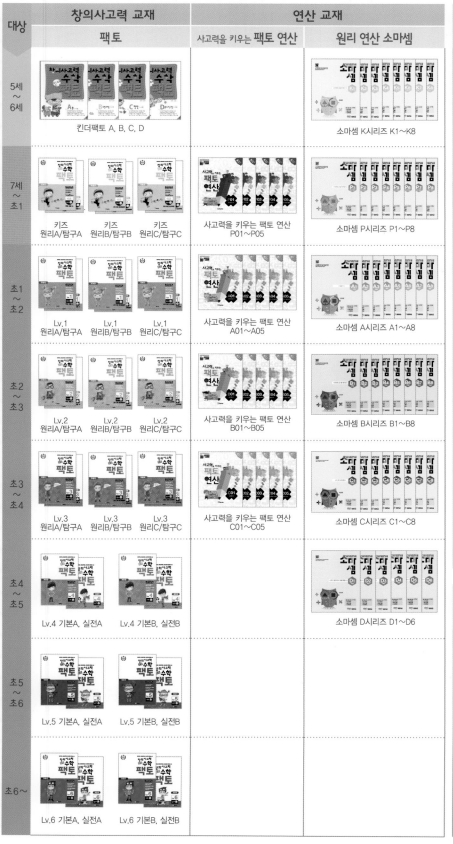

대상	창의사고력 교재: 팩토	연산 교재: 사고력을 키우는 팩토 연산	연산 교재: 원리 연산 소마셈
5세 ~ 6세	 킨더팩토 A, B, C, D		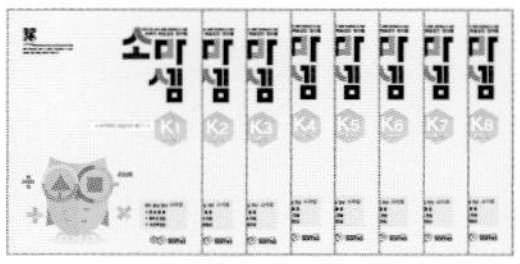 소마셈 K시리즈 K1~K8
7세 ~ 초1	 키즈 원리A/탐구A, 키즈 원리B/탐구B, 키즈 원리C/탐구C	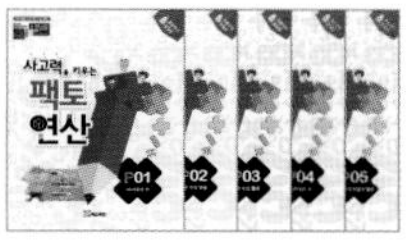 사고력을 키우는 팩토 연산 P01~P05	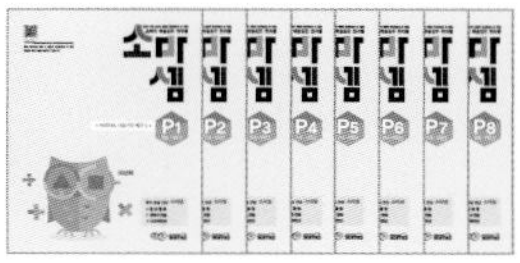 소마셈 P시리즈 P1~P8
초1 ~ 초2	 Lv.1 원리A/탐구A, Lv.1 원리B/탐구B, Lv.1 원리C/탐구C	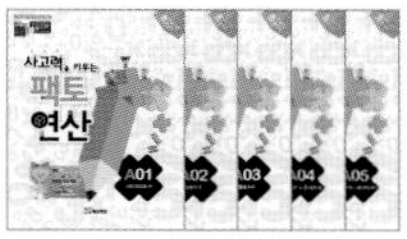 사고력을 키우는 팩토 연산 A01~A05	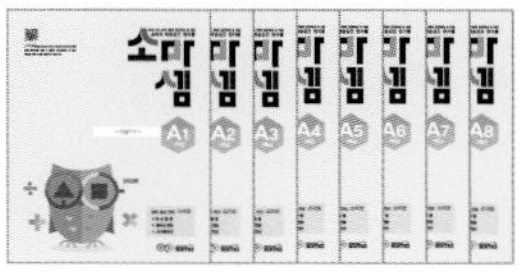 소마셈 A시리즈 A1~A8
초2 ~ 초3	 Lv.2 원리A/탐구A, Lv.2 원리B/탐구B, Lv.2 원리C/탐구C	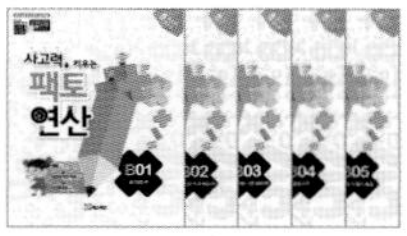 사고력을 키우는 팩토 연산 B01~B05	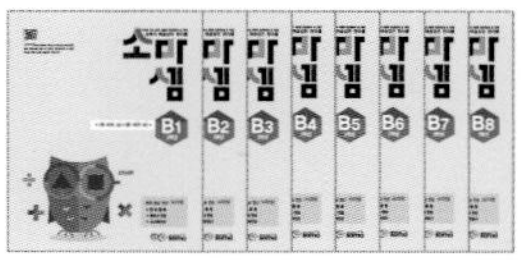 소마셈 B시리즈 B1~B8
초3 ~ 초4	 Lv.3 원리A/탐구A, Lv.3 원리B/탐구B, Lv.3 원리C/탐구C	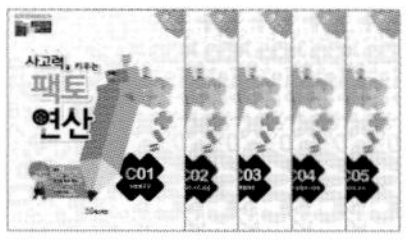 사고력을 키우는 팩토 연산 C01~C05	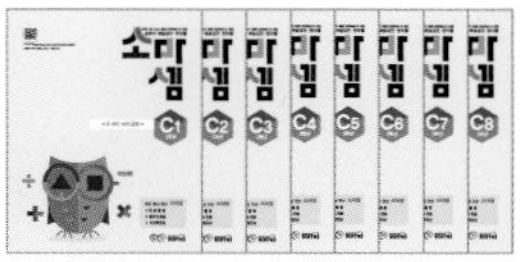 소마셈 C시리즈 C1~C8
초4 ~ 초5	 Lv.4 기본A, 실전A / Lv.4 기본B, 실전B		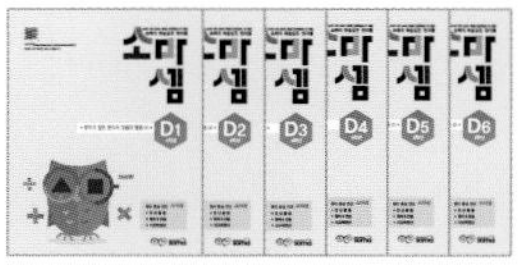 소마셈 D시리즈 D1~D6
초5 ~ 초6	 Lv.5 기본A, 실전A / Lv.5 기본B, 실전B		
초6~	 Lv.6 기본A, 실전A / Lv.6 기본B, 실전B		

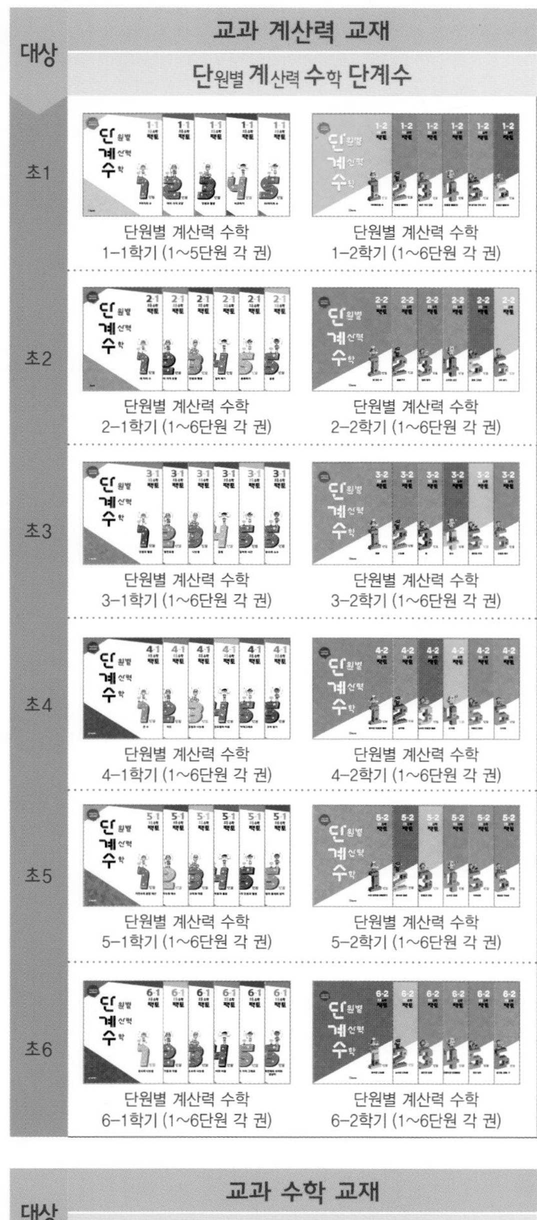

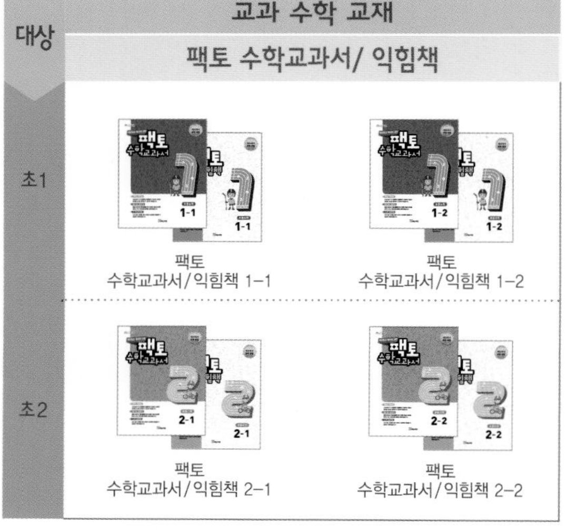

단계수 학습 순서

매일 학습

단원별로 꼭 알아야 할 개념만 쏙쏙 학습하고, 다양한 연산 문제를 통해 필수 개념을 숙달하여 계산력을 쑥쑥 키울 수 있습니다.

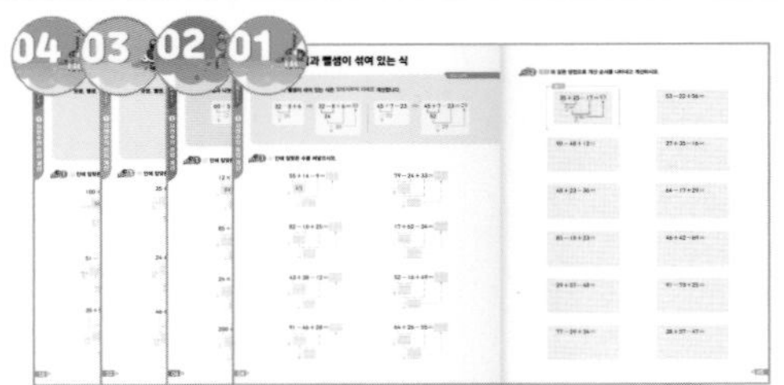

도전! 응용문제

필수 개념을 활용한 **응용** 문제 또는 **서술형** 문제를 통해 사고력과 문제해결력을 기를 수 있습니다.

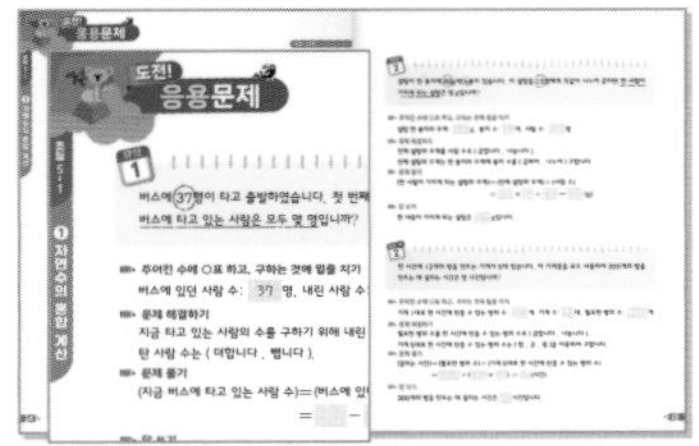

형성 평가

단원의 **복습 단계**로 문제를 풀면서 학습한 내용을 잘 알고 있는지 다시 한 번 확인할 수 있습니다.

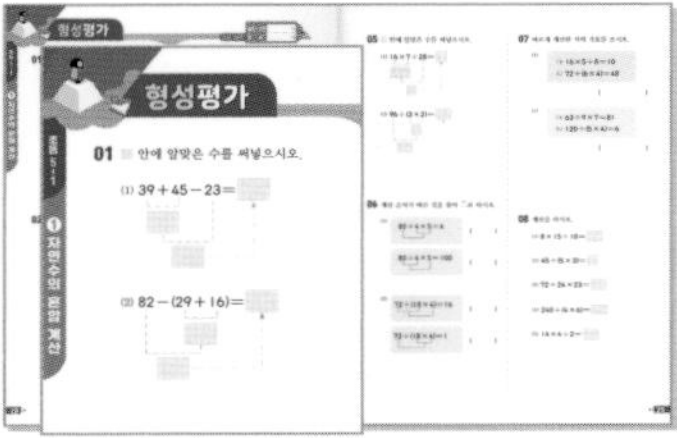

단원 평가

단원의 **마무리 학습**으로 학교 시험에 자주 나오는 문제 유형을 통해서 수시 평가 등 학교 시험에 대비할 수 있습니다.

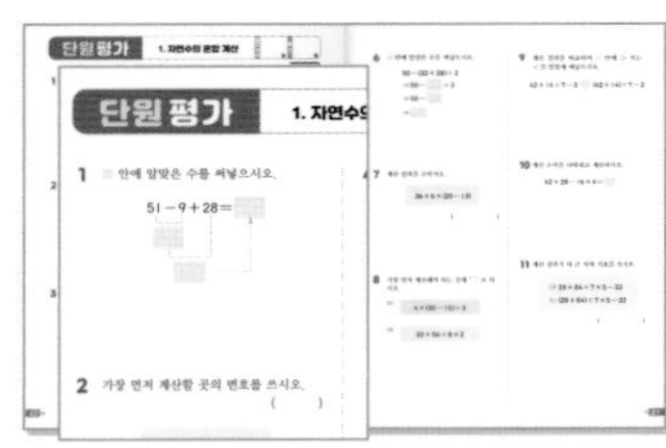

자율안전확인신고필증번호 : B361H200-4001
1.주소 : 06153 서울특별시 강남구 봉은사로 442 (삼성동)
2.문의전화 : 1588-6066
3.제조국 : 대한민국
4.사용연령 : 11세 이상
※ KC마크는 이 제품이 공통안전기준에 적합하였음을 의미합니다.

종이, 모서리에 다칠 수 있으니 주의하세요!

초등학교	반 번
이름	

FACTO school

4-2

초등 수학 팩토

단원별 계산력 수학

매스티안

팩토는 자유롭게 자신감있게 창의적으로 생각하는 주니어수학자입니다.

단원별 계산력 수학

펴낸 곳 (주)타임교육C&P **펴낸이** 이길호 **지은이** 매스티안R&D센터
주소 06153 서울특별시 강남구 봉은사로 442 (삼성동) **문의전화** 1588.6066
팩토카페 http://cafe.naver.com/factos **홈페이지** http://www.mathtian.com

※ 정답과 풀이는 온라인 팩토카페(http://cafe.naver.com/factos)를 통해서도 확인할 수 있습니다.

GH2204

생각이 자유로운 사람들! 매스티안R&D센터

매스티안R&D센터의 논리적 사고력과 창의적 문제해결력을 키우는 수학 콘텐츠는 국내외 수많은 교육 현장에서 그 우수성을 높이 평가받고 있습니다.
매스티안R&D센터는 여기에 안주하지 않고 앞으로도 학생, 교사, 학부모 모두가 행복한 수학 시간을 만들 수 있도록 노력하겠습니다.

매스티안 공식 홈페이지 ··· (http://www.mathtian.com)

· 매스티안의 다양한 출간 교재 소개
· 출간 교재와 관련된 학습 자료(보충 학습지, 활동지 등) 제공
· 출간 교재와 관련된 평가 시험 및 분석 제공

매스티안 공식 카페 ··· 팩토 (http://cafe.naver.com/factos)

· 창의사고력 수학 팩토 무료 동영상 강의 제공
· 출간 교재에 관한 질문 및 답변
· 영재교육원 대비 자료(기출 문제, 예상 문제) 제공
· 초등 수학 비법 및 Q&A

FACTO school

4-2

초등 수학 팩토

단원별 계산력 수학

매스티안

01 진분수의 덧셈

정답 02쪽

● 받아올림이 없는 (진분수)+(진분수)

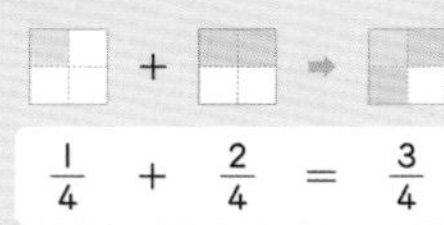

$\frac{1}{4} + \frac{2}{4} = \frac{3}{4}$

1 그림을 보고 ☐ 안에 알맞은 수를 써넣으시오.

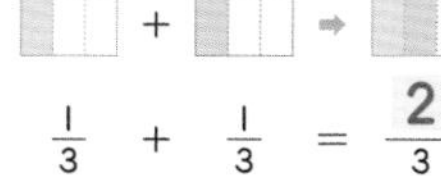

$\frac{1}{3} + \frac{1}{3} = \frac{2}{3}$ $\frac{3}{5} + \frac{1}{5} = \frac{4}{5}$

$\frac{2}{6} + \frac{3}{6} = \frac{5}{6}$ $\frac{4}{7} + \frac{2}{7} = \frac{6}{7}$

$\frac{2}{8} + \frac{5}{8} = \frac{7}{8}$ $\frac{3}{9} + \frac{4}{9} = \frac{7}{9}$

$\frac{4}{10} + \frac{5}{10} = \frac{9}{10}$ $\frac{4}{12} + \frac{6}{12} = \frac{10}{12}$

2 보기 와 같은 방법으로 진분수의 덧셈을 하시오.

보기

$\frac{3}{6} + \frac{2}{6} = \frac{5}{6}$ (3+2, 그대로)

$\frac{2}{4} + \frac{1}{4} = \frac{3}{4}$ (2+1, 그대로) $\frac{2}{5} + \frac{2}{5} = \frac{4}{5}$ (2+2, 그대로)

$\frac{1}{7} + \frac{4}{7} = \frac{5}{7}$ $\frac{3}{8} + \frac{2}{8} = \frac{5}{8}$ $\frac{5}{9} + \frac{2}{9} = \frac{7}{9}$

$\frac{3}{10} + \frac{4}{10} = \frac{7}{10}$ $\frac{7}{11} + \frac{2}{11} = \frac{9}{11}$ $\frac{8}{12} + \frac{2}{12} = \frac{10}{12}$

$\frac{3}{13} + \frac{7}{13} = \frac{10}{13}$ $\frac{2}{14} + \frac{9}{14} = \frac{11}{14}$ $\frac{7}{15} + \frac{6}{15} = \frac{13}{15}$

$\frac{8}{16} + \frac{5}{16} = \frac{13}{16}$ $\frac{5}{17} + \frac{10}{17} = \frac{15}{17}$ $\frac{11}{18} + \frac{4}{18} = \frac{15}{18}$

$\frac{7}{19} + \frac{11}{19} = \frac{18}{19}$ $\frac{12}{20} + \frac{3}{20} = \frac{15}{20}$ $\frac{13}{24} + \frac{8}{24} = \frac{21}{24}$

● 받아올림이 있는 (진분수)+(진분수)

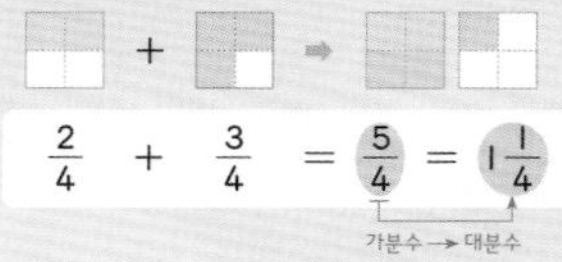

$\frac{2}{4} + \frac{3}{4} = \frac{5}{4} = 1\frac{1}{4}$ (가분수 → 대분수)

3 받아올림이 있는 진분수의 덧셈을 하시오.

$\frac{2}{3} + \frac{2}{3} = \frac{4}{3} = 1\frac{1}{3}$ (2+2, 그대로, 가분수 → 대분수) $\frac{3}{5} + \frac{4}{5} = \frac{7}{5} = 1\frac{2}{5}$ (3+4, 그대로, 가분수 → 대분수)

$\frac{5}{6} + \frac{4}{6} = \frac{9}{6} = 1\frac{3}{6}$ $\frac{3}{7} + \frac{5}{7} = \frac{8}{7} = 1\frac{1}{7}$

$\frac{5}{8} + \frac{6}{8} = \frac{11}{8} = 1\frac{3}{8}$ $\frac{3}{9} + \frac{6}{9} = \frac{9}{9} = 1$

$\frac{7}{9} + \frac{6}{9} = \frac{13}{9} = 1\frac{4}{9}$ $\frac{8}{10} + \frac{7}{10} = \frac{15}{10} = 1\frac{5}{10}$

$\frac{7}{11} + \frac{10}{11} = \frac{17}{11} = 1\frac{6}{11}$ $\frac{9}{12} + \frac{11}{12} = \frac{20}{12} = 1\frac{8}{12}$

4 받아올림이 있는 진분수의 덧셈을 하시오.

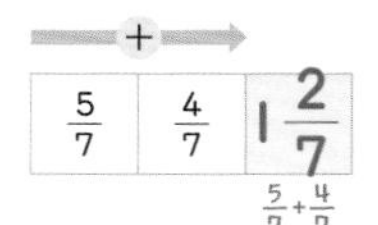
$\frac{5}{7}$ + $\frac{4}{7}$ → $1\frac{2}{7}$ ($\frac{5}{7}+\frac{4}{7}$)

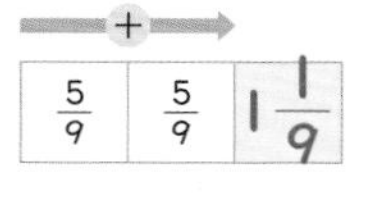
$\frac{5}{9}$ + $\frac{5}{9}$ → $1\frac{1}{9}$

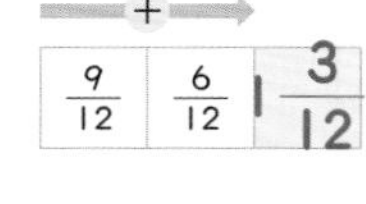
$\frac{9}{12}$ + $\frac{6}{12}$ → $1\frac{3}{12}$

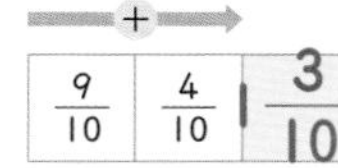
$\frac{9}{10}$ + $\frac{4}{10}$ → $1\frac{3}{10}$

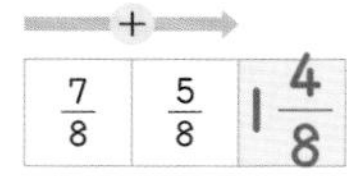
$\frac{7}{8}$ + $\frac{5}{8}$ → $1\frac{4}{8}$

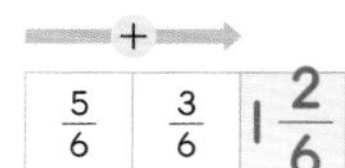
$\frac{5}{6}$ + $\frac{3}{6}$ → $1\frac{2}{6}$

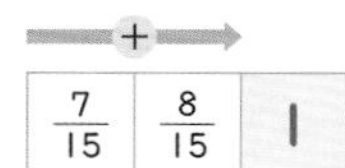
$\frac{7}{15}$ + $\frac{8}{15}$ → 1

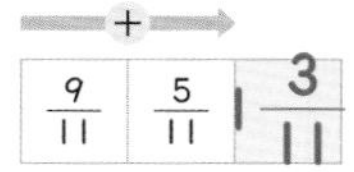
$\frac{9}{11}$ + $\frac{5}{11}$ → $1\frac{3}{11}$

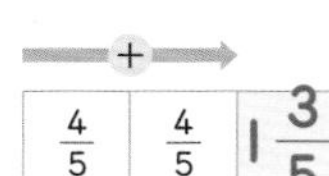
$\frac{4}{5}$ + $\frac{4}{5}$ → $1\frac{3}{5}$

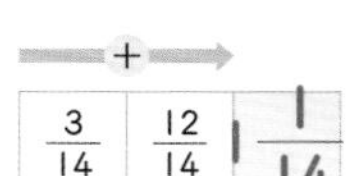
$\frac{3}{14}$ + $\frac{12}{14}$ → $1\frac{1}{14}$

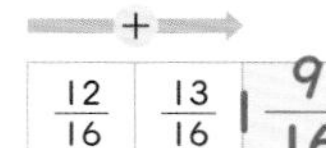
$\frac{12}{16}$ + $\frac{13}{16}$ → $1\frac{9}{16}$

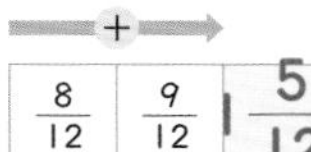
$\frac{8}{12}$ + $\frac{9}{12}$ → $1\frac{5}{12}$

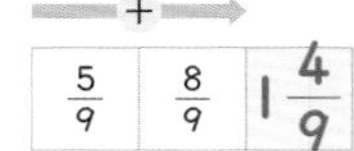
$\frac{5}{9}$ + $\frac{8}{9}$ → $1\frac{4}{9}$

02 진분수와 대분수의 덧셈

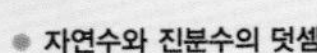

정답 03쪽

초등 4-2 1 분수의 덧셈과 뺄셈

● 자연수와 진분수의 덧셈

$1 + \frac{1}{4} = 1\frac{1}{4}$

● 자연수와 대분수의 덧셈

$2 + 1\frac{2}{3} = 3\frac{2}{3}$

1 보기 와 같은 방법으로 자연수와 진분수의 덧셈을 하시오.

보기 $3+\frac{1}{2}=3\frac{1}{2}$

$2+\frac{3}{4}=2\frac{3}{4}$　　$\frac{2}{3}+5=5\frac{2}{3}$

$4+\frac{2}{5}=4\frac{2}{5}$　　$\frac{1}{4}+6=6\frac{1}{4}$　　$3+\frac{2}{6}=3\frac{2}{6}$

$1+\frac{5}{7}=1\frac{5}{7}$　　$\frac{6}{9}+2=2\frac{6}{9}$　　$\frac{7}{8}+6=6\frac{7}{8}$

$\frac{6}{11}+3=3\frac{6}{11}$　　$7+\frac{4}{10}=7\frac{4}{10}$　　$5+\frac{10}{12}=5\frac{10}{12}$

2 보기 와 같은 방법으로 자연수와 대분수의 덧셈을 하시오.

보기 $3+2\frac{1}{3}=5\frac{1}{3}$ (3+2)

$2+4\frac{3}{5}=6\frac{3}{5}$ (2+4)　　$1\frac{1}{6}+2=3\frac{1}{6}$ (1+2)

$1+3\frac{1}{4}=4\frac{1}{4}$　　$3\frac{5}{6}+2=5\frac{5}{6}$　　$1\frac{2}{3}+7=8\frac{2}{3}$

$5+1\frac{1}{2}=6\frac{1}{2}$　　$4\frac{2}{5}+4=8\frac{2}{5}$　　$2\frac{3}{4}+2=4\frac{3}{4}$

$2\frac{6}{10}+4=6\frac{6}{10}$　　$5+2\frac{3}{8}=7\frac{3}{8}$　　$3+4\frac{4}{9}=7\frac{4}{9}$

$3+4\frac{5}{6}=7\frac{5}{6}$　　$2\frac{4}{9}+4=6\frac{4}{9}$　　$3+6\frac{2}{7}=9\frac{2}{7}$

$2\frac{5}{8}+6=8\frac{5}{8}$　　$4+5\frac{3}{7}=9\frac{3}{7}$　　$7\frac{8}{10}+2=9\frac{8}{10}$

● 진분수와 대분수의 덧셈

$\frac{2}{3} + 1\frac{2}{3} = 1+\frac{4}{3} = 1+1\frac{1}{3} = 2\frac{1}{3}$

3 보기 와 같은 방법으로 받아올림이 없는 진분수와 대분수의 덧셈을 하시오.

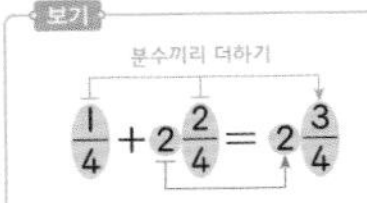

보기 $\frac{1}{4}+2\frac{2}{4}=2\frac{3}{4}$

$\frac{2}{5}+1\frac{2}{5}=1\frac{4}{5}$

$3\frac{2}{6}+\frac{1}{6}=3\frac{3}{6}$　　$\frac{4}{7}+2\frac{2}{7}=2\frac{6}{7}$

$\frac{2}{8}+5\frac{3}{8}=5\frac{5}{8}$　　$6\frac{4}{9}+\frac{2}{9}=6\frac{6}{9}$

$7\frac{3}{10}+\frac{5}{10}=7\frac{8}{10}$　　$\frac{2}{11}+4\frac{5}{11}=4\frac{7}{11}$

$3\frac{5}{12}+\frac{4}{12}=3\frac{9}{12}$　　$6\frac{4}{15}+\frac{7}{15}=6\frac{11}{15}$

4 보기 와 같은 방법으로 받아올림이 있는 진분수와 대분수의 덧셈을 하시오.

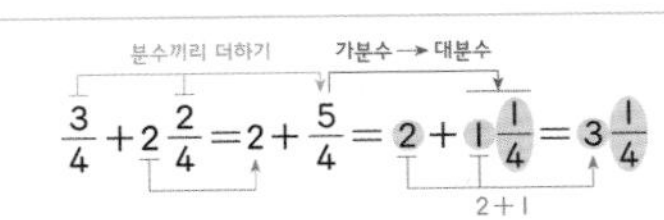

보기 $\frac{3}{4}+2\frac{2}{4}=2+\frac{5}{4}=2+1\frac{1}{4}=3\frac{1}{4}$

가분수 → 대분수

$\frac{3}{5}+3\frac{4}{5}=3+\frac{7}{5}=3+1\frac{2}{5}=4\frac{2}{5}$

가분수 → 대분수

$2\frac{4}{6}+\frac{5}{6}=2+\frac{9}{6}=2+1\frac{3}{6}=3\frac{3}{6}$

$\frac{3}{7}+4\frac{5}{7}=4+\frac{8}{7}=4+1\frac{1}{7}=5\frac{1}{7}$

$\frac{7}{9}+5\frac{6}{9}=5+\frac{13}{9}=5+1\frac{4}{9}=6\frac{4}{9}$

$6\frac{4}{10}+\frac{8}{10}=6+\frac{12}{10}=6+1\frac{2}{10}=7\frac{2}{10}$

$8\frac{6}{11}+\frac{10}{11}=8+\frac{16}{11}=8+1\frac{5}{11}=9\frac{5}{11}$

03 대분수의 덧셈

정답 04쪽

초등 4-2 / 1 분수의 덧셈과 뺄셈

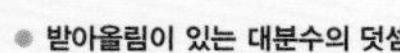

● 받아올림이 있는 대분수의 덧셈

$1\frac{2}{4}+1\frac{3}{4}=2+\frac{5}{4}=2+1\frac{1}{4}=3\frac{1}{4}$

1 보기 와 같은 방법으로 받아올림이 없는 대분수의 덧셈을 하시오.

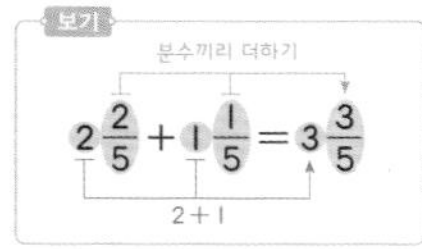

보기 (분수끼리 더하기, 2+1): $2\frac{2}{5}+1\frac{1}{5}=3\frac{3}{5}$

$4\frac{1}{3}+1\frac{1}{3}=5\frac{2}{3}$ (4+1)

$5\frac{2}{4}+3\frac{1}{4}=8\frac{3}{4}$ (분수끼리 더하기, 5+3)

$3\frac{1}{6}+3\frac{4}{6}=6\frac{5}{6}$

$3\frac{2}{9}+4\frac{4}{9}=7\frac{6}{9}$

$6\frac{3}{10}+2\frac{5}{10}=8\frac{8}{10}$

$5\frac{2}{11}+4\frac{6}{11}=9\frac{8}{11}$

$2\frac{3}{12}+5\frac{6}{12}=7\frac{9}{12}$

$4\frac{4}{14}+2\frac{7}{14}=6\frac{11}{14}$

$7\frac{6}{15}+2\frac{7}{15}=9\frac{13}{15}$

2 보기 와 같은 방법으로 받아올림이 있는 대분수의 덧셈을 하시오.

보기 (분수끼리 더하기, 가분수 → 대분수, 2+1, 3+1): $2\frac{4}{5}+1\frac{2}{5}=3+\frac{6}{5}=3+1\frac{1}{5}=4\frac{1}{5}$

$2\frac{4}{6}+3\frac{5}{6}=5+\frac{9}{6}=5+1\frac{3}{6}=6\frac{3}{6}$ (가분수 → 대분수, 2+3)

$3\frac{3}{4}+5\frac{3}{4}=8+\frac{6}{4}=8+1\frac{2}{4}=9\frac{2}{4}$ (가분수 → 대분수, 3+5)

$2\frac{7}{8}+2\frac{5}{8}=4+\frac{12}{8}=4+1\frac{4}{8}=5\frac{4}{8}$

$4\frac{6}{9}+3\frac{8}{9}=7+\frac{14}{9}=7+1\frac{5}{9}=8\frac{5}{9}$

$2\frac{4}{11}+4\frac{8}{11}=6+\frac{12}{11}=6+1\frac{1}{11}=7\frac{1}{11}$

$3\frac{8}{14}+5\frac{9}{14}=8+\frac{17}{14}=8+1\frac{3}{14}=9\frac{3}{14}$

3 보기 와 같은 방법으로 대분수의 덧셈을 하시오.

보기 (대분수 → 가분수, 가분수 → 대분수): $1\frac{3}{4}+2\frac{3}{4}=\frac{7}{4}+\frac{11}{4}=\frac{18}{4}=4\frac{2}{4}$

$5\frac{2}{3}+1\frac{2}{3}=\frac{17}{3}+\frac{5}{3}=\frac{22}{3}=7\frac{1}{3}$

$1\frac{4}{8}+3\frac{1}{8}=\frac{12}{8}+\frac{25}{8}=\frac{37}{8}=4\frac{5}{8}$

$2\frac{3}{5}+2\frac{1}{5}=\frac{13}{5}+\frac{11}{5}=\frac{24}{5}=4\frac{4}{5}$

$3\frac{5}{6}+2\frac{2}{6}=\frac{23}{6}+\frac{14}{6}=\frac{37}{6}=6\frac{1}{6}$

$4\frac{4}{7}+1\frac{5}{7}=\frac{32}{7}+\frac{12}{7}=\frac{44}{7}=6\frac{2}{7}$

$4\frac{1}{4}+3\frac{2}{4}=\frac{17}{4}+\frac{14}{4}=\frac{31}{4}=7\frac{3}{4}$

$2\frac{7}{9}+6\frac{8}{9}=\frac{25}{9}+\frac{62}{9}=\frac{87}{9}=9\frac{6}{9}$

4 분수의 덧셈 실력을 점검해 보시오.

실력평가

맞힌 개수 개 / 제한 시간 10 분

1. $1\frac{4}{6}+3\frac{3}{6}=5\frac{1}{6}$
2. $2\frac{5}{8}+5\frac{3}{8}=8$
3. $3\frac{2}{5}+1\frac{2}{5}=4\frac{4}{5}$
4. $2\frac{1}{4}+3\frac{2}{4}=5\frac{3}{4}$
5. $3\frac{3}{7}+4\frac{6}{7}=8\frac{2}{7}$
6. $6\frac{2}{3}+2\frac{2}{3}=9\frac{1}{3}$
7. $5\frac{6}{9}+3\frac{7}{9}=9\frac{4}{9}$
8. $2\frac{3}{8}+4\frac{4}{8}=6\frac{7}{8}$
9. $9\frac{4}{11}+1\frac{9}{11}=11\frac{2}{11}$
10. $2\frac{7}{8}+3\frac{3}{8}=6\frac{2}{8}$
11. $3\frac{5}{10}+4\frac{3}{10}=7\frac{8}{10}$
12. $7\frac{7}{9}+2\frac{8}{9}=10\frac{6}{9}$
13. $2\frac{6}{11}+4\frac{5}{11}=7$
14. $7\frac{9}{13}+2\frac{11}{13}=10\frac{7}{13}$
15. $1\frac{8}{12}+6\frac{2}{12}=7\frac{10}{12}$
16. $1\frac{9}{15}+2\frac{10}{15}=4\frac{4}{15}$
17. $3\frac{15}{20}+4\frac{10}{20}=8\frac{5}{20}$

수고하셨습니다!

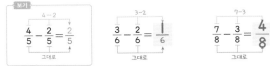

04 진분수의 뺄셈, 받아내림이 없는 대분수의 뺄셈

정답 05쪽

● 진분수의 뺄셈

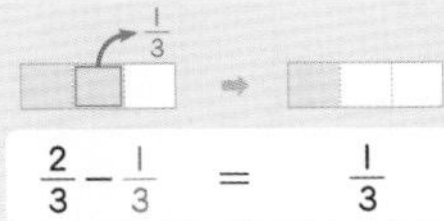

$\frac{2}{3}-\frac{1}{3}=\frac{1}{3}$

1 그림을 보고 □ 안에 알맞은 수를 써넣으시오.

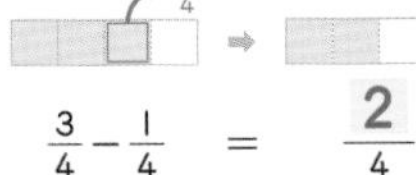

$\frac{3}{4}-\frac{1}{4}=\frac{2}{4}$ $\frac{4}{5}-\frac{2}{5}=\frac{2}{5}$

$\frac{5}{6}-\frac{2}{6}=\frac{3}{6}$ $\frac{6}{8}-\frac{1}{8}=\frac{5}{8}$

$\frac{3}{5}-\frac{1}{5}=\frac{2}{5}$ $\frac{7}{10}-\frac{3}{10}=\frac{4}{10}$

$\frac{8}{9}-\frac{5}{9}=\frac{3}{9}$ $\frac{9}{12}-\frac{3}{12}=\frac{6}{12}$

2 보기 와 같은 방법으로 진분수의 뺄셈을 하시오.

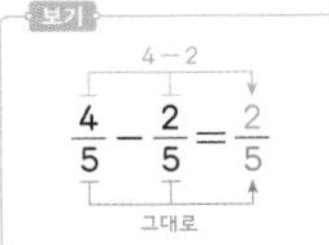

$\frac{3}{6}-\frac{2}{6}=\frac{1}{6}$ (3−2, 그대로) $\frac{7}{8}-\frac{3}{8}=\frac{4}{8}$ (7−3, 그대로)

$\frac{2}{4}-\frac{1}{4}=\frac{1}{4}$ $\frac{5}{7}-\frac{2}{7}=\frac{3}{7}$ $\frac{6}{9}-\frac{3}{9}=\frac{3}{9}$

$\frac{8}{9}-\frac{4}{9}=\frac{4}{9}$ $\frac{7}{10}-\frac{2}{10}=\frac{5}{10}$ $\frac{9}{11}-\frac{3}{11}=\frac{6}{11}$

$\frac{10}{12}-\frac{8}{12}=\frac{2}{12}$ $\frac{11}{13}-\frac{6}{13}=\frac{5}{13}$ $\frac{12}{14}-\frac{2}{14}=\frac{10}{14}$

$\frac{13}{15}-\frac{7}{15}=\frac{6}{15}$ $\frac{8}{16}-\frac{4}{16}=\frac{4}{16}$ $\frac{15}{17}-\frac{9}{17}=\frac{6}{17}$

$\frac{12}{18}-\frac{6}{18}=\frac{6}{18}$ $\frac{19}{20}-\frac{10}{20}=\frac{9}{20}$ $\frac{20}{24}-\frac{12}{24}=\frac{8}{24}$

● 받아내림이 없는 대분수의 뺄셈

$4\frac{5}{6}-1\frac{3}{6}$ STEP1 $\frac{5}{6}$에서 $\frac{3}{6}$을 뺄 수 (있다, 없다). STEP2 $4\frac{5}{6}-1\frac{3}{6}=3\frac{2}{6}$ (분수끼리 빼기, 4−1)

3 알맞은 말에 ○표 하고, □ 안에 알맞은 수를 써넣으시오.

$3\frac{3}{5}-2\frac{1}{5}$ STEP1 $\frac{3}{5}$에서 $\frac{1}{5}$을 뺄 수 (있다(○), 없다). STEP2 $3\frac{3}{5}-2\frac{1}{5}=1\frac{2}{5}$ (분수끼리 빼기, 3−2)

$5\frac{5}{6}-2\frac{2}{6}$ STEP1 $\frac{5}{6}$에서 $\frac{2}{6}$를 뺄 수 (있다(○), 없다). STEP2 $5\frac{5}{6}-2\frac{2}{6}=3\frac{3}{6}$ (분수끼리 빼기, 5−2)

$8\frac{6}{7}-3\frac{1}{7}$ STEP1 $\frac{6}{7}$에서 $\frac{1}{7}$을 뺄 수 (있다(○), 없다). STEP2 $8\frac{6}{7}-3\frac{1}{7}=5\frac{5}{7}$

$7\frac{7}{8}-4\frac{2}{8}$ STEP1 $\frac{7}{8}$에서 $\frac{2}{8}$를 뺄 수 (있다(○), 없다). STEP2 $7\frac{7}{8}-4\frac{2}{8}=3\frac{5}{8}$

$6\frac{6}{9}-4\frac{3}{9}$ STEP1 $\frac{6}{9}$에서 $\frac{3}{9}$을 뺄 수 (있다(○), 없다). STEP2 $6\frac{6}{9}-4\frac{3}{9}=2\frac{3}{9}$

4 받아내림이 없는 대분수의 뺄셈을 하시오.

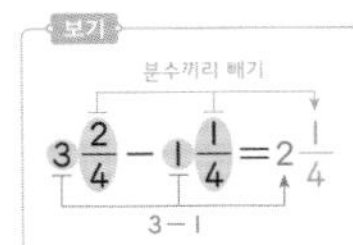

보기
분수끼리 빼기
$3\frac{2}{4}-1\frac{1}{4}=2\frac{1}{4}$
3−1

$5\frac{9}{10}-4\frac{3}{10}=1\frac{6}{10}$ (분수끼리 빼기, 5−4) $6\frac{4}{6}-2\frac{3}{6}=4\frac{1}{6}$ (분수끼리 빼기, 6−2)

$4\frac{7}{9}-1\frac{2}{9}=3\frac{5}{9}$ $6\frac{6}{7}-2\frac{3}{7}=4\frac{3}{7}$ $5\frac{10}{12}-4\frac{5}{12}=1\frac{5}{12}$

$4\frac{7}{8}-2\frac{4}{8}=2\frac{3}{8}$ $7\frac{4}{5}-6\frac{2}{5}=1\frac{2}{5}$ $8\frac{9}{11}-6\frac{5}{11}=2\frac{4}{11}$

$5\frac{6}{7}-4\frac{5}{7}=1\frac{1}{7}$ $6\frac{11}{12}-3\frac{4}{12}=3\frac{7}{12}$ $5\frac{6}{8}-2\frac{2}{8}=3\frac{4}{8}$

$7\frac{10}{13}-3\frac{2}{13}=4\frac{8}{13}$ $4\frac{5}{9}-3\frac{1}{9}=1\frac{4}{9}$ $6\frac{9}{10}-4\frac{3}{10}=2\frac{6}{10}$

$9\frac{13}{15}-5\frac{6}{15}=4\frac{7}{15}$ $8\frac{14}{16}-4\frac{9}{16}=4\frac{5}{16}$ $7\frac{15}{18}-5\frac{9}{18}=2\frac{6}{18}$

05 자연수와 대분수의 뺄셈

정답 06쪽

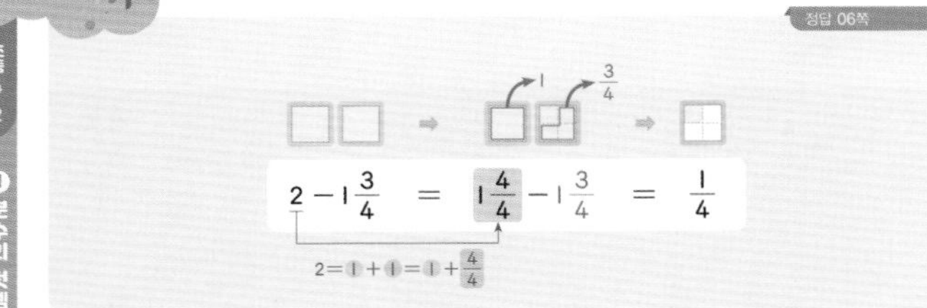

$2-1\frac{3}{4}=1\frac{4}{4}-1\frac{3}{4}=\frac{1}{4}$
$2=1+1=1+\frac{4}{4}$

1 보기 와 같은 방법으로 자연수를 자연수와 분수의 합으로 나타내시오.

보기 $4=3+\frac{3}{3}$ (4 = 3 + 1)

$4=3+\frac{2}{2}$ (4 = 3 + 1)

$4=3+\frac{5}{5}$ (4 = 3 + 1)

$3=2+\frac{6}{6}$ $3=2+\frac{4}{4}$ $3=2+\frac{8}{8}$

$6=5+\frac{3}{3}$ $6=5+\frac{7}{7}$ $6=5+\frac{9}{9}$

$8=7+\frac{4}{4}$ $5=4+\frac{8}{8}$ $2=1+\frac{6}{6}$

$7=6+\frac{9}{9}$ $9=8+\frac{5}{5}$ $10=9+\frac{4}{4}$

2 보기 와 같은 방법으로 자연수와 진분수의 뺄셈을 하시오.

보기 (분수끼리 빼기) $3-\frac{2}{5}=2\frac{5}{5}-\frac{2}{5}=2\frac{3}{5}$ ($3=2+1$)

(분수끼리 빼기) $4-\frac{3}{7}=3\frac{7}{7}-\frac{3}{7}=3\frac{4}{7}$ ($4=3+1$)

(분수끼리 빼기) $2-\frac{1}{2}=1\frac{2}{2}-\frac{1}{2}=1\frac{1}{2}$ ($2=1+1$)

$5-\frac{1}{4}=4\frac{4}{4}-\frac{1}{4}=4\frac{3}{4}$

$8-\frac{4}{6}=7\frac{6}{6}-\frac{4}{6}=7\frac{2}{6}$ $9-\frac{3}{5}=8\frac{5}{5}-\frac{3}{5}=8\frac{2}{5}$

$4-\frac{5}{8}=3\frac{8}{8}-\frac{5}{8}=3\frac{3}{8}$ $10-\frac{1}{3}=9\frac{3}{3}-\frac{1}{3}=9\frac{2}{3}$

$6-\frac{5}{9}=5\frac{9}{9}-\frac{5}{9}=5\frac{4}{9}$ $7-\frac{5}{6}=6\frac{6}{6}-\frac{5}{6}=6\frac{1}{6}$

$9-\frac{3}{4}=8\frac{4}{4}-\frac{3}{4}=8\frac{1}{4}$ $8-\frac{2}{7}=7\frac{7}{7}-\frac{2}{7}=7\frac{5}{7}$

3 보기 와 같은 방법으로 자연수와 대분수의 뺄셈을 하시오.

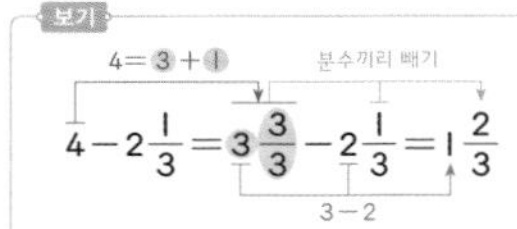

보기
4=3+1
분수끼리 빼기
$4-2\frac{1}{3}=3\frac{3}{3}-2\frac{1}{3}=1\frac{2}{3}$
3−2

(5=4+1) $5-2\frac{4}{5}=4\frac{5}{5}-2\frac{4}{5}=2\frac{1}{5}$

(3=2+1) $3-1\frac{2}{4}=2\frac{4}{4}-1\frac{2}{4}=1\frac{2}{4}$ $6-3\frac{5}{6}=5\frac{6}{6}-3\frac{5}{6}=2\frac{1}{6}$

$8-4\frac{1}{5}=7\frac{5}{5}-4\frac{1}{5}=3\frac{4}{5}$ $7-5\frac{3}{8}=6\frac{8}{8}-5\frac{3}{8}=1\frac{5}{8}$

$9-6\frac{4}{7}=8\frac{7}{7}-6\frac{4}{7}=2\frac{3}{7}$ $8-1\frac{2}{3}=7\frac{3}{3}-1\frac{2}{3}=6\frac{1}{3}$

$6-4\frac{3}{5}=5\frac{5}{5}-4\frac{3}{5}=1\frac{2}{5}$ $7-6\frac{2}{6}=6\frac{6}{6}-6\frac{2}{6}=\frac{4}{6}$

$5-3\frac{5}{8}=4\frac{8}{8}-3\frac{5}{8}=1\frac{3}{8}$ $10-6\frac{8}{9}=9\frac{9}{9}-6\frac{8}{9}=3\frac{1}{9}$

4 보기 와 같은 방법으로 자연수와 대분수의 뺄셈을 하시오.

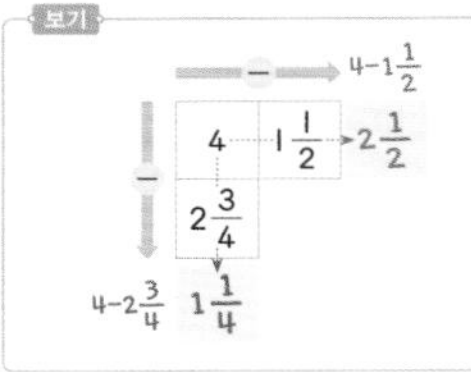

7, $3\frac{2}{5}$ → $7-3\frac{2}{5}=3\frac{3}{5}$; $4\frac{3}{8}$ → $7-4\frac{3}{8}=2\frac{5}{8}$

8, $2\frac{1}{6}$ → $5\frac{5}{6}$; $5\frac{3}{7}$ → $2\frac{4}{7}$

5, $4\frac{1}{3}$ → $\frac{2}{3}$; $2\frac{7}{9}$ → $2\frac{2}{9}$

9, $5\frac{2}{9}$ → $3\frac{7}{9}$; $3\frac{5}{8}$ → $5\frac{3}{8}$

6, $1\frac{3}{10}$ → $4\frac{7}{10}$; $5\frac{4}{6}$ → $\frac{2}{6}$

10, $5\frac{2}{7}$ → $4\frac{5}{7}$; $7\frac{5}{9}$ → $2\frac{4}{9}$

13, $10\frac{3}{4}$ → $2\frac{1}{4}$; $7\frac{10}{12}$ → $5\frac{2}{12}$

06 받아내림이 있는 대분수의 뺄셈

정답 07쪽

$3\frac{1}{5}-1\frac{3}{5}$

STEP1 $\frac{1}{5}$에서 $\frac{3}{5}$을 뺄 수 (있다 , (없다)).

STEP2 $3\frac{1}{5}=2+\frac{6}{5}$으로 바꾸기 ($2+\frac{5}{5}+\frac{1}{5}$)

STEP3 $3\frac{1}{5}-1\frac{3}{5}=2\frac{6}{5}-1\frac{3}{5}=1\frac{3}{5}$ (분수끼리 빼기, $2-1$)

1 보기 와 같은 방법으로 대분수를 자연수와 가분수의 합으로 나타내시오.

보기 $3\frac{1}{5}=2+\frac{6}{5}$ ($2+\frac{5}{5}+\frac{1}{5}$)

$4\frac{1}{3}=3+\frac{4}{3}$ ($3+\frac{3}{3}+\frac{1}{3}$) $5\frac{2}{4}=4+\frac{6}{4}$ ($4+\frac{4}{4}+\frac{2}{4}$)

$7\frac{2}{5}=6+\frac{7}{5}$ $2\frac{3}{6}=1+\frac{9}{6}$ $4\frac{3}{4}=3+\frac{7}{4}$

$6\frac{2}{3}=5+\frac{5}{3}$ $3\frac{4}{7}=2+\frac{11}{7}$ $3\frac{4}{5}=2+\frac{9}{5}$

$7\frac{3}{9}=6+\frac{12}{9}$ $5\frac{5}{8}=4+\frac{13}{8}$ $5\frac{1}{7}=4+\frac{8}{7}$

$10\frac{1}{4}=9+\frac{5}{4}$ $9\frac{2}{6}=8+\frac{8}{6}$ $6\frac{1}{9}=5+\frac{10}{9}$

2 알맞은 말에 ○표 하고, □ 안에 알맞은 수를 써넣으시오.

$5\frac{2}{4}-1\frac{3}{4}$ STEP1 $\frac{2}{4}$에서 $\frac{3}{4}$을 뺄 수 (있다 , (없다)). STEP2 $5\frac{2}{4}=4+\frac{6}{4}$으로 바꾸기 ($4+\frac{4}{4}+\frac{2}{4}$)

STEP3 $5\frac{2}{4}-1\frac{3}{4}=4\frac{6}{4}-1\frac{3}{4}=3\frac{3}{4}$

$7\frac{1}{6}-3\frac{4}{6}$ STEP1 $\frac{1}{6}$에서 $\frac{4}{6}$를 뺄 수 (있다 , (없다)). STEP2 $7\frac{1}{6}=6+\frac{7}{6}$로 바꾸기

STEP3 $7\frac{1}{6}-3\frac{4}{6}=6\frac{7}{6}-3\frac{4}{6}=3\frac{3}{6}$

$6\frac{2}{7}-4\frac{5}{7}$ STEP1 $\frac{2}{7}$에서 $\frac{5}{7}$를 뺄 수 (있다 , (없다)). STEP2 $6\frac{2}{7}=5+\frac{9}{7}$로 바꾸기

STEP3 $6\frac{2}{7}-4\frac{5}{7}=5\frac{9}{7}-4\frac{5}{7}=1\frac{4}{7}$

$8\frac{3}{5}-5\frac{4}{5}$ STEP1 $\frac{3}{5}$에서 $\frac{4}{5}$를 뺄 수 (있다 , (없다)). STEP2 $8\frac{3}{5}=7+\frac{8}{5}$로 바꾸기

STEP3 $8\frac{3}{5}-5\frac{4}{5}=7\frac{8}{5}-5\frac{4}{5}=2\frac{4}{5}$

3 보기 와 같은 방법으로 대분수의 뺄셈을 하시오.

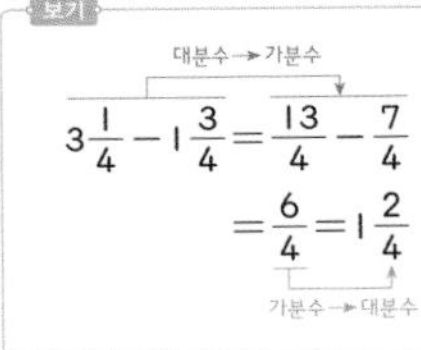

보기 $3\frac{1}{4}-1\frac{3}{4}=\frac{13}{4}-\frac{7}{4}=\frac{6}{4}=1\frac{2}{4}$ (대분수→가분수, 가분수→대분수)

$5\frac{1}{3}-2\frac{2}{3}=\frac{16}{3}-\frac{8}{3}=\frac{8}{3}=2\frac{2}{3}$ (대분수→가분수, 가분수→대분수)

$6\frac{2}{5}-3\frac{3}{5}=\frac{32}{5}-\frac{18}{5}=\frac{14}{5}=2\frac{4}{5}$ (대분수→가분수, 가분수→대분수)

$4\frac{1}{6}-1\frac{5}{6}=\frac{25}{6}-\frac{11}{6}=\frac{14}{6}=2\frac{2}{6}$

$5\frac{1}{4}-3\frac{2}{4}=\frac{21}{4}-\frac{14}{4}=\frac{7}{4}=1\frac{3}{4}$

$7\frac{3}{8}-2\frac{5}{8}=\frac{59}{8}-\frac{21}{8}=\frac{38}{8}=4\frac{6}{8}$

$4\frac{4}{7}-2\frac{6}{7}=\frac{32}{7}-\frac{20}{7}=\frac{12}{7}=1\frac{5}{7}$

$3\frac{2}{10}-1\frac{5}{10}=\frac{32}{10}-\frac{15}{10}=\frac{17}{10}=1\frac{7}{10}$

4 분수의 뺄셈 실력을 점검해 보시오.

실력평가 맞힌 개수 개 / 제한 시간 10분

1. $4\frac{1}{4}-1\frac{2}{4}=2\frac{3}{4}$
2. $7\frac{2}{5}-3\frac{3}{5}=3\frac{4}{5}$
3. $6\frac{1}{3}-1\frac{2}{3}=4\frac{2}{3}$
4. $4\frac{2}{8}-2\frac{5}{8}=1\frac{5}{8}$
5. $5\frac{1}{6}-3\frac{4}{6}=1\frac{3}{6}$
6. $6\frac{1}{5}-3\frac{4}{5}=2\frac{2}{5}$
7. $8\frac{2}{4}-4\frac{3}{4}=3\frac{3}{4}$
8. $6\frac{3}{7}-2\frac{4}{7}=3\frac{6}{7}$
9. $4\frac{2}{6}-1\frac{5}{6}=2\frac{3}{6}$
10. $7\frac{5}{10}-4\frac{6}{10}=2\frac{9}{10}$
11. $10\frac{1}{5}-5\frac{2}{5}=4\frac{4}{5}$
12. $8\frac{1}{8}-3\frac{4}{8}=4\frac{5}{8}$
13. $3\frac{3}{11}-1\frac{7}{11}=1\frac{7}{11}$
14. $9\frac{2}{9}-5\frac{7}{9}=3\frac{4}{9}$
15. $5\frac{2}{7}-2\frac{6}{7}=2\frac{3}{7}$
16. $4\frac{2}{6}-3\frac{3}{6}=\frac{5}{6}$
17. $6\frac{1}{10}-4\frac{3}{10}=1\frac{8}{10}$

수고하셨습니다!

도전! 응용문제

정답 08쪽

유형 1

서윤이는 우유를 $\frac{2}{5}$L 마셨고, 지석이는 $\frac{4}{5}$L 마셨습니다. 두 친구가 마신 우유는 모두 몇 L입니까?

- 주어진 수에 ○표 하고, 구하는 것에 밑줄 치기
  서윤이가 마신 우유의 양: $\frac{2}{5}$ L, 지석이가 마신 우유의 양: $\frac{4}{5}$ L
- 문제 해결하기
  (분모, 분자)는 그대로 두고 (분모, 분자)끼리 더합니다.
  계산 결과가 가분수이면 대분수로 바꿉니다.
- 문제 풀기
  (두 친구가 마신 우유의 양)$=\frac{2}{5}+\frac{4}{5}=1\frac{1}{5}$ (L)
- 답 쓰기
  두 친구가 마신 우유의 양은 모두 $1\frac{1}{5}$ L입니다.

유형+ 1

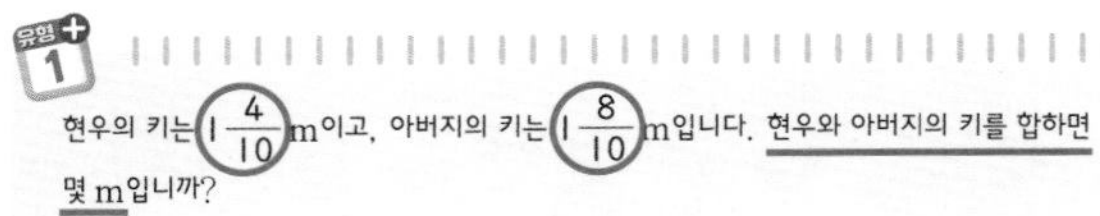

현우의 키는 $1\frac{4}{10}$m이고, 아버지의 키는 $1\frac{8}{10}$m입니다. 현우와 아버지의 키를 합하면 몇 m입니까?

- 주어진 수에 ○표 하고, 구하는 것에 밑줄 치기
  현우의 키: $1\frac{4}{10}$m, 아버지의 키: $1\frac{8}{10}$m
- 문제 해결하기
  자연수는 자연수끼리, 분수는 분수끼리 더한 다음
  (자연수와 가분수, 자연수와 진분수)의 합으로 나타냅니다.
- 문제 풀기
  (현우와 아버지의 키의 합)$=1\frac{4}{10}+1\frac{8}{10}=3\frac{2}{10}$(m)
- 답 쓰기
  현우와 아버지의 키를 합하면 $3\frac{2}{10}$m입니다.

유형 2

선물을 포장하기 위해 혜미는 색 테이프를 $\frac{3}{8}$m 사용하였고, 유나는 $\frac{7}{8}$m 사용하였습니다. 누가 색 테이프를 몇 m 더 많이 사용하였습니까?

- 주어진 수에 ○표 하고, 구하는 것에 밑줄 치기
  혜미가 사용한 색 테이프 길이: $\frac{3}{8}$ m, 유나가 사용한 색 테이프 길이: $\frac{7}{8}$ m
- 문제 해결하기
  분모가 같으면 분자가 클수록 큰 수입니다.
  (분모, 분자)는 그대로 두고 (분모, 분자)끼리 뺍니다.
- 문제 풀기
  (혜미와 유나가 사용한 색 테이프 길이의 차)$=\frac{7}{8}-\frac{3}{8}=\frac{4}{8}$ (m)
- 답 쓰기
  유나 가 색 테이프를 $\frac{4}{8}$ m 더 많이 사용하였습니다.

유형+ 2

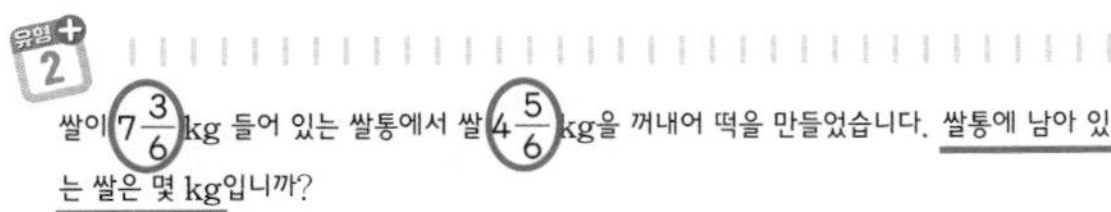

쌀이 $7\frac{3}{6}$kg 들어 있는 쌀통에서 쌀 $4\frac{5}{6}$kg을 꺼내어 떡을 만들었습니다. 쌀통에 남아 있는 쌀은 몇 kg입니까?

- 주어진 수에 ○표 하고, 구하는 것에 밑줄 치기
  꺼내기 전 쌀의 양: $7\frac{3}{6}$ kg, 꺼낸 쌀의 양: $4\frac{5}{6}$ kg
- 문제 해결하기
  자연수끼리 비교하여 큰 수에서 작은 수를 뺍니다.
  분수끼리 뺄 수 없으면 자연수에서 (1, 10)을 받아내림하여 계산합니다.
- 문제 풀기
  (쌀통에 남아 있는 쌀의 양)$=7\frac{3}{6}-4\frac{5}{6}=2\frac{4}{6}$ (kg)
- 답 쓰기
  남아 있는 쌀은 $2\frac{4}{6}$ kg입니다.

● 안에 알맞은 수를 써넣고, 답을 구하시오.

1 Drill
피자 한 판에서 찬수는 전체의 $\frac{3}{12}$만큼 먹었고, 형은 전체의 $\frac{5}{12}$만큼 먹었습니다. 찬수와 형은 피자 전체의 몇 분의 몇을 먹었습니까?

주어진 수에 ○표 하고, 구하는 것에 밑줄 쫙!

풀이 (찬수와 형이 먹은 피자의 양)$=\frac{3}{12}+\frac{5}{12}=\frac{8}{12}$

답 $\frac{8}{12}$

2 Drill
윤지는 할머니 댁에 다녀오는 데 지하철을 1시간, 버스를 $1\frac{2}{6}$시간 탔습니다. 윤지가 지하철과 버스를 탄 시간은 모두 몇 시간입니까?

풀이 (지하철과 버스를 탄 시간)$=1+1\frac{2}{6}=2\frac{2}{6}$(시간)

답 $2\frac{2}{6}$ 시간

3 Drill
들이가 6L인 물통에 물이 가득 들어 있었습니다. 그중 $3\frac{3}{8}$L의 물을 사용했다면 물통에 남은 물은 몇 L입니까?

풀이 (물통에 남은 물의 양)$=6-3\frac{3}{8}=2\frac{5}{8}$(L)

답 $2\frac{5}{8}$ L

4 Drill
그릇에 귤 $2\frac{7}{10}$ kg을 담은 후 무게를 재었더니 $3\frac{1}{10}$ kg이었습니다. 그릇의 무게는 몇 kg입니까?

풀이 (그릇의 무게)$=3\frac{1}{10}-2\frac{7}{10}=\frac{4}{10}$(kg)

답 $\frac{4}{10}$ kg

● 서술형 문제를 읽고 풀이 과정과 답을 쓰시오.

도전 1
소연이는 책을 어제는 $1\frac{3}{5}$시간 읽었고, 오늘은 $\frac{4}{5}$시간 읽었습니다. 소연이가 어제와 오늘 책을 읽은 시간은 모두 몇 시간입니까?

예 풀이 (소연이가 어제와 오늘 책을 읽은 시간)
$=1\frac{3}{5}+\frac{4}{5}=2\frac{2}{5}$(시간)

답 $2\frac{2}{5}$ 시간

도전 2
가로가 $12\frac{3}{4}$ cm, 세로가 $8\frac{2}{4}$ cm인 직사각형 모양의 메모지가 있습니다. 이 메모지의 가로와 세로의 길이의 합은 몇 cm입니까?

예 풀이 (메모지의 가로와 세로의 길이의 합)
$=12\frac{3}{4}+8\frac{2}{4}=21\frac{1}{4}$(cm)

답 $21\frac{1}{4}$ cm

도전 3
세준이는 끈 3m를 사서 상자를 묶는 데 $\frac{7}{9}$ m를 사용하였습니다. 남은 끈의 길이는 몇 m입니까?

예 풀이 (남은 끈의 길이)
$=3-\frac{7}{9}=2\frac{2}{9}$(m)

답 $2\frac{2}{9}$ m

도전 4
동하의 몸무게는 $35\frac{3}{10}$ kg이고, 가희의 몸무게는 동하보다 $2\frac{7}{10}$ kg 더 가볍습니다. 가희의 몸무게는 몇 kg입니까?

예 풀이 (가희의 몸무게)
$=35\frac{3}{10}-2\frac{7}{10}=32\frac{6}{10}$(kg)

답 $32\frac{6}{10}$ kg

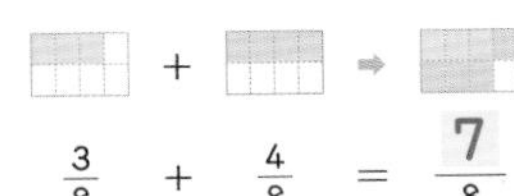

정답 09쪽 걸린 시간 분 점수 점

01 그림을 보고 □ 안에 알맞은 수를 써넣으시오.

$\frac{3}{8} + \frac{4}{8} = \frac{7}{8}$

02 덧셈을 하시오.

(1) $\frac{2}{9}+\frac{5}{9}=\frac{7}{9}$

(2) $\frac{8}{11}+\frac{4}{11}=1\frac{1}{11}$

03 빈칸에 알맞은 수를 써넣으시오.

(1) + : $\frac{4}{6}$ | $\frac{5}{6}$ | $1\frac{3}{6}$

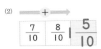

(2) + : $\frac{7}{10}$ | $\frac{8}{10}$ | $1\frac{5}{10}$

04 덧셈을 하시오.

(1) $4+\frac{1}{5}=4\frac{1}{5}$

(2) $3+\frac{6}{7}=3\frac{6}{7}$

(3) $2+1\frac{5}{6}=3\frac{5}{6}$

(4) $2\frac{4}{8}+3=5\frac{4}{8}$

(5) $5+4\frac{7}{10}=9\frac{7}{10}$

05 □ 안에 알맞은 수를 써넣으시오.

(1) $\frac{1}{5}+2\frac{2}{5}=2\frac{3}{5}$

(2) $\frac{7}{8}+3\frac{4}{8}=4\frac{3}{8}$

06 두 수의 합을 구하시오.

(1) $\frac{5}{9}$ $2\frac{6}{9}$ ($3\frac{2}{9}$)

(2) $4\frac{9}{10}$ $\frac{6}{10}$ ($5\frac{5}{10}$)

07 덧셈을 하시오.

(1) $4\frac{1}{6}+2\frac{1}{6}=6\frac{2}{6}$

(2) $1\frac{3}{5}+5\frac{1}{5}=6\frac{4}{5}$

(3) $3\frac{2}{7}+4\frac{4}{7}=7\frac{6}{7}$

(4) $6\frac{3}{8}+3\frac{4}{8}=9\frac{7}{8}$

(5) $2\frac{5}{9}+4\frac{2}{9}=6\frac{7}{9}$

08 대분수를 가분수로 고쳐서 계산하려고 합니다. □ 안에 알맞은 수를 써넣으시오.

$1\frac{3}{6}+3\frac{5}{6}=\frac{9}{6}+\frac{23}{6}$
$=\frac{32}{6}=5\frac{2}{6}$

09 덧셈을 하시오.

(1) $2\frac{3}{5}+6\frac{4}{5}=9\frac{2}{5}$

(2) $3\frac{8}{9}+4\frac{4}{9}=8\frac{3}{9}$

10 빈칸에 알맞은 수를 써넣으시오.

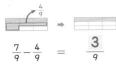

	$3\frac{7}{10}$		
$2\frac{2}{4}$	+	$2\frac{3}{4}$	$5\frac{1}{4}$
	$4\frac{6}{10}$		
	$8\frac{3}{10}$		

11 그림을 보고 □ 안에 알맞은 수를 써넣으시오.

$\frac{7}{9}-\frac{4}{9} = \frac{3}{9}$

12 뺄셈을 하시오.

(1) $\frac{6}{7}-\frac{2}{7}=\frac{4}{7}$

(2) $\frac{10}{13}-\frac{5}{13}=\frac{5}{13}$

13 빈칸에 알맞은 수를 써넣으시오.

(1) − : $5\frac{7}{8}$ | $3\frac{5}{8}$ | $2\frac{2}{8}$

(2) − : $8\frac{10}{12}$ | $4\frac{3}{12}$ | $4\frac{7}{12}$

14 보기 와 같은 방법으로 자연수를 자연수와 분수의 합으로 나타내시오.

보기
$3=2+\frac{4}{4}$

(1) $4=3+\frac{6}{6}$

(2) $7=6+\frac{8}{8}$

(3) $6=5+\frac{3}{3}$

(4) $5=4+\frac{9}{9}$

(5) $9=8+\frac{10}{10}$

15 두 수의 차를 구하시오.

(1) 3 $\frac{4}{7}$ ($2\frac{3}{7}$)

(2) 9 $\frac{5}{12}$ ($8\frac{7}{12}$)

16 뺄셈을 하시오.

(1) $6-1\frac{3}{4}=4\frac{1}{4}$

(2) $7-3\frac{2}{6}=3\frac{4}{6}$

(3) $5-4\frac{3}{7}=\frac{4}{7}$

(4) $8-2\frac{5}{10}=5\frac{5}{10}$

(5) $4-2\frac{8}{15}=1\frac{7}{15}$

17 빈칸에 알맞은 수를 써넣으시오.

−		
6	$3\frac{5}{12}$	$2\frac{7}{12}$
$2\frac{3}{8}$		
$3\frac{5}{8}$		

18 보기 와 같은 방법으로 대분수를 자연수와 가분수의 합으로 나타내시오.

보기
$2\frac{1}{4}=1+\frac{5}{4}$

(1) $4\frac{3}{8}=3+\frac{11}{8}$

(2) $7\frac{2}{11}=6+\frac{13}{11}$

19 대분수를 가분수로 고쳐서 계산하려고 합니다. □ 안에 알맞은 수를 써넣으시오.

$5\frac{2}{5}-1\frac{3}{5}=\frac{27}{5}-\frac{8}{5}$
$=\frac{19}{5}=3\frac{4}{5}$

20 뺄셈을 하시오.

(1) $4\frac{3}{7}-1\frac{5}{7}=2\frac{5}{7}$

(2) $9\frac{2}{10}-2\frac{5}{10}=6\frac{7}{10}$

단원 평가 1. 분수의 덧셈과 뺄셈

걸린 시간 분 점수 점

정답 10쪽

[1~2] 그림을 보고 안에 알맞은 수를 써넣으시오.

1

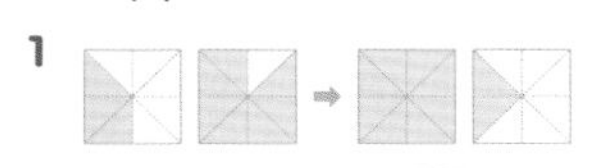

$\frac{3}{8}+\frac{7}{8}=1\frac{2}{8}$

2

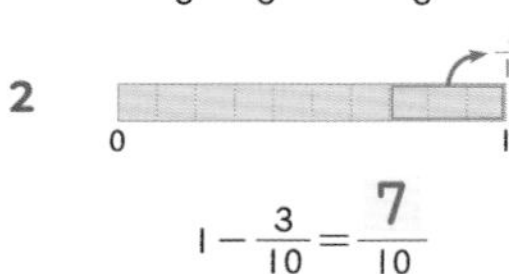

$1-\frac{3}{10}=\frac{7}{10}$

3 계산을 하시오.

(1) $\frac{2}{5}+\frac{1}{5}=\frac{3}{5}$

(2) $\frac{3}{9}+\frac{5}{9}=\frac{8}{9}$

(3) $\frac{6}{7}+\frac{4}{7}=1\frac{3}{7}$

(4) $\frac{5}{6}+\frac{3}{6}=1\frac{2}{6}$

(5) $\frac{7}{8}+\frac{2}{8}=1\frac{1}{8}$

4 빈칸에 알맞은 수를 써넣으시오.

(1) $\frac{4}{9}$ → $+\frac{2}{9}$ → $\frac{6}{9}$

(2) $\frac{11}{13}$ → $-\frac{7}{13}$ → $\frac{4}{13}$

5 계산을 하시오.

(1) $2+\frac{3}{5}=2\frac{3}{5}$

(2) $4+\frac{6}{7}=4\frac{6}{7}$

(3) $3-\frac{4}{5}=2\frac{1}{5}$

(4) $2-\frac{3}{8}=1\frac{5}{8}$

(5) $5-\frac{7}{9}=4\frac{2}{9}$

6 빈칸에 알맞은 수를 써넣으시오.

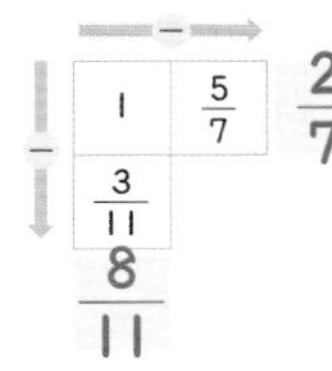

	1	$\frac{5}{7}$	$\frac{2}{7}$
	$\frac{3}{11}$		
	$\frac{8}{11}$		

7 관계있는 것끼리 선으로 이으시오.

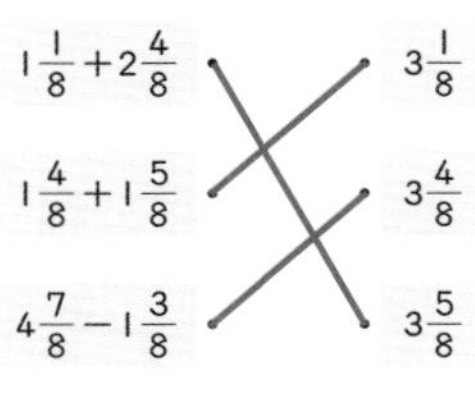

$1\frac{1}{8}+2\frac{4}{8}$ — $3\frac{5}{8}$

$1\frac{4}{8}+1\frac{5}{8}$ — $3\frac{1}{8}$

$4\frac{7}{8}-1\frac{3}{8}$ — $3\frac{4}{8}$

$5\frac{3}{8}-1\frac{5}{8}$ — $3\frac{6}{8}$

8 수직선에서 ㉠과 ㉡이 나타내는 수의 합은 몇 분의 몇입니까?

($\frac{11}{12}$)

㉠+㉡$=\frac{2}{12}+\frac{9}{12}=\frac{11}{12}$

9 ㉠과 ㉡의 차를 구하시오.

㉠ $\frac{1}{15}$이 14개인 수

㉡ $\frac{1}{15}$이 8개인 수

($\frac{6}{15}$)

㉠−㉡$=\frac{14}{15}-\frac{8}{15}=\frac{6}{15}$

10 계산 결과가 2와 3 사이인 뺄셈식에 ○표 하시오.

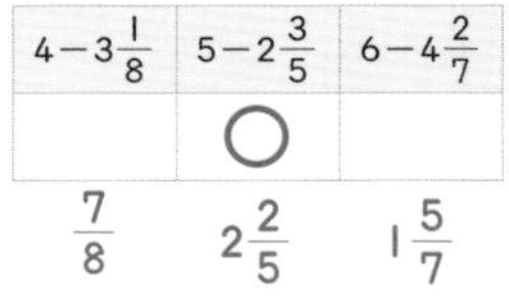

$4-3\frac{1}{8}$	$5-2\frac{3}{5}$	$6-4\frac{2}{7}$
	○	
$\frac{7}{8}$	$2\frac{2}{5}$	$1\frac{5}{7}$

11 피자 한 판이 있습니다. 재석이가 전체의 $\frac{2}{8}$를, 성미가 전체의 $\frac{3}{8}$을 먹었습니다. 재석이와 성미가 먹은 피자는 전체의 몇 분의 몇입니까?

($\frac{5}{8}$)

$\frac{2}{8}+\frac{3}{8}=\frac{5}{8}$

12 직사각형에서 가로는 세로보다 몇 cm 더 긴지 구하시오.

(1) 가로 1 cm, 세로 $\frac{6}{8}$ cm

$1-\frac{6}{8}=\frac{2}{8}$(cm) ($\frac{2}{8}$)cm

(2) 가로 $3\frac{3}{5}$ cm, 세로 $1\frac{2}{5}$ cm

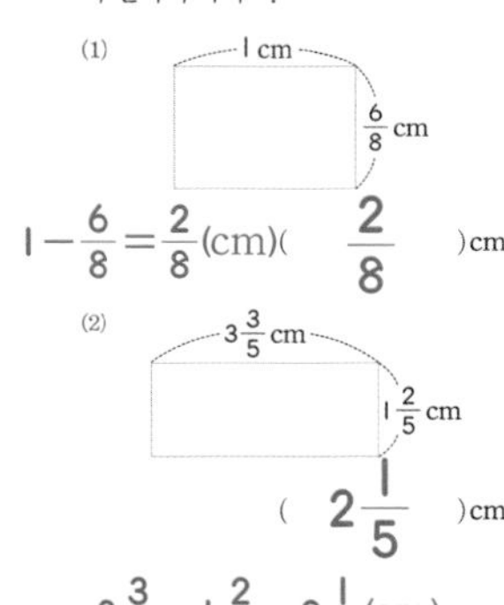

($2\frac{1}{5}$)cm

$3\frac{3}{5}-1\frac{2}{5}=2\frac{1}{5}$(cm)

13 다음 중 계산 결과가 1보다 큰 것을 모두 찾아 기호를 쓰시오.

㉠ $\frac{4}{9}+\frac{3}{9}$ ㉡ $\frac{7}{10}+\frac{4}{10}$

㉢ $\frac{7}{12}+\frac{8}{12}$ ㉣ $\frac{8}{13}+\frac{4}{13}$

(㉡, ㉢)

㉠ $\frac{7}{9}$ ㉡ $1\frac{1}{10}$ ㉢ $1\frac{3}{12}$ ㉣ $\frac{12}{13}$

14 빈 곳에 알맞은 수를 써넣으시오.

$3\frac{7}{12}$ → $+2\frac{4}{12}$ → $5\frac{11}{12}$ → $-1\frac{6}{12}$ → $4\frac{5}{12}$

15 두 분수의 합과 차를 각각 구하시오.

$3\frac{4}{9}$ $1\frac{7}{9}$

합 ($5\frac{2}{9}$)

차 ($1\frac{6}{9}$)

16 계산 결과를 비교하여 안에 >, =, < 를 알맞게 써넣으시오.

$6\frac{7}{9}+\frac{8}{9}$ < $10\frac{1}{9}-2\frac{2}{9}$

$=7\frac{6}{9}$ $=7\frac{8}{9}$

17 가장 큰 분수와 가장 작은 분수의 차를 구하시오.

$2\frac{7}{9}$ $1\frac{5}{9}$ $2\frac{4}{9}$ $1\frac{8}{9}$

($1\frac{2}{9}$)

$2\frac{7}{9}-1\frac{5}{9}=1\frac{2}{9}$

18 안에 알맞은 수를 써넣으시오.

$2\frac{5}{9}+\frac{4}{9}=3$

$\square=3-\frac{4}{9}=2\frac{5}{9}$

19 동진이는 감자를 $1\frac{3}{10}$ kg 캤고, 고구마를 $2\frac{5}{10}$ kg 캤습니다. 동진이가 캔 감자와 고구마는 모두 몇 kg인지 풀이 과정을 쓰고 답을 구하시오.

예 풀이 (동진이가 캔 감자와 고구마의 무게)

=(감자의 무게)+(고구마의 무게)

$=1\frac{3}{10}+2\frac{5}{10}$

$=3\frac{8}{10}$(kg)

답 $3\frac{8}{10}$ kg

20 물병에 물이 $1\frac{1}{4}$ L 들어 있었습니다. 영미가 물을 마시고 남은 물이 $\frac{3}{4}$ L였습니다. 영미가 마신 물은 몇 L인지 풀이 과정을 쓰고 답을 구하시오.

예 풀이 (영미가 마신 물의 양)

=(처음 물의 양)−(남은 물의 양)

$=1\frac{1}{4}-\frac{3}{4}=\frac{2}{4}$(L)

답 $\frac{2}{4}$ L

01 이등변삼각형

정답 11쪽

● 이등변삼각형: 두 변의 길이가 같은 삼각형

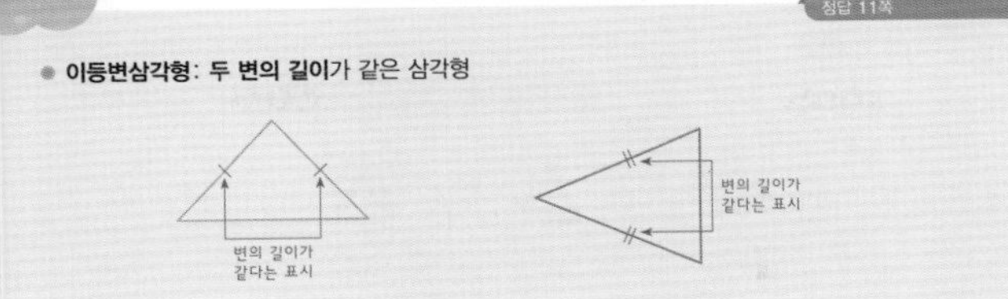

1 이등변삼각형입니다. 길이가 같은 변에 보기 와 같이 표시하고 □ 안에 알맞은 수를 써넣으시오.

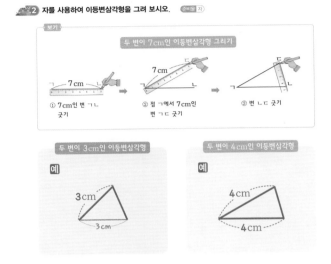

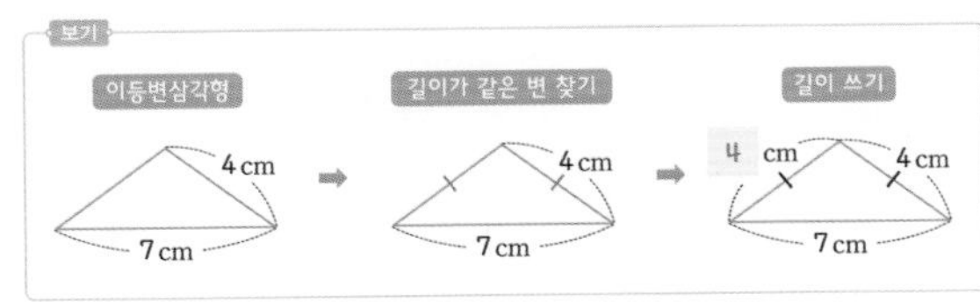

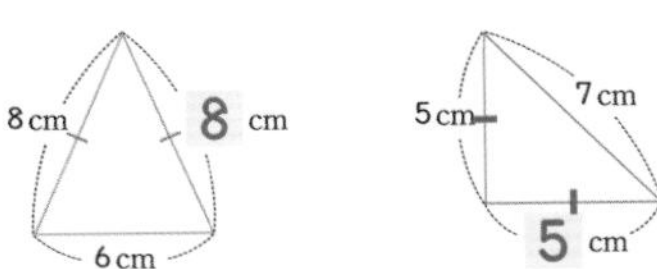

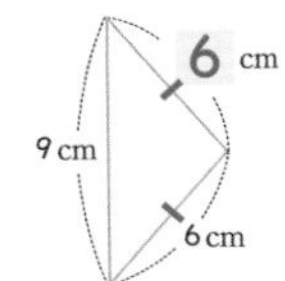

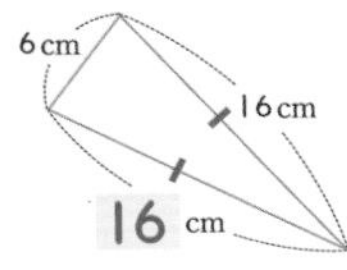

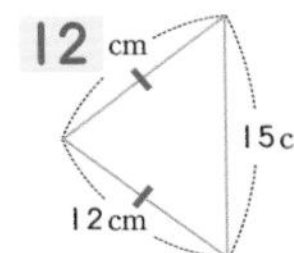

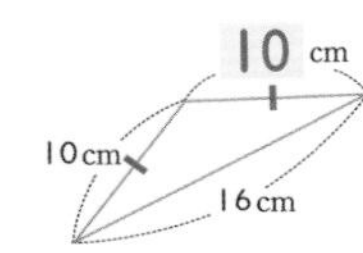

6 cm
9 cm
6 cm

2 자를 사용하여 이등변삼각형을 그려 보시오. 준비물 자

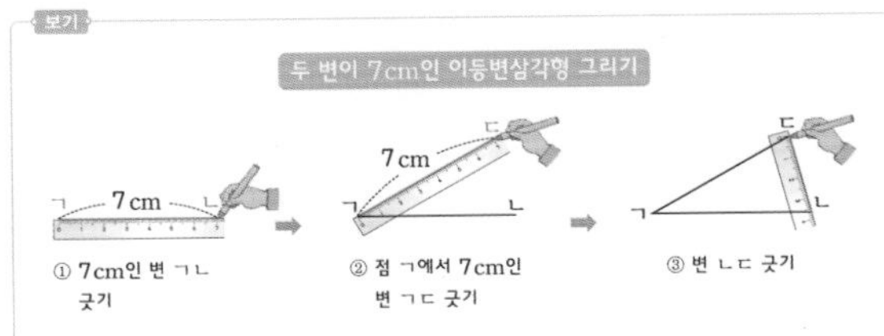

보기
두 변이 7 cm인 이등변삼각형 그리기
7 cm
① 7 cm인 변 ㄱㄴ 긋기
② 점 ㄱ에서 7 cm인 변 ㄱㄷ 긋기
③ 변 ㄴㄷ 긋기

두 변이 3 cm인 이등변삼각형

예

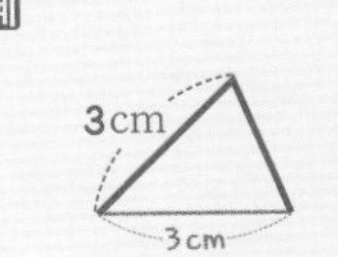

두 변이 4 cm인 이등변삼각형

예

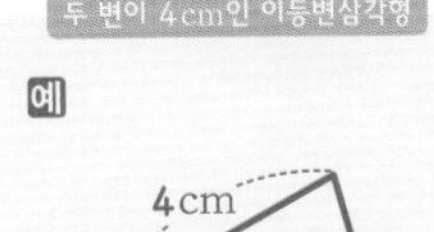

두 변이 5 cm인 이등변삼각형

예

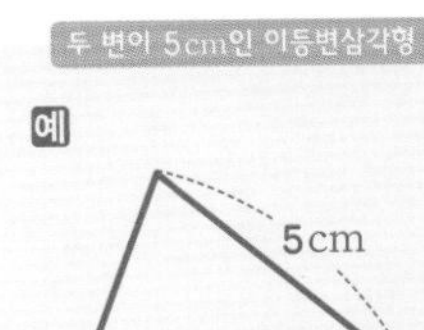

두 변이 6 cm인 이등변삼각형

예

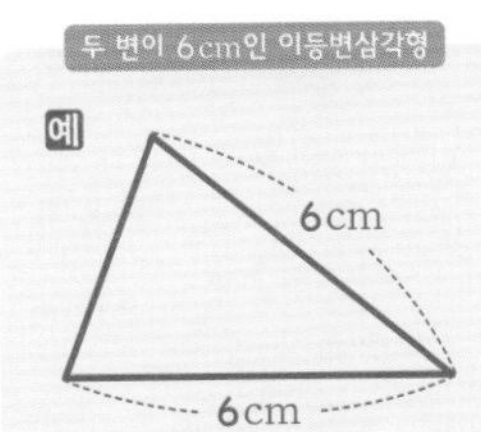

이등변삼각형은 길이가 같은 두 변과 함께 하는 **두 각의 크기**가 같습니다.

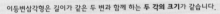

3 이등변삼각형입니다. 길이가 같은 변에 보기 와 같이 표시하고 □ 안에 알맞은 각도를 써넣으시오.

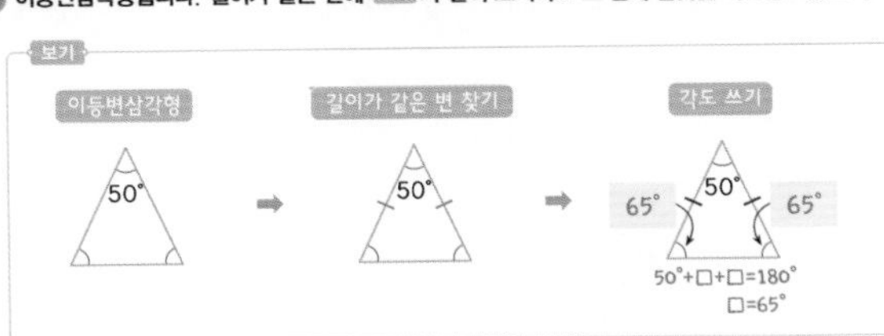

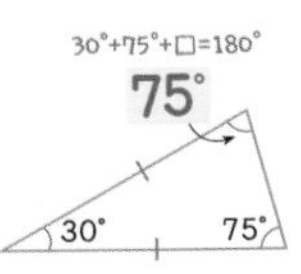

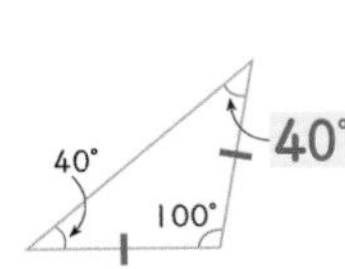

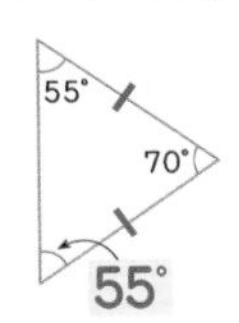

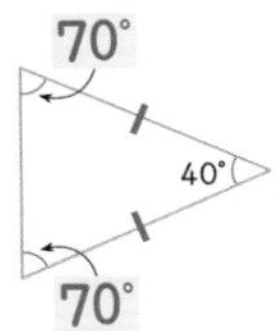

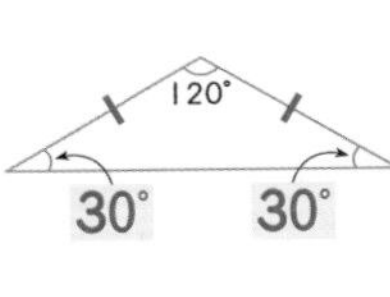

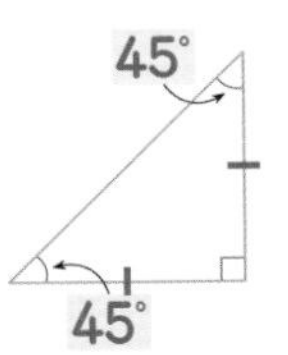

4 자와 각도기를 사용하여 이등변삼각형을 그려 보시오. 준비물 자, 각도기

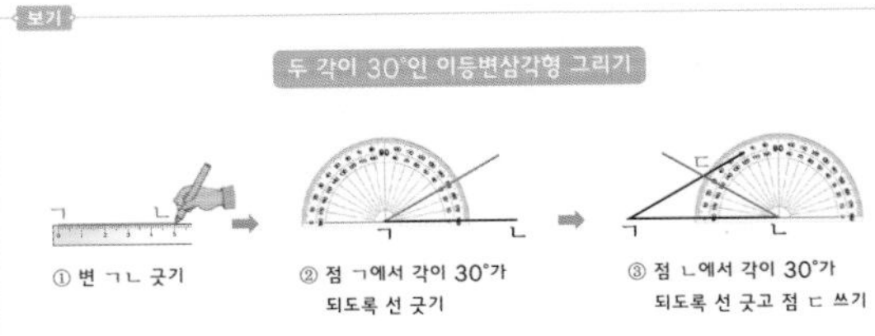

보기
두 각이 30°인 이등변삼각형 그리기
① 변 ㄱㄴ 긋기
② 점 ㄱ에서 각이 30°가 되도록 선 긋기
③ 점 ㄴ에서 각이 30°가 되도록 선 긋고 점 ㄷ 쓰기

두 각이 60°인 이등변삼각형

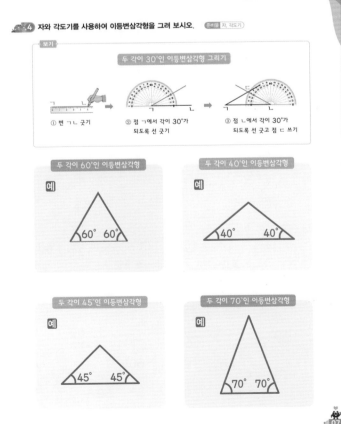

예

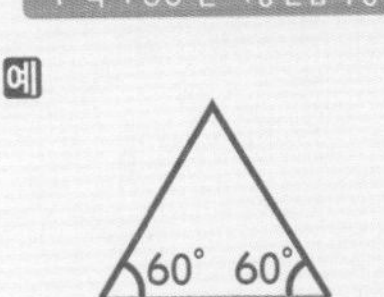

두 각이 40°인 이등변삼각형

예

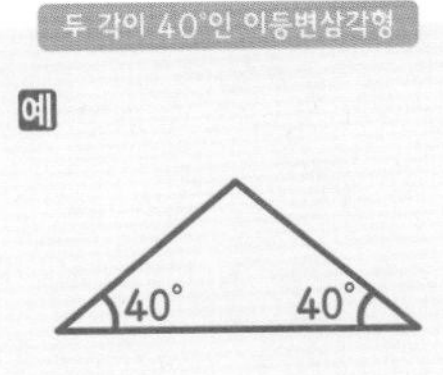

두 각이 45°인 이등변삼각형

예

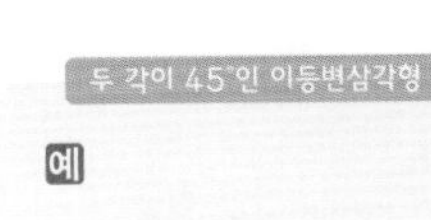

두 각이 70°인 이등변삼각형

예

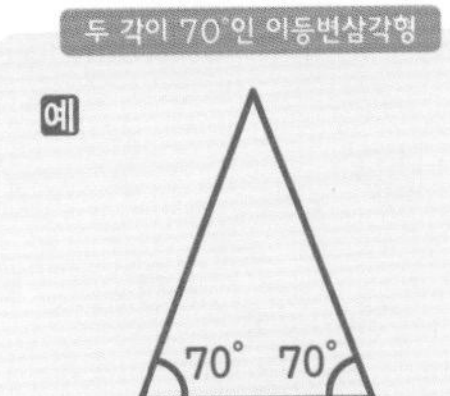
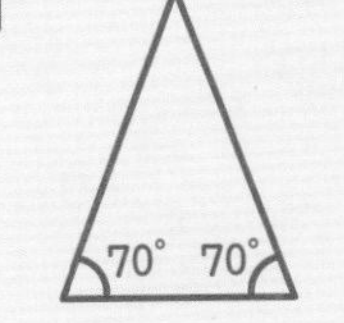

02 정삼각형

정답 12쪽

초등 4-2 ② 삼각형

● **정삼각형: 세 변의 길이**가 같은 삼각형

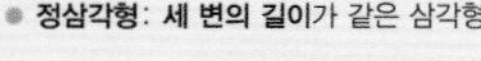

1 정삼각형입니다. 길이가 같은 변에 보기 와 같이 표시하고 안에 알맞은 수를 써넣으시오.

보기

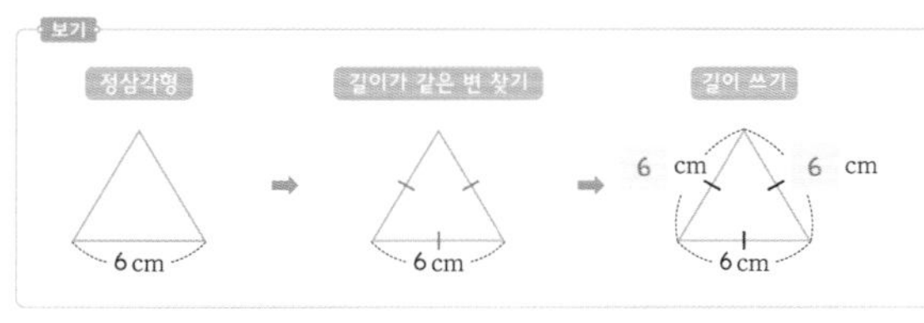

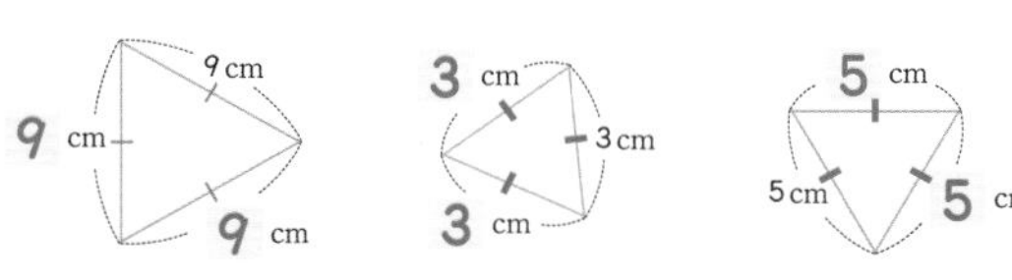

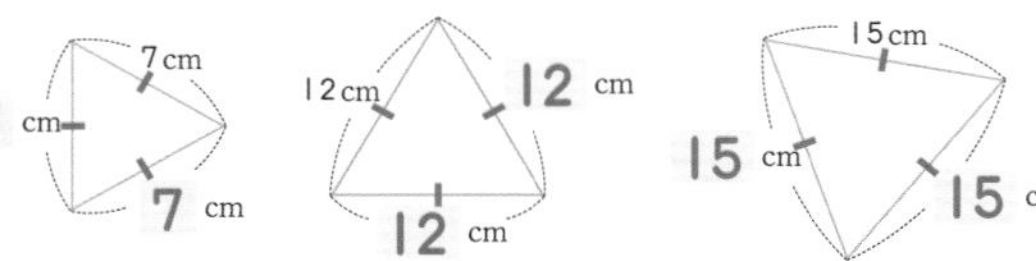

2 자와 컴퍼스를 사용하여 정삼각형을 그려 보시오. 준비물 자, 컴퍼스

보기

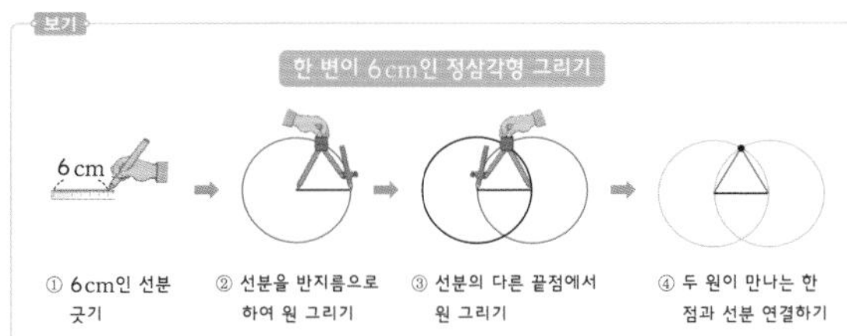

한 변이 6 cm인 정삼각형 그리기
6 cm
① 6 cm인 선분 긋기
② 선분을 반지름으로 하여 원 그리기
③ 선분의 다른 끝점에서 원 그리기
④ 두 원이 만나는 한 점과 선분 연결하기

한 변이 3 cm인 정삼각형

예 3 cm, 3 cm, 3 cm

한 변이 4 cm인 정삼각형

예

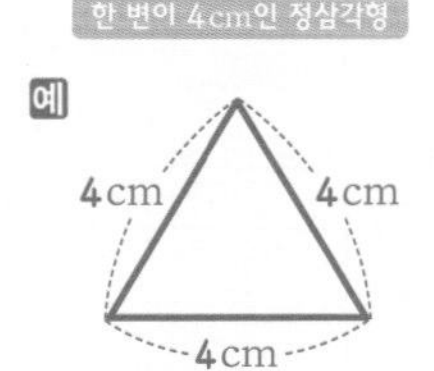

한 변이 2 cm인 정삼각형

예 2 cm, 2 cm, 2 cm

한 변이 5 cm인 정삼각형

예

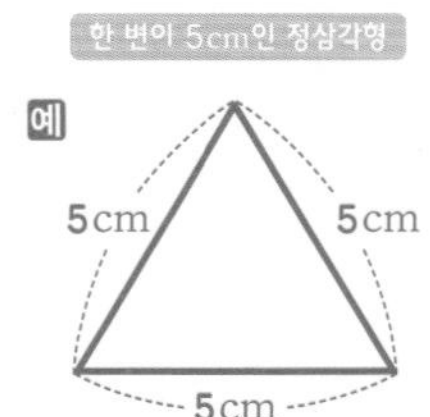

정삼각형은 **세 각의 크기**가 같습니다.

→ 한 각의 크기: 180°÷3=60°

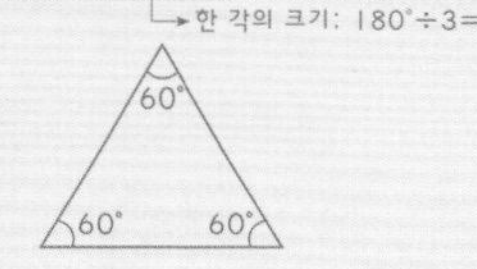

3 정삼각형입니다. 길이가 같은 변에 보기 와 같이 표시하고 안에 알맞은 각도를 써넣으시오.

보기

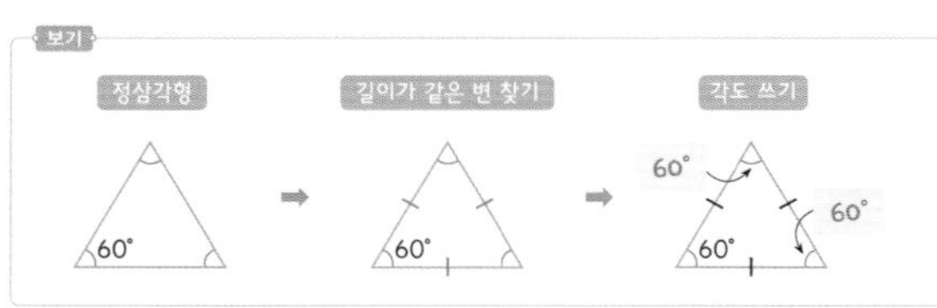

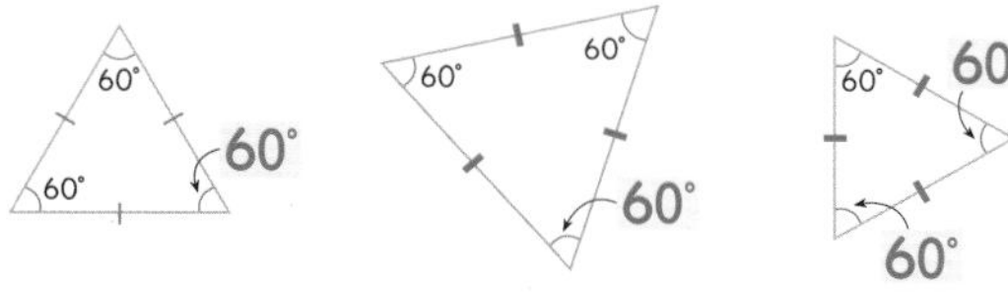

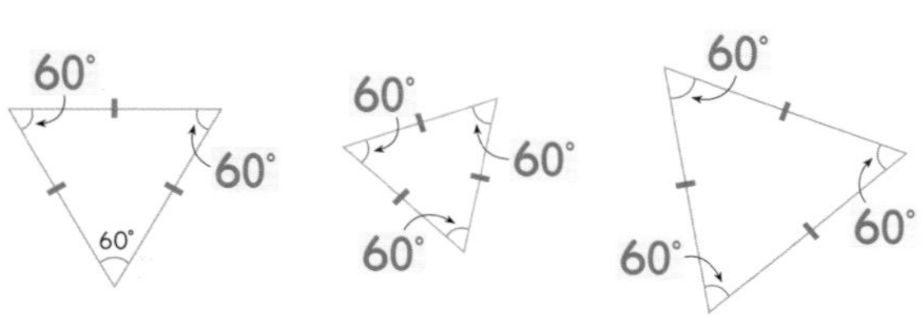

4 자와 각도기를 사용하여 정삼각형을 그려 보시오. 준비물 자, 각도기

보기

한 변이 8 cm인 정삼각형 그리기

① 8 cm인 변 ㄱㄴ 긋기 ② 점 ㄱ과 점 ㄴ에서 각이 60°가 되도록 선 긋기 ③ 두 선이 만나는 곳에 점 ㄷ 쓰기

한 변이 3 cm인 정삼각형

예 60° 60° 3 cm

한 변이 4 cm인 정삼각형

예

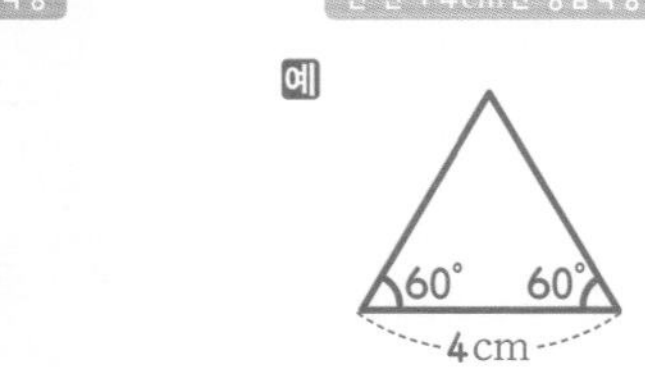

한 변이 2 cm인 정삼각형

예

한 변이 5 cm인 정삼각형

예

03 삼각형을 두 가지 기준으로 분류하기

정답 13쪽

● 삼각형을 각의 크기에 따라 분류하기

예각삼각형: 세 각이 모두 예각인 삼각형

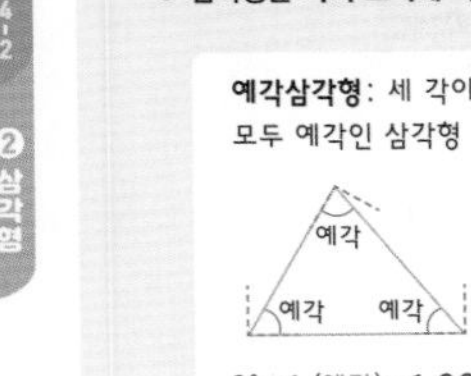

0° < (예각) < 90°

직각삼각형: 한 각이 직각인 삼각형

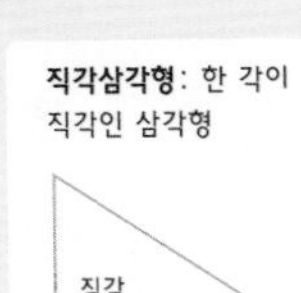

(직각) = 90°

둔각삼각형: 한 각이 둔각인 삼각형

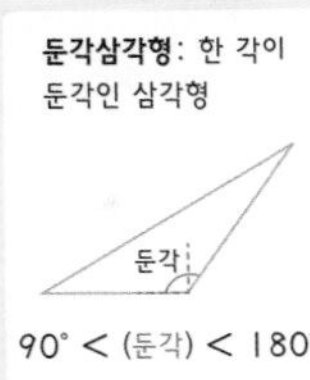

90° < (둔각) < 180°

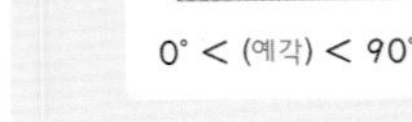

1 예각삼각형, 둔각삼각형, 직각삼각형 중 안에 알맞은 삼각형의 이름을 써넣으시오.

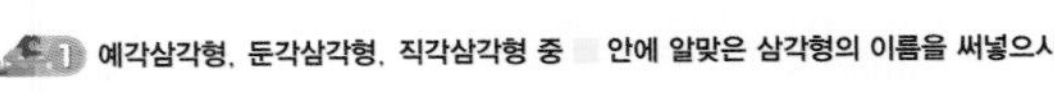

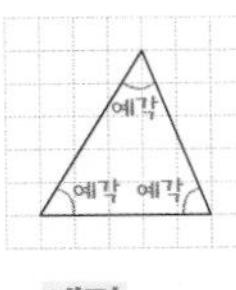
예각 삼각형

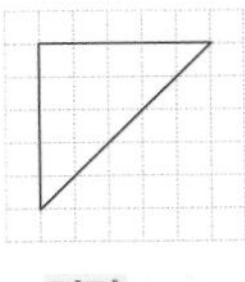
직각 삼각형

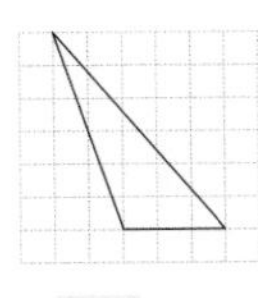
둔각 삼각형

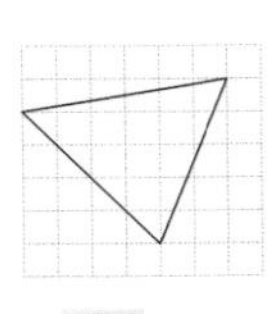
예각 삼각형

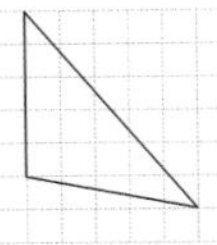
둔각 삼각형

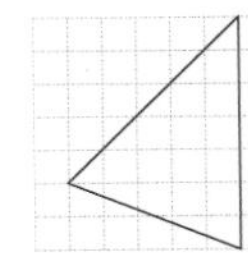
예각 삼각형

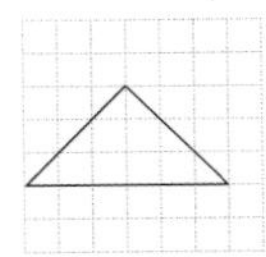
직각 삼각형

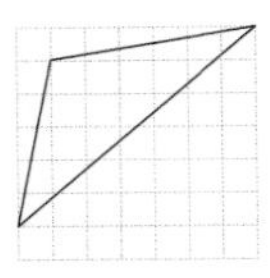
둔각 삼각형

2 삼각형을 그려 보시오.

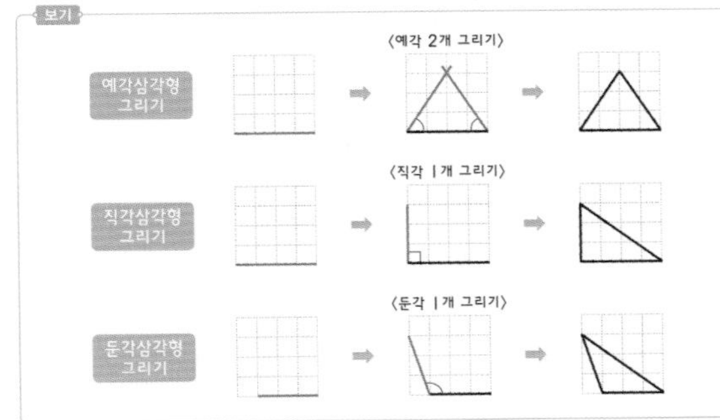

예각삼각형

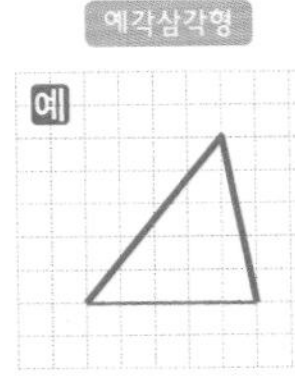

직각삼각형

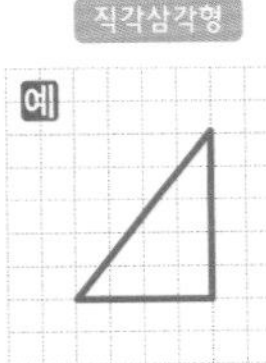

둔각삼각형

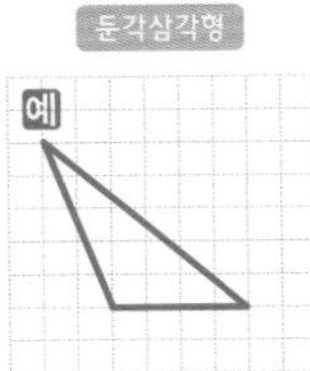

직각삼각형

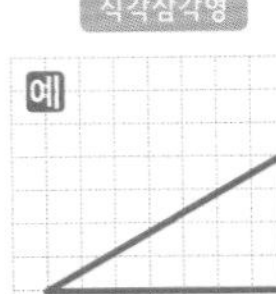

둔각삼각형

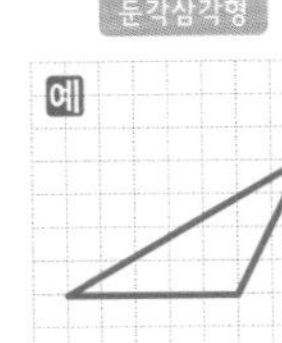

예각삼각형

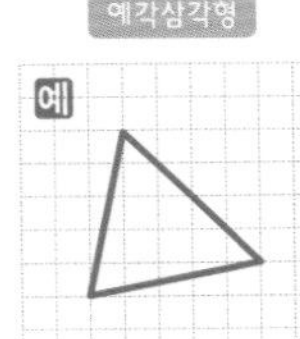

3 삼각형을 보고 안에 알맞은 삼각형의 이름을 써넣으시오.

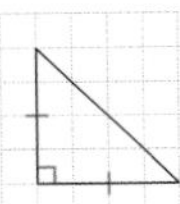

- 두 변의 길이가 같음 ➡ 이등변 삼각형
- 한 각의 크기가 직각 ➡ 직각 삼각형

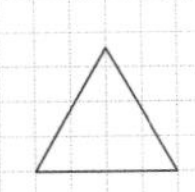

- 두 변의 길이가 같음 ➡ 이등변삼각형
- 세 변의 길이가 같음 ➡ 정 삼각형
- 세 각의 크기가 모두 예각임 ➡ 예각 삼각형

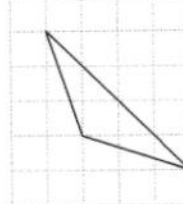

- 두 변의 길이가 같음 ➡ 이등변삼각형
- 한 각의 크기가 둔각 ➡ 둔각 삼각형

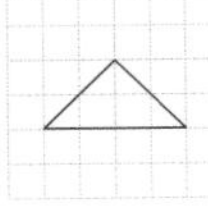

- 두 변의 길이가 같음 ➡ 이등변삼각형
- 한 각의 크기가 직각 ➡ 직각 삼각형

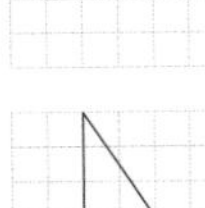

- 두 변의 길이가 같음 ➡ 이등변삼각형
- 한 각의 크기가 둔각 ➡ 둔각 삼각형

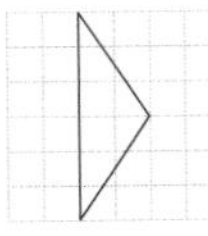

- 두 변의 길이가 같음 ➡ 이등변삼각형
- 세 변의 길이가 같음 ➡ 정 삼각형
- 세 각의 크기가 모두 예각임 ➡ 예각 삼각형

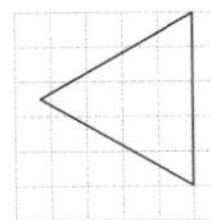

4 알맞은 것끼리 이어 보시오.

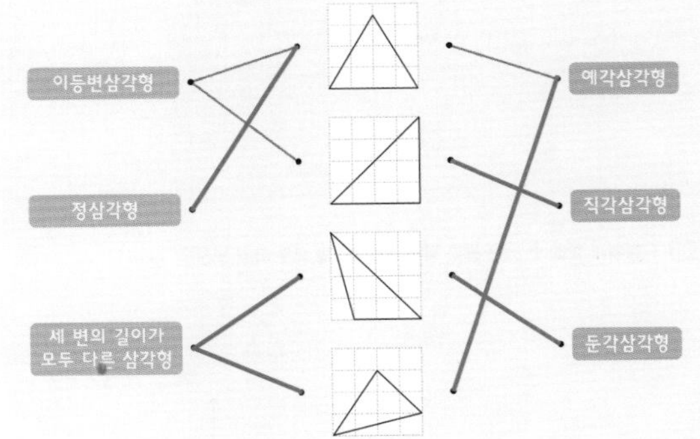

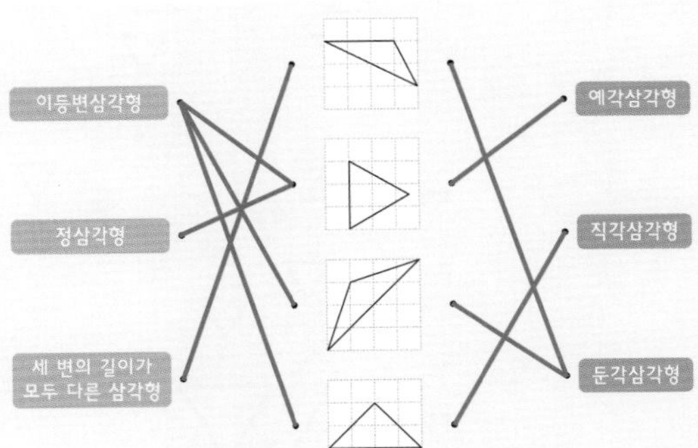

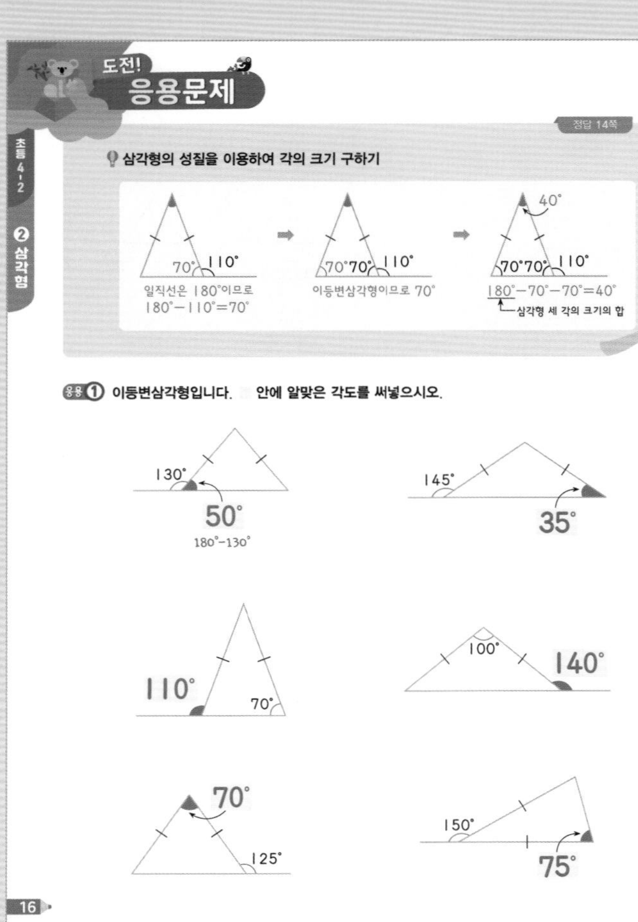
도전! 응용문제
정답 14쪽
삼각형의 성질을 이용하여 각의 크기 구하기
일직선은 180°이므로 180°−110°=70°
이등변삼각형이므로 70°
180°−70°−70°=40°
삼각형 세 각의 크기의 합
응용 ① 이등변삼각형입니다. 안에 알맞은 각도를 써넣으시오.
50°
180°−130°
35°
110°
140°
70°
75°

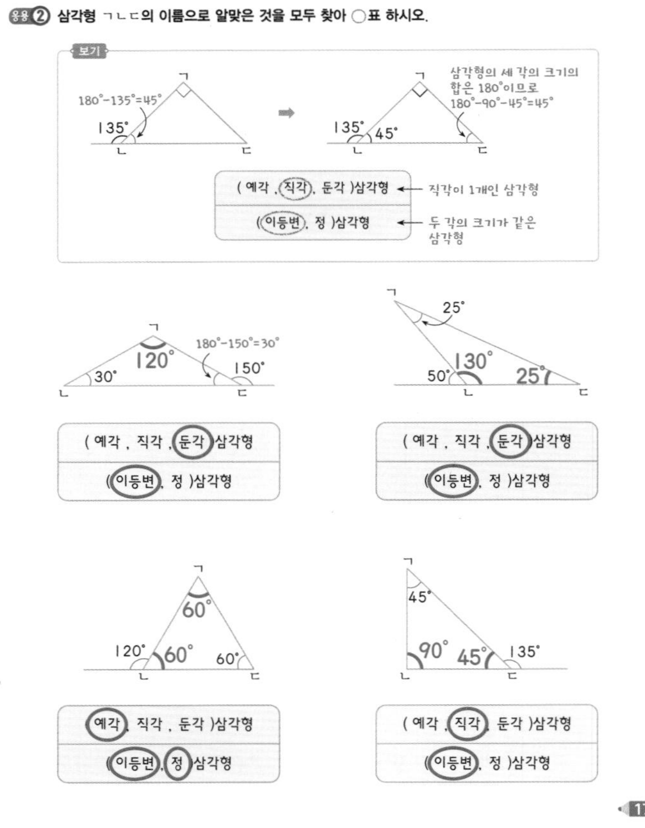
응용 ② 삼각형 ㄱㄴㄷ의 이름으로 알맞은 것을 모두 찾아 ○표 하시오.
보기
180°−135°=45°
삼각형의 세 각의 크기의 합은 180°이므로 180°−90°−45°=45°
(예각 , 직각 , 둔각)삼각형
직각이 1개인 삼각형
(이등변 , 정)삼각형
두 각의 크기가 같은 삼각형
180°−150°=30°

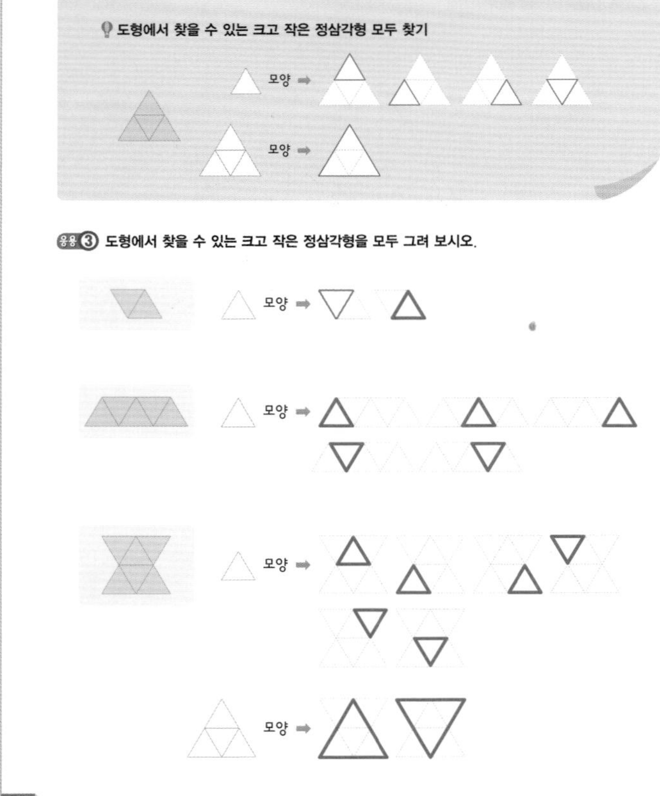
도형에서 찾을 수 있는 크고 작은 정삼각형 모두 찾기
모양
응용 ③ 도형에서 찾을 수 있는 크고 작은 정삼각형을 모두 그려 보시오.

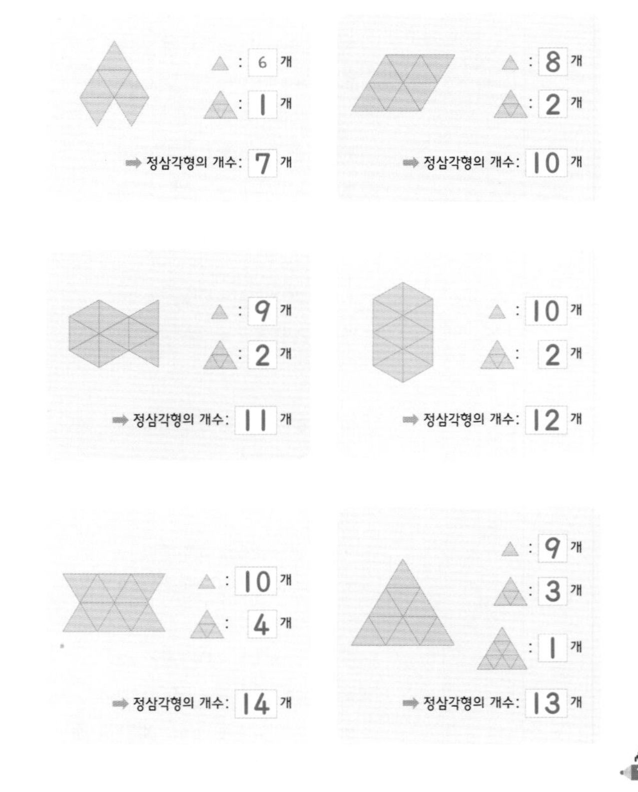
응용 ④ 도형에서 찾을 수 있는 크고 작은 정삼각형의 개수를 구하시오.
6 개
1 개
정삼각형의 개수: 7 개
8 개
2 개
정삼각형의 개수: 10 개
9 개
2 개
정삼각형의 개수: 11 개
10 개
2 개
정삼각형의 개수: 12 개
10 개
4 개
정삼각형의 개수: 14 개
9 개
3 개
1 개
정삼각형의 개수: 13 개

형성평가

정답 15쪽 걸린 시간: 분 점수: 점

[01~02] 이등변삼각형입니다. 안에 알맞은 수를 써넣으시오.

01

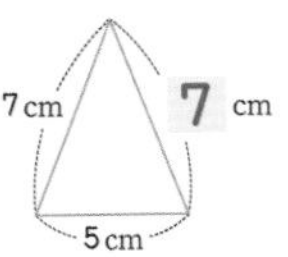

02

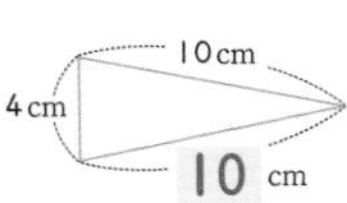

03 자를 사용하여 이등변삼각형을 그려 보시오.

두 변이 2cm인 이등변삼각형

예

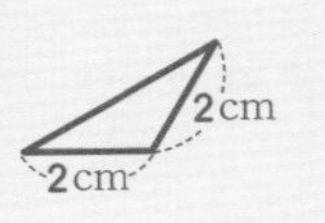

04 이등변삼각형입니다. 안에 알맞은 각도를 써넣으시오.

(1)

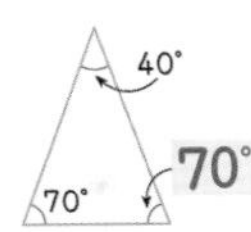

(2)

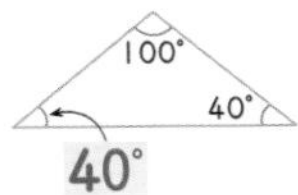

05 이등변삼각형입니다. 안에 알맞은 각도를 써넣으시오.

(1)

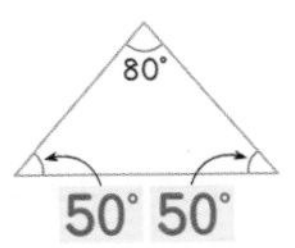

(2)

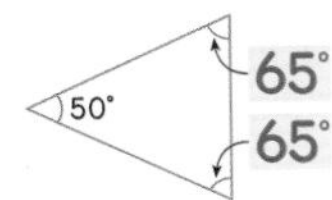

06 자와 각도기를 사용하여 이등변삼각형을 그려 보시오.

두 각이 30°인 이등변삼각형

예

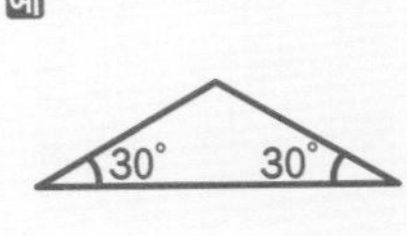

09 자와 컴퍼스를 사용하여 정삼각형을 그려 보시오.

한 변이 2.5cm인 정삼각형

예

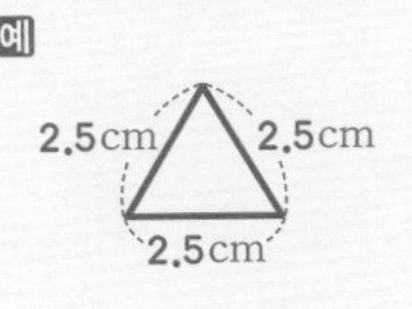

[07~08] 정삼각형입니다. 안에 알맞은 수를 써넣으시오.

07

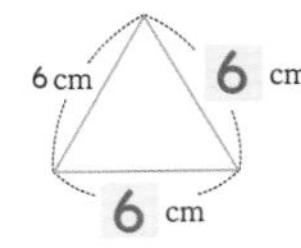

08

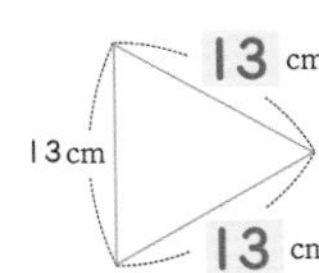

10 정삼각형입니다. 안에 알맞은 각도를 써넣으시오.

(1)

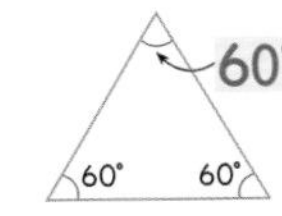

(2)

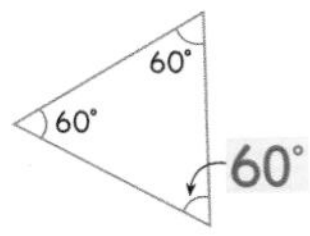

11 정삼각형입니다. 안에 알맞은 각도를 써넣으시오.

(1)

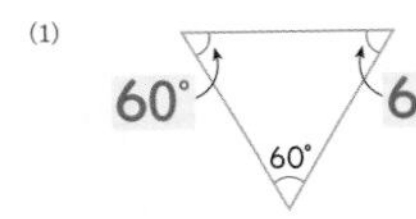

(2)

12 자와 각도기를 사용하여 정삼각형을 그려 보시오.

한 변이 3.5cm인 정삼각형

예

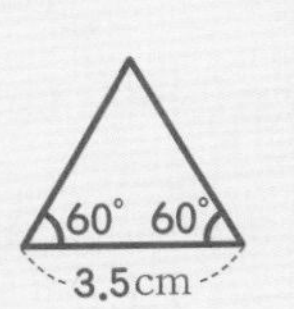

[13~15] 예각삼각형, 둔각삼각형, 직각삼각형 중 안에 알맞은 삼각형의 이름을 써넣으시오.

13

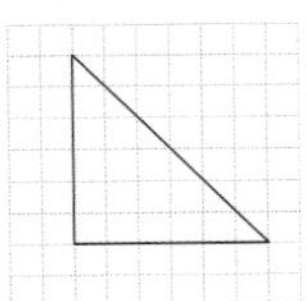

직각 삼각형

14

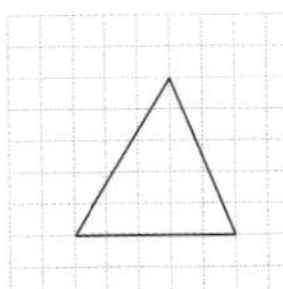

예각 삼각형

15

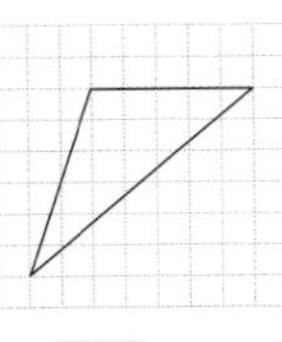

둔각 삼각형

16 예각삼각형을 그려 보시오.

예

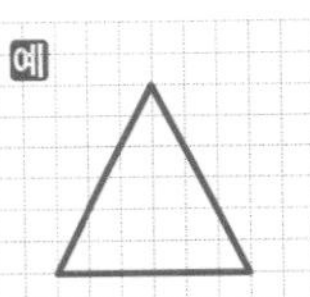

17 직각삼각형을 그려 보시오.

예

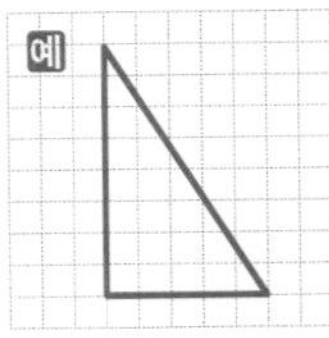

18 둔각삼각형을 그려 보시오.

예

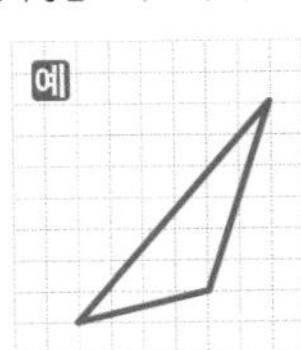

19 삼각형을 보고 안에 알맞은 삼각형의 이름을 써넣으시오.

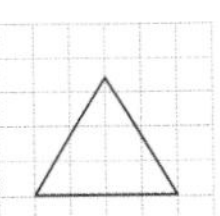

- 두 변의 길이가 같음 ➡ 이등변삼각형
- 세 변의 길이가 같음 ➡ 정 삼각형
- 세 각의 크기가 모두 예각임 ➡ 예각 삼각형

20 알맞은 것끼리 선으로 이어 보시오.

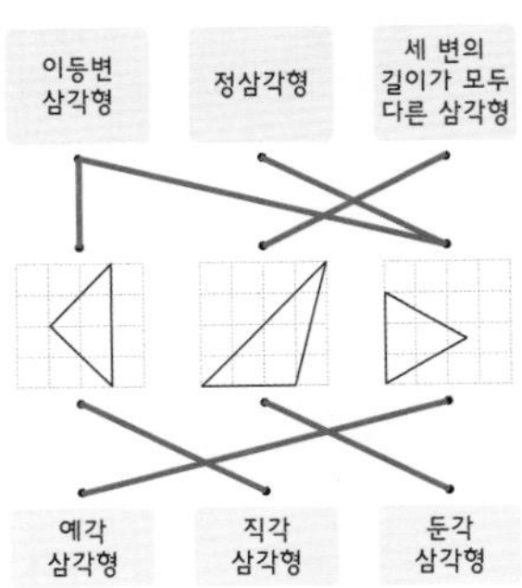

단원평가 2. 삼각형

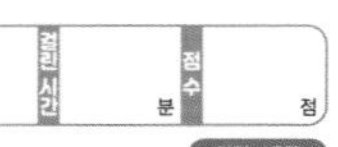

정답 16쪽

[1~4] 삼각형을 보고 물음에 답하시오.

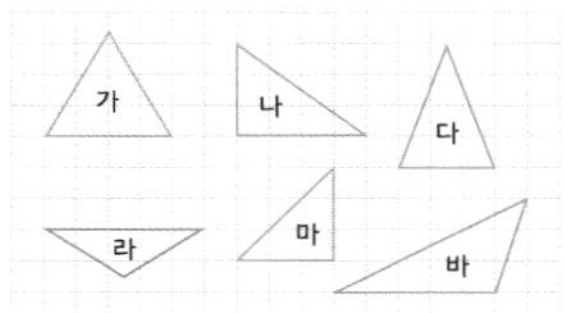

1 이등변삼각형을 모두 찾아 기호를 쓰시오.

(가, 다, 라, 마)

2 정삼각형을 찾아 기호를 쓰시오.

(가)

3 예각삼각형을 모두 찾아 기호를 쓰시오.

(가, 다)

4 둔각삼각형을 모두 찾아 기호를 쓰시오.

(라, 바)

5 이등변삼각형입니다. □ 안에 알맞게 써넣으시오.

(1)

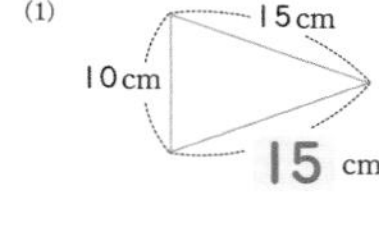

(2) 110°, 35°, 35°

6 정삼각형입니다. □ 안에 알맞게 써넣으시오.

(1)

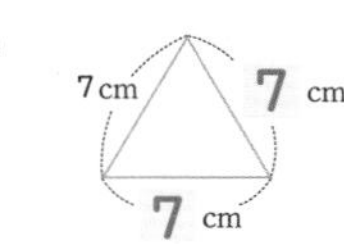

(2)

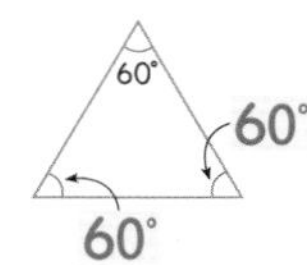

7 정삼각형에 대해 바르게 설명한 것을 모두 찾아 기호를 쓰시오.

㉠ 세 변의 길이가 모두 같습니다.
㉡ 세 각의 크기가 모두 같습니다.
㉢ 한 각의 크기는 항상 70°입니다.
㉣ 크기가 커지면 세 각의 크기도 함께 커집니다.

(㉠, ㉡)

8 직사각형 모양의 종이를 점선을 따라 오려서 여러 가지 삼각형을 만들었습니다. 빈칸에 알맞은 기호를 써넣으시오.

가 나 다 라 마 바 사 아

예각삼각형	나, 다, 마, 바
직각삼각형	가, 아
둔각삼각형	라, 사

9 주어진 선분을 한 변으로 하는 둔각삼각형을 그리려고 합니다. 선분의 양 끝점과 어느 점을 이어야 합니까? (⑤)

① ② ③ ④ ⑤

10 다음 설명 중 옳지 않은 것을 모두 고르시오. (②, ④)

① 정삼각형은 세 각의 크기가 같습니다.
② 이등변삼각형은 정삼각형이라 할 수 있습니다.
③ 정삼각형은 이등변삼각형이라 할 수 있습니다.
④ 이등변삼각형은 예각삼각형입니다.
⑤ 정삼각형은 예각삼각형입니다.

[11~13] 삼각형을 분류하여 기호를 쓰시오.

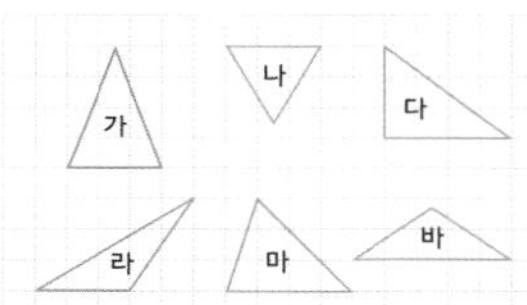

11 변의 길이에 따라 분류해 보시오.

이등변삼각형	가, 나, 바
세 변의 길이가 모두 다른 삼각형	다, 라, 마

12 각의 크기에 따라 분류해 보시오.

예각삼각형	직각삼각형	둔각삼각형
가, 나, 마	다	라, 바

13 변의 길이와 각의 크기에 따라 분류해 보시오.

	예각 삼각형	직각 삼각형	둔각 삼각형
이등변 삼각형	가, 나		바
세 변의 길이가 모두 다른 삼각형	마	다	라

14 이등변삼각형입니다. □ 안에 알맞은 각도를 써넣으시오.

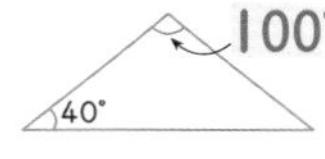

15 삼각형 ㄱㄴㄷ은 정삼각형입니다. □ 안에 알맞은 각도를 써넣으시오.

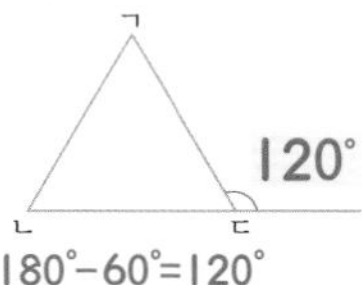

180°−60°=120°

16 길이가 같은 철사 3개를 변으로 하여 만들 수 있는 삼각형의 이름이 될 수 없는 것을 찾아 기호를 쓰시오.

㉠ 이등변삼각형 ㉡ 정삼각형
㉢ 예각삼각형 ㉣ 둔각삼각형

(㉣)

17 삼각형의 세 각 중 두 각의 크기를 나타낸 것입니다. 알맞은 삼각형을 찾아 빈칸에 기호를 써넣으시오.

㉠ 50°, 35° ㉡ 60°, 45°
㉢ 60°, 50° ㉣ 40°, 30°

예각삼각형	둔각삼각형
㉡, ㉢	㉠, ㉣

나머지 한 각의 크기는
㉠ 95° ㉡ 75° ㉢ 70° ㉣ 110°

18 설명하는 도형을 그려 보시오.

- 두 변의 길이가 같습니다.
- 한 각이 둔각입니다.

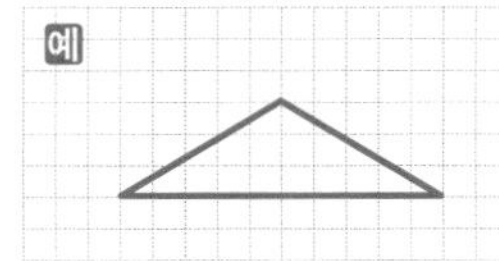

19 길이가 54 cm인 철사를 사용하여 가장 큰 정삼각형을 한 개 만들었습니다. 만든 정삼각형의 한 변의 길이는 몇 cm인지 풀이 과정을 쓰고 답을 구하시오.

예 풀이 (정삼각형 한 변의 길이)
=54÷3=18(cm)

답 18 cm

20 이등변삼각형입니다. 세 변의 길이의 합은 몇 cm인지 풀이 과정을 쓰고 답을 구하시오.

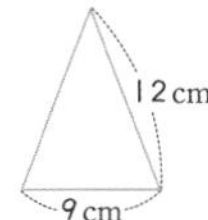

예 풀이 (나머지 한 변의 길이)
=12 cm
(세 변의 길이의 합)
=12+9+12
=33(cm) 답 33 cm

01 소수 두 자리 수와 소수 세 자리 수

정답 17쪽

● 분수를 소수로 나타내기(1)

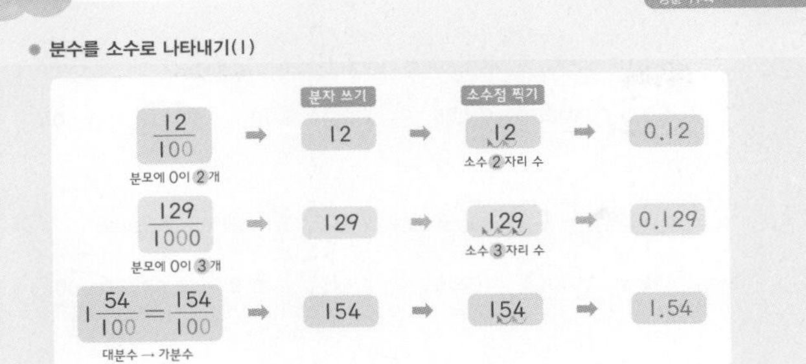

1 분수를 소수로 나타내시오.

$\frac{31}{100}$ = 0.31 (분모에 0이 2개)　$\frac{75}{100}$ = 0.75 (분모에 0이 2개)　$\frac{84}{100}$ = 0.84

$\frac{176}{1000}$ = 0.176 (분모에 0이 3개)　$\frac{265}{1000}$ = 0.265　$\frac{403}{1000}$ = 0.403

$1\frac{16}{100}$ = 1.16　$5\frac{92}{100}$ = 5.92　$8\frac{681}{1000}$ = 8.681

$\frac{67}{100}$ = 0.67　$7\frac{305}{1000}$ = 7.305　$\frac{548}{1000}$ = 0.548

$6\frac{49}{100}$ = 6.49　$\frac{224}{1000}$ = 0.224　$3\frac{156}{1000}$ = 3.156

● 분수를 소수로 나타내기(2)

	분자 쓰기	소수점 찍기		
$\frac{7}{100}$ (분모에 0이 2개)	7	7 (소수 2자리 수)	0.07	
$\frac{300}{1000}$ (분모에 0이 3개)	300	300 (소수 3자리 수)	0.300 → 0.3 (끝자리 0 지우기)	
$1\frac{60}{1000} = \frac{1060}{1000}$ (대분수 → 가분수)	1060	1060	1.060 → 1.06 (끝자리 0 지우기)	

2 분수를 소수로 나타내시오.

$\frac{5}{100}$ = 0.05 (분모에 0이 2개)　$\frac{1}{100}$ = 0.01 (분모에 0이 2개)　$\frac{8}{100}$ = 0.08

$\frac{200}{1000}$ = 0.2 (분모에 0이 3개)　$\frac{900}{1000}$ = 0.9　$\frac{700}{1000}$ = 0.7

$2\frac{40}{1000}$ = 2.04　$6\frac{80}{1000}$ = 6.08　$5\frac{90}{1000}$ = 5.09

$\frac{20}{100}$ = 0.2　$\frac{250}{1000}$ = 0.25　$\frac{780}{1000}$ = 0.78

$8\frac{40}{100}$ = 8.4　$\frac{600}{1000}$ = 0.6　$4\frac{300}{1000}$ = 4.3

● 소수를 읽는 방법

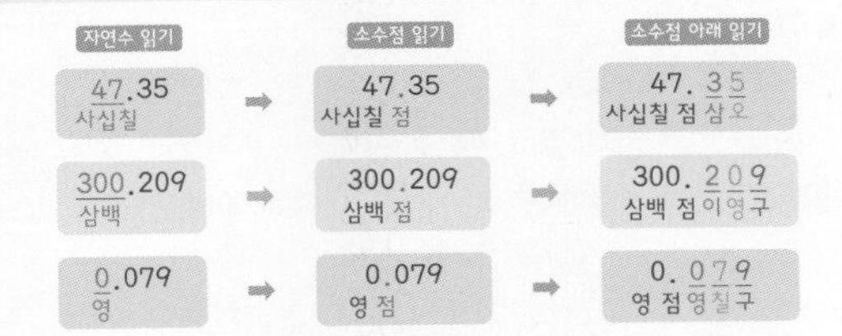

3 소수를 바르게 읽은 것을 찾아 ○표 하시오.

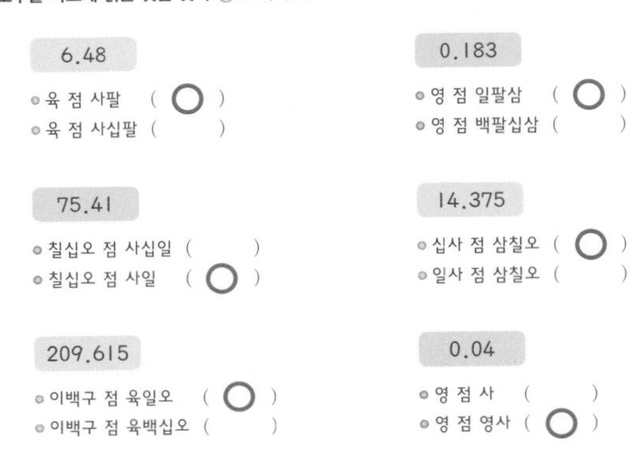

6.48
- 육 점 사팔 (○)
- 육 점 사십팔 ( )

0.183
- 영 점 일팔삼 (○)
- 영 점 백팔십삼 ( )

75.41
- 칠십오 점 사십일 ( )
- 칠십오 점 사일 (○)

14.375
- 십사 점 삼칠오 (○)
- 일사 점 삼칠오 ( )

209.615
- 이백구 점 육일오 (○)
- 이백구 점 육백십오 ( )

0.04
- 영 점 사 ( )
- 영 점 영사 (○)

7.105
- 칠 점 백오 ( )
- 칠 점 일영오 (○)

30.03
- 삼십 점 영삼 (○)
- 삼영 점 영삼 ( )

4 갈림길에서 푯말의 소수를 바르게 읽은 길을 따라가세요.

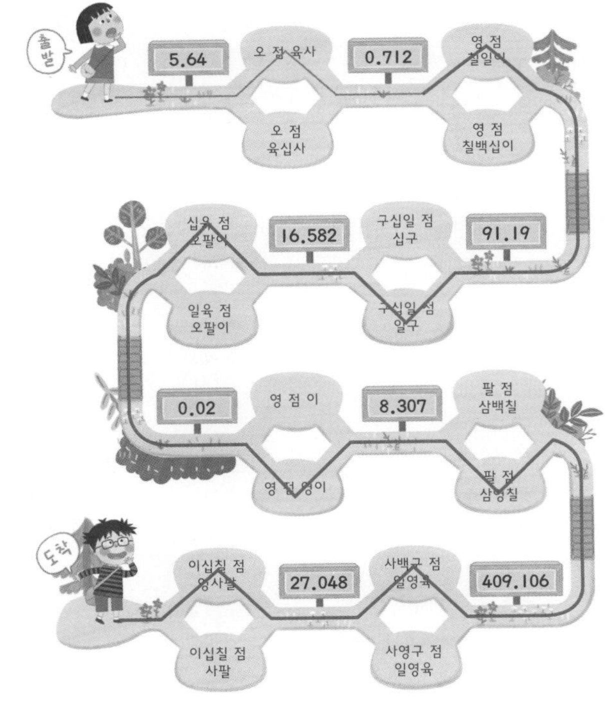

02 각 자리의 숫자가 나타내는 값

정답 18쪽

7.385의 각 자리의 숫자가 나타내는 값

7.385 ➡ 7+0.3+0.08+0.005

7.385	나타내는 수
일의 자리 숫자: 7 ➡	7
소수 첫째 자리 숫자: 3 ➡	0.3
소수 둘째 자리 숫자: 8 ➡	0.08
소수 셋째 자리 숫자: 5 ➡	0.005

1 소수를 각 자리 숫자가 나타내는 수의 합으로 나타내시오.

보기
1.407= 1 + 0.4 + 0.007
1.407 ➡ 1 + 0.4 + 0.007

0.48=0.4+0.08
0.48 ➡ 0.4 + 0.08

0.516=0.5+0.01+0.006
1.21= 1 +0.2+0.01
8.952= 8 +0.9+0.05+0.002
5.07= 5 +0.07
6.39= 6 +0.3+0.09
2.904= 2 +0.9+0.004
7.045= 7 +0.04+0.005
6.003= 6 +0.003
1.212= 1 +0.2+0.01+0.002
9.99= 9 +0.9+0.09

2 빨간색 숫자가 나타내는 수를 찾아 ○표 하시오.

- 1.57 =1+0.5+0.07 : (0.5) 0.05 0.005
- 3.14 =3+0.1+0.04 : 0.4 (0.04) 0.004
- 0.365 =0.3+0.06+0.005 : 0.6 (0.06) 0.006
- 6.928 : 0.8 0.08 (0.008)
- 4.39 : 0.9 (0.09) 0.009
- 2.715 : (0.7) 0.07 0.007
- 5.872 : 0.2 0.02 (0.002)
- 8.15 : (0.1) 0.01 0.001
- 13.53 : 0.3 (0.03) 0.003
- 42.195 : 0.5 0.05 (0.005)
- 482.248 : 0.4 (0.04) 0.004
- 617.78 : (0.7) 0.07 0.007

3 □ 안에 알맞은 수를 써넣으시오.

보기
0.385는 0.3 → 0.1이 3개, 0.08 → 0.01이 8개, 0.005 → 0.001이 5개 ➡ 0.385는 0.1이 3 개, 0.01이 8 개, 0.001이 5 개

- 7.62는 1이 7 개 ← 7, 0.1이 6 개 ← 0.6, 0.01이 2 개 ← 0.02
- 0.419는 0.1이 4 개, 0.01이 1 개, 0.001이 9 개
- 6.05는 1이 6 개, 0.01이 5 개
- 0.804는 0.1이 8 개, 0.001이 4 개
- 25.01은 10이 2 개, 1이 5 개, 0.01이 1 개
- 3.072는 1이 3 개, 0.01이 7 개, 0.001이 2 개
- 9.17은 1이 9 개, $\frac{1}{10}$(0.1)이 1 개, $\frac{1}{100}$(0.01)이 7 개
- 7.036은 1이 7 개, $\frac{1}{100}$(0.01)이 3 개, $\frac{1}{1000}$(0.001)이 6 개

4 □ 안에 알맞은 소수를 써넣으시오.

보기
0.1이 4개 → 0.4, 0.01이 2개 → 0.02, 0.001이 7개 → 0.007 이면 0.427 ➡ 0.1이 4개, 0.01이 2개, 0.001이 7개 이면 0.427

- 1이 3개(3), 0.1이 5개(0.5), 0.01이 8개(0.08) 이면 3.58
- 0.1이 9개, 0.01이 6개, 0.001이 1개 이면 0.961
- 10이 7개, 0.01이 2개 이면 70.02
- 0.01이 4개, 0.001이 8개 이면 0.048
- 10이 1개, 1이 5개, 0.01이 9개 이면 15.09
- 1이 6개, 0.1이 3개, 0.001이 2개 이면 6.302
- 10이 4개, $\frac{1}{10}$(0.1)이 7개, $\frac{1}{100}$(0.01)이 3개 이면 40.73
- 1이 8개, $\frac{1}{10}$(0.1)이 5개, $\frac{1}{1000}$(0.001)이 9개 이면 8.509

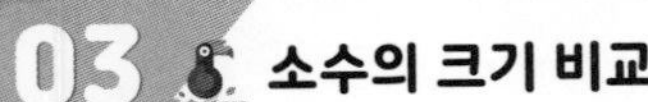

정답 19쪽

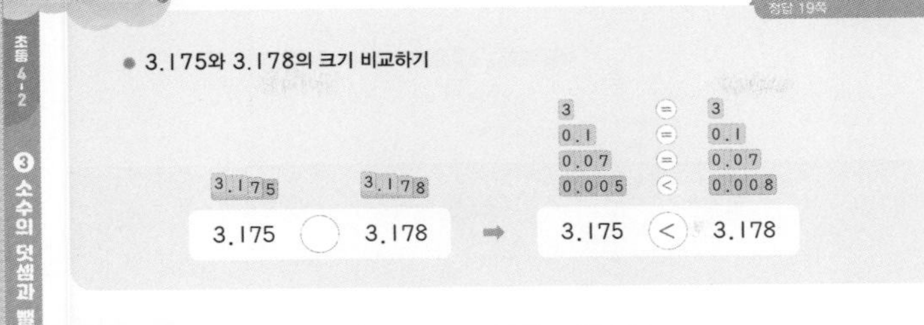

1 두 수의 크기를 비교하여 ◯ 안에 > 또는 <를 알맞게 써넣으시오.

3.69 < 4.21 (3 < 4)

5.76 < 5.82

1.19 > 1.14

0.58 < 0.72

7.362 > 5.874

2.945 > 2.943

0.581 > 0.576

1.689 < 1.721

2 보기와 같은 방법으로 두 수의 크기를 비교하여 빈 곳에 알맞게 써넣으시오.

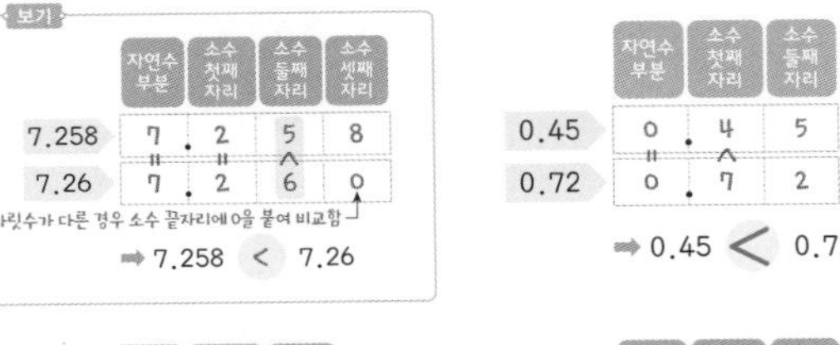

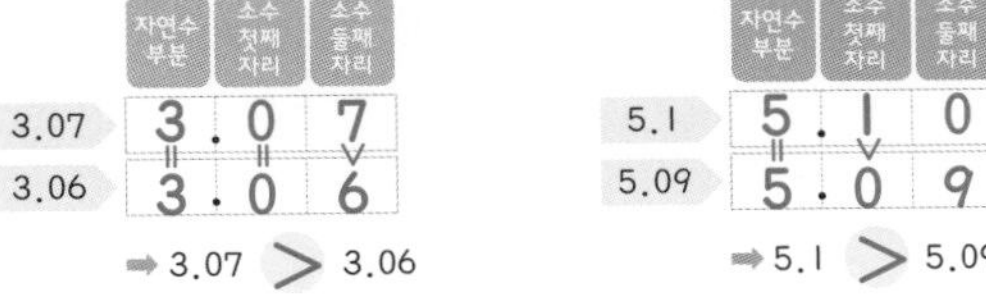

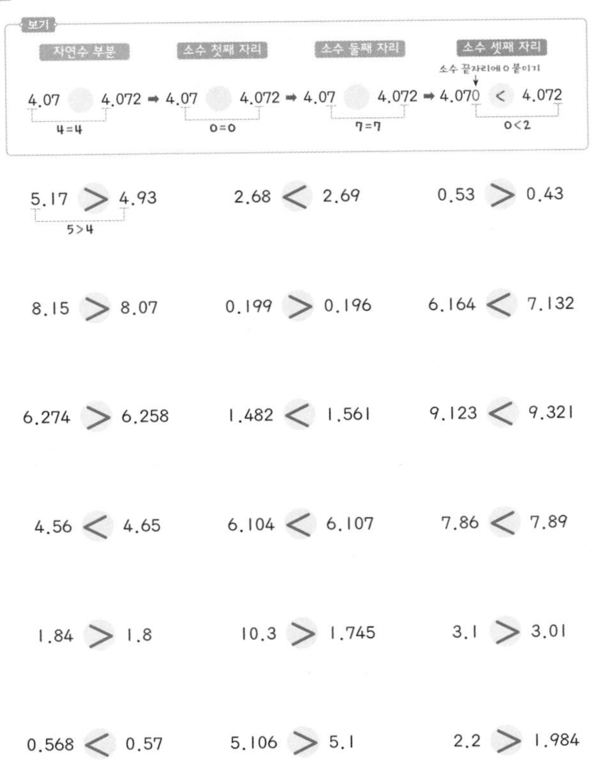

04 소수 사이의 관계

정답 20쪽

초등 4-2 ③ 소수의 덧셈과 뺄셈

● 어떤 수의 10배, 100배, 1000배

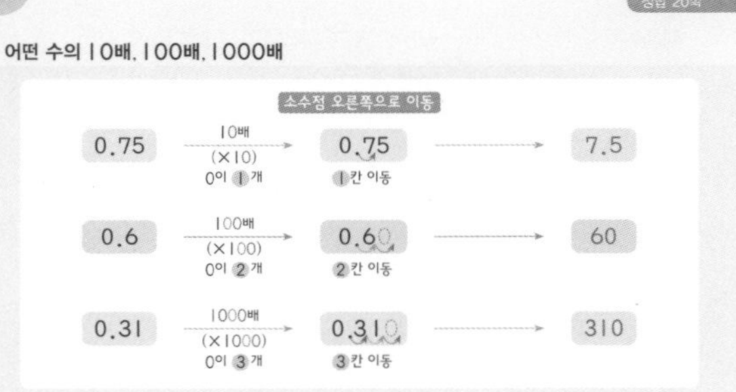

● 어떤 수의 $\frac{1}{10}$, $\frac{1}{100}$, $\frac{1}{1000}$

소수점 왼쪽으로 이동

1.5	$\frac{1}{10}$ ($\times\frac{1}{10}$) 0이 1개	01.5 1칸 이동	→	0.15
8	$\frac{1}{100}$ ($\times\frac{1}{100}$) 0이 2개	008 2칸 이동	→	0.08
320	$\frac{1}{1000}$ ($\times\frac{1}{1000}$) 0이 3개	0320 3칸 이동	→	0.320 → 0.32 끝자리 0 지우기

1 □ 안에 알맞은 수를 써넣으시오.

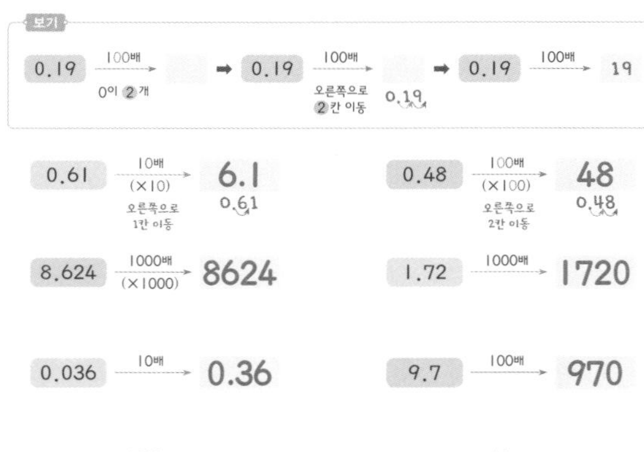

2 □ 안에 알맞은 소수를 써넣으시오.

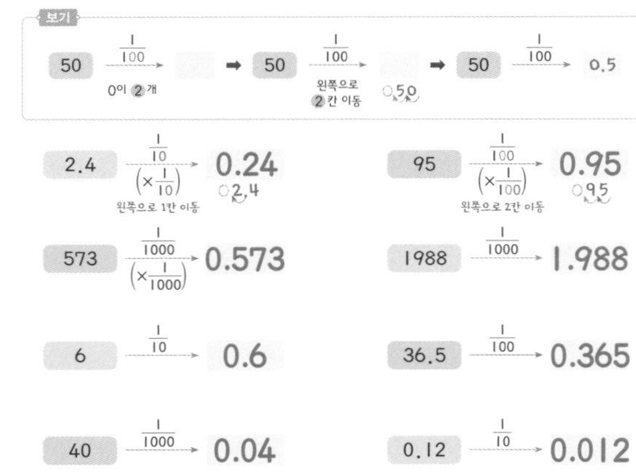

3 각 단위에 맞게 소수로 나타내려고 합니다. □ 안에 알맞은 수를 써넣으시오.

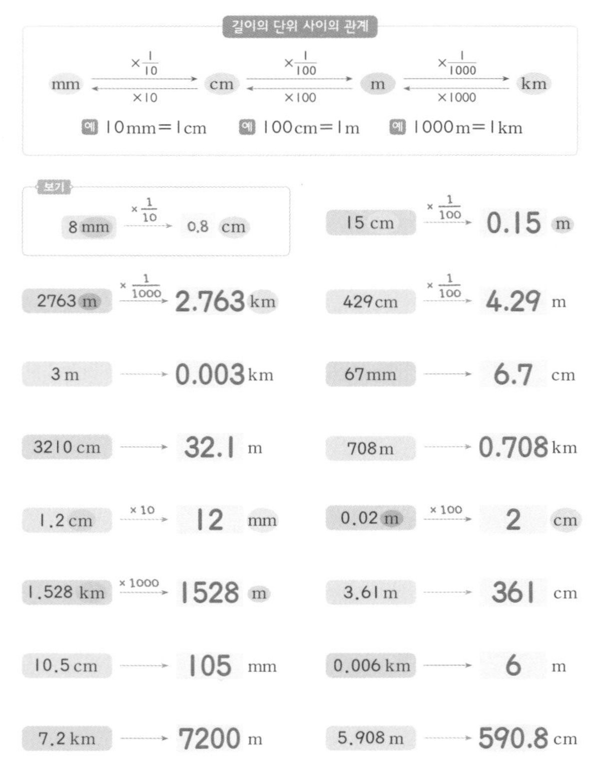

4 각 단위에 맞게 소수로 나타내려고 합니다. □ 안에 알맞은 수를 써넣으시오.

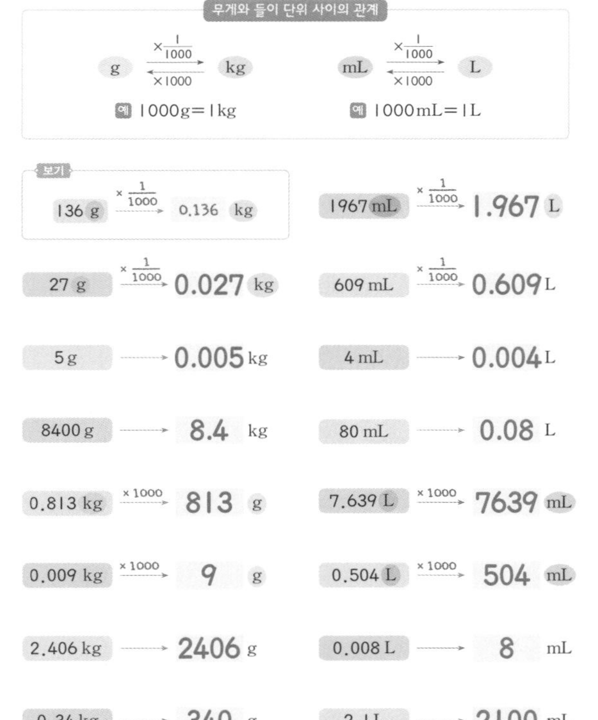

05 소수 한 자리 수의 덧셈

정답 21쪽

초등 4-2 ❸ 소수의 덧셈과 뺄셈

- 1.4+0.3 알아보기

소수점의 자리 맞추기 → 자연수의 덧셈과 같은 방법으로 계산 → 소수점을 내려 찍기

1.4 + 0.3 → 7 → 17 → 1.7

1 계산을 하시오.

0.5 + 0.3 = 0.8 | 0.1 + 0.6 = 0.7 | 0.2 + 0.5 = 0.7

0.7 + 0.2 = 0.9 | 2.3 + 0.3 = 2.6 | 0.5 + 4.4 = 4.9

5.2 + 0.6 = 5.8 | 0.3 + 7.1 = 7.4 | 3.5 + 2.2 = 5.7

4.3 + 1.5 = 5.8 | 5.1 + 3.5 = 8.6 | 4.2 + 4.7 = 8.9

2 보기와 같이 계산을 하시오.

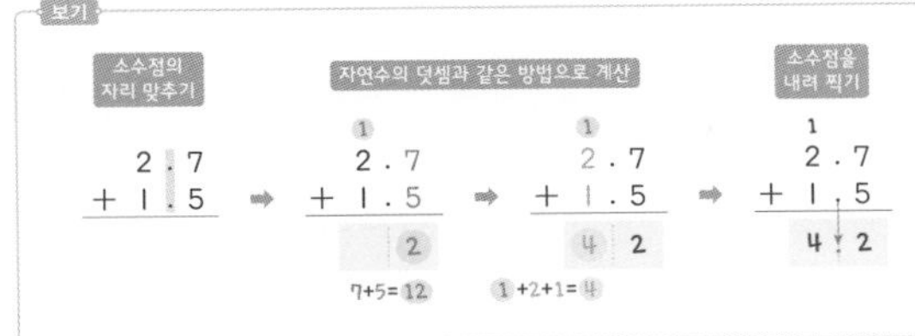

0.8 + 0.3 = 1.1 | 0.6 + 0.7 = 1.3 | 0.9 + 0.4 = 1.3

0.5 + 0.5 = 1.0 또는 1 | 1.7 + 0.7 = 2.4 | 0.9 + 2.3 = 3.2

5.8 + 0.9 = 6.7 | 0.6 + 4.9 = 5.5 | 1.6 + 1.5 = 3.1

2.7 + 3.9 = 6.6 | 4.3 + 1.7 = 6.0 또는 6 | 5.8 + 3.6 = 9.4

3 보기와 같이 계산을 하시오.

보기: 2.8+1.5= 3 (13) → 2.8+1.5= 43 (3+1=4) → 2.8+1.5= 4.3

0.1+0.8= 0.9 | 0.3+0.4= 0.7 | 1.5+0.2= 1.7

0.7+4.1= 4.8 | 1.2+1.3= 2.5 | 3.4+2.2= 5.6

4.3+4.6= 8.9 | 3.4+6.2= 9.6 | 7.1+1.7= 8.8

0.2+0.9= 1.1 | 2.7+0.9= 3.6 | 0.6+3.4= 4.0 또는 4

0.6+0.5= 1.1 | 1.8+2.5= 4.3 | 2.4+3.7= 6.1

4.4+2.8= 7.2 | 6.9+1.5= 8.4 | 4.6+4.9= 9.5

4 빈칸에 알맞은 소수를 써넣으시오.

0.3	0.8	1.1 (0.3+0.8)
0.6	0.2	0.8
0.9 (0.3+0.6)	1.0 또는 1	

0.5	1.4	1.9
0.4	0.7	1.1
0.9	2.1	

0.7	1.2	1.9
1.5	0.6	2.1
2.2	1.8	

1.3	0.9	2.2
2.4	2.5	4.9
3.7	3.4	

2.1	1.6	3.7
2.7	3.9	6.6
4.8	5.5	

4.7	2.2	6.9
1.8	3.5	5.3
6.5	5.7	

5.9	2.4	8.3
3.5	4.5	8.0
9.4	6.9	또는 8

7.2	1.9	9.1
6.7	4.6	11.3
13.9	6.5	

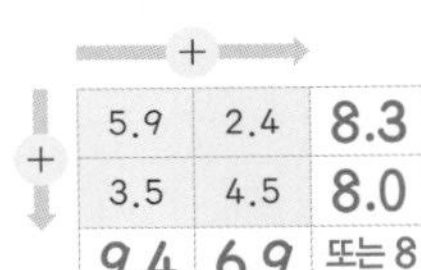

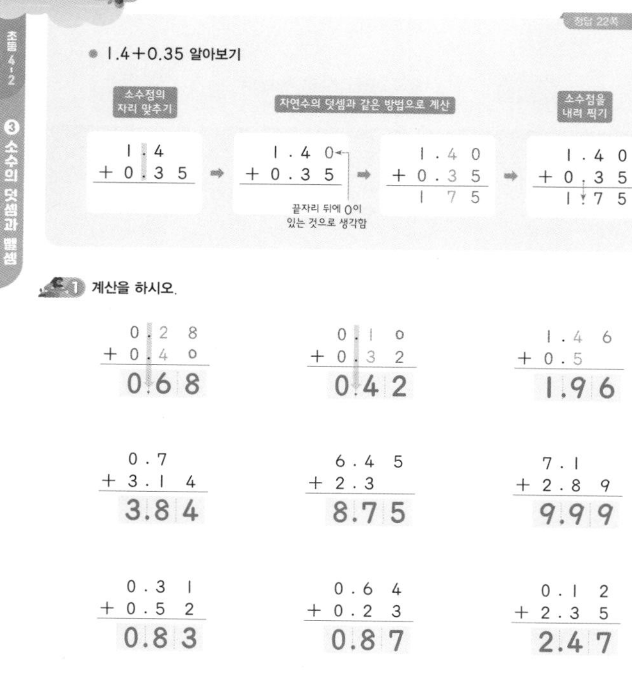

06 소수 두 자리 수의 덧셈

정답 22쪽

● 1.4+0.35 알아보기

소수점의 자리 맞추기 → 자연수의 덧셈과 같은 방법으로 계산 → 소수점을 내려 찍기

끝자리 뒤에 0이 있는 것으로 생각함

1 계산을 하시오.

- 0.28+0.40=0.68
- 0.10+0.32=0.42
- 1.46+0.5=1.96
- 0.7+3.14=3.84
- 6.45+2.3=8.75
- 7.1+2.89=9.99
- 0.31+0.52=0.83
- 0.64+0.23=0.87
- 0.12+2.35=2.47
- 7.64+0.24=7.88
- 3.14+5.81=8.95
- 1.37+4.52=5.89

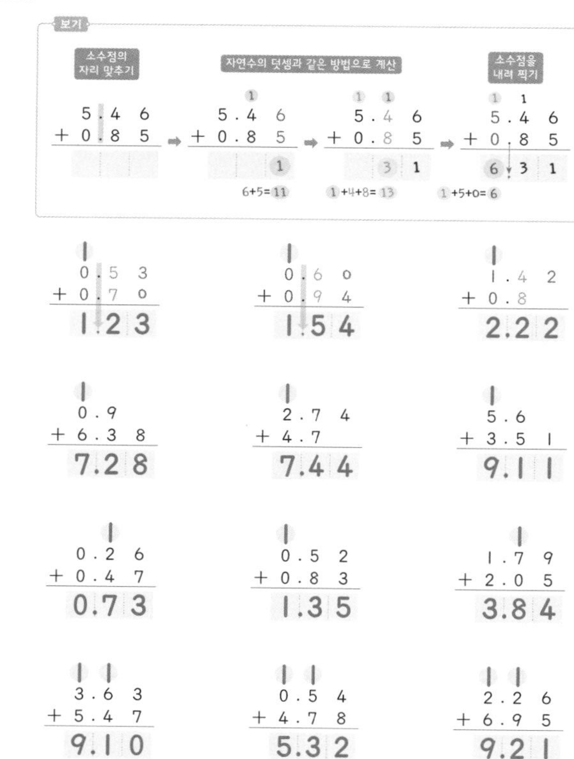

2 보기와 같이 계산을 하시오.

보기: 소수점의 자리 맞추기 → 자연수의 덧셈과 같은 방법으로 계산 → 소수점을 내려 찍기 (5.46+0.85: 6+5=11, 1+4+8=13, 1+5+0=6 → 6.31)

- 0.53+0.70=1.23
- 0.60+0.94=1.54
- 1.42+0.8=2.22
- 0.9+6.38=7.28
- 2.74+4.7=7.44
- 5.6+3.51=9.11
- 0.26+0.47=0.73
- 0.52+0.83=1.35
- 1.79+2.05=3.84
- 3.63+5.47=9.10 또는 9.1
- 0.54+4.78=5.32
- 2.26+6.95=9.21

3 보기와 같이 계산을 하시오.

보기: 3.68+1.75= 3 (13) → 3.68+1.75= 43 (13+1=14) → 3.68+1.75=5.43 (4+1=5)

- 0.23+0.46=0.69
- 0.50+0.28=0.78
- 0.31+0.68=0.99
- 1.21+0.6=1.81
- 0.62+3.27=3.89
- 3.21+2.37=5.58
- 3.52+4.24=7.76
- 0.64+0.18=0.82
- 2.30+0.85=3.15
- 0.33+0.95=1.28
- 7.62+0.47=8.09
- 1.82+1.69=3.51
- 2.35+4.65=7.00 또는 7
- 5.74+3.58=9.32

4 소수의 덧셈 실력을 점검해 보시오.

실력평가

맞힌 개수 개 | 제한 시간 10 분

1. 0.5+0.16=0.66
2. 1.13+2.7=3.83
3. 0.6+4.79=5.39
4. 2.81+5.8=8.61
5. 0.62+0.34=0.96
6. 0.73+0.65=1.38
7. 3.29+0.54=3.83
8. 2.35+4.86=7.21
9. 5.28+2.79=8.07
10. 0.3+0.52 =0.82
11. 0.74+0.4 =1.14
12. 1.6+2.08 =3.68
13. 2.69+4.7 =7.39
14. 0.13+0.62 =0.75
15. 6.54+0.38 =6.92
16. 1.72+3.51 =5.23
17. 4.69+3.96 =8.65

수고하셨습니다!

07 소수 한 자리 수의 뺄셈

정답 23쪽

● 1.4−0.3 알아보기

소수점의 자리 맞추기 → 자연수의 뺄셈과 같은 방법으로 계산 → 소수점을 내려 찍기

1.4 − 0.3 → 1.4 − 0.3 = 1 → 1.4 − 0.3 = 1 1 → 1.4 − 0.3 = 1.1

1 계산을 하시오.

0.5 − 0.3 = 0.2　　0.6 − 0.1 = 0.5　　0.9 − 0.5 = 0.4

0.7 − 0.2 = 0.5　　2.8 − 0.3 = 2.5　　4.5 − 0.4 = 4.1

5.6 − 0.6 = 5.0 또는 5　　7.9 − 0.7 = 7.2　　3.3 − 2.2 = 1.1

4.5 − 1.1 = 3.4　　5.8 − 3.5 = 2.3　　9.9 − 4.2 = 5.7

2 보기 와 같이 계산을 하시오.

보기

소수점의 자리 맞추기 → 자연수의 뺄셈과 같은 방법으로 계산 → 소수점을 내려 찍기

4 − 1.7 → 4.0 − 1.7 = 3 (10−7=3) → 4.0 − 1.7 = 2 3 (3−1=2) → 4.0 − 1.7 = 2.3

1 − 0.3 = 0.7　　2 − 0.7 = 1.3　　5 − 0.4 = 4.6

3 − 0.5 = 2.5　　4 − 1.6 = 2.4　　7 − 2.2 = 4.8

6 − 3.9 = 2.1　　7 − 4.8 = 2.2　　8 − 1.5 = 6.5

9 − 5.1 = 3.9　　5 − 4.6 = 0.4　　9 − 1.3 = 7.7

3 보기 와 같이 계산을 하시오.

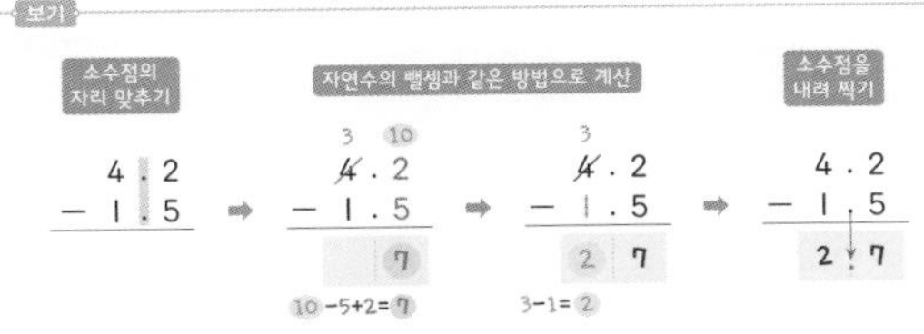

보기

소수점의 자리 맞추기 → 자연수의 뺄셈과 같은 방법으로 계산 → 소수점을 내려 찍기

4.2 − 1.5 → 4.2 − 1.5 = 7 (10−5+2=7) → 4.2 − 1.5 = 2 7 (3−1=2) → 4.2 − 1.5 = 2.7

1.1 − 0.3 = 0.8　　2.4 − 0.7 = 1.7　　5.2 − 0.4 = 4.8

3.3 − 0.9 = 2.4　　4.1 − 1.6 = 2.5　　3.5 − 2.7 = 0.8

6.1 − 3.9 = 2.2　　7.4 − 4.8 = 2.6　　8.2 − 1.5 = 6.7

9.3 − 5.6 = 3.7　　5.6 − 3.7 = 1.9　　9.7 − 7.9 = 1.8

4 보기 와 같이 계산을 하시오.

보기

4.5−1.8= 7 (10−8+5=7) → 4.5−1.8= 2 7 (3−1=2) → 4.5−1.8= 2.7

3.0−0.7= 2.3　　2.3−0.6= 1.7　　3.1−0.4= 2.7

1.5−0.3= 1.2　　5−0.6= 4.4　　1.5−0.9= 0.6

7.2−1.7= 5.5　　3.7−2.6= 1.1　　4−1.5= 2.5

7−4.9= 2.1　　5.1−3.8= 1.3　　4.6−1.3= 3.3

9−8.1= 0.9　　8−6.3= 1.7　　7.8−2.9= 4.9

5.2−4.7= 0.5　　8.4−1.8= 6.6　　6−2.2= 3.8

08 소수 두 자리 수의 뺄셈

정답 24쪽

● 1.45−0.3 알아보기

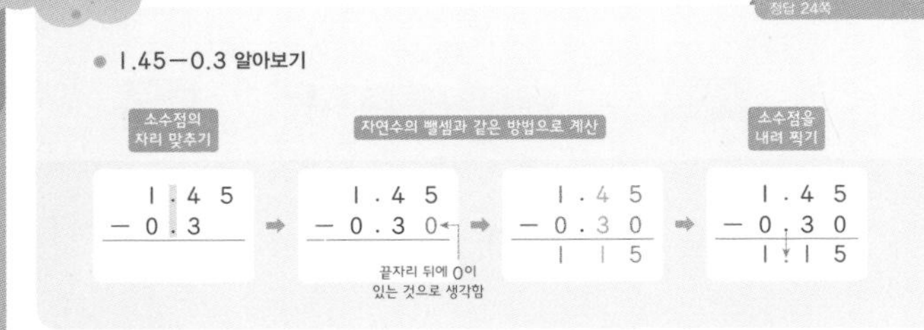

1 계산을 하시오.

0.48−0.10=0.38
0.32−0.20=0.12
1.56−0.4=1.16
3.74−0.1=3.64
6.45−2.3=4.15
7.89−5.1=2.79
0.52−0.31=0.21
0.64−0.23=0.41
2.35−1.23=1.12
7.64−0.24=7.40 또는 7.4
5.84−3.71=2.13
4.59−4.52=0.07

2 보기 와 같이 계산을 하시오.

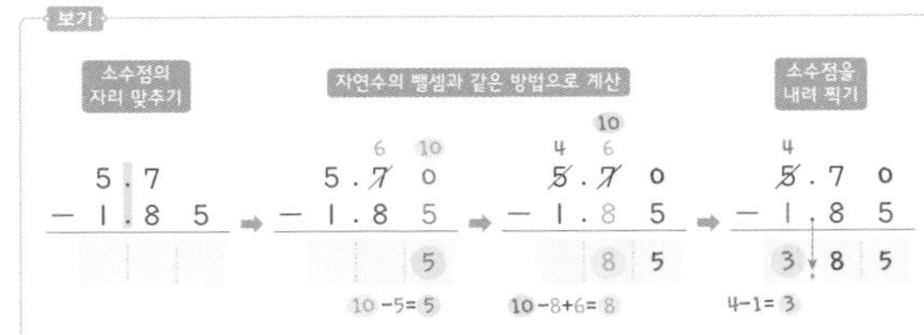

0.70−0.53=0.17
0.90−0.24=0.66
1.8−0.42=1.38
1.1−0.38=0.72
5.7−1.76=3.94
8−3.61=4.39
0.93−0.55=0.38
0.73−0.64=0.09
2.18−0.35=1.83
7.21−0.64=6.57
5.12−1.86=3.26
9.35−8.59=0.76

3 보기 와 같이 계산을 하시오.

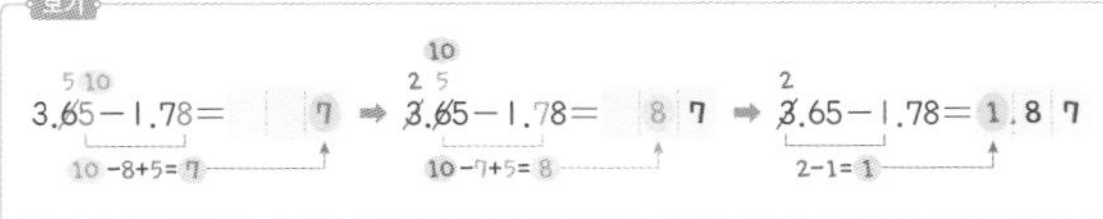

0.73−0.49=0.24
6.50−1.68=4.82
0.81−0.6=0.21
0.7−0.24=0.46
0.8−0.35=0.45
0.58−0.29=0.29
0.81−0.63=0.18
3.74−0.62=3.12
2.19−0.61=1.58
1.72−0.85=0.87
5.43−3.42=2.01
1−0.39=0.61
9.04−6.57=2.47
4−1.28=2.72

4 소수의 뺄셈 실력을 점검해 보시오.

실력평가

맞힌 개수 개 / 제한 시간 10 분

1. 0.74−0.5=0.24
2. 0.51−0.32=0.19
3. 6.45−2.3=4.15
4. 5.63−0.24=5.39
5. 7.1−0.89=6.21
6. 5.12−2.35=2.77
7. 6−1.32=4.68
8. 9.16−5.81=3.35
9. 7.46−5.57=1.89
10. 0.69−0.5=0.19
11. 0.9−0.37=0.53
12. 4.28−1.5=2.78
13. 0.56−0.41=0.15
14. 4.85−0.69=4.16
15. 7.21−3.42=3.79
16. 5.13−3.46=1.67
17. 8−2.94=5.06

수고하셨습니다!

도전! 응용문제

정답 25쪽

유형 1

집에서 서점까지의 거리는 0.7 km이고, 서점에서 도서관까지의 거리는 0.6 km입니다. 집에서 서점을 지나 도서관까지의 거리는 모두 몇 km입니까?

- 주어진 수에 ○표 하고, 구하는 것에 밑줄 치기

집에서 서점까지의 거리: 0.7 km, 서점에서 도서관까지의 거리: 0.6 km

- 문제 해결하기

집에서 서점까지의 거리와 서점에서 도서관까지의 거리를 (더합니다, 뺍니다).

- 문제 풀기

(집~서점~도서관까지의 거리)=(집~서점까지의 거리)+(서점~도서관까지의 거리)

=0.7+0.6=1.3(km)

- 답 쓰기

집에서 서점을 지나 도서관까지의 거리는 1.3 km입니다.

유형 1+

혜원이는 물을 어제는 1.87 L 마셨고, 오늘은 2.15 L 마셨습니다. 혜원이가 어제와 오늘 마신 물은 모두 몇 L입니까?

- 주어진 수에 ○표 하고, 구하는 것에 밑줄 치기

어제 마신 물의 양: 1.87 L, 오늘 마신 물의 양: 2.15 L

- 문제 해결하기

어제 마신 물의 양과 오늘 마신 물의 양을 (더합니다, 뺍니다).

- 문제 풀기

(어제와 오늘 마신 물의 양)=(어제 마신 물의 양)+(오늘 마신 물의 양)

=1.87+2.15=4.02(L)

- 답 쓰기

혜원이가 어제와 오늘 마신 물의 양은 4.02 L입니다.

유형 2

길이가 1.2 m인 색 테이프가 있었습니다. 그중에서 선물을 포장하는 데 0.5 m를 사용했다면 남은 색 테이프는 몇 m입니까?

- 주어진 수에 ○표 하고, 구하는 것에 밑줄 치기

전체 색 테이프 길이: 1.2 m, 사용한 색 테이프 길이: 0.5 m

- 문제 해결하기

전체 색 테이프 길이에서 사용한 색 테이프 길이를 (더합니다, 뺍니다).

- 문제 풀기

(남은 색 테이프 길이)=(전체 색 테이프 길이)−(사용한 색 테이프 길이)

=1.2−0.5=0.7(m)

- 답 쓰기

남은 색 테이프 길이는 0.7 m입니다.

유형 2+

오이가 들어 있는 바구니의 무게는 2.14 kg입니다. 빈 바구니의 무게가 0.38 kg일 때 바구니에 들어 있는 오이의 무게는 몇 kg입니까?

- 주어진 수에 ○표 하고, 구하는 것에 밑줄 치기

오이가 들어 있는 바구니의 무게: 2.14 kg, 빈 바구니의 무게: 0.38 kg

- 문제 해결하기

오이가 들어 있는 바구니의 무게에서 빈 바구니의 무게를 (더합니다, 뺍니다).

- 문제 풀기

(오이의 무게)=(오이가 들어 있는 바구니의 무게)−(빈 바구니의 무게)

=2.14−0.38=1.76(kg)

- 답 쓰기

바구니에 들어 있는 오이의 무게는 1.76 kg입니다.

● 안에 알맞은 수를 써넣고, 답을 구하시오.

1 Drill

선주는 무게가 0.2 kg인 상자 안에 귤을 3.75 kg 담았습니다. 귤을 담은 상자의 무게는 몇 kg입니까?

주어진 수에 ○표 하고, 구하는 것에 밑줄 짝!

풀이 (귤을 담은 상자의 무게)=(빈 상자의 무게)+(귤의 무게)

=0.2+3.75=3.95(kg)

답 3.95 kg

2 Drill

민호가 가지고 있는 철사는 2.75 m이고, 하연이가 가지고 있는 철사는 민호보다 0.69 m 더 깁니다. 하연이가 가지고 있는 철사의 길이는 몇 m입니까?

풀이 (하연이의 철사 길이)=(민호의 철사 길이)+0.69

=2.75+0.69=3.44(m)

답 3.44 m

3 Drill

들이가 0.85 L인 통에 물이 0.3 L만큼 채워져 있습니다. 이 통에 몇 L의 물을 더 부어야 통이 가득 차겠습니까?

풀이 (더 부어야 하는 물의 양)=(통의 들이)−(채워져 있는 물의 양)

=0.85−0.3=0.55(L)

답 0.55 L

4 Drill

정수의 몸무게는 36.15 kg이고, 동생의 몸무게는 정수보다 6.67 kg 가벼웠습니다. 동생의 몸무게는 몇 kg입니까?

풀이 (동생의 몸무게)=(정수의 몸무게)−6.67

=36.15−6.67=29.48(kg)

답 29.48 kg

● 서술형 문제를 읽고 풀이 과정과 답을 쓰시오.

도전 1

영민이는 정육점에서 소고기를 0.6 kg, 돼지고기를 1.5 kg 샀습니다. 영민이가 정육점에서 산 고기는 모두 몇 kg입니까?

예 풀이 (영민이가 산 고기의 무게)

=(소고기의 무게)+(돼지고기의 무게)

=0.6+1.5=2.1(kg)

답 2.1 kg

도전 2

주택이의 몸무게는 34.85 kg입니다. 민선이가 주택이보다 2.75 kg 더 무겁다면 민선이의 몸무게는 몇 kg입니까?

예 풀이 (민선이의 몸무게)

=(주택이의 몸무게)+2.75

=34.85+2.75=37.6(kg)

답 37.6 kg 또는 37.60 kg

도전 3

석진이의 종이비행기는 4.1 m를 날아갔고, 명수의 종이비행기는 2.8 m를 날아갔습니다. 석진이의 종이비행기는 명수의 종이비행기보다 몇 m 더 멀리 날아갔습니까?

예 풀이 (더 멀리 날아간 거리)=(석진이의 종이비행기가 날아간 거리)

−(명수의 종이비행기가 날아간 거리)

=4.1−2.8=1.3(m)

답 1.3 m

도전 4

페인트가 6 L 있었습니다. 그중에서 4.81 L를 벽을 칠하는 데 사용하였습니다. 남은 페인트의 양은 몇 L입니까?

예 풀이 (남은 페인트의 양)

=(전체 페인트의 양)−(사용한 페인트의 양)

=6−4.81=1.19(L)

답 1.19 L

형성평가

정답 26쪽

01 분수를 소수로 나타내시오.

(1) $5\frac{73}{100}$ = 5.73

(2) $3\frac{270}{1000}$ = 3.27

02 소수를 바르게 읽은 것을 찾아 ○표 하시오.

17.825

- 십칠 점 팔이오 (○)
- 일칠 점 팔이오 ( )

03 빨간색 숫자가 나타내는 수를 찾아 ○표 하시오.

4.625

0.2 (0.02) 0.002

04 안에 알맞은 수를 써넣으시오.

(1) 4.86은 1이 4개, 0.1이 8개, 0.01이 6개

(2) 1이 7개, $\frac{1}{10}$이 6개, $\frac{1}{100}$이 3개이면 7.63

05 두 수의 크기를 비교하여 안에 > 또는 <를 알맞게 써넣으시오.

(1) 2.18 < 2.24

(2) 1.523 < 1.524

06 두 수의 크기를 비교하여 빈 곳에 알맞게 써넣으시오.

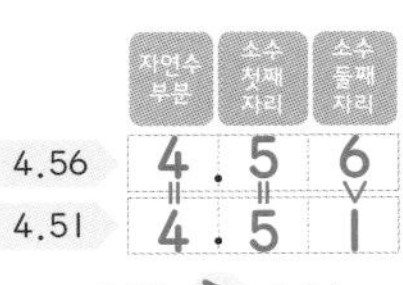

	자연수 부분	소수 첫째 자리	소수 둘째 자리
4.56	4	5	6
4.51	4	5	1

➡ 4.56 > 4.51

07 두 수의 크기를 비교하여 안에 > 또는 <를 알맞게 써넣으시오.

(1) 6.09 > 5.72

(2) 3.672 < 3.68

08 안에 알맞은 수를 써넣으시오.

(1) 8.3 —100배→ 830

(2) 1.249 —1000배→ 1249

09 안에 알맞은 소수를 써넣으시오.

(1) 42 —$\frac{1}{100}$→ 0.42

(2) 5980 —$\frac{1}{1000}$→ 5.98

10 각 단위에 맞게 소수로 나타내려고 합니다. 안에 알맞은 수를 써넣으시오.

(1) 36 mm → 3.6 cm

(2) 1.35 m → 135 cm

(3) 290 m → 0.29 km

(4) 1.275 kg → 1275 g

(5) 4658 mL → 4.658 L

11 계산을 하시오.

(1) 0.6 + 0.8 = 1.4

(2) 1.7 + 3.5 = 5.2

12 계산을 하시오.

(1) 1.2+0.7= 1.9

(2) 6.3+2.9= 9.2

13 빈칸에 알맞은 소수를 써넣으시오.

8.1	5.7	13.8
3.8	9.4	13.2
11.9	15.1	

14 계산을 하시오.

(1) 4.76 + 2.8 = 7.56

(2) 3.94 + 2.68 = 6.62

15 계산을 하시오.

(1) 0.32+0.57= 0.89

(2) 3.2+0.56= 3.76

(3) 0.85+0.93= 1.78

(4) 2.48+5.7= 8.18

(5) 3.65+3.96= 7.61

16 계산을 하시오.

(1) 5 − 2.4 = 2.6

(2) 4.6 − 1.7 = 2.9

17 계산을 하시오.

(1) 7−1.6= 5.4

(2) 8.2−3.6= 4.6

18 계산을 하시오.

(1) 9.47 − 3.1 = 6.37

(2) 8.95 − 2.74 = 6.21

19 계산을 하시오.

(1) 4.6 − 1.78 = 2.82

(2) 9.16 − 3.67 = 5.49

20 계산을 하시오.

(1) 0.98−0.54= 0.44

(2) 1.82−0.7= 1.12

(3) 3.57−1.68= 1.89

(4) 8.04−5.16= 2.88

(5) 9.1−3.57= 5.53

단원 평가 3. 소수의 덧셈과 뺄셈

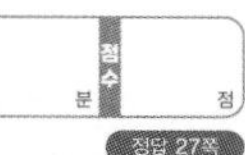

정답 27쪽

1 □ 안에 알맞은 소수를 써넣으시오.

1이 1개
0.1이 3개 이면 1.39
0.01이 9개

2 다음 소수에서 숫자 6이 나타내는 값은 얼마입니까?

12.568

(0.06)

3 다음 중 소수 셋째 자리의 숫자가 8인 수는 어느 것입니까? (③)

① 8.142 ② 1.482
③ 4.218 ④ 2.841
⑤ 1.284

4 소수를 바르게 읽은 사람은 누구입니까?

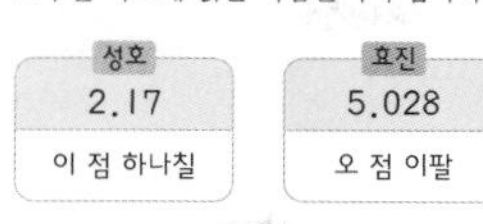

성호
14.259
십사 점 이오구

(성호)

5 두 수의 크기를 비교하여 ○ 안에 > 또는 <를 알맞게 써넣으시오.

(1) 0.18 < 0.23

(2) 3.14 < 3.15

(3) 8.127 > 7.965

(4) 1.68 < 1.7

(5) 10.1 > 9.852

6 빈칸에 알맞은 수를 써넣으시오.

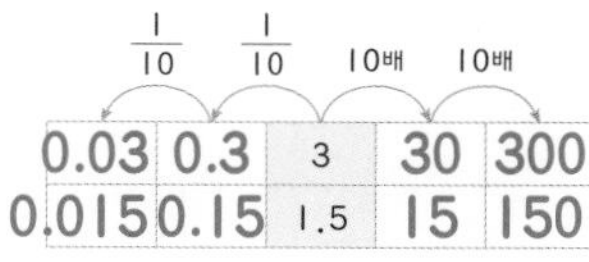

0.03	0.3	3	30	300
0.015	0.15	1.5	15	150

7 수직선을 보고 □ 안에 알맞은 수를 써넣으시오.

(1) 0 0.1 0.2 0.3 0.4 0.5 0.6 0.7 0.8 0.9 1

0.3+0.6=0.9

(2) 0 0.1 0.2 0.3 0.4 0.5 0.6 0.7 0.8 0.9 1

0.8−0.5=0.3

8 빈칸에 알맞은 수를 써넣으시오.

+2.8

1.9	4.7
4.68	7.48

9 □ 안에 알맞은 수를 써넣으시오.

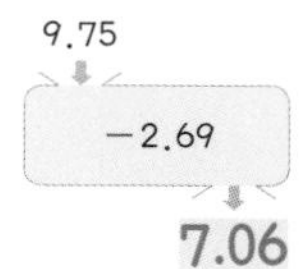

7.06

10 5.713에 대한 설명으로 틀린 것을 찾아 기호를 쓰시오.

㉠ 5.5보다 큽니다.
㉡ 3은 소수 셋째 자리 숫자입니다.
㉢ 숫자 1이 나타내는 수는 0.1입니다.

(㉢)

㉢ 숫자 1이 나타내는 수: 0.01

11 우유를 정태는 0.5 L 마셨고, 지숙이는 0.49 L 마셨습니다. 누가 우유를 더 많이 마셨습니까?

(정태)

12 다음 중 바르게 나타낸 것을 찾아 기호를 쓰시오.

㉠ 8794 m=8.794 km
㉡ 9 cm=0.009 m
㉢ 427 mm=4.27 cm

(㉠)

㉡ 9 cm=0.09 m
㉢ 427 mm=42.7 cm

13 ㉠이 나타내는 값은 ㉡이 나타내는 값의 몇 배입니까?

76.574 (㉠: 7, ㉡: 7)

(1000)배

㉠ 70, ㉡ 0.07
→ ㉠은 ㉡의 1000배입니다.

14 더 큰 수를 설명한 사람의 이름을 쓰시오.

재호: 1.49의 10배인 수
성수: 14.9의 $\frac{1}{10}$인 수

(재호)

재호: 14.9, 성수: 1.49

15 계산 결과가 같은 것끼리 선으로 이으시오.

8.48−3.22 =5.26	6.31−3.79 =2.52
5.2−0.56 =4.64	9.98−5.34 =4.64
9.68−7.16 =2.52	6.64−1.38 =5.26

16 계산 결과가 가장 큰 것을 찾아 기호를 쓰시오.

㉠ 0.54+0.62
㉡ 3−1.7
㉢ 9.1−7.85

(㉡)

㉠ 1.16 ㉡ 1.3 ㉢ 1.25

17 가장 큰 수와 가장 작은 수의 차를 구하시오.

3.5 3.05 3.17

(0.45)

3.5−3.05=0.45

18 □ 안에 알맞은 수를 써넣으시오.

(1) 2.59+1.2=3.79
□=3.79−1.2=2.59

(2) 9.18−5.7=3.48
□=3.48+5.7=9.18

19 석훈이는 노란색 리본을 1.68 m, 초록색 리본을 2.54 m 가지고 있습니다. 석훈이가 가지고 있는 리본의 길이는 모두 몇 m인지 풀이 과정을 쓰고 답을 구하시오.

예 풀이 (석훈이가 가지고 있는 리본 길이)=(노란색 리본 길이)+(초록색 리본 길이)
=1.68+2.54=4.22(m)

답 4.22 m

20 100 m를 진수는 18.05초에 달렸고, 민호는 16.97초에 달렸습니다. 누가 100 m를 몇 초 더 빨리 달렸는지 구하시오.

민호가 1.08초 더 빨리 달렸습니다.

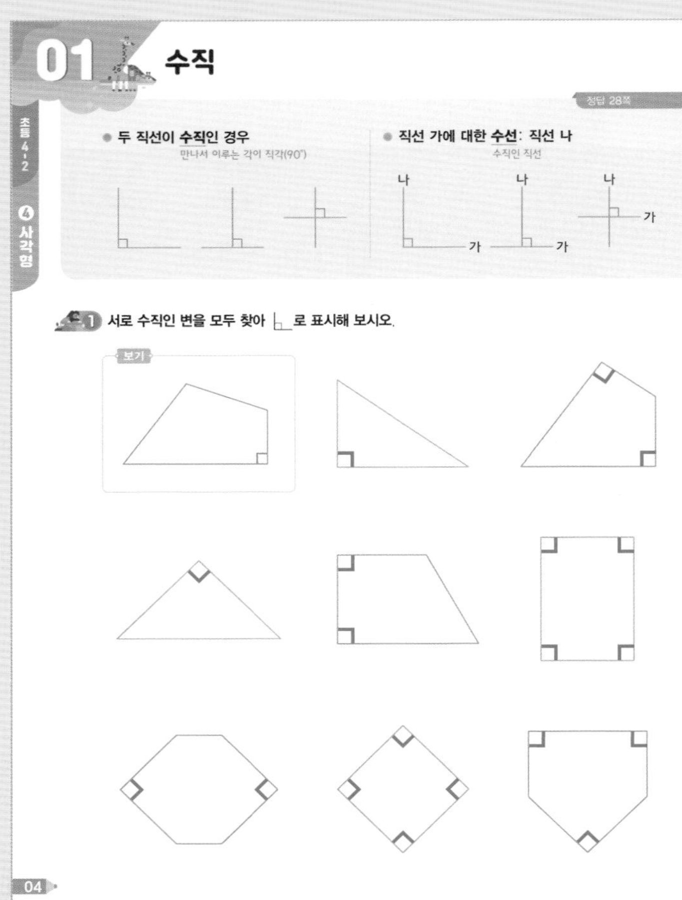
01 수직
정답 28쪽
두 직선이 수직인 경우
만나서 이루는 각이 직각(90°)
직선 가에 대한 수선: 직선 나
수직인 직선
1 서로 수직인 변을 모두 찾아 로 표시해 보시오.
보기
04

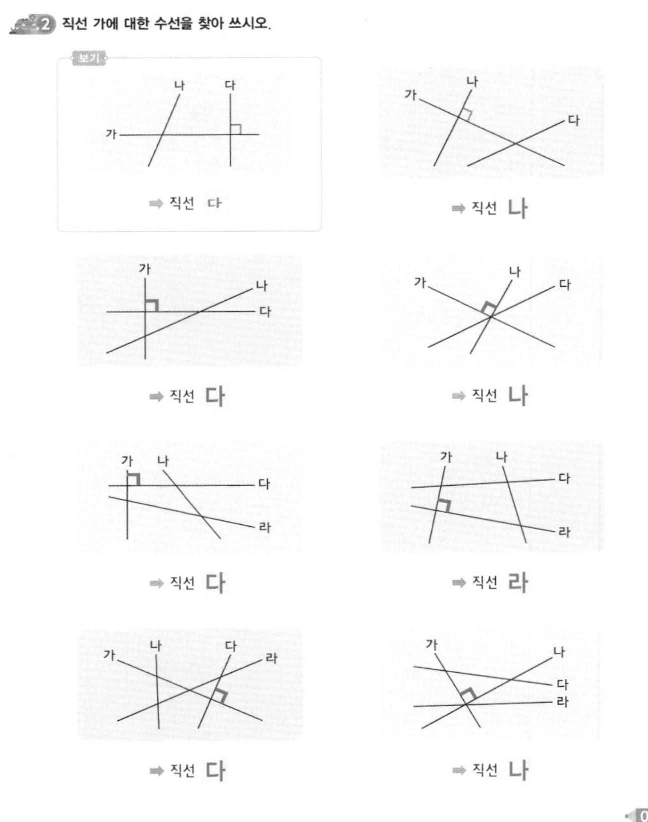
2 직선 가에 대한 수선을 찾아 쓰시오.
보기
➡ 직선 다
➡ 직선 나
➡ 직선 다
➡ 직선 나
➡ 직선 다
➡ 직선 라
➡ 직선 다
➡ 직선 나
05

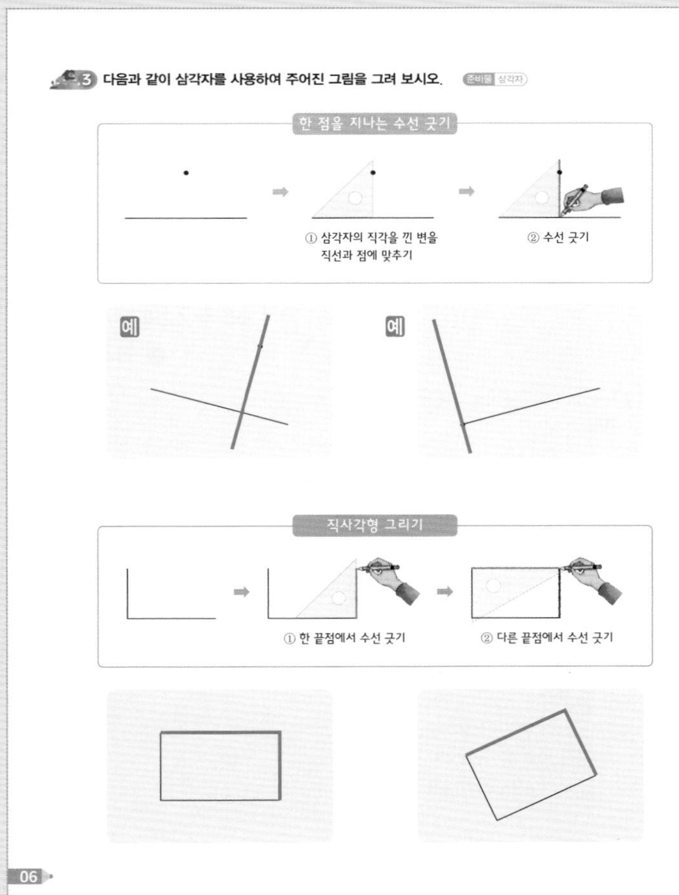
3 다음과 같이 삼각자를 사용하여 주어진 그림을 그려 보시오.
준비물 삼각자
한 점을 지나는 수선 긋기
① 삼각자의 직각을 낀 변을 직선과 점에 맞추기
② 수선 긋기
예
예
직사각형 그리기
① 한 끝점에서 수선 긋기
② 다른 끝점에서 수선 긋기
06

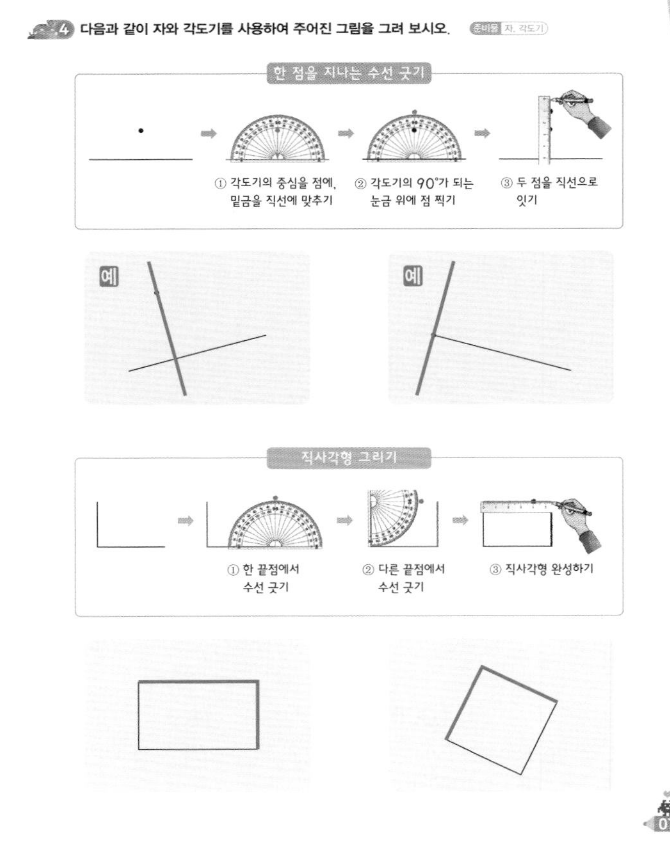
4 다음과 같이 자와 각도기를 사용하여 주어진 그림을 그려 보시오.
준비물 자, 각도기
한 점을 지나는 수선 긋기
① 각도기의 중심을 점에, 밑금을 직선에 맞추기
② 각도기의 90°가 되는 눈금 위에 점 찍기
③ 두 점을 직선으로 잇기
예
예
직사각형 그리기
① 한 끝점에서 수선 긋기
② 다른 끝점에서 수선 긋기
③ 직사각형 완성하기
07

02 평행

정답 29쪽

서로 만나지 않는 두 직선을 **평행**하다고 합니다.

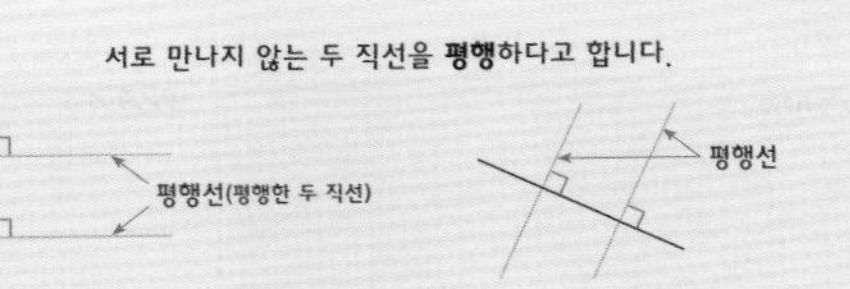

1 서로 수직인 직선을 모두 찾아 ㄴ로 표시하고, 서로 평행한 직선을 찾아 쓰시오.

보기

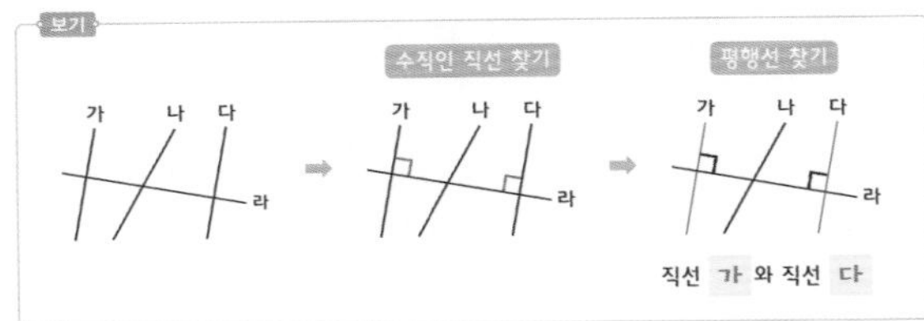

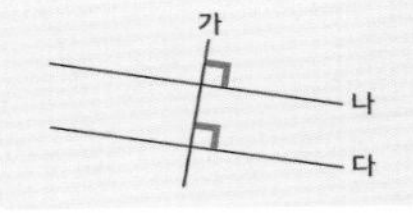

➡ 직선 나 와 직선 다

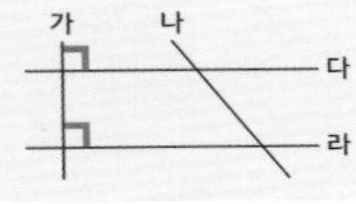

➡ 직선 다 와 직선 라

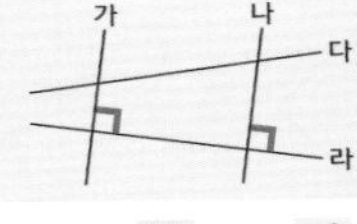

➡ 직선 가 와 직선 나

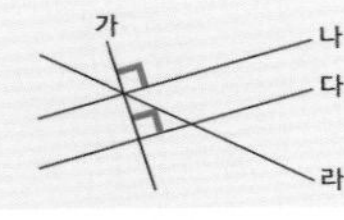

➡ 직선 나 와 직선 다

2 다음과 같이 평행선 사이에 수선을 긋고, 평행선 사이의 거리를 재어 보시오. 준비물 자, 삼각자

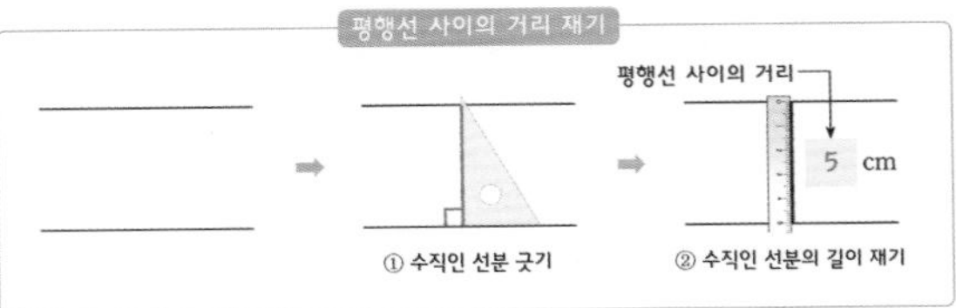

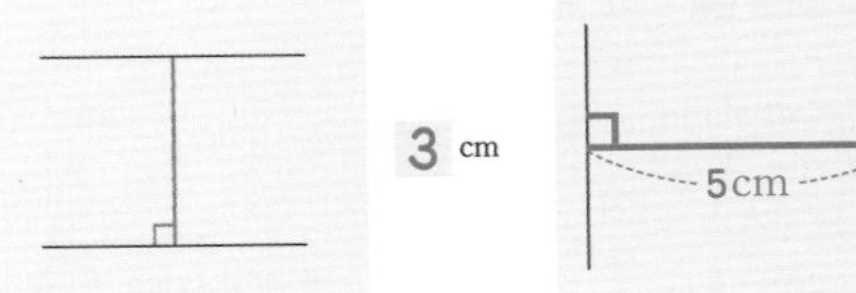

3 cm 5 cm

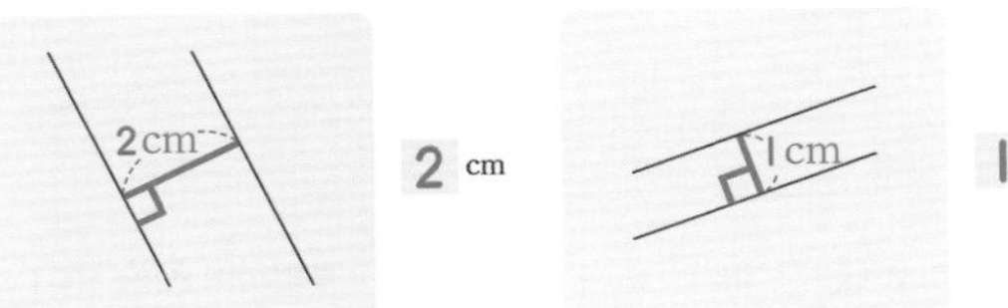

2 cm 1 cm

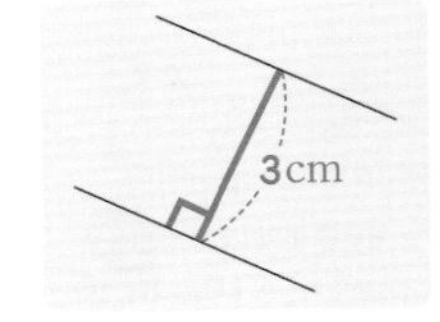

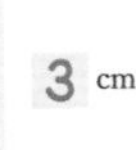

3 cm

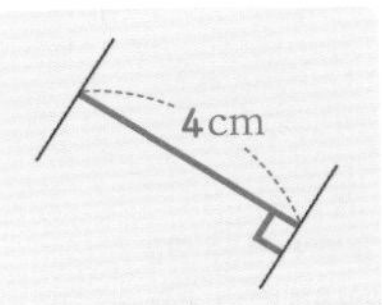

4 cm

3 다음과 같이 삼각자를 사용하여 주어진 직선과 평행한 직선을 그어 보시오. 준비물 삼각자

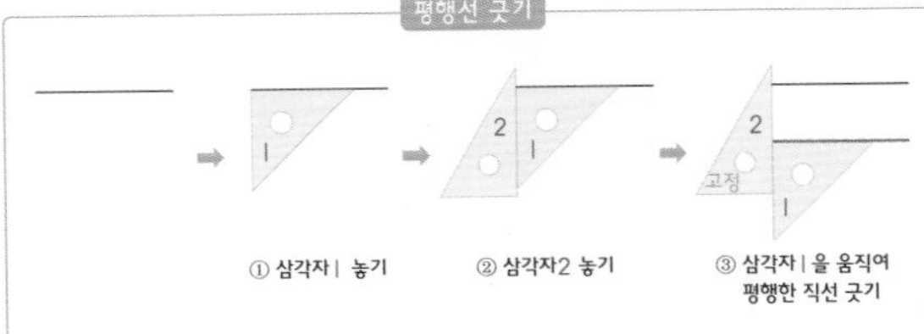

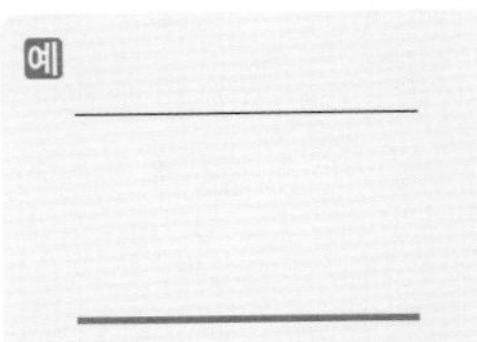

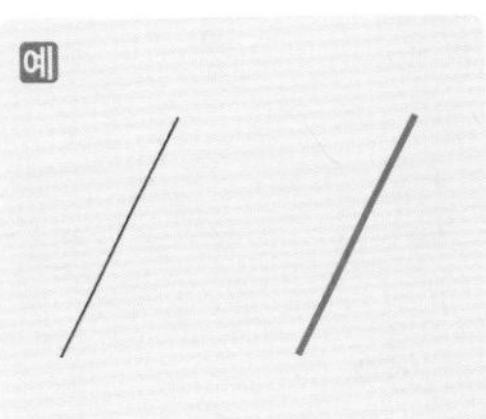

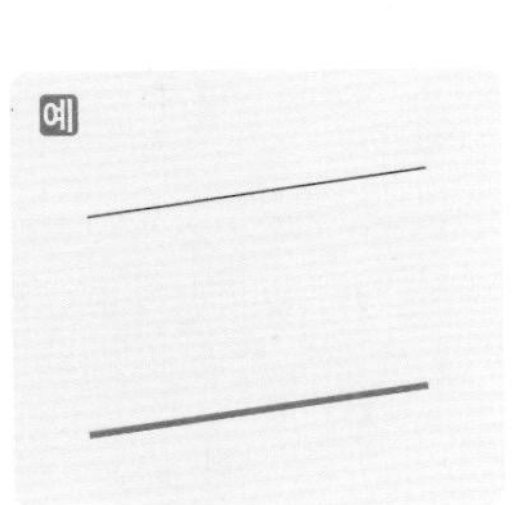

4 다음과 같이 삼각자를 사용하여 점 ㄱ을 지나고 직선 가와 평행한 직선을 그어 보시오. 준비물 삼각자

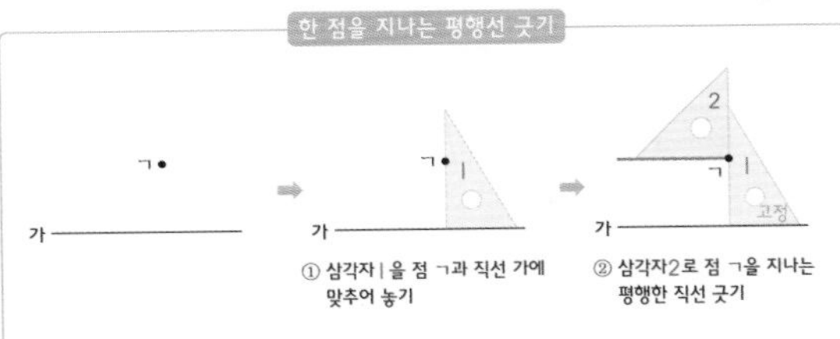

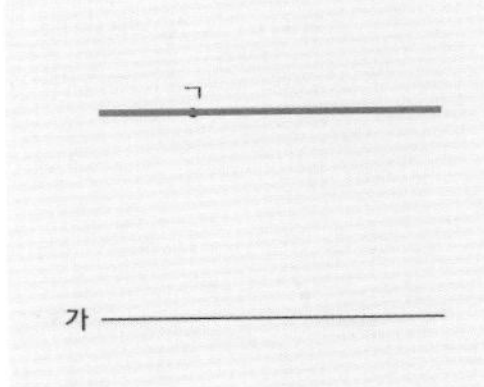

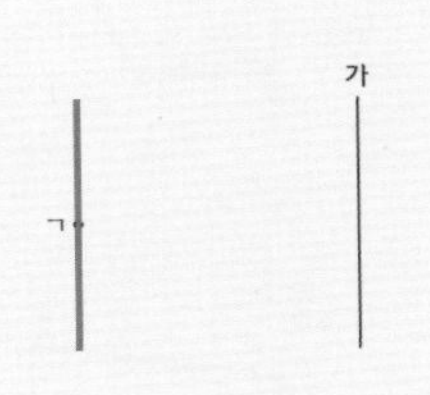

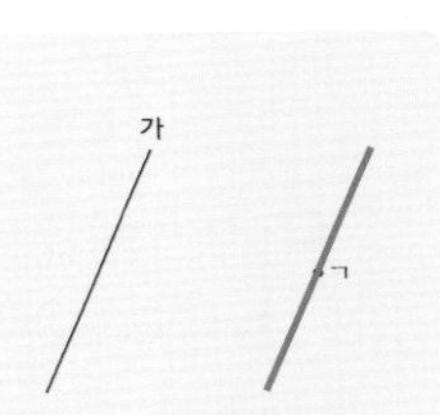

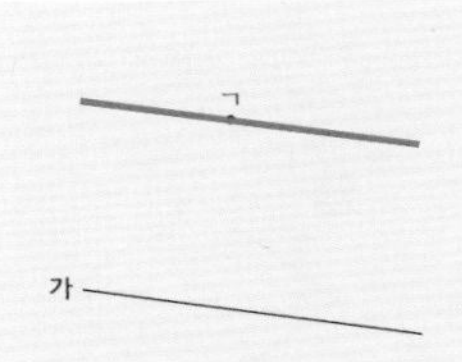

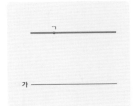

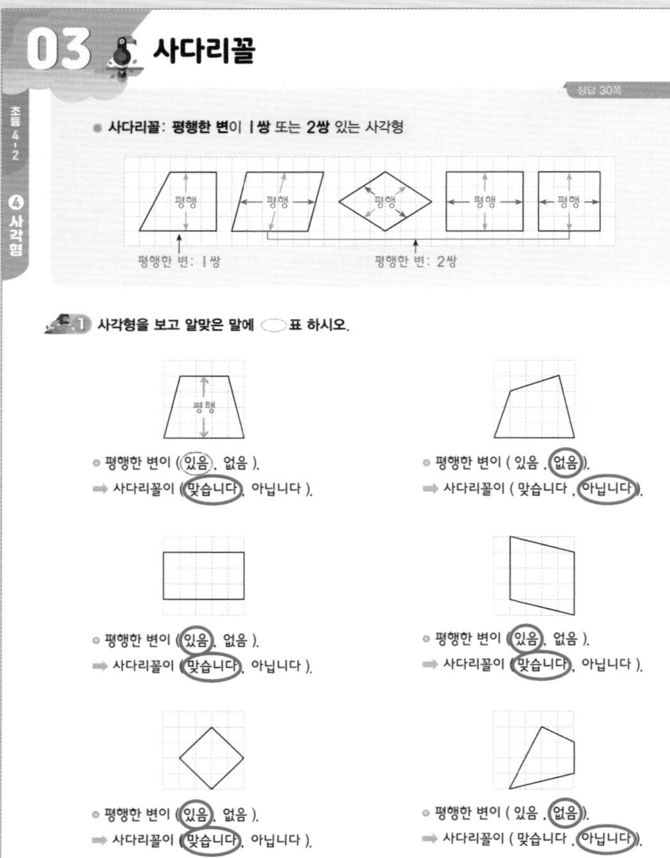
03 사다리꼴
정답 30쪽
사다리꼴: 평행한 변이 1쌍 또는 2쌍 있는 사각형
평행한 변: 1쌍
평행한 변: 2쌍
1 사각형을 보고 알맞은 말에 ○표 하시오.
평행한 변이 (있음 , 없음).
사다리꼴이 (맞습니다 , 아닙니다).
12

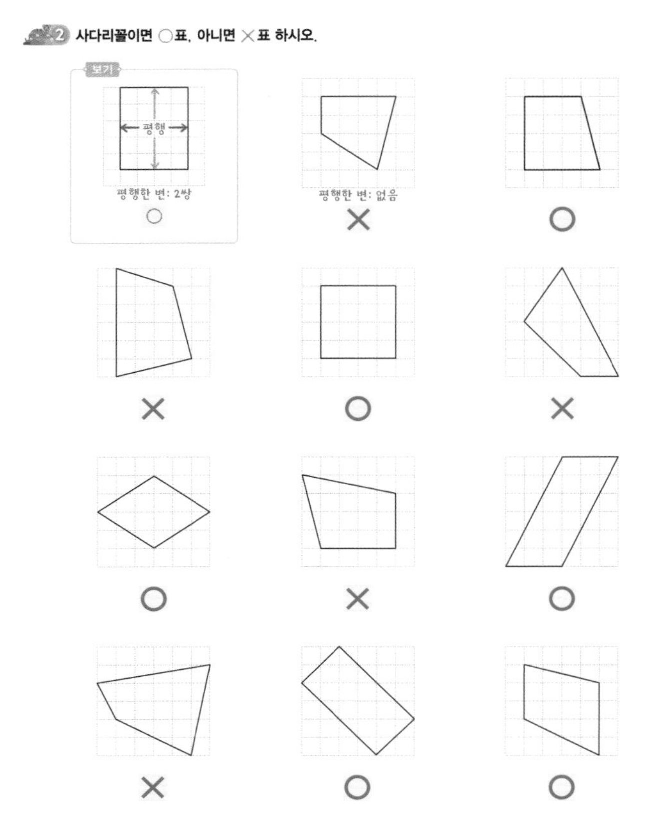
2 사다리꼴이면 ○표, 아니면 ×표 하시오.
보기
평행한 변: 2쌍
평행한 변: 없음
13

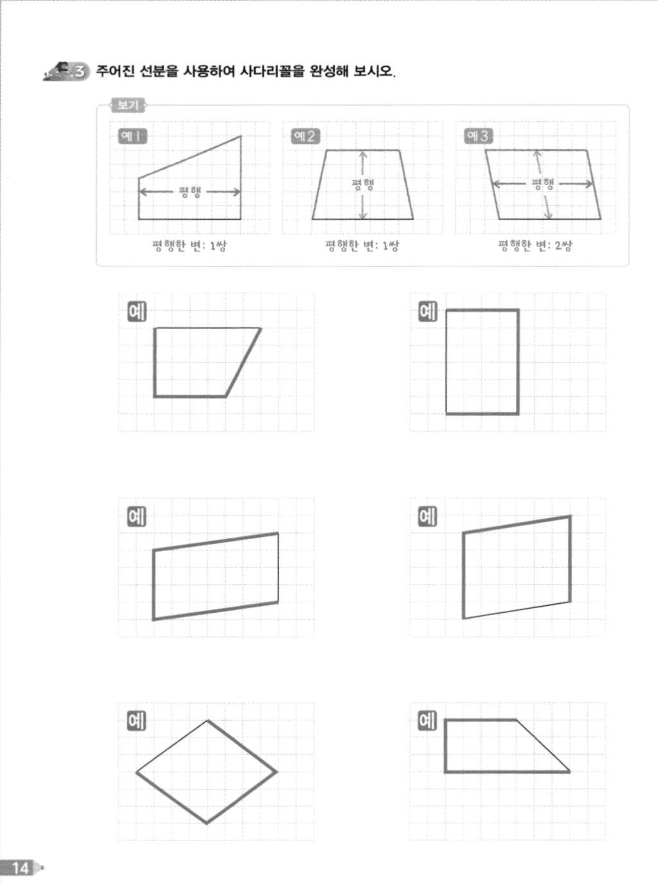
3 주어진 선분을 사용하여 사다리꼴을 완성해 보시오.
보기
예1 예2 예3
평행한 변: 1쌍
평행한 변: 1쌍
평행한 변: 2쌍
14

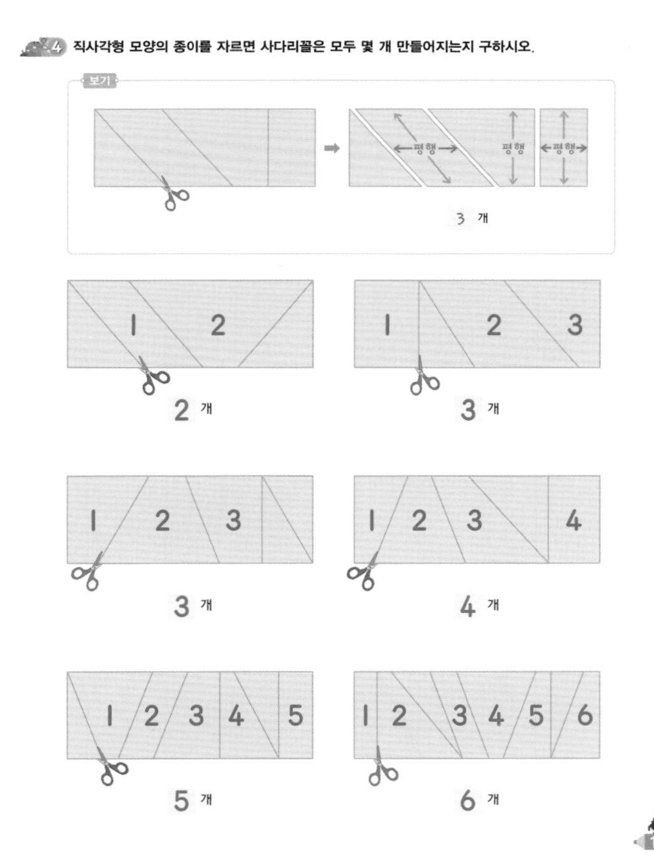
4 직사각형 모양의 종이를 자르면 사다리꼴은 모두 몇 개 만들어지는지 구하시오.
보기
3 개
2 개
3 개
3 개
4 개
5 개
6 개
15

04 평행사변형

정답 31쪽

초등 4-2 4 사각형

- **평행사변형**: 마주 보는 **2쌍의 변**이 서로 **평행**한 사각형

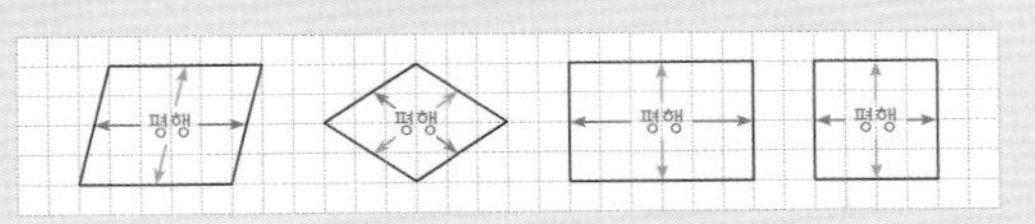

1 사각형을 보고 □ 안에 알맞은 수를 써넣고, 알맞은 말에 ◯표 하시오.

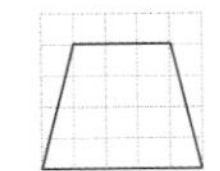

- 평행한 변이 1 쌍 있음.

➡ 평행사변형이 (맞습니다 , (아닙니다)).

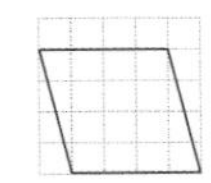

- 평행한 변이 2 쌍 있음.

➡ 평행사변형이 ((맞습니다) , 아닙니다).

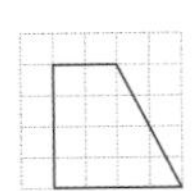

- 평행한 변이 1 쌍 있음.

➡ 평행사변형이 (맞습니다 , (아닙니다)).

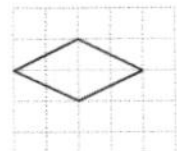

- 평행한 변이 2 쌍 있음.

➡ 평행사변형이 ((맞습니다) , 아닙니다).

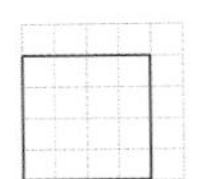

- 평행한 변이 2 쌍 있음.

➡ 평행사변형이 ((맞습니다) , 아닙니다).

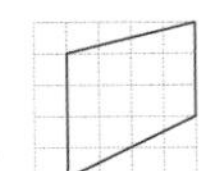

- 평행한 변이 1 쌍 있음.

➡ 평행사변형이 (맞습니다 , (아닙니다)).

2 평행사변형을 완성해 보시오.

보기

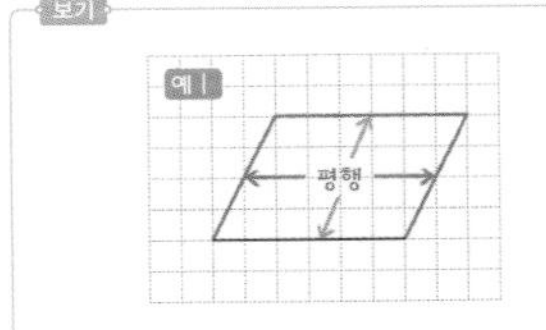

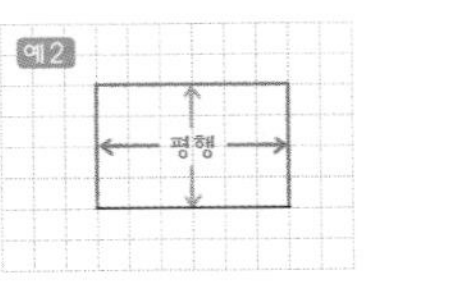

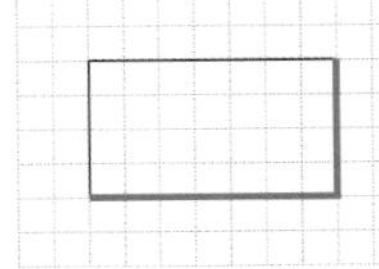

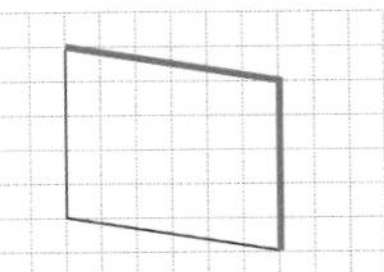

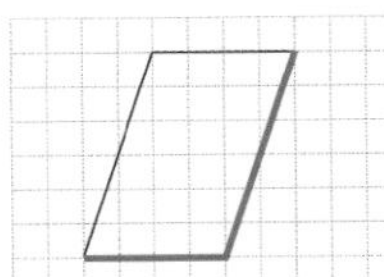

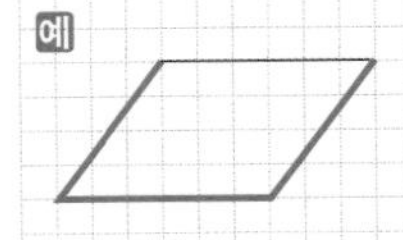

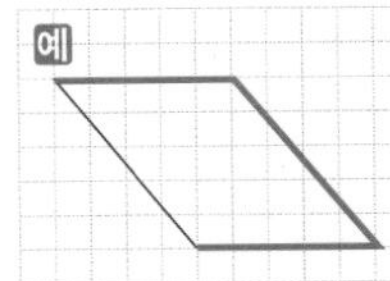

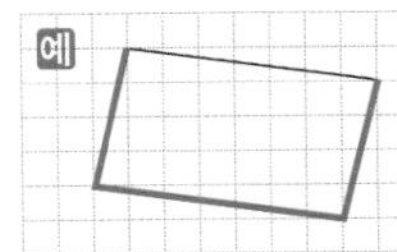

평행사변형의 성질 ① 마주 보는 두 변의 길이가 같습니다.

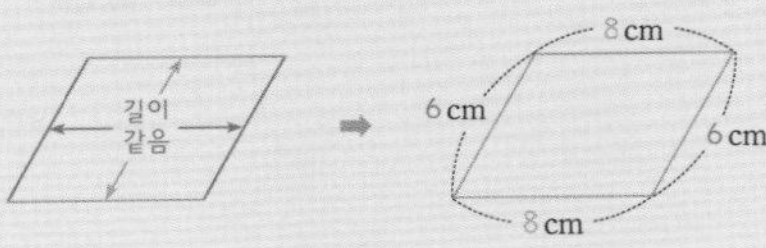

3 평행사변형입니다. □ 안에 알맞은 수를 써넣으시오.

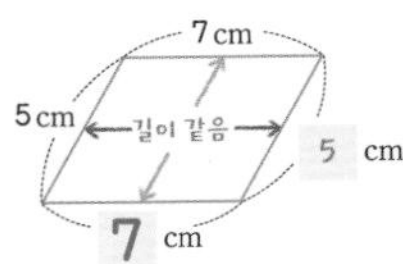

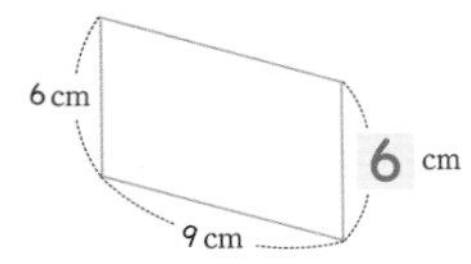

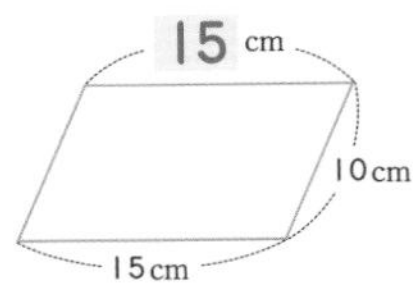

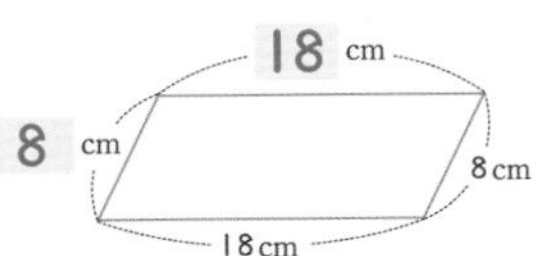

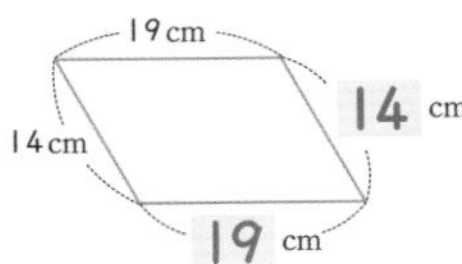

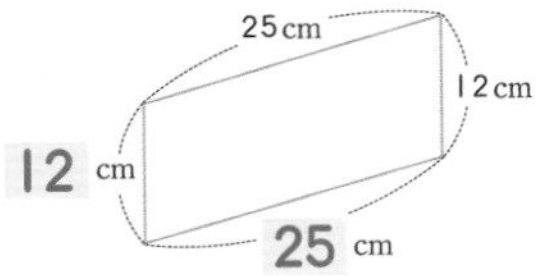

평행사변형의 성질 ② 마주 보는 두 각의 크기가 같습니다.

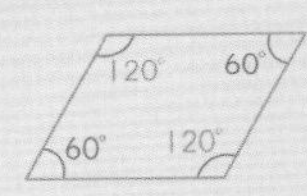

평행사변형의 성질 ③ 이웃한 두 각의 크기의 합이 180°입니다.

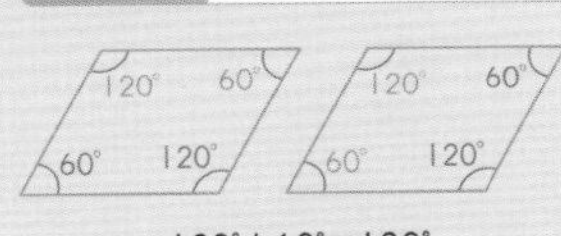

$120° + 60° = 180°$

4 평행사변형입니다. □ 안에 알맞은 각도를 써넣으시오.

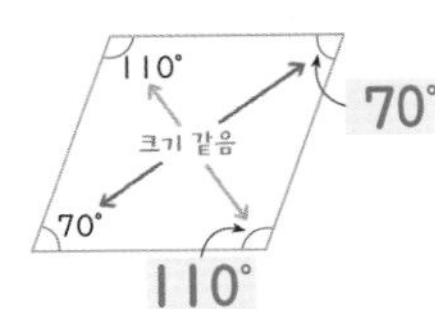

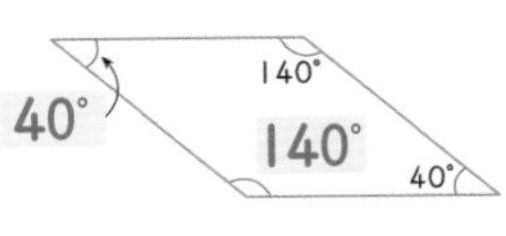

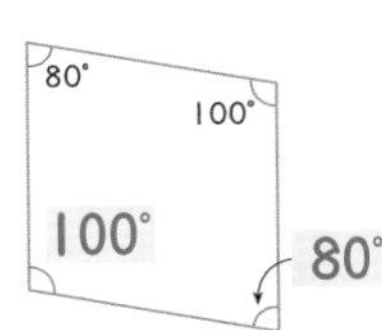

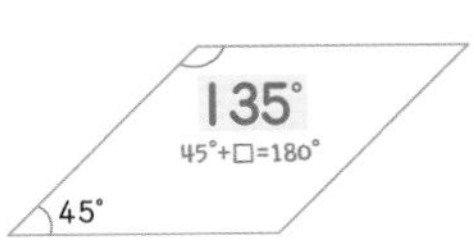

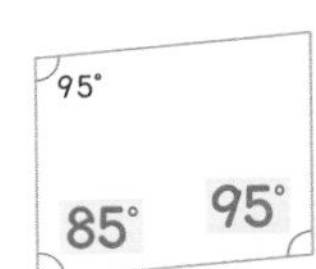

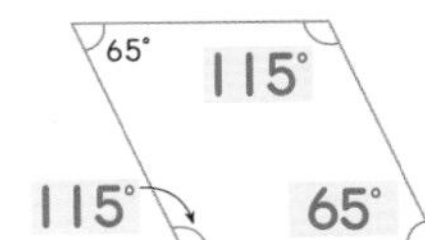

05 마름모

정답 32쪽

● 마름모: 네 변의 길이가 모두 같은 사각형

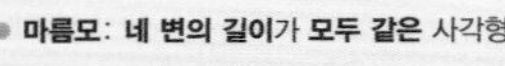
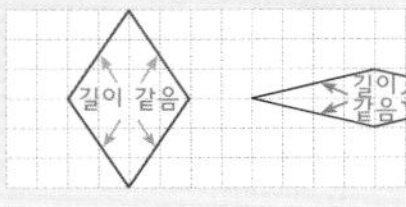
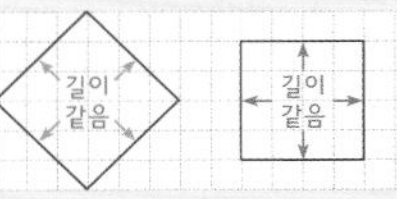

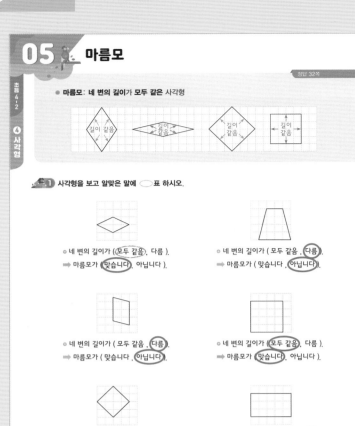

1 사각형을 보고 알맞은 말에 ○표 하시오.

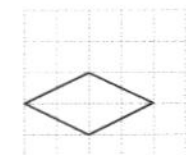

○ 네 변의 길이가 (모두 같음 , 다름).
➡ 마름모가 (맞습니다 , 아닙니다).

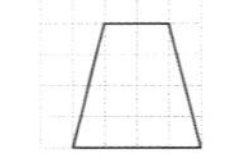

○ 네 변의 길이가 (모두 같음 , 다름).
➡ 마름모가 (맞습니다 , 아닙니다).

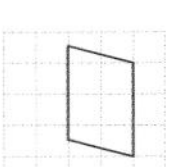

○ 네 변의 길이가 (모두 같음 , 다름).
➡ 마름모가 (맞습니다 , 아닙니다).

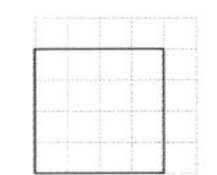

○ 네 변의 길이가 (모두 같음 , 다름).
➡ 마름모가 (맞습니다 , 아닙니다).

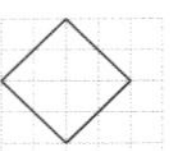

○ 네 변의 길이가 (모두 같음 , 다름).
➡ 마름모가 (맞습니다 , 아닙니다).

○ 네 변의 길이가 (모두 같음 , 다름).
➡ 마름모가 (맞습니다 , 아닙니다).

2 마름모를 완성해 보시오.

보기

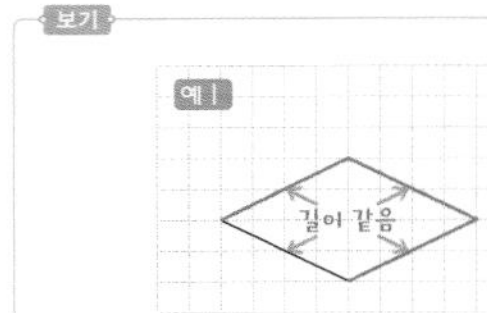

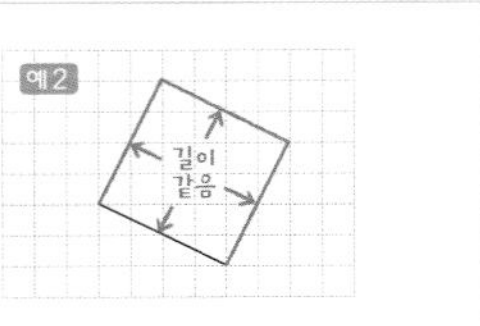

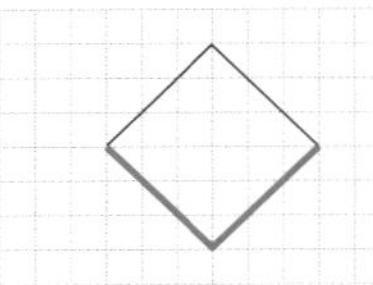
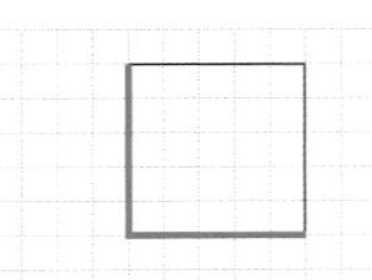
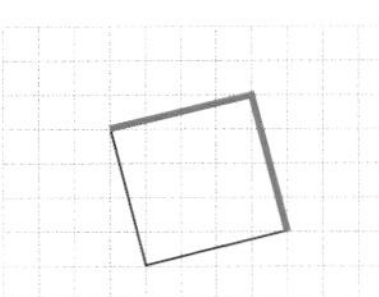
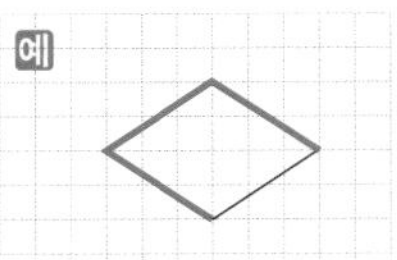

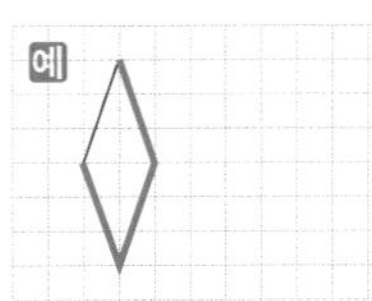

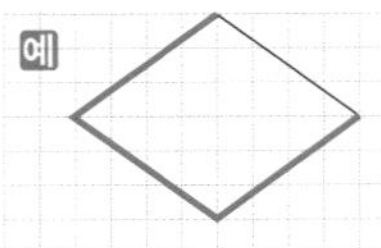

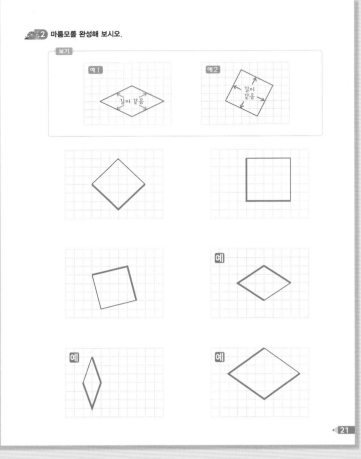

마름모의 성질 ① 마주 보는 두 변이 서로 평행합니다.

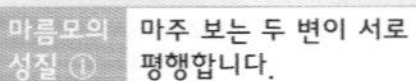

마름모의 성질 ② 네 변의 길이가 모두 같습니다.

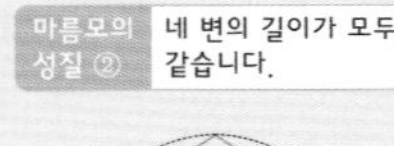
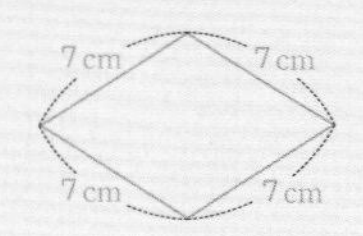

마름모의 성질 ③ 마주 보는 두 각의 크기가 같습니다.

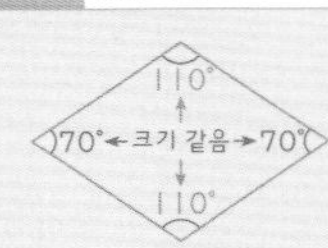

마름모의 성질 ④ 이웃한 두 각의 크기의 합이 180°입니다.

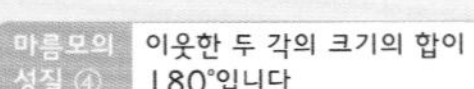
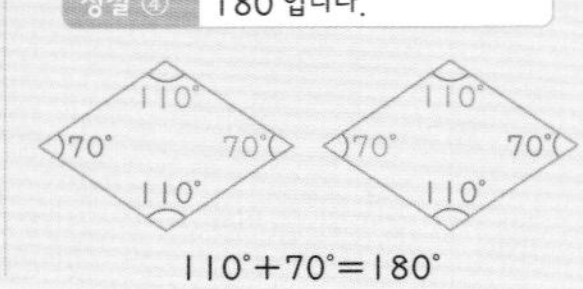

110°+70°=180°

3 마름모입니다. □ 안에 알맞은 수를 써넣으시오.

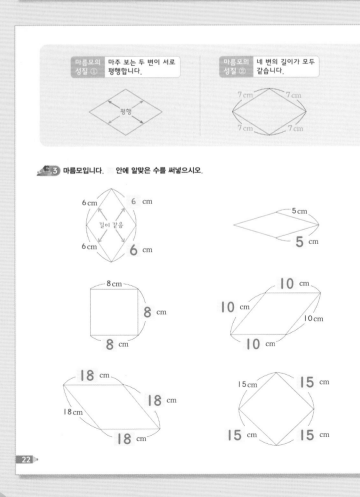

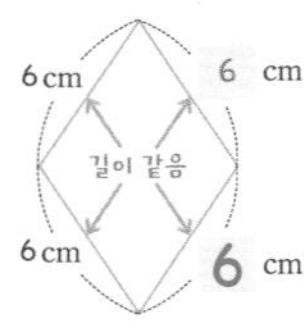

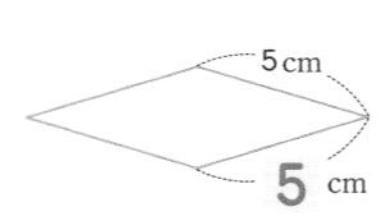

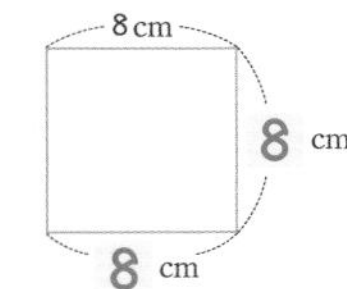

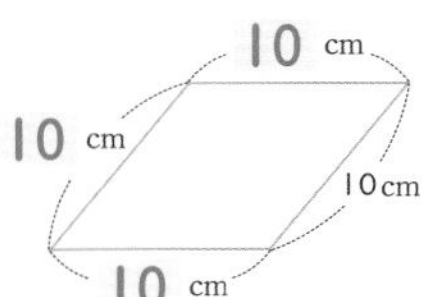

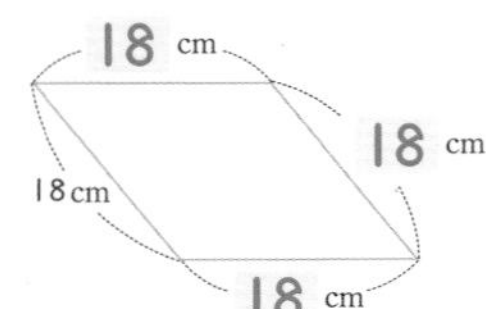

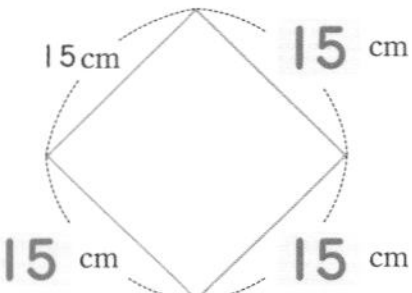

4 마름모입니다. □ 안에 알맞은 각도를 써넣으시오.

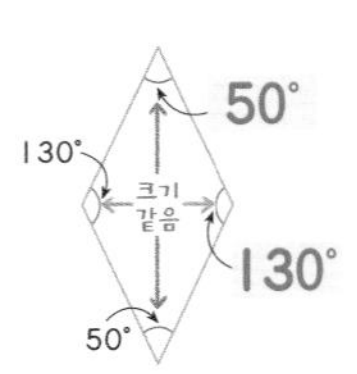

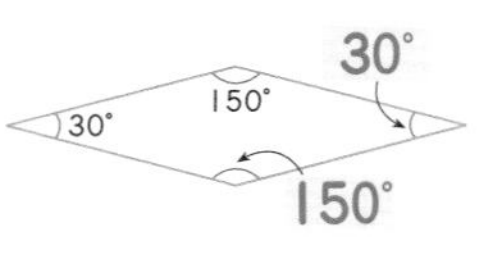

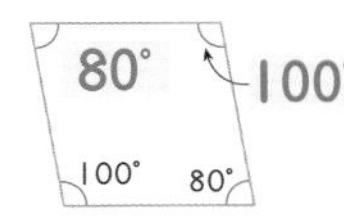

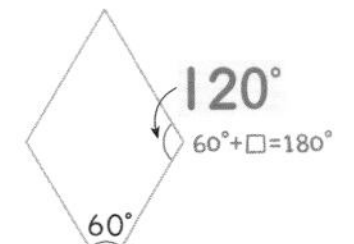

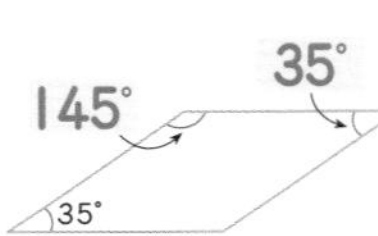

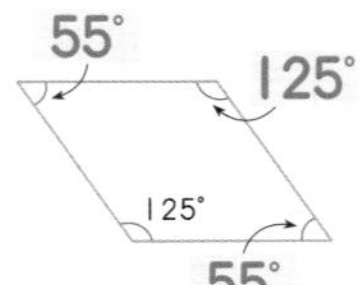

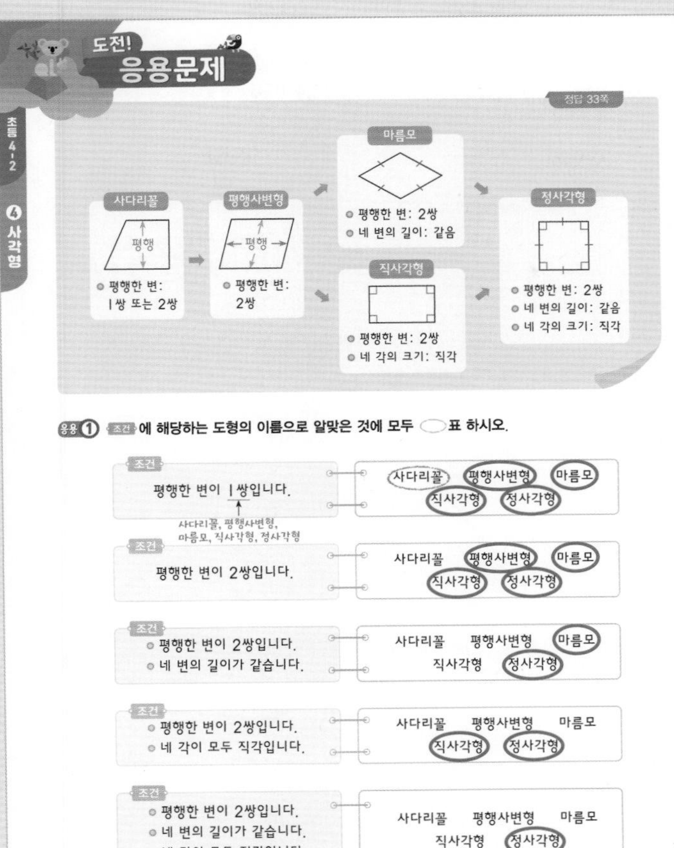

도전! 응용문제

정답 33쪽

응용 ① 조건 에 해당하는 도형의 이름으로 알맞은 것에 모두 ◯표 하시오.

조건	도형의 이름
평행한 변이 1쌍입니다. (사다리꼴, 평행사변형, 마름모, 직사각형, 정사각형)	사다리꼴 평행사변형 마름모 직사각형 정사각형
평행한 변이 2쌍입니다.	사다리꼴 평행사변형 마름모 직사각형 정사각형
◦ 평행한 변이 2쌍입니다. ◦ 네 변의 길이가 같습니다.	사다리꼴 평행사변형 마름모 직사각형 정사각형
◦ 평행한 변이 2쌍입니다. ◦ 네 각이 모두 직각입니다.	사다리꼴 평행사변형 마름모 직사각형 정사각형
◦ 평행한 변이 2쌍입니다. ◦ 네 변의 길이가 같습니다. ◦ 네 각이 모두 직각입니다.	사다리꼴 평행사변형 마름모 직사각형 정사각형

24

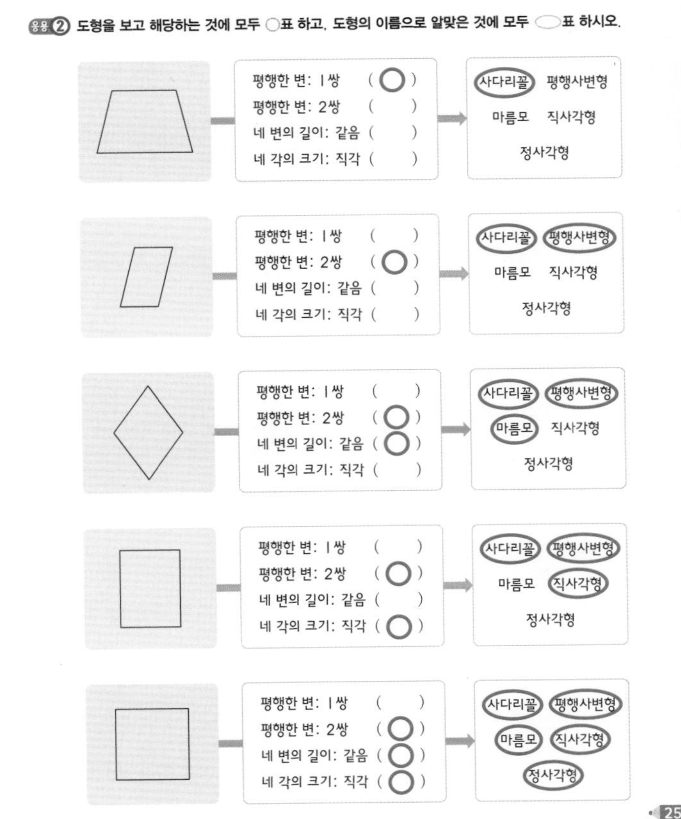

응용 ② 도형을 보고 해당하는 것에 모두 ○표 하고, 도형의 이름으로 알맞은 것에 모두 ◯표 하시오.

(사다리꼴 모양)	평행한 변: 1쌍 (○) 평행한 변: 2쌍 ( ) 네 변의 길이: 같음 ( ) 네 각의 크기: 직각 ( )	사다리꼴 평행사변형 마름모 직사각형 정사각형
(평행사변형 모양)	평행한 변: 1쌍 ( ) 평행한 변: 2쌍 (○) 네 변의 길이: 같음 ( ) 네 각의 크기: 직각 ( )	사다리꼴 평행사변형 마름모 직사각형 정사각형
(마름모 모양)	평행한 변: 1쌍 ( ) 평행한 변: 2쌍 (○) 네 변의 길이: 같음 (○) 네 각의 크기: 직각 ( )	사다리꼴 평행사변형 마름모 직사각형 정사각형
(직사각형 모양)	평행한 변: 1쌍 ( ) 평행한 변: 2쌍 (○) 네 변의 길이: 같음 ( ) 네 각의 크기: 직각 (○)	사다리꼴 평행사변형 마름모 직사각형 정사각형
(정사각형 모양)	평행한 변: 1쌍 ( ) 평행한 변: 2쌍 (○) 네 변의 길이: 같음 (○) 네 각의 크기: 직각 (○)	사다리꼴 평행사변형 마름모 직사각형 정사각형

25

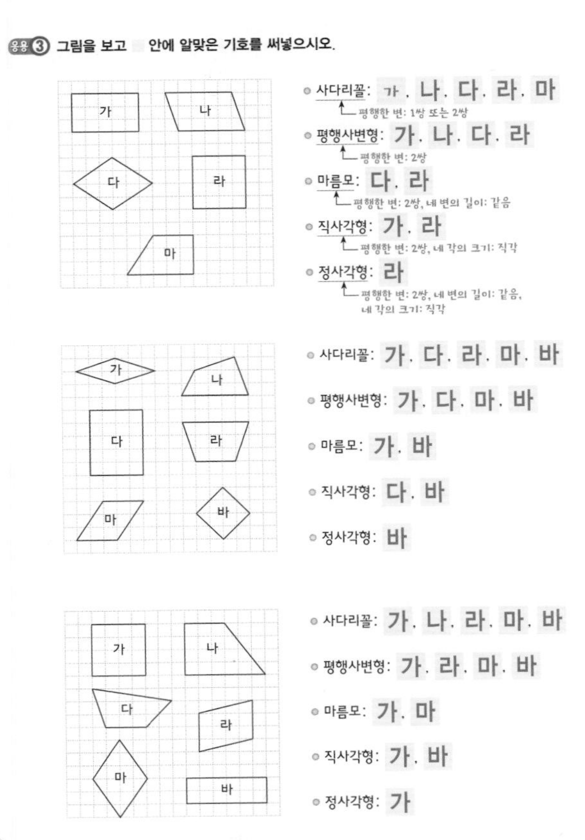

응용 ③ 그림을 보고 ☐ 안에 알맞은 기호를 써넣으시오.

◦ 사다리꼴: 가, 나, 다, 라, 마 (평행한 변: 1쌍 또는 2쌍)
◦ 평행사변형: 가, 나, 다, 라 (평행한 변: 2쌍)
◦ 마름모: 다, 라 (평행한 변: 2쌍, 네 변의 길이: 같음)
◦ 직사각형: 가, 라 (평행한 변: 2쌍, 네 각의 크기: 직각)
◦ 정사각형: 라 (평행한 변: 2쌍, 네 변의 길이: 같음, 네 각의 크기: 직각)

◦ 사다리꼴: 가, 다, 라, 마, 바
◦ 평행사변형: 가, 다, 마, 바
◦ 마름모: 가, 바
◦ 직사각형: 다, 바
◦ 정사각형: 바

◦ 사다리꼴: 가, 나, 라, 마, 바
◦ 평행사변형: 가, 라, 마, 바
◦ 마름모: 가, 마
◦ 직사각형: 가, 바
◦ 정사각형: 가

26

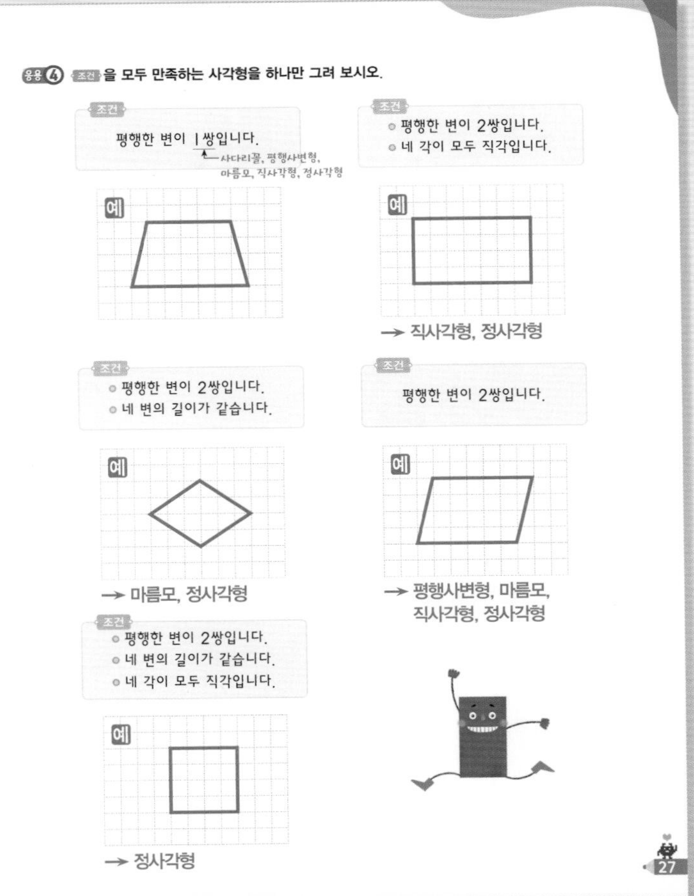

응용 ④ 조건 을 모두 만족하는 사각형을 하나만 그려 보시오.

조건: 평행한 변이 1쌍입니다. (사다리꼴, 평행사변형, 마름모, 직사각형, 정사각형)
예

조건: ◦ 평행한 변이 2쌍입니다. ◦ 네 각이 모두 직각입니다.
예
→ 직사각형, 정사각형

조건: ◦ 평행한 변이 2쌍입니다. ◦ 네 변의 길이가 같습니다.
예
→ 마름모, 정사각형

조건: 평행한 변이 2쌍입니다.
예
→ 평행사변형, 마름모, 직사각형, 정사각형

조건: ◦ 평행한 변이 2쌍입니다. ◦ 네 변의 길이가 같습니다. ◦ 네 각이 모두 직각입니다.
예
→ 정사각형

27

형성평가

정답 34쪽 걸린 시간 분 점수 점

초등 4-2 4 사각형

01 서로 수직인 변을 모두 찾아 ㄴ로 표시해 보시오.

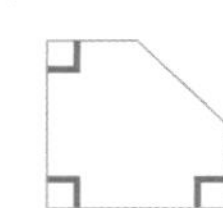

02 직선 가에 대한 수선을 찾아 쓰시오.

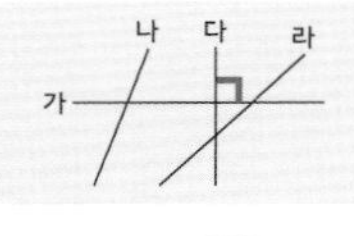

➡ 직선 다

03 삼각자를 사용하여 주어진 그림을 그려 보시오.

(1) 한 점을 지나는 수선 긋기

예

(2) 직사각형 그리기

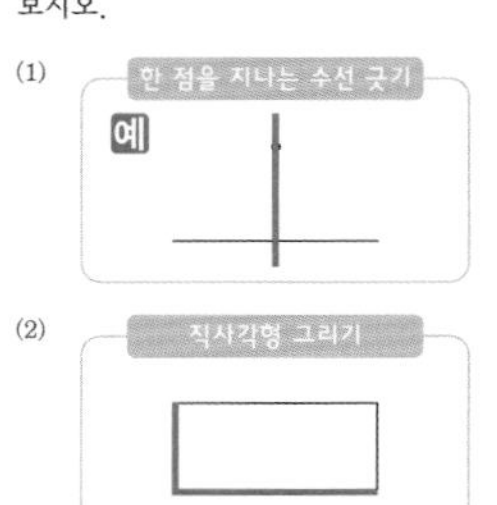

04 자와 각도기를 사용하여 주어진 그림을 그려 보시오.

(1) 한 점을 지나는 수선 긋기

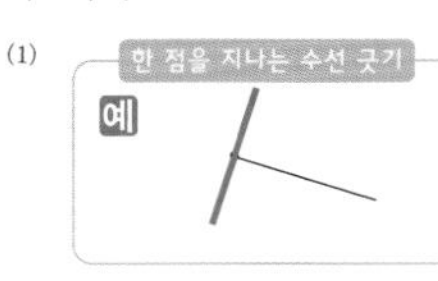

(2) 직사각형 그리기

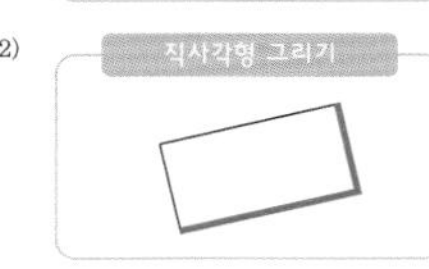

05 서로 수직인 직선을 모두 찾아 ㄴ로 표시하고, 서로 평행한 직선을 찾아 쓰시오.

(1)

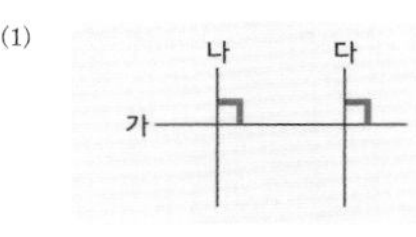

➡ 직선 나와 직선 다

(2)

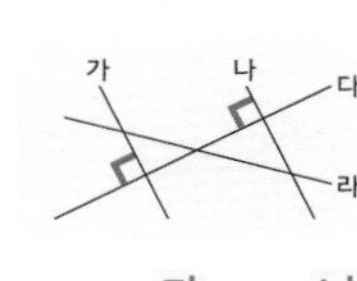

➡ 직선 가와 직선 나

06 평행선 사이에 수선을 긋고, 평행선 사이의 거리를 재어 보시오.

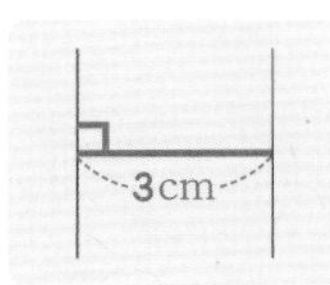

3 cm

07 삼각자를 사용하여 주어진 직선과 평행한 직선을 그어 보시오.

예

08 삼각자를 사용하여 점 ㄱ을 지나고 직선 가와 평행한 직선을 그어 보시오.

ㄱ 가

09 사각형을 보고 알맞은 말에 ○표 하시오.

- 평행한 변이 (있음, 없음).

➡ 사다리꼴이 (맞습니다, 아닙니다).

10 사다리꼴이면 ○표, 아니면 ×표를 하시오.

× ○

○ ×

11 주어진 선분을 사용하여 사다리꼴을 완성해 보시오.

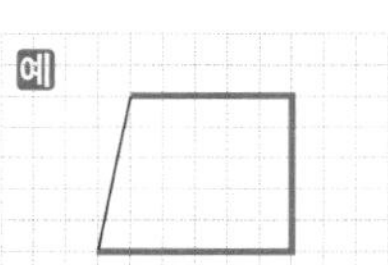

12 직사각형 모양의 종이를 자르면 사다리꼴은 모두 몇 개 만들어집니까?

5 개

13 사각형을 보고 안에 알맞은 수를 써넣고, 알맞은 말에 ○표 하시오.

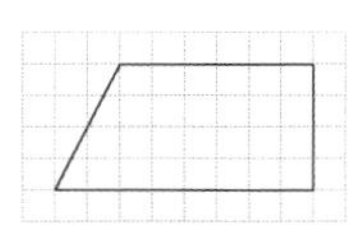

- 평행한 변이 1 쌍 있음.

➡ 평행사변형이 (맞습니다, 아닙니다).

14 주어진 선분을 사용하여 평행사변형을 완성해 보시오.

(1)

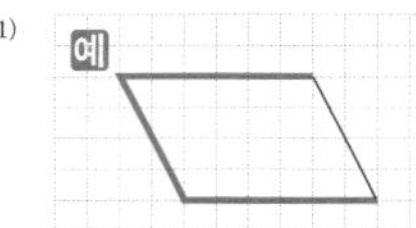

(2)

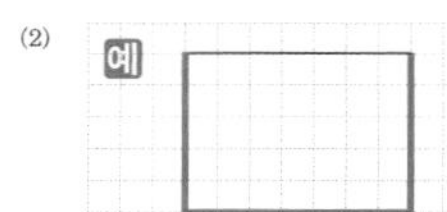

15 평행사변형입니다. 안에 알맞은 수를 써넣으시오.

(1)

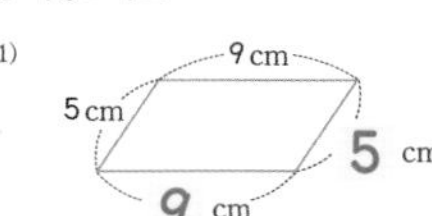

(2)

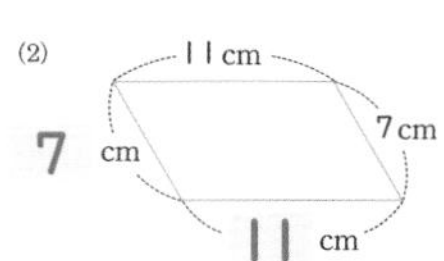

16 평행사변형입니다. 안에 알맞은 각도를 써넣으시오.

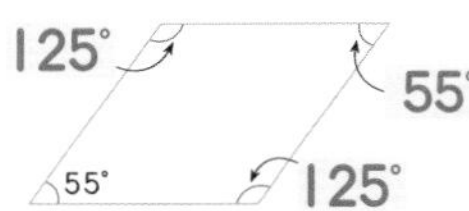

17 사각형을 보고 알맞은 말에 ○표 하시오.

- 네 변의 길이가 (모두 같음, 다름).

➡ 마름모가 (맞습니다, 아닙니다).

18 주어진 선분을 사용하여 마름모를 완성해 보시오.

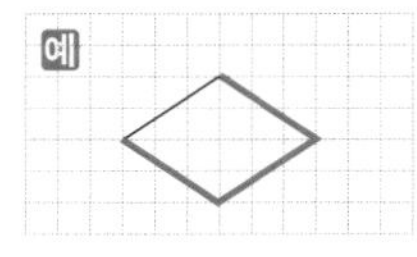

19 마름모입니다. 안에 알맞은 수를 써넣으시오.

(1)

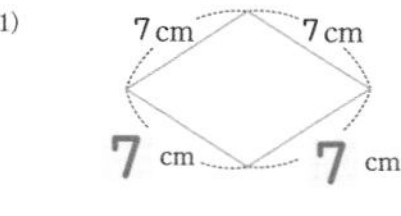

(2)

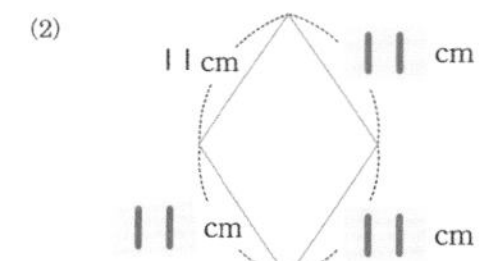

20 마름모입니다. 안에 알맞은 각도를 써넣으시오.

(1)

(2)

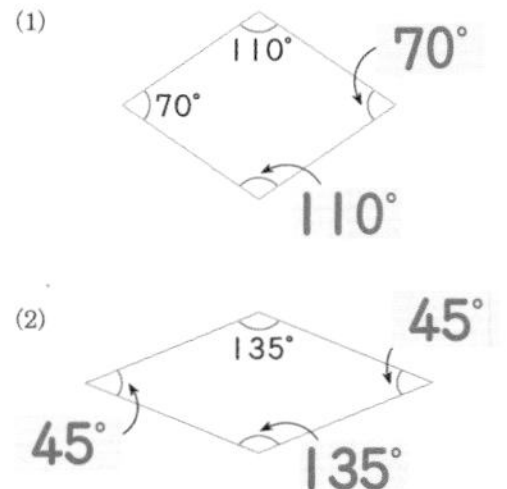

단원 평가 4. 사각형

걸린 시간 분 점수 점

정답 35쪽

[1~2] 그림을 보고 물음에 답하시오.

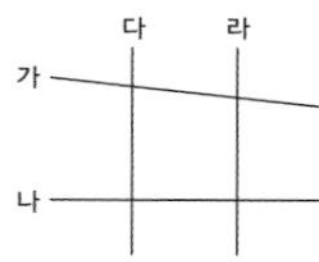

1 직선 다에 수직인 직선을 찾아 쓰시오.
(직선 나)

2 직선 다와 평행한 직선을 찾아 쓰시오.
(직선 라)

3 도형에서 변 ㄷㄹ에 수직인 변은 모두 몇 개입니까?

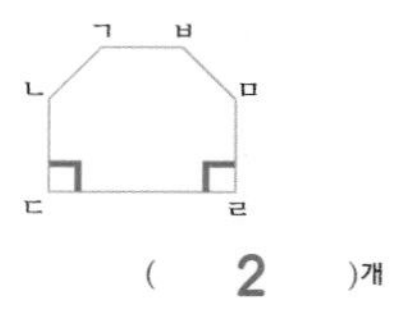

(2)개

4 각도기를 사용하여 선분 ㄱㄴ에 대한 수선을 그리려고 합니다. 그리는 순서에 맞게 기호를 쓰시오.

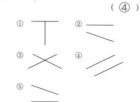

㉠ 점 ㄷ과 점 ㄹ을 선으로 잇습니다.
㉡ 주어진 선분 ㄱㄴ 위에 점 ㄷ을 찍습니다.
㉢ 각도기에서 90°가 되는 눈금 위에 점 ㄹ을 찍습니다.
㉣ 각도기의 중심을 점 ㄷ에 맞추고 각도기의 밑금을 선분 ㄱㄴ에 맞춥니다.

(㉡, ㉣, ㉢, ㉠)

5 다음 중 평행선은 어느 것입니까? (④)

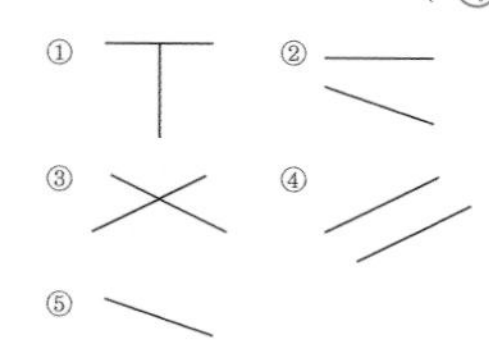

6 수선과 평행선이 모두 있는 도형을 찾아 기호를 쓰시오.

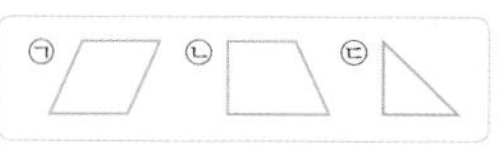

(㉡)

7 도형에서 평행한 변은 모두 몇 쌍입니까?

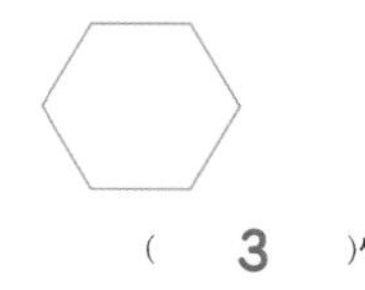

(3)쌍

8 도형에서 평행선 사이의 거리는 몇 cm입니까?

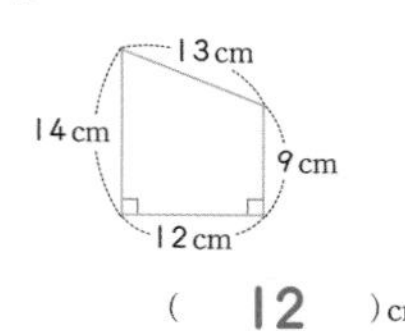

(12)cm

9 그림을 보고 물음에 답하시오.

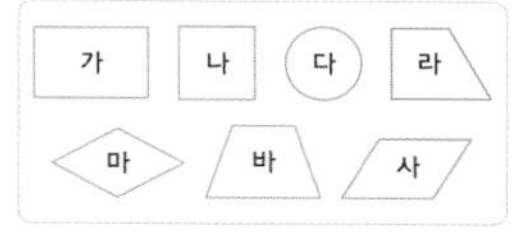

(1) 사다리꼴을 모두 찾아 기호를 쓰시오.
(가, 나, 라, 마, 바, 사)

(2) 평행사변형을 모두 찾아 기호를 쓰시오.
(가, 나, 마, 사)

(3) 마름모를 모두 찾아 기호를 쓰시오.
(나, 마)

(4) 직사각형을 모두 찾아 기호를 쓰시오.
(가, 나)

(5) 정사각형을 찾아 기호를 쓰시오.
(나)

10 사다리꼴이 아닌 것을 찾아 기호를 쓰시오.

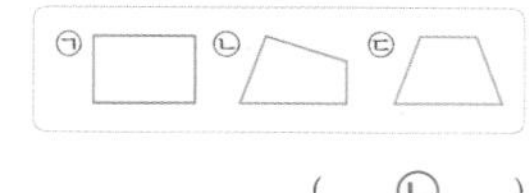

(㉡)

11 직사각형 모양의 색종이를 점선을 따라 잘랐을 때 생기는 사다리꼴은 모두 몇 개입니까?

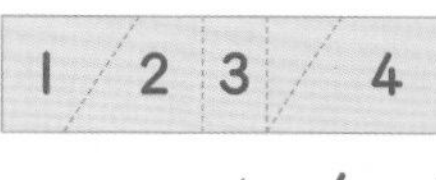

(4)개

12 다음 도형이 사다리꼴이 되도록 하려면 어느 점선을 따라 잘라야 하는지 기호를 쓰시오.

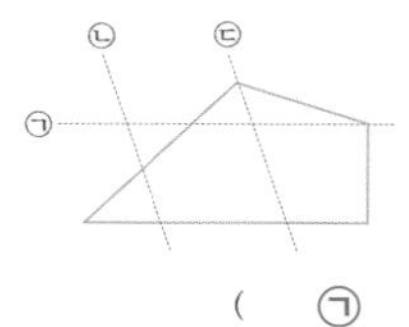

(㉠)

13 주어진 선분을 사용하여 평행사변형을 완성해 보시오.

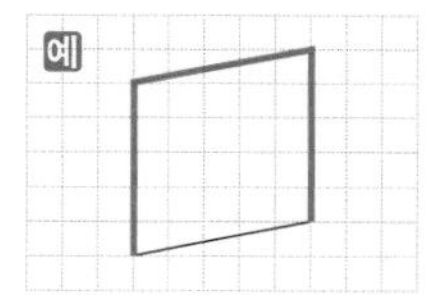

14 평행사변형입니다. □ 안에 알맞게 써넣으시오.

(1)

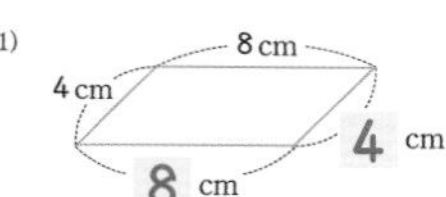

(2)

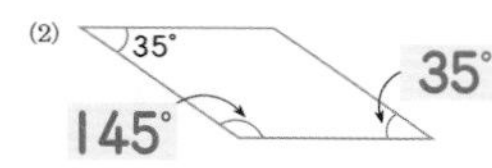

15 다음 중 마름모에 대한 설명으로 잘못된 것은 어느 것입니까? (③)

① 평행사변형입니다.
② 네 변의 길이가 모두 같습니다.
③ 네 각의 크기가 모두 같습니다.
④ 마주 보는 변의 길이가 같습니다.
⑤ 마주 보는 두 쌍의 변이 서로 평행합니다.

16 사각형 ㄱㄴㄷㄹ은 마름모입니다. 네 변의 길이의 합은 몇 cm입니까?

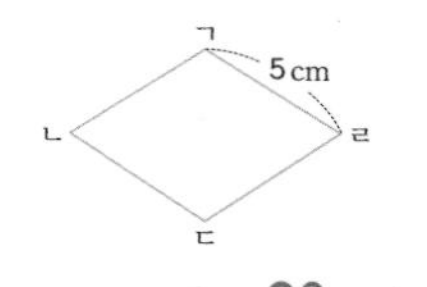

(20)cm

5+5+5+5=20(cm)

17 사각형 ㄱㄴㄷㄹ은 마름모입니다. □ 안에 알맞은 각도를 써넣으시오.

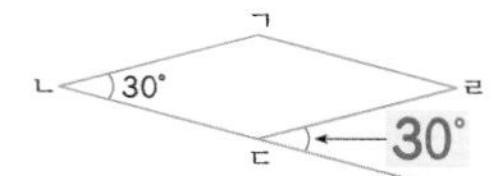

(각 ㄴㄷㄹ)=180°−30°=150°
→ □=180°−150°=30°

18 다음 설명 중 옳지 않은 것은 어느 것입니까? (②)

① 마름모는 사다리꼴입니다.
② 직사각형은 마름모입니다.
③ 평행사변형은 사다리꼴입니다.
④ 직사각형은 평행사변형입니다.
⑤ 정사각형은 마름모입니다.

19 길이가 68 cm인 철사를 사용하여 가장 큰 마름모 한 개를 만들었습니다. 마름모의 한 변의 길이는 몇 cm인지 풀이 과정을 쓰고 답을 구하시오.

예 풀이 (마름모의 한 변의 길이)
=68÷4=17(cm)

답 17 cm

20 다음 도형의 이름이 될 수 있는 것을 모두 찾아 기호를 쓰시오.

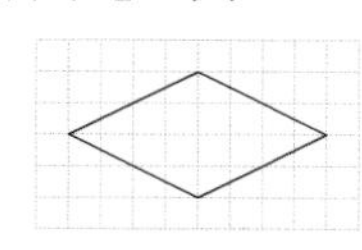

㉠ 사다리꼴 ㉡ 평행사변형
㉢ 직사각형 ㉣ 마름모
㉤ 정사각형

(㉠, ㉡, ㉣)

01 꺾은선그래프

정답 36쪽

● **꺾은선그래프:** 수량을 점으로 표시하고, 그 점들을 선분으로 이어 그린 그래프

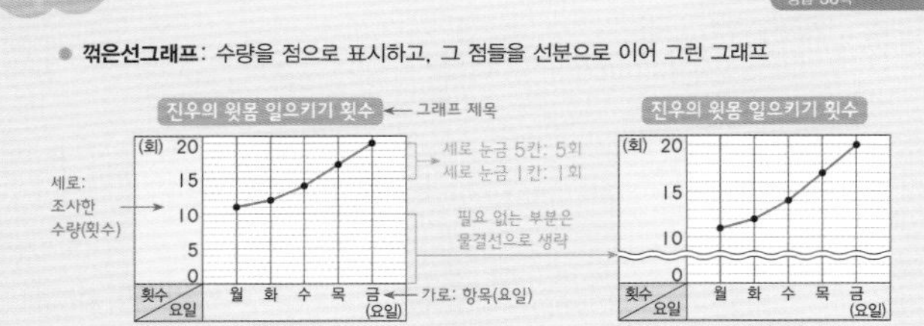

1 꺾은선그래프에서 각각은 무엇을 나타내는지 써 보시오.

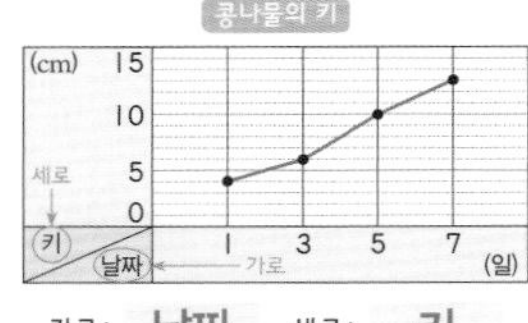

가로: 날짜 세로: 키
꺾은선: 콩나물의 키의 변화

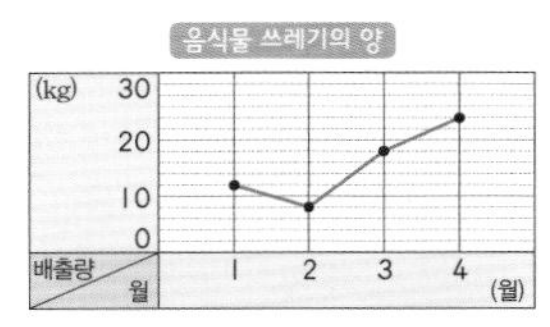

가로: 월 세로: 배출량
꺾은선: 음식물 쓰레기의 양의 변화

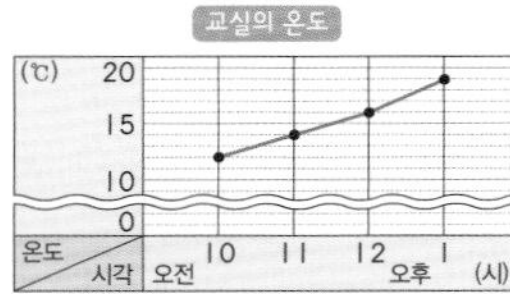

가로: 시각 세로: 온도
꺾은선: 교실의 온도의 변화

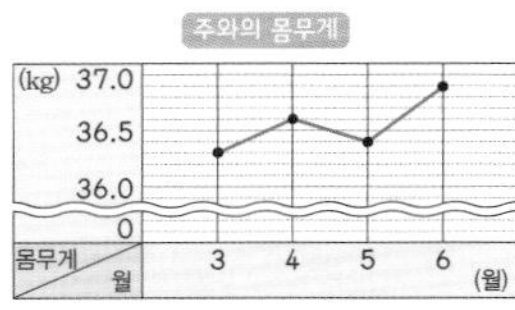

가로: 월 세로: 몸무게
꺾은선: 주와의 몸무게의 변화

2 세로 눈금 한 칸은 얼마를 나타내는지 안에 써넣으시오.

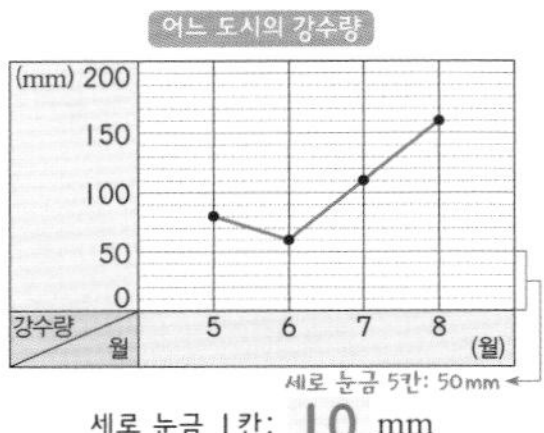

세로 눈금 1칸: 10 mm
50(mm)÷5(칸)

월별 읽은 책 수
세로 눈금 5칸: 5권

세로 눈금 1칸: 1 권

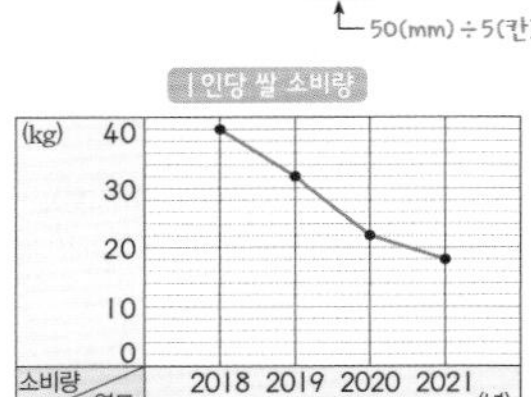

세로 눈금 1칸: 2 kg

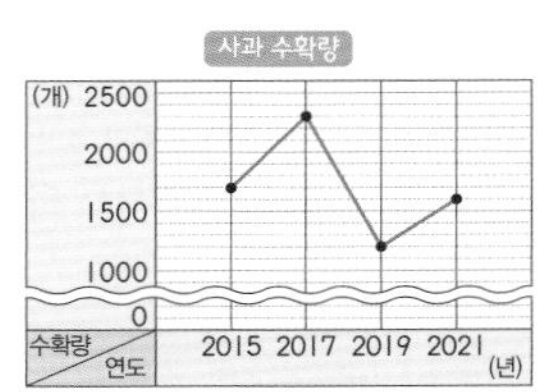

세로 눈금 1칸: 100 개

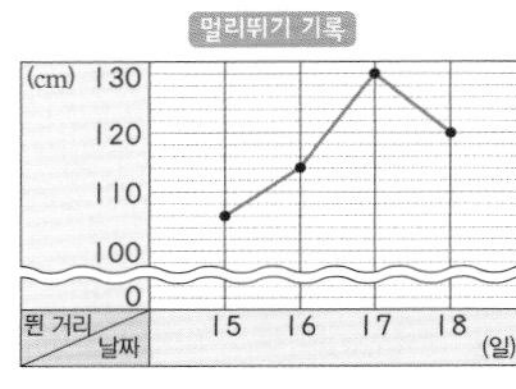

세로 눈금 1칸: 2 cm

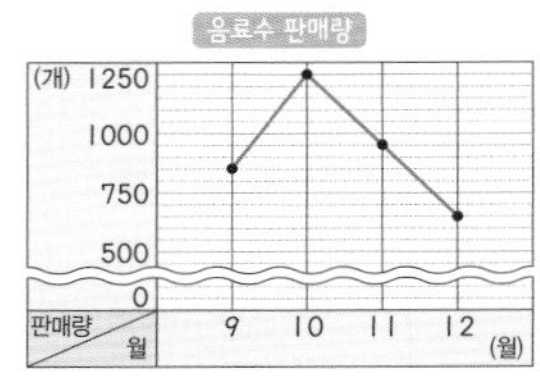

세로 눈금 1칸: 50 개

3 꺾은선그래프를 보고 안에 알맞은 수를 써넣으시오.

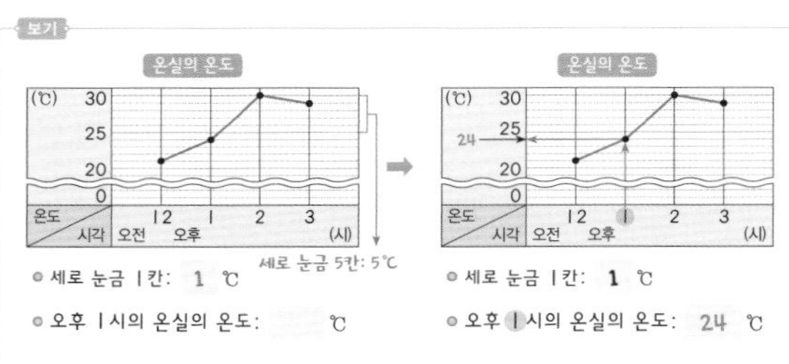

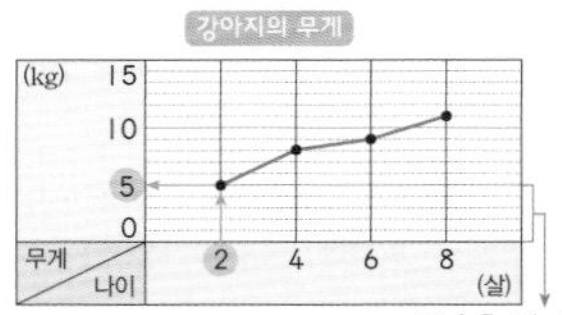

○ 세로 눈금 1칸: 1 kg
○ 2살일 때 강아지의 무게: 5 kg

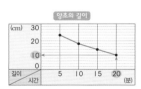

양초의 길이

○ 세로 눈금 1칸: 2 cm
○ 20분 후의 양초의 길이: 10 cm

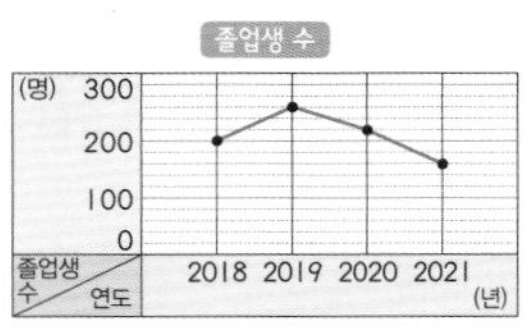

○ 세로 눈금 1칸: 20 명
○ 2019년의 졸업생 수: 260 명

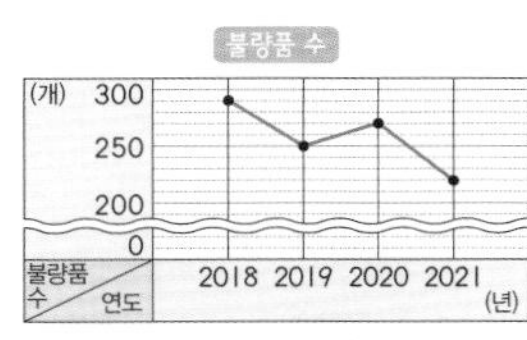

○ 세로 눈금 1칸: 10 개
○ 2020년의 불량품 수: 270 개

4 꺾은선그래프를 보고 표를 완성하시오.

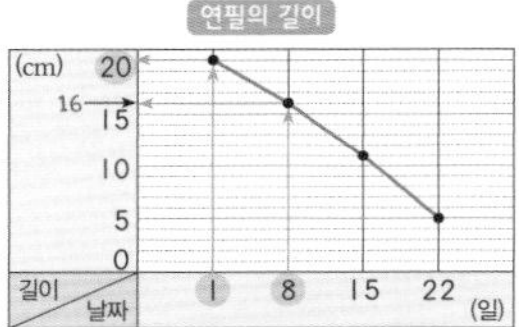

연필의 길이

날짜(일)	1	8	15	22
길이(cm)	20	16	11	5

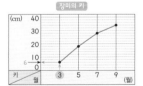

장미의 키

장미의 키

월	3	5	7	9
키(cm)	6	18	28	34

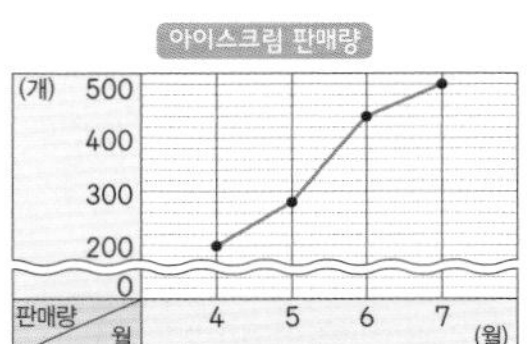

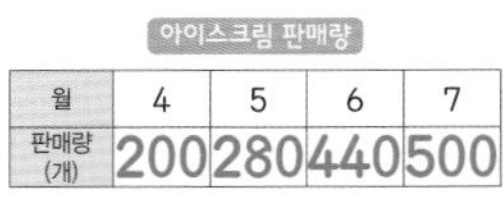

아이스크림 판매량

월	4	5	6	7
판매량(개)	200	280	440	500

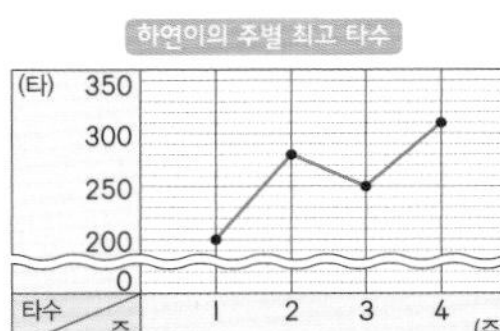

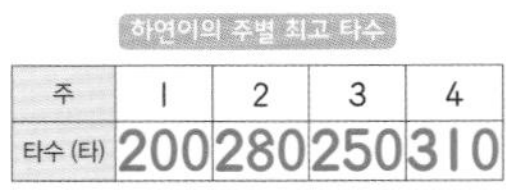

하연이의 주별 최고 타수

주	1	2	3	4
타수(타)	200	280	250	310

02 꺾은선그래프 해석하기

정답 37쪽

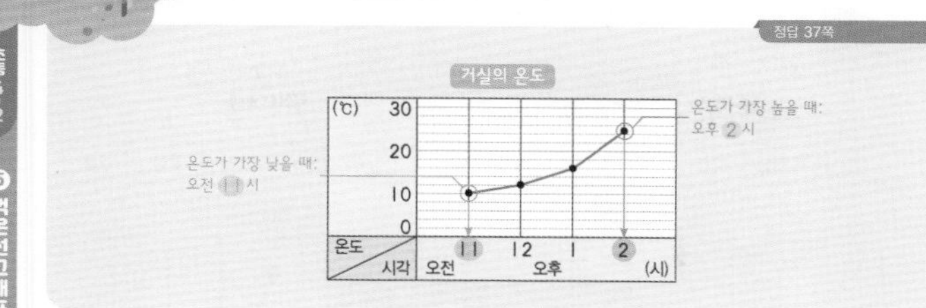

1 꺾은선그래프를 보고 □ 안에 알맞은 수를 써넣으시오.

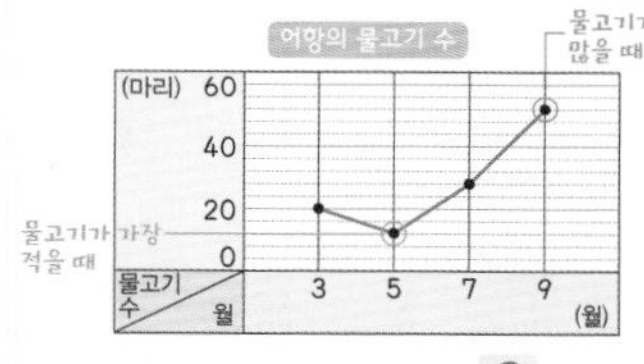

- 물고기가 가장 많을 때: 9 월
- 물고기가 가장 적을 때: 5 월

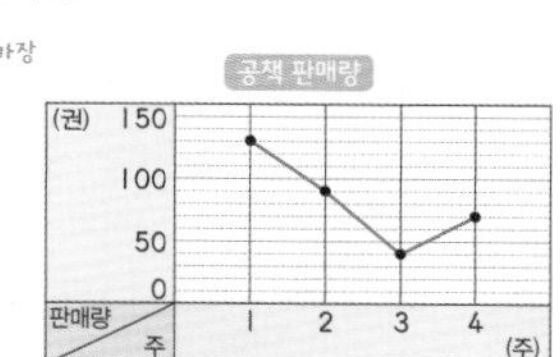

- 공책 판매량이 가장 많을 때: 1 주
- 공책 판매량이 가장 적을 때: 3 주

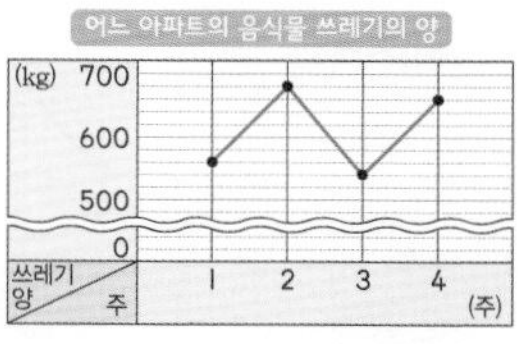

- 쓰레기의 양이 가장 많을 때: 2 주
- 쓰레기의 양이 가장 적을 때: 3 주

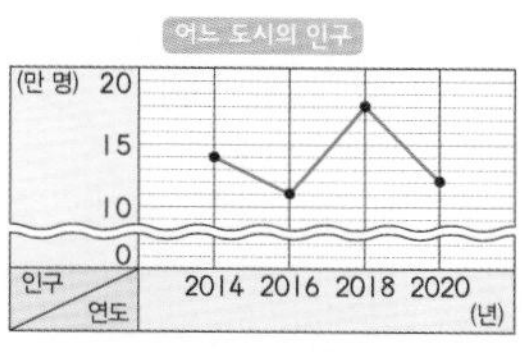

- 인구가 가장 많을 때: 2018 년
- 인구가 가장 적을 때: 2016 년

08

2 꺾은선그래프를 보고 □ 안에 알맞은 수를 써넣으시오.

보기

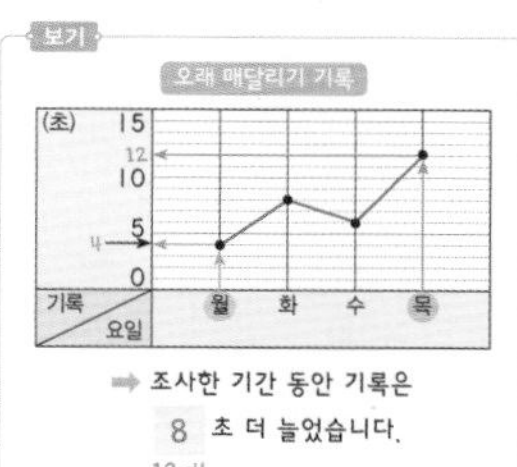

➡ 조사한 기간 동안 기록은 8 초 더 늘었습니다.
12−4

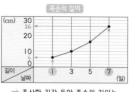

➡ 조사한 기간 동안 죽순의 길이는 20 cm 더 길어졌습니다.
26−6

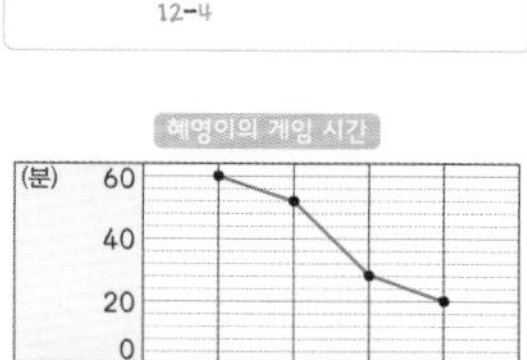

➡ 조사한 기간 동안 게임 시간은 40 분 더 줄었습니다.
60−20

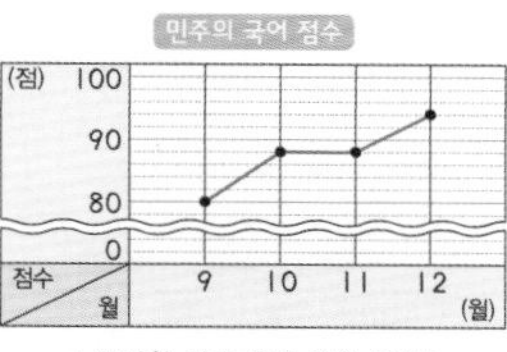

➡ 조사한 기간 동안 국어 점수는 14 점 더 높아졌습니다.
94−80

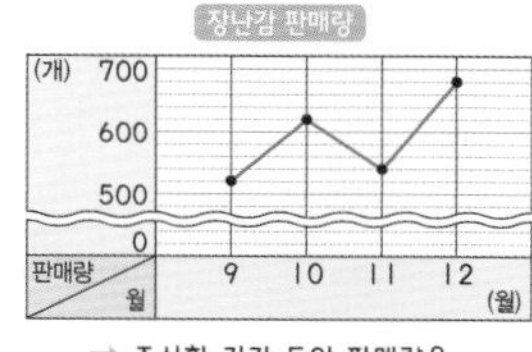

➡ 조사한 기간 동안 판매량은 160 개 더 늘었습니다.
680−520

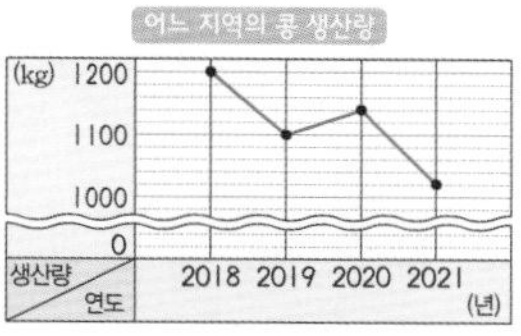

➡ 조사한 기간 동안 생산량은 180 kg 더 줄었습니다.
1200−1020

09

선분의 기울어진 정도와 방향에 따라 자료의 변화 정도를 알 수 있습니다.

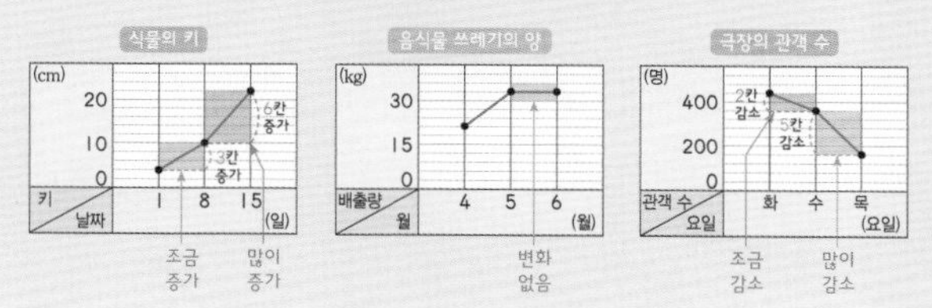

3 꺾은선그래프를 보고 □ 안에 알맞게 써넣으시오.

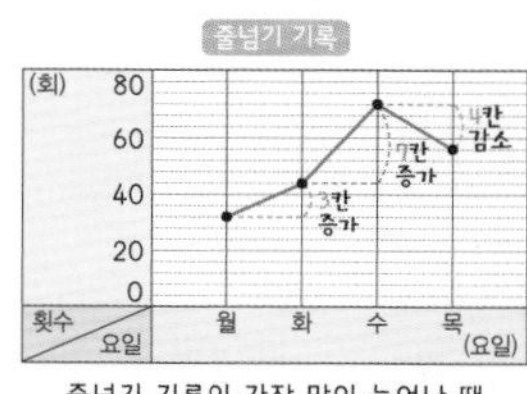

줄넘기 기록이 가장 많이 늘어난 때
➡ 화 요일과 수 요일 사이

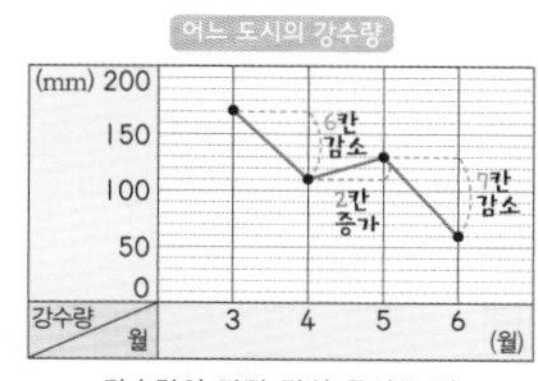

강수량이 가장 많이 줄어든 때
➡ 5 월과 6 월 사이

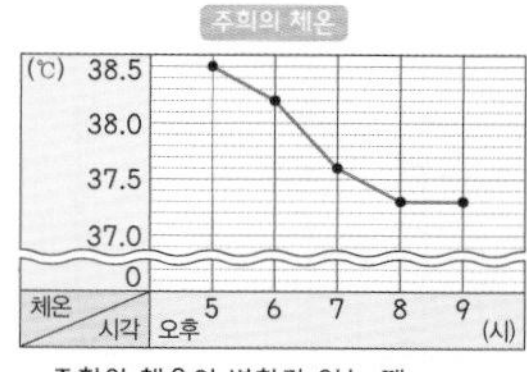

주희의 체온이 변화가 없는 때
➡ 오후 8 시와 오후 9 시 사이

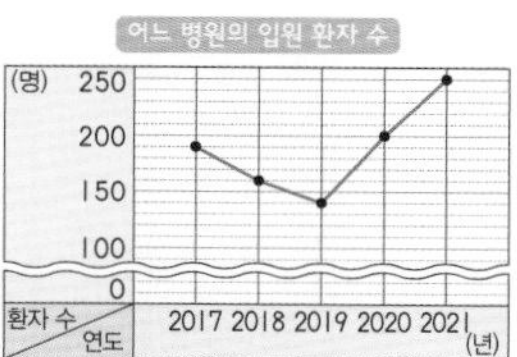

입원 환자가 가장 많이 늘어난 때
➡ 2019 년과 2020 년 사이

10

4 꺾은선그래프를 보고 □ 안에 알맞은 수를 써넣으시오.

보기

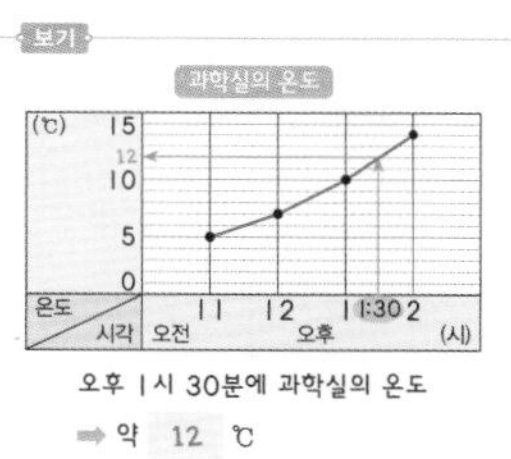

오후 1시 30분에 과학실의 온도
➡ 약 12 ℃

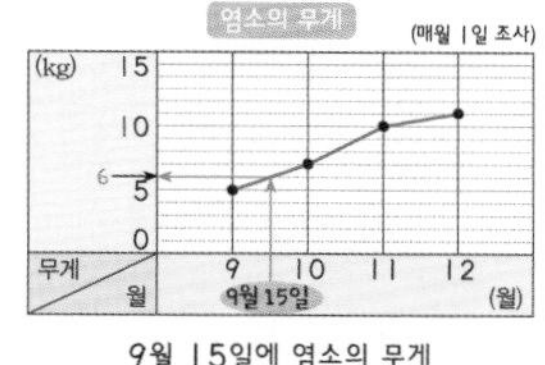

9월 15일에 염소의 무게
➡ 약 6 kg

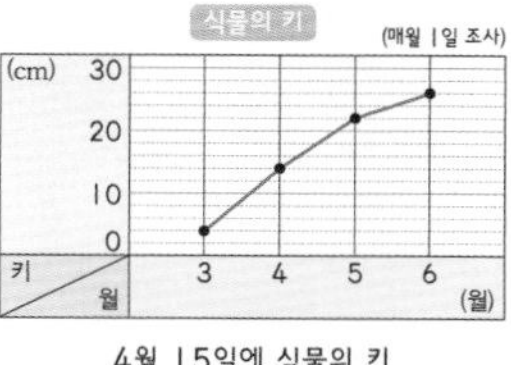

4월 15일에 식물의 키
➡ 약 18 cm

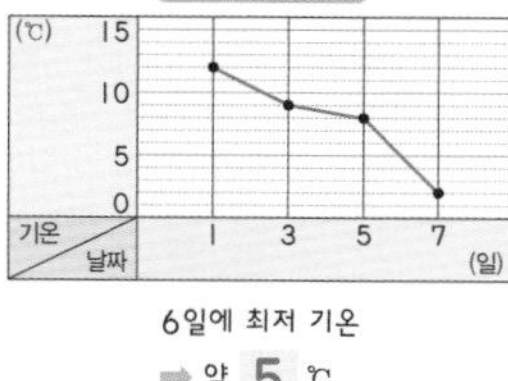

6일에 최저 기온
➡ 약 5 ℃

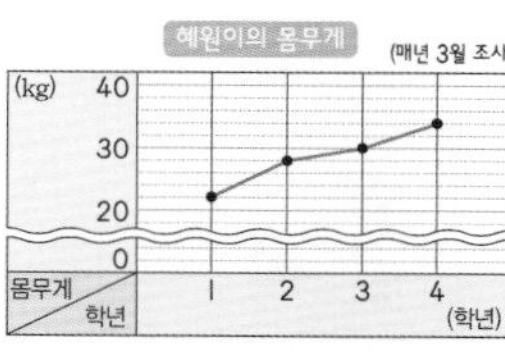

혜원이가 3학년일 때 9월의 몸무게
➡ 약 32 kg

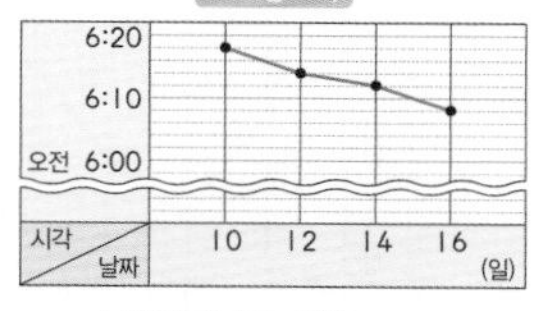

11일에 해 뜨는 시각
➡ 약 오전 6 시 16 분

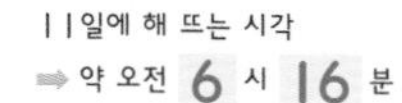

11

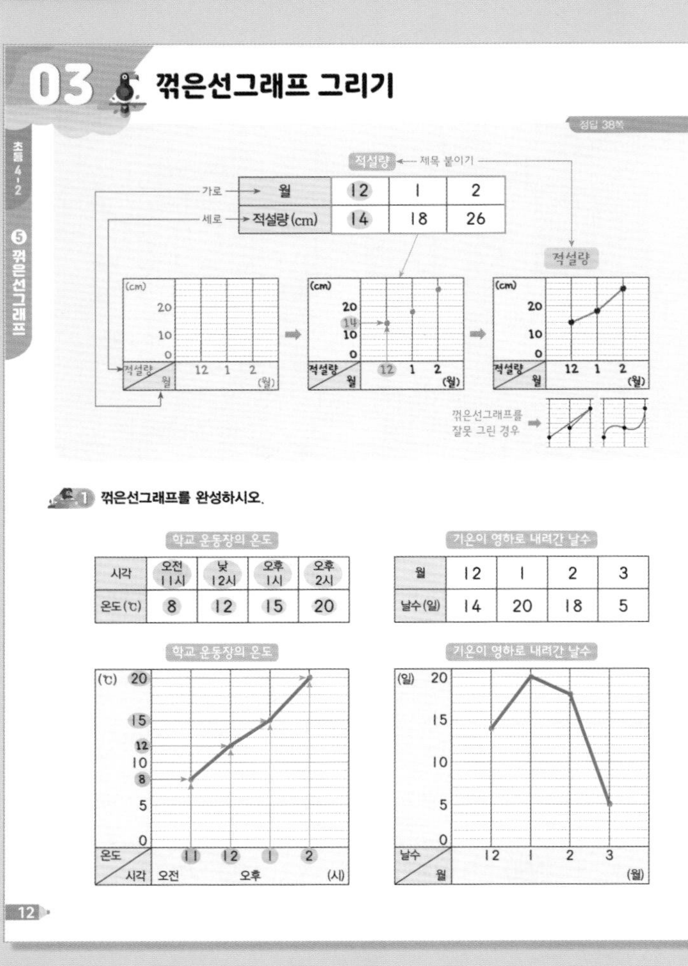

03 꺾은선그래프 그리기

정답 38쪽

적설량 ← 제목 붙이기

월	12	1	2
적설량 (cm)	14	18	26

1 꺾은선그래프를 완성하시오.

학교 운동장의 온도

시각	오전 11시	낮 12시	오후 1시	오후 2시
온도(℃)	8	12	15	20

기온이 영하로 내려간 날수

월	12	1	2	3
날수(일)	14	20	18	5

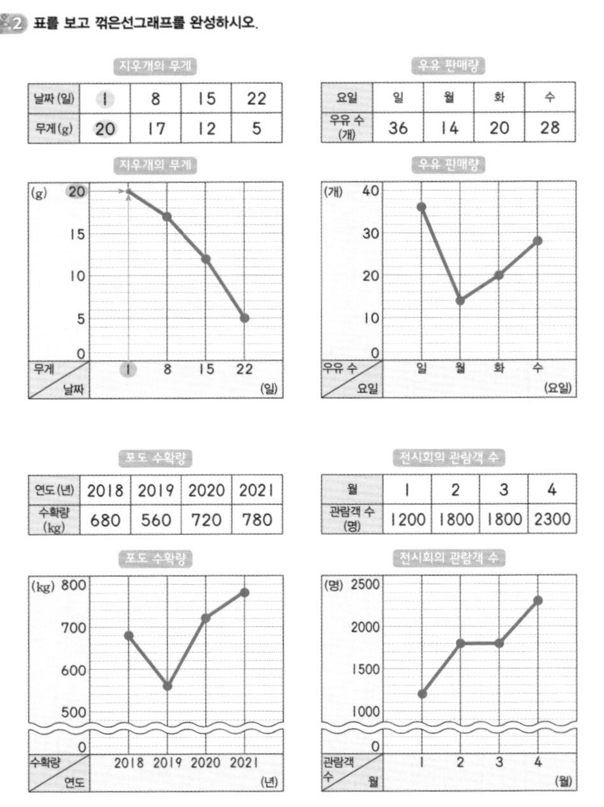

2 표를 보고 꺾은선그래프를 완성하시오.

지우개의 무게

날짜(일)	1	8	15	22
무게(g)	20	17	12	5

우유 판매량

요일	일	월	화	수
우유 수(개)	36	14	20	28

포도 수확량

연도(년)	2018	2019	2020	2021
수확량(kg)	680	560	720	780

전시회의 관람객 수

월	1	2	3	4
관람객 수(명)	1200	1800	1800	2300

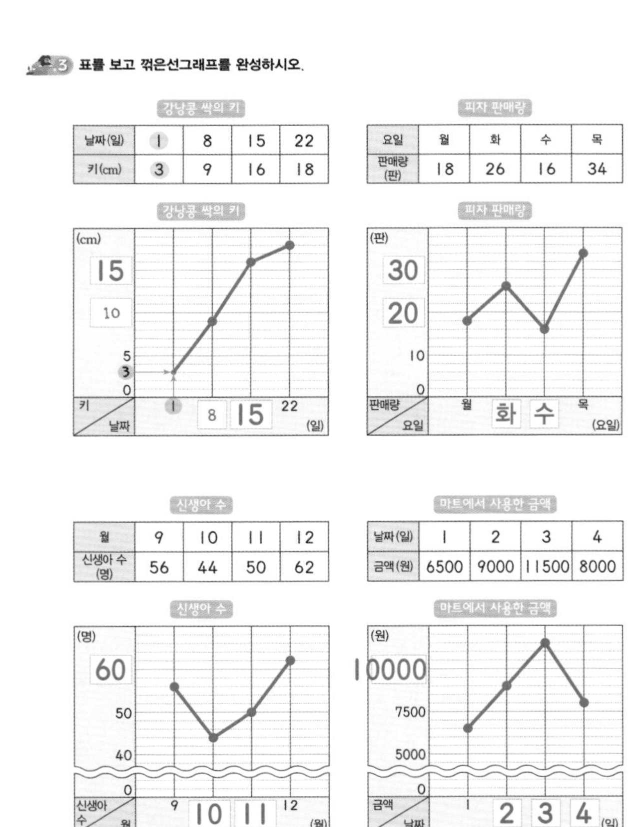

3 표를 보고 꺾은선그래프를 완성하시오.

강낭콩 싹의 키

날짜(일)	1	8	15	22
키(cm)	3	9	16	18

피자 판매량

요일	월	화	수	목
판매량(판)	18	26	16	34

신생아 수

월	9	10	11	12
신생아 수(명)	56	44	50	62

마트에서 사용한 금액

날짜(일)	1	2	3	4
금액(원)	6500	9000	11500	8000

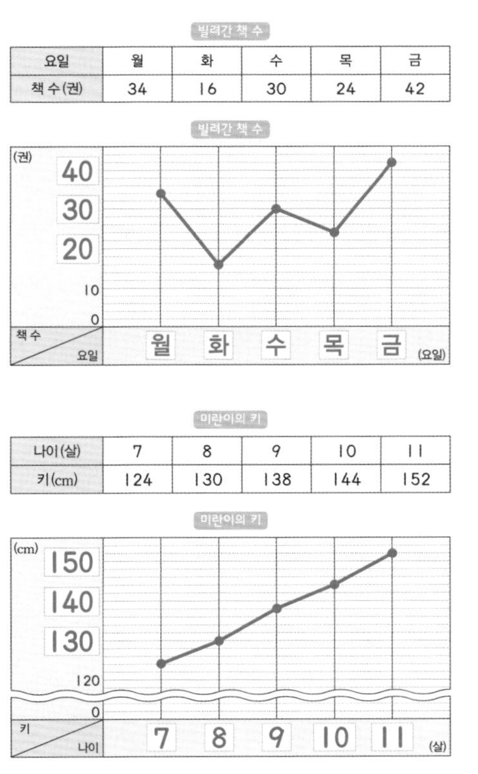

4 표를 보고 꺾은선그래프를 완성하시오.

빌려간 책 수

요일	월	화	수	목	금
책 수(권)	34	16	30	24	42

미란이의 키

나이(살)	7	8	9	10	11
키(cm)	124	130	138	144	152

도전! 응용문제

정답 39쪽

초등 4-2 5 꺾은선그래프

💡 일정하게 늘어나거나 줄어드는 꺾은선그래프 해석하기

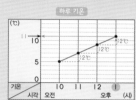

하루 기온

- 기온이 1시간에 2 ℃씩 오르고 있음
- 오후 2시에는 오후 1시보다 2 ℃ 더 높은 11+2=13(℃)로 예상함

응용 1 꺾은선그래프를 보고 □ 안에 알맞은 수를 써넣으시오.

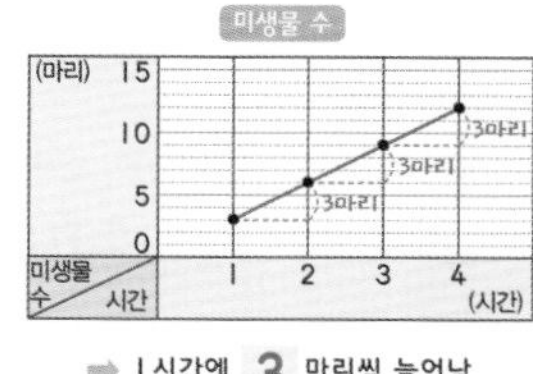

➡ 1시간에 3 마리씩 늘어남

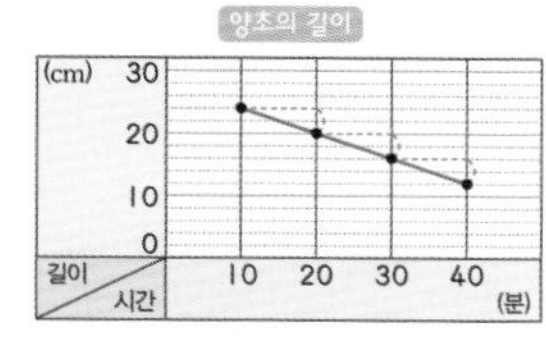

➡ 10분에 4 cm씩 줄어듦

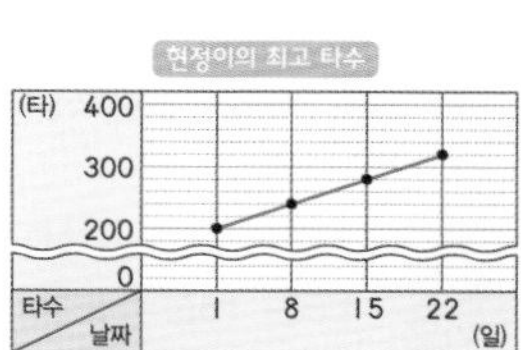

➡ 7일에 40 타씩 늘어남

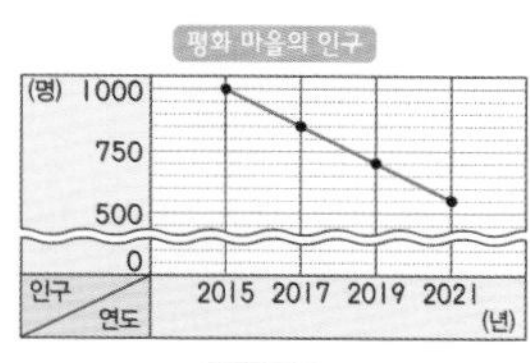

➡ 2년에 150 명씩 줄어듦

응용 2 꺾은선그래프를 보고 □ 안에 알맞은 수를 써넣으시오.

보기

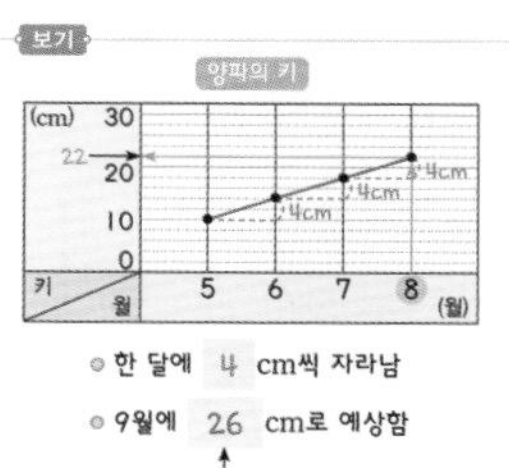

- 한 달에 4 cm씩 자라남
- 9월에 26 cm로 예상함

(8월의 키) + (한 달 동안 자란 키) 22cm 4cm

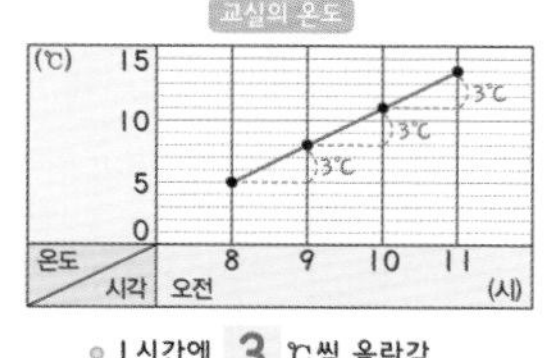

- 1시간에 3 ℃씩 올라감
- 낮 12시에 17 ℃로 예상함

(오전 11시 온도) +(1시간 동안 오른 온도)

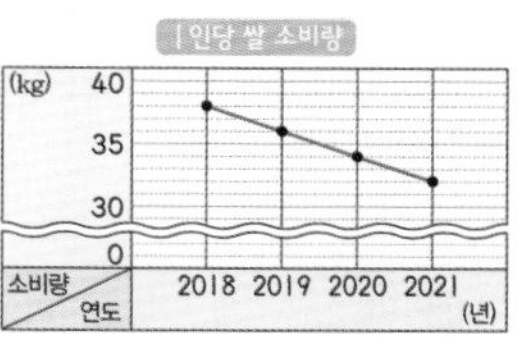

- 1년에 2 kg씩 줄어듦
- 2022년에 30 kg으로 예상함

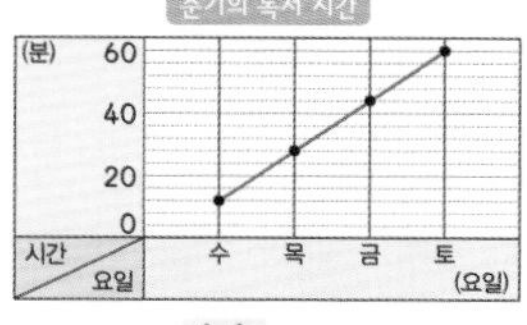

- 하루에 16 분씩 늘어남
- 일요일에 76 분으로 예상함

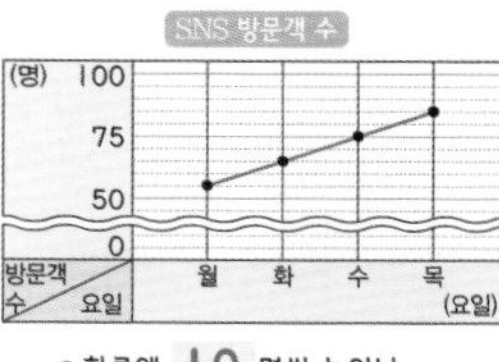

- 하루에 10 명씩 늘어남
- 금요일에 95 명으로 예상함

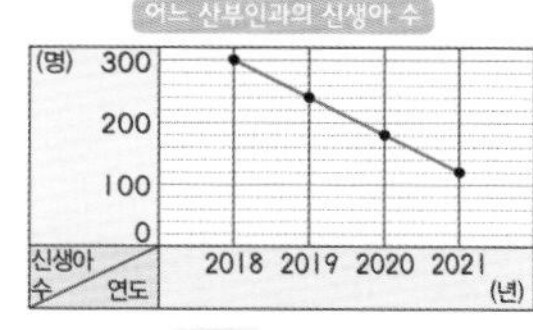

- 1년에 60 명씩 줄어듦
- 2022년에 60 명으로 예상함

💡 두 가지 자료를 나타낸 꺾은선그래프 해석하기

줄넘기 기록

- 두 사람의 줄넘기 기록의 차가 가장 클 때: 화요일 ➡ 116−104=12(회)
- 두 사람의 줄넘기 기록이 같을 때: 수요일

응용 3 꺾은선그래프를 보고 □ 안에 알맞은 수를 써넣으시오.

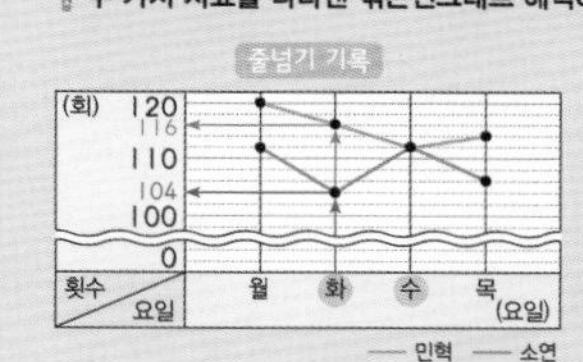

- 무게가 같을 때: 4 살
- 무게의 차가 가장 클 때: 10 살

도시의 인구

- 인구가 같을 때: 2020 년
- 인구 차가 가장 클 때: 2018 년

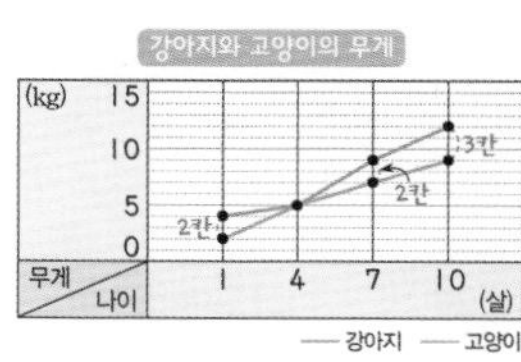

- 최고 기온이 같을 때: 8 일
- 최고 기온의 차가 가장 클 때: 7 일

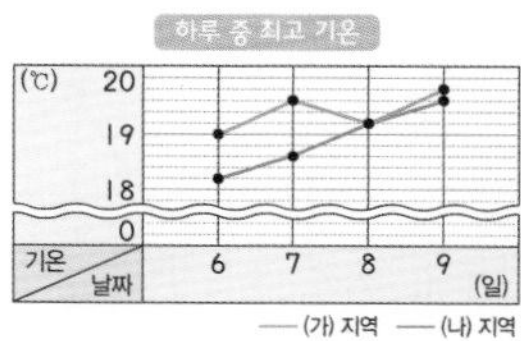

- 키가 같을 때: 6 월
- 키의 차가 가장 클 때: 4 월

응용 4 꺾은선그래프를 보고 □ 안에 알맞게 써넣으시오.

보기

윗몸 일으키기 횟수

윗몸 일으키기 횟수의 차가 가장 클 때 ➡ 목 요일, 그 차는 □ 회

윗몸 일으키기 횟수의 차가 가장 클 때 ➡ 목 요일, 그 차는 5 회 (14−9)

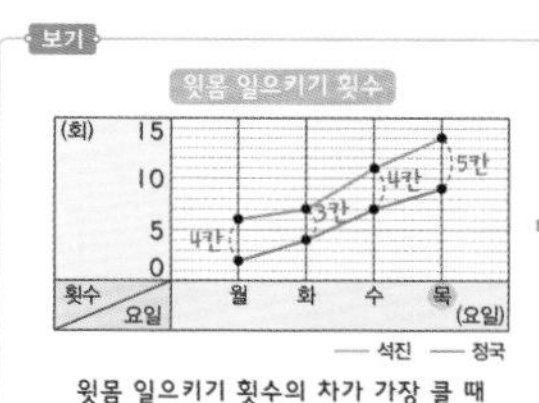

두 식물의 키의 차가 가장 클 때 ➡ 15 일, 그 차는 5 cm

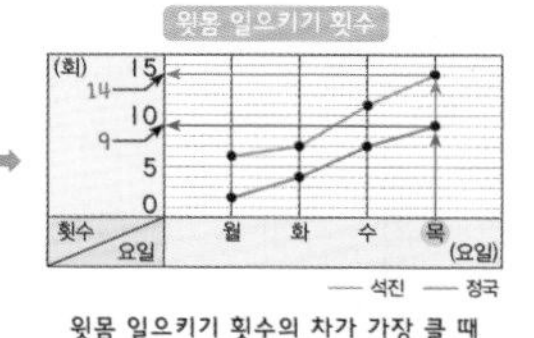

거실과 방의 온도 차가 가장 클 때 ➡ 오후 2 시, 그 차는 10 ℃

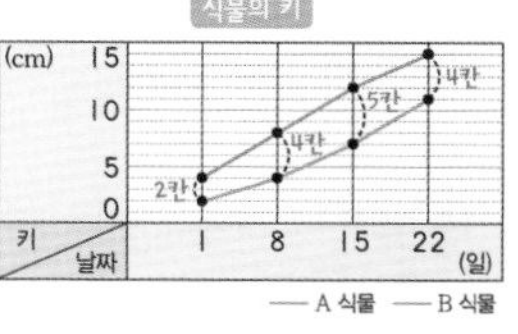

국어와 수학 점수 차가 가장 클 때 ➡ 5 월, 그 차는 8 점

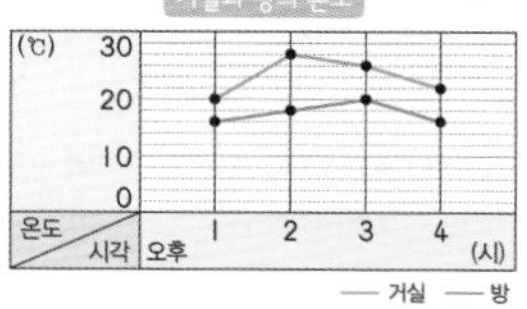
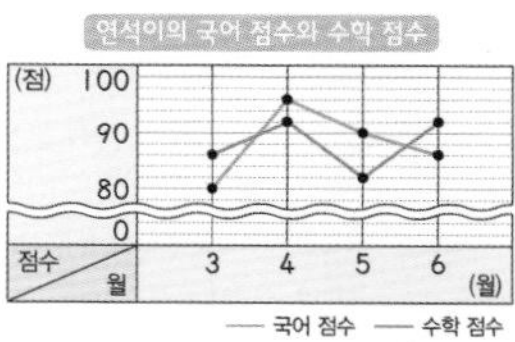
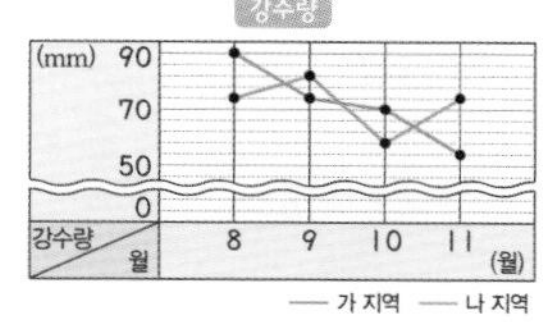
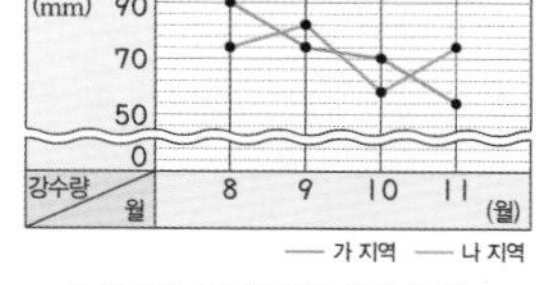

두 지역의 강수량 차가 가장 클 때 ➡ 11 월, 그 차는 20 mm

형성평가

정답 40쪽 걸린 시간 분 / 점 수 점

초등 4-2 ⑤ 꺾은선그래프

[01~04] 꺾은선그래프를 보고 물음에 답하시오.

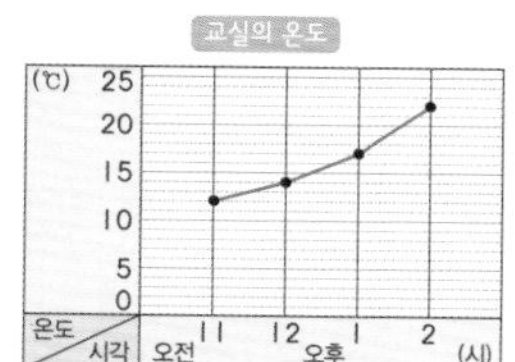

01 가로는 무엇을 나타냅니까?

(시각)

02 세로는 무엇을 나타냅니까?

(온도)

03 꺾은선은 무엇을 나타냅니까?

(교실의 온도의 변화)

04 세로 눈금 한 칸의 크기는 얼마인지 구하시오.

(1)℃

[05~06] 꺾은선그래프를 보고 안에 알맞은 수를 써넣으시오.

05

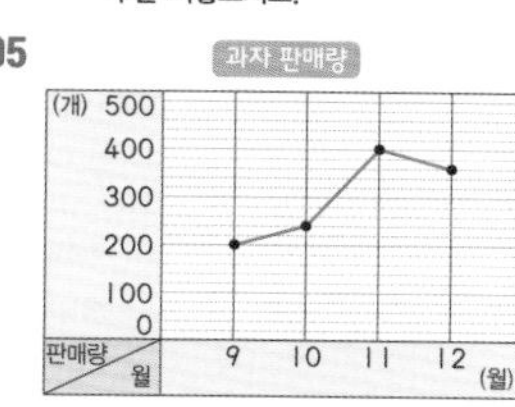

- 세로 눈금 1칸: 20 개
- 11월의 판매량: 400 개

06

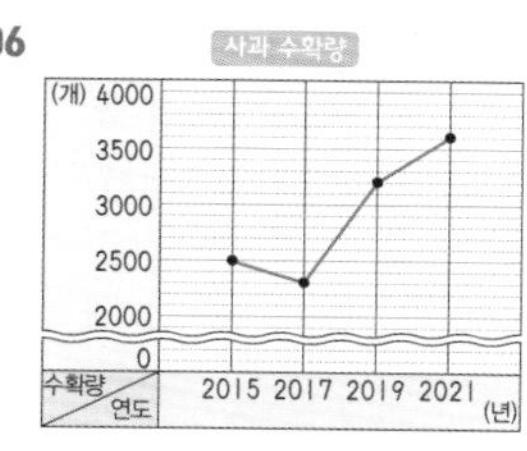

- 세로 눈금 1칸: 100 개
- 2021년의 수확량: 3600 개

[07~08] 꺾은선그래프를 보고 표를 완성하시오.

07

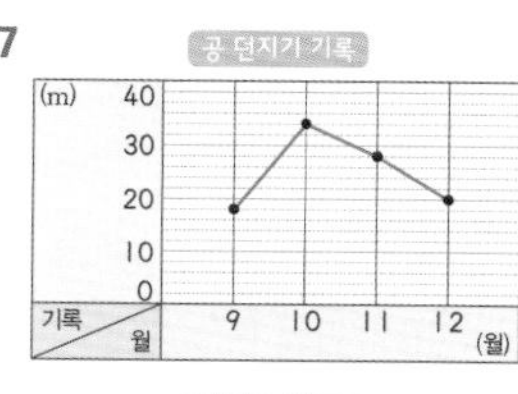

공 던지기 기록

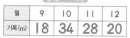

월	9	10	11	12
기록(m)	18	34	28	20

08

식물의 키

(cm) 20, 15, 10, 0 / 키 / 날짜 5 10 15 20 (일)

식물의 키

날짜(일)	5	10	15	20
키(cm)	12	14	16	19

[09~11] 꺾은선그래프를 보고 물음에 답하시오.

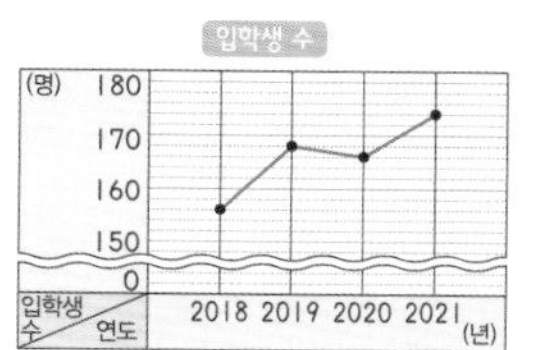

09 입학생 수가 가장 많을 때는 몇 년입니까?

(2021)년

10 입학생 수가 가장 적을 때는 몇 년입니까?

(2018)년

11 조사한 기간 동안 입학생 수는 몇 명 더 늘었습니까?

(18)명

174－156＝18(명)

12 꺾은선그래프를 보고 안에 알맞은 수를 써넣으시오.

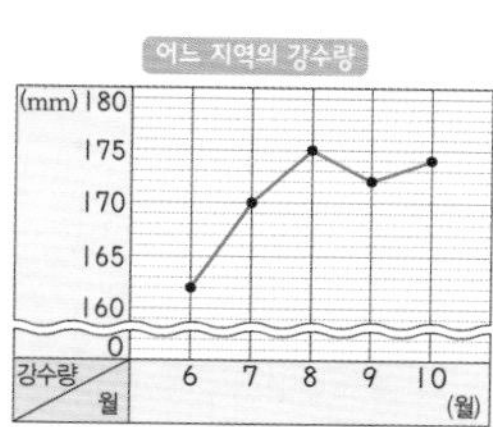

강수량이 가장 많이 늘어난 때

➡ 6 월과 7 월 사이

[13~14] 꺾은선그래프를 보고 안에 알맞은 수를 써넣으시오.

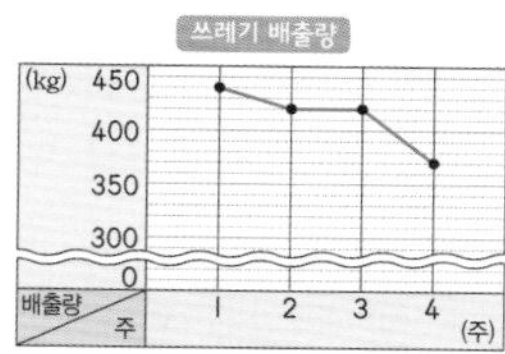

13 쓰레기 배출량이 가장 많이 줄어든 때는 3 주와 4 주 사이입니다.

14 쓰레기 배출량이 변화가 없을 때는 2 주와 3 주 사이입니다.

15 꺾은선그래프를 보고 안에 알맞은 수를 써넣으시오.

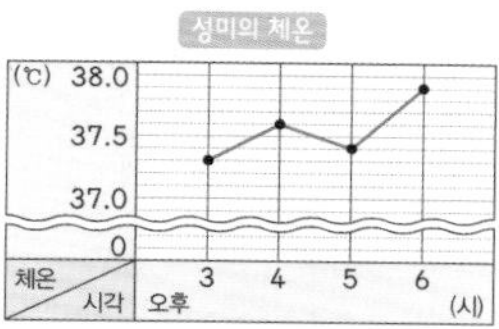

오후 4시 30분에 성미의 체온

➡ 약 37.5℃

16 꺾은선그래프를 보고 안에 알맞은 수를 써넣으시오.

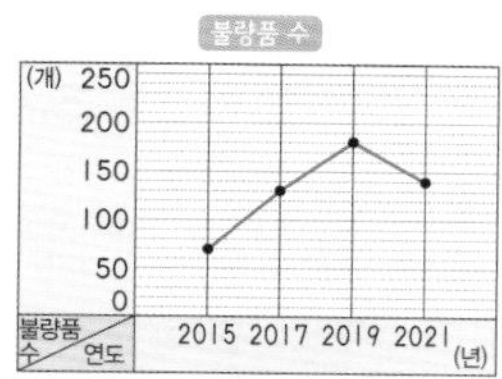

2020년에 발생한 불량품 수

➡ 약 160 개

[17~18] 표를 보고 꺾은선그래프를 완성하시오.

17

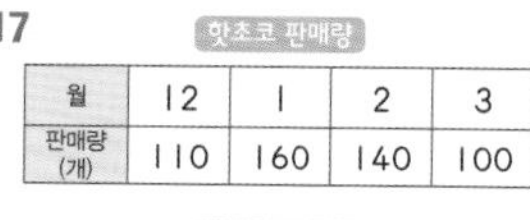

핫초코 판매량

월	12	1	2	3
판매량(개)	110	160	140	100

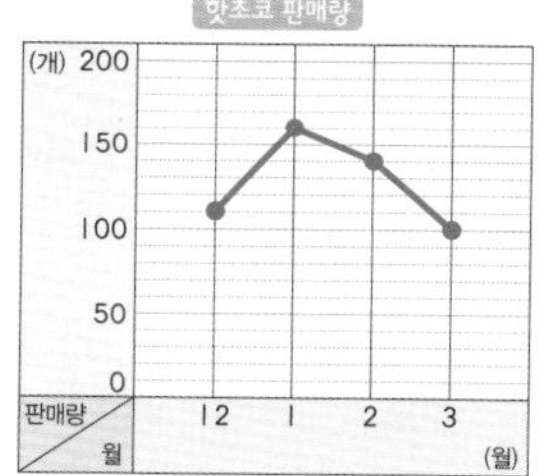

18

턱걸이 기록

요일	월	화	수	목
횟수(회)	14	26	24	32

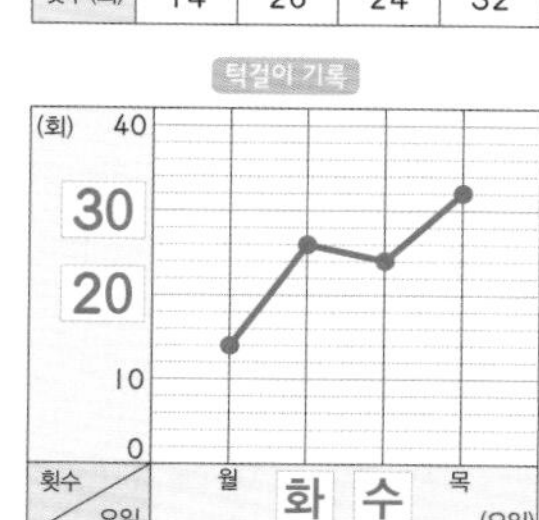

[19~20] 표를 보고 꺾은선그래프를 완성하시오.

19

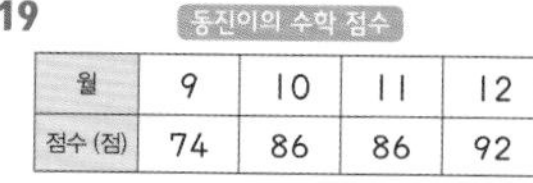

동진이의 수학 점수

월	9	10	11	12
점수(점)	74	86	86	92

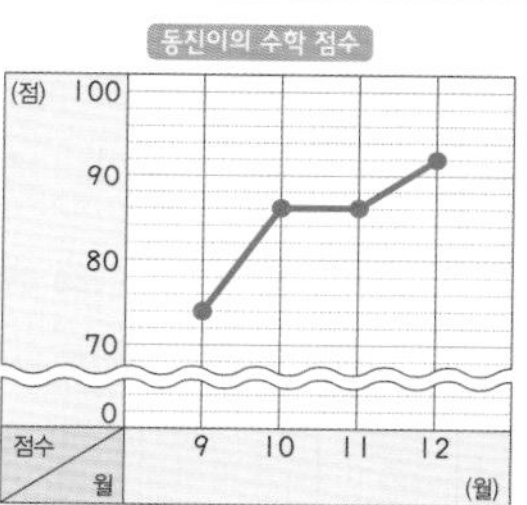

20

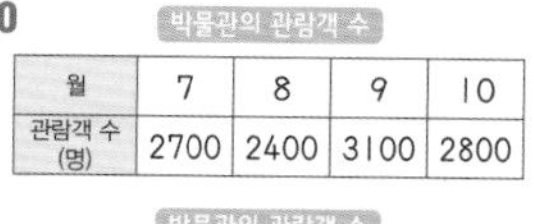

박물관의 관람객 수

월	7	8	9	10
관람객 수(명)	2700	2400	3100	2800

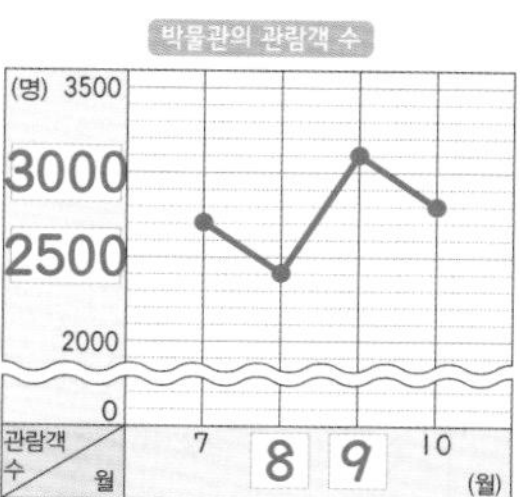

단원 평가

5. 꺾은선그래프

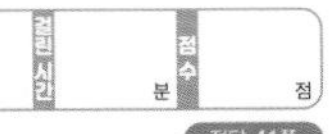

정답 41쪽

[1~3] 각 학년에 따른 민기의 몸무게를 매년 3월에 조사하여 나타낸 꺾은선그래프입니다. 물음에 답하시오.

민기의 몸무게

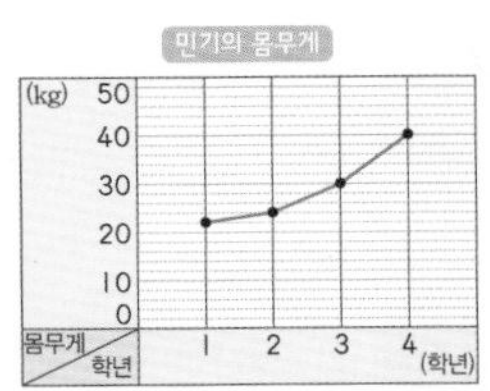

1 그래프의 가로와 세로는 각각 무엇을 나타냅니까?

가로 (학년)
세로 (몸무게)

2 세로 눈금 한 칸의 크기는 몇 kg입니까?

(2)kg

3 민기의 3학년 때 몸무게는 몇 kg입니까?

(30)kg

[4~6] 어느 지역의 적설량을 조사하여 나타낸 표입니다. 물음에 답하시오.

적설량

월	12	1	2	3
적설량(mm)	26	38	30	14

4 세로 눈금 한 칸은 얼마로 하면 좋겠습니까?

(예 2)mm

5 표를 보고 꺾은선그래프로 나타내시오.

적설량

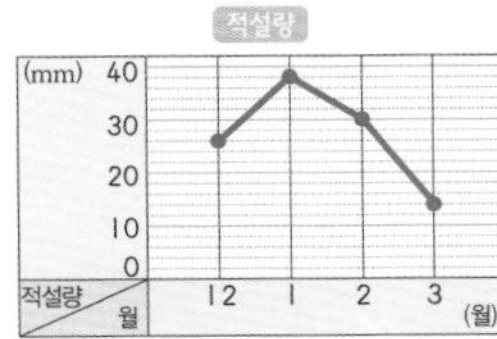

6 적설량이 가장 많을 때는 몇 월입니까?

(1)월

7 표를 보고 그래프로 나타낼 때 알맞은 그래프를 보기 에서 골라 기호를 쓰시오.

보기
㉠ 막대그래프 ㉡ 꺾은선그래프

(1) 연도별 사과 생산량

연도(년)	2018	2019	2020	2021
생산량(개)	1000	1050	1250	1300

(㉡)

(2) 반별 학생 수

반	1	2	3	4	5
학생 수(명)	24	23	21	25	22

(㉠)

8 꺾은선그래프를 보고 표를 완성하시오.

초콜릿 판매량

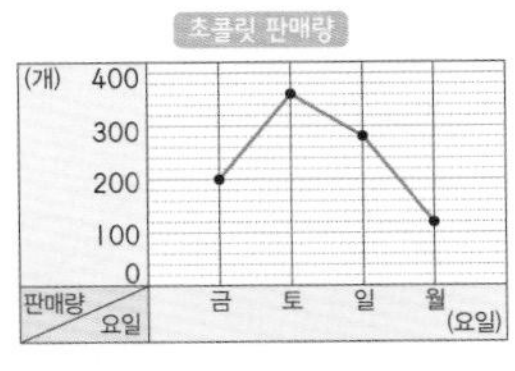

초콜릿 판매량

요일	금	토	일	월
판매량(개)	200	360	280	120

[9~11] 정국이의 키를 매월 1일에 조사하여 나타낸 표를 물결선을 이용하여 꺾은선그래프로 나타내려고 합니다. 물음에 답하시오.

정국이의 키

월	5	6	7	8
키(cm)	130	130.3	130.9	131.3

9 그래프를 그리는 데 꼭 필요한 부분은 몇 cm부터 몇 cm까지입니까?

(130)cm부터 (131.3)cm까지

10 표를 보고 꺾은선그래프로 나타내시오.

정국이의 키

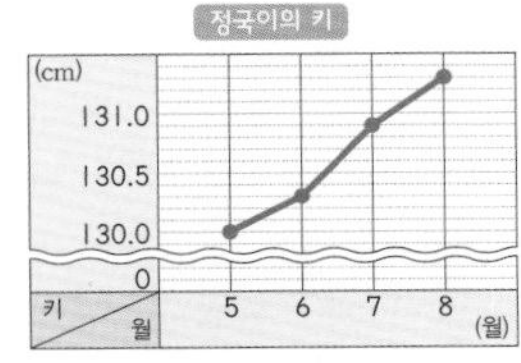

11 정국이의 키의 변화가 가장 클 때는 몇 월과 몇 월 사이입니까?

(6)월과 (7)월 사이

12 비닐하우스의 온도를 조사하여 나타낸 꺾은선그래프입니다. 오전 11시 30분의 온도는 약 몇 ℃입니까?

비닐하우스의 온도

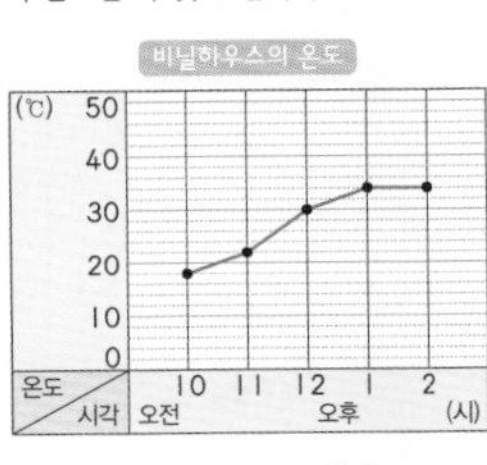

약 (26)℃

13 매월 말에 진수의 몸무게를 재어 나타낸 꺾은선그래프입니다. 진수의 몸무게는 조사한 기간 동안 몇 kg 늘어났습니까?

진수의 몸무게

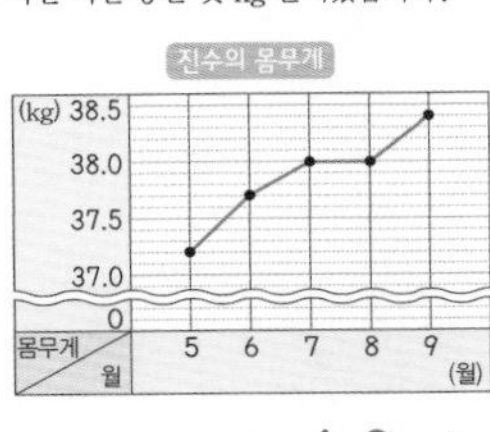

(1.2)kg

$38.4-37.2=1.2$(kg)

[14~15] 어느 학교의 연도별 4학년 학생 수를 매년 3월에 조사하여 나타낸 표입니다. 물음에 답하시오.

연도별 4학년 학생 수

연도(년)	2018	2019	2020	2021
학생 수(명)	174	187	178	180

14 표를 보고 물결선을 사용한 꺾은선그래프로 나타내시오.

연도별 4학년 학생 수

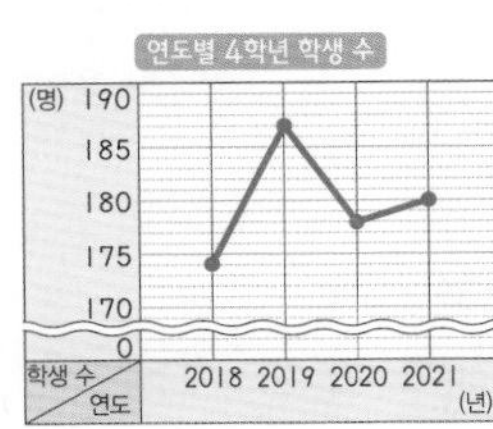

15 위 14번 그래프를 통해 알 수 있는 점을 잘못 설명한 사람은 누구입니까?

선아: 학생 수가 전년에 비해 늘어난 해는 2020년입니다.
진아: 학생 수가 전년에 비해 가장 많이 늘어난 해는 2019년입니다.

(선아)

[16~18] 두 식물의 키의 변화를 조사하여 나타낸 꺾은선그래프입니다. 물음에 답하시오.

(가) 식물의 키

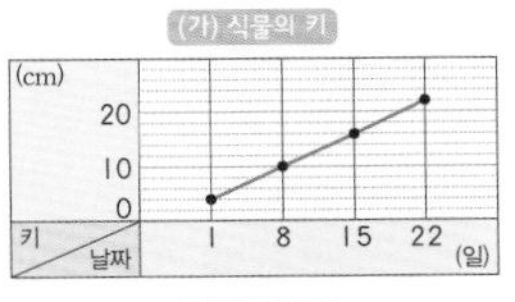

(나) 식물의 키

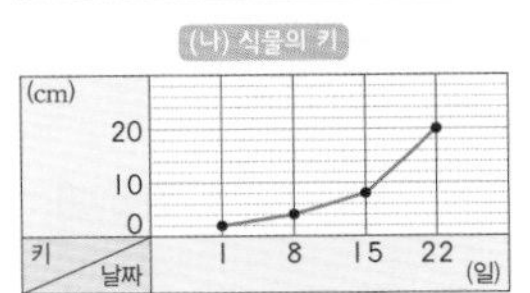

16 처음에는 천천히 자라다가 시간이 지나면서 빠르게 자라는 식물은 어느 것입니까?

((나)) 식물

17 키가 일정하게 자라는 식물은 어느 것입니까?

((가)) 식물

18 (가) 식물의 키는 29일에 몇 cm일 것이라고 예상합니까?

(28)cm

$22+6=28$(cm)

[19~20] 행복 아파트와 사랑 아파트의 음식물 쓰레기의 양을 각각 조사하여 나타낸 꺾은선그래프입니다. 물음에 답하시오.

음식물 쓰레기의 양

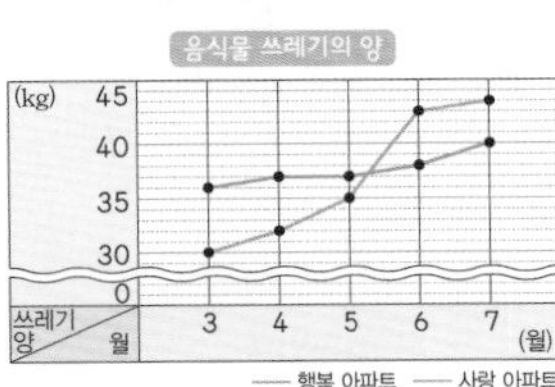

19 5월의 행복 아파트의 음식물 쓰레기의 양과 사랑 아파트의 음식물 쓰레기의 양의 합은 몇 kg인지 풀이 과정을 쓰고 답을 구하시오.

예 풀이 (5월의 행복 아파트와 사랑 아파트의 음식물 쓰레기의 양)$=37+35=72$(kg)

답 72kg

20 행복 아파트의 음식물 쓰레기의 양과 사랑 아파트의 음식물 쓰레기의 양의 차이가 가장 많이 난 달은 어느 달이고, 몇 kg 차이가 나는지 구하시오.

(3)월, (6)kg

$36-30=6$(kg)

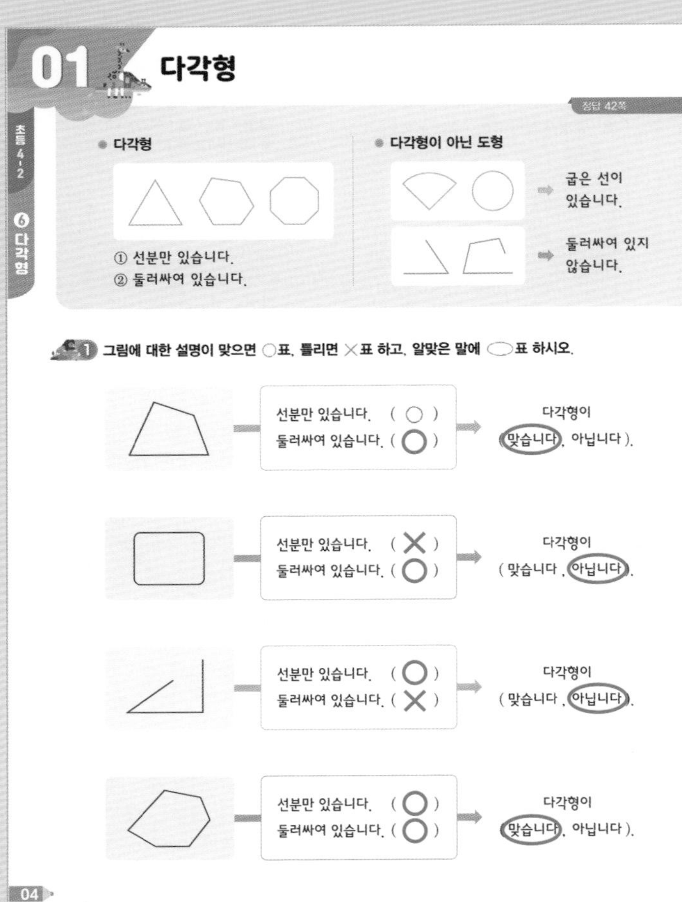

01 다각형

정답 42쪽

초등 4-2 6 다각형

● 다각형

① 선분만 있습니다.
② 둘러싸여 있습니다.

● 다각형이 아닌 도형

굽은 선이 있습니다.

둘러싸여 있지 않습니다.

1 그림에 대한 설명이 맞으면 ○표, 틀리면 ×표 하고, 알맞은 말에 ○표 하시오.

선분만 있습니다. (○) 둘러싸여 있습니다. (○) → 다각형이 (맞습니다, 아닙니다).

선분만 있습니다. (×) 둘러싸여 있습니다. (○) → 다각형이 (맞습니다 , 아닙니다).

선분만 있습니다. (○) 둘러싸여 있습니다. (×) → 다각형이 (맞습니다 , 아닙니다).

선분만 있습니다. (○) 둘러싸여 있습니다. (○) → 다각형이 (맞습니다, 아닙니다).

04

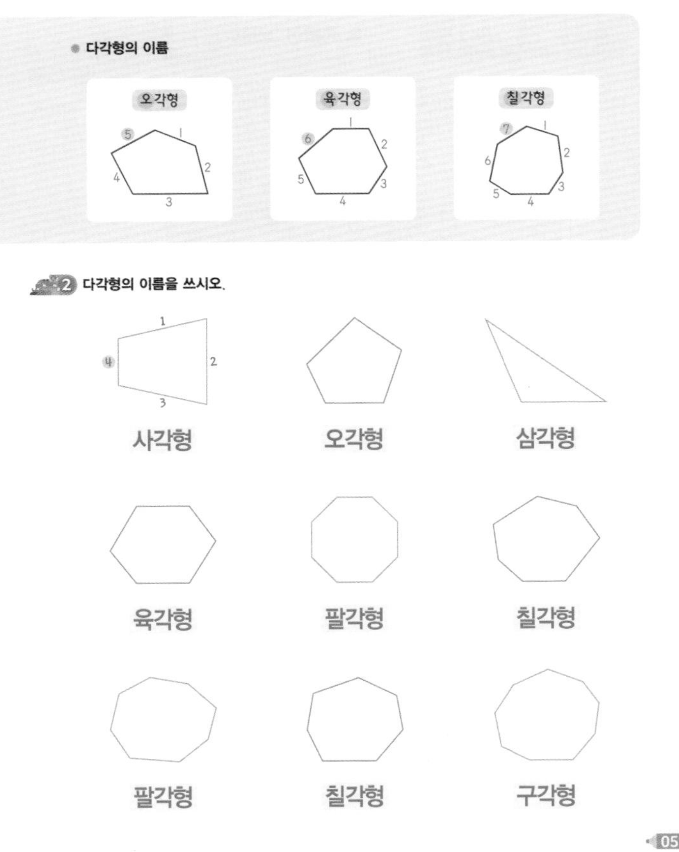

● 다각형의 이름

오각형 육각형 칠각형

2 다각형의 이름을 쓰시오.

사각형 오각형 삼각형

육각형 팔각형 칠각형

팔각형 칠각형 구각형

05

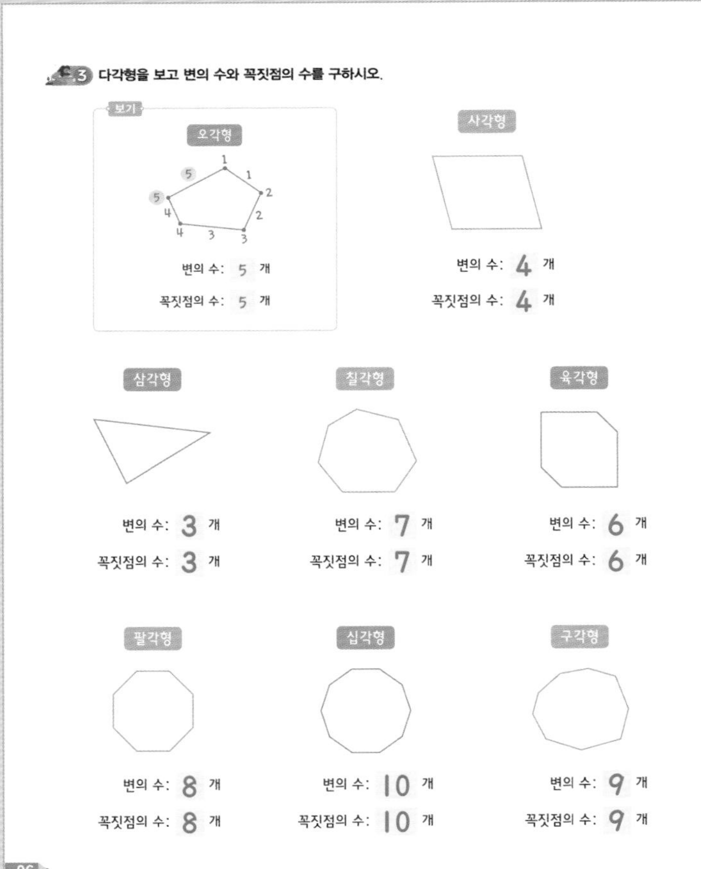

3 다각형을 보고 변의 수와 꼭짓점의 수를 구하시오.

보기 오각형
변의 수: 5 개
꼭짓점의 수: 5 개

사각형
변의 수: 4 개
꼭짓점의 수: 4 개

삼각형
변의 수: 3 개
꼭짓점의 수: 3 개

칠각형
변의 수: 7 개
꼭짓점의 수: 7 개

육각형
변의 수: 6 개
꼭짓점의 수: 6 개

팔각형
변의 수: 8 개
꼭짓점의 수: 8 개

십각형
변의 수: 10 개
꼭짓점의 수: 10 개

구각형
변의 수: 9 개
꼭짓점의 수: 9 개

06

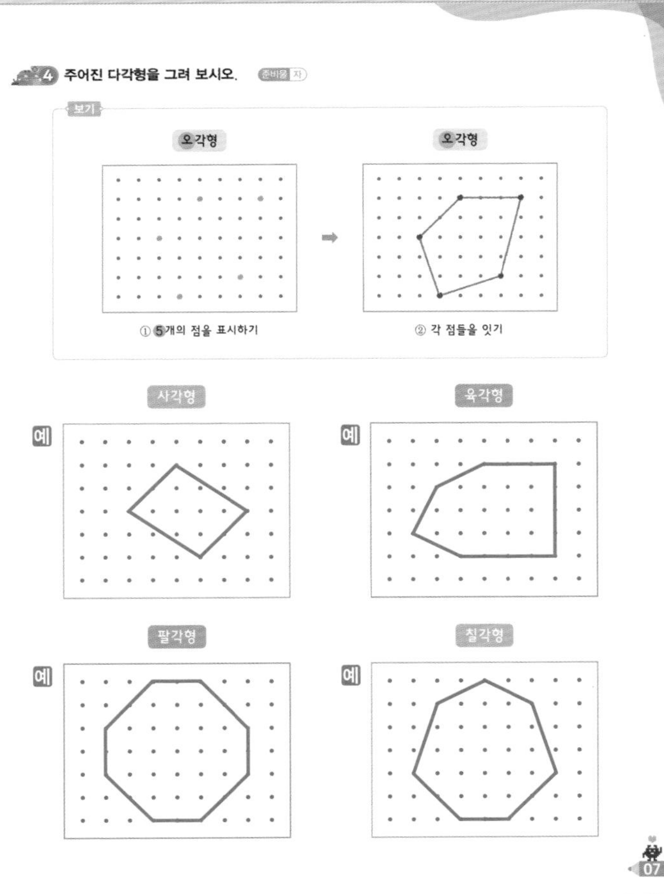

4 주어진 다각형을 그려 보시오. 준비물 자

보기 오각형 → 오각형
① 5개의 점을 표시하기
② 각 점들을 잇기

사각형 예

육각형 예

팔각형 예

칠각형 예

07

02 정다각형

정답 43쪽

초등 4-2 6 다각형

● **정다각형**: **변의 길이**가 모두 같고, **각의 크기**가 모두 같은 다각형

정삼각형 정사각형 정오각형

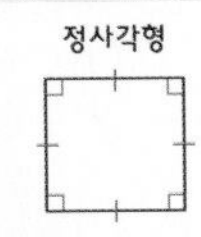
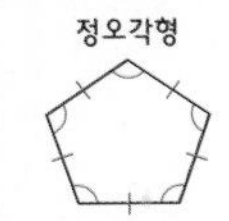

1 정다각형이면 ○표, 정다각형이 아니면 ×표 하시오.

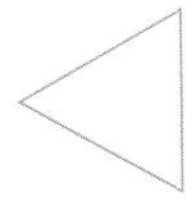

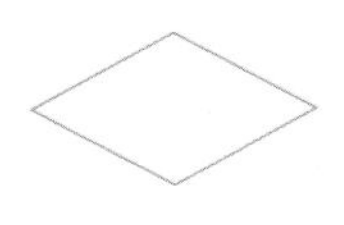

○ × ×

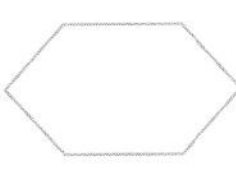

× ○ ×

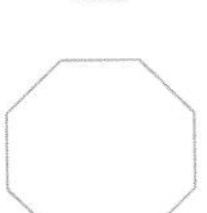

○ × ○

2 정다각형의 이름을 쓰시오.

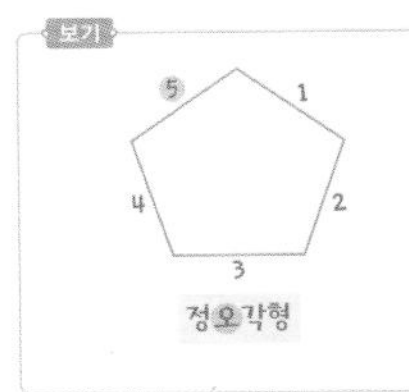

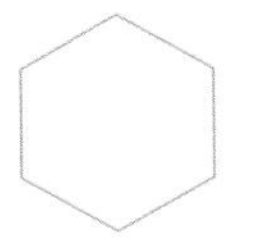

정육각형

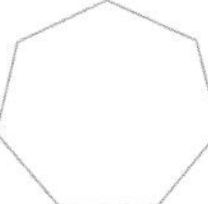
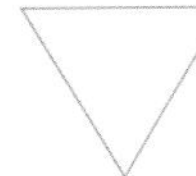
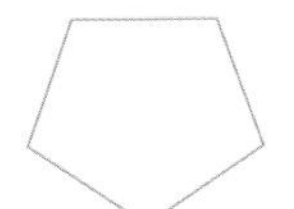

정칠각형 정삼각형 정오각형

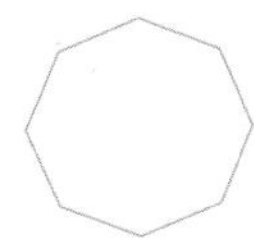
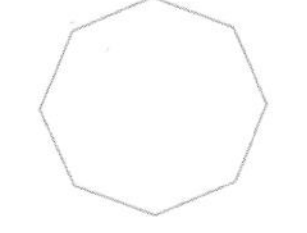
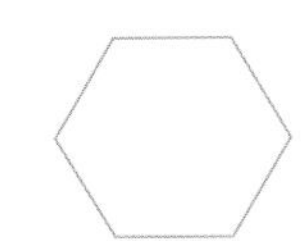

정팔각형 정육각형

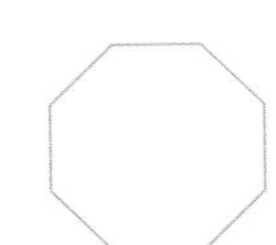

정사각형 정칠각형 정팔각형

① 정다각형은 **변의 길이**가 모두 같습니다.

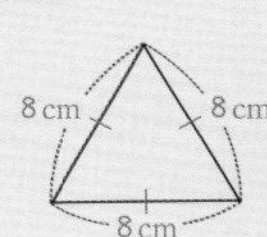

② 정다각형은 **각의 크기**가 모두 같습니다.

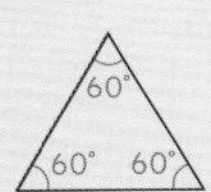

3 정다각형입니다. □ 안에 알맞게 써넣으시오.

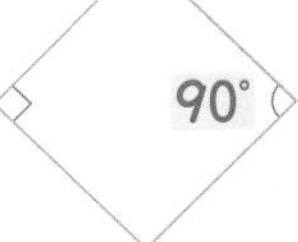

90°

120°
120°

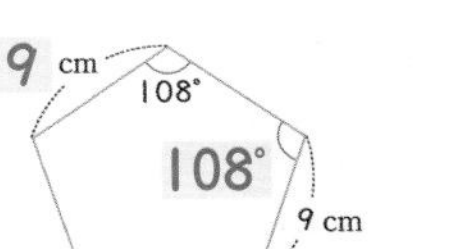

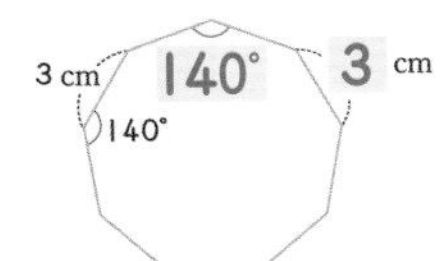

4 정다각형입니다. □ 안에 알맞게 써넣으시오.

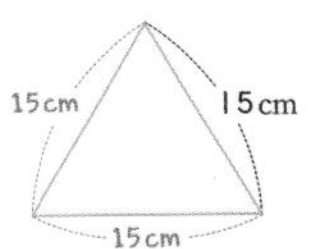

도형의 이름: 정삼각형
모든 변의 길이의 합: 45 cm
(한 변의 길이) × (변의 수)
15 × 3

도형의 이름: 정육각형
모든 변의 길이의 합: 54 cm
(한 변의 길이) × (변의 수)

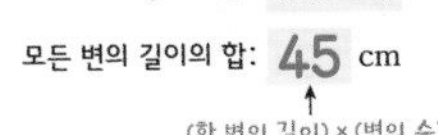

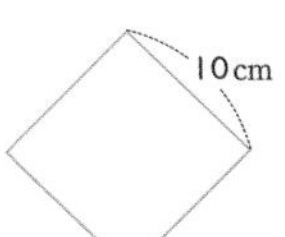

도형의 이름: 정사각형
모든 변의 길이의 합: 40 cm

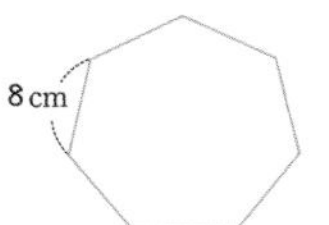

도형의 이름: 정칠각형
모든 변의 길이의 합: 56 cm

도형의 이름: 정오각형
모든 변의 길이의 합: 55 cm

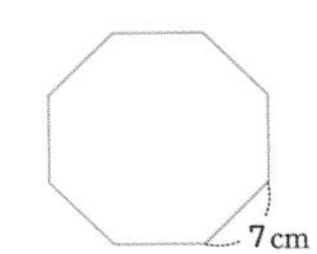

도형의 이름: 정팔각형
모든 변의 길이의 합: 56 cm

03 대각선

정답 44쪽

초등 4-2 6 다각형

● 대각선: 다각형에서 서로 이웃하지 않는 두 꼭짓점을 이은 선분

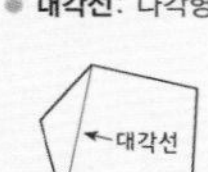

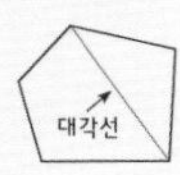

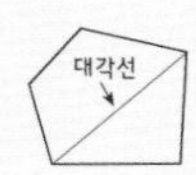

1 도형의 한 꼭짓점(●)에서 그을 수 있는 대각선을 모두 그어 보고, 대각선의 수를 구하시오. 준비물 자

보기 오각형
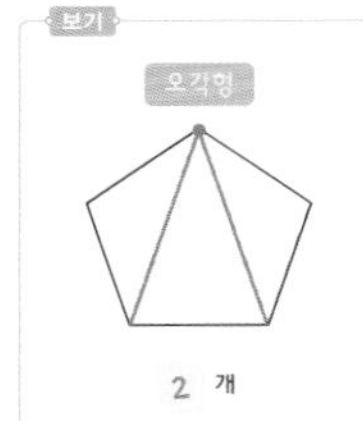
2 개

사각형
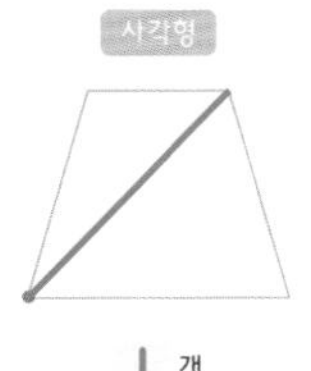
1 개

오각형
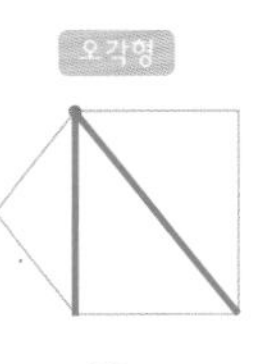
2 개

육각형
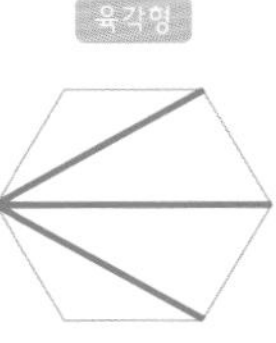
3 개

칠각형
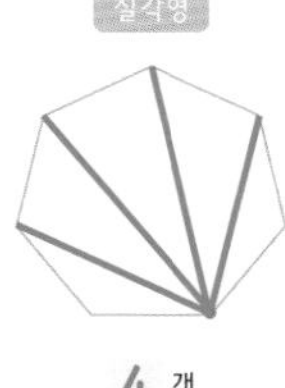
4 개

팔각형
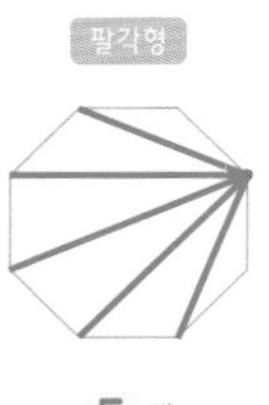
5 개

2 도형에 대각선을 모두 그어 보고, 그을 수 있는 대각선의 수를 구하시오. 준비물 자

보기
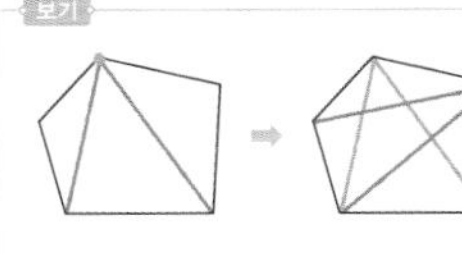
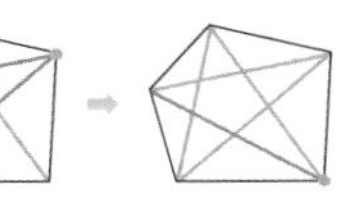
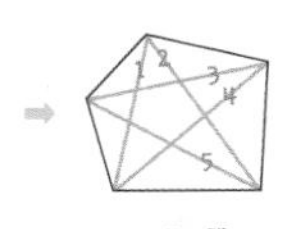

5 개

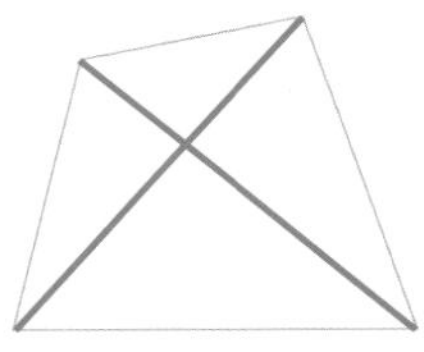

2 개

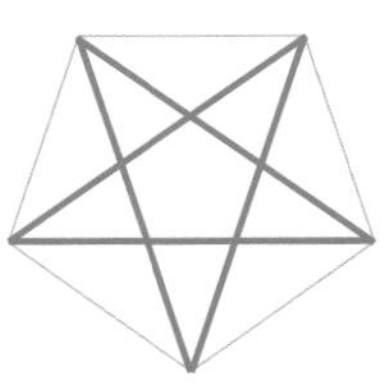
5 개

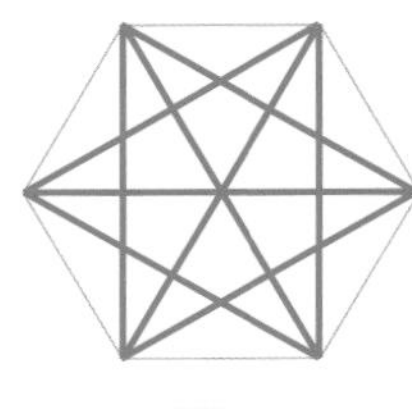
9 개

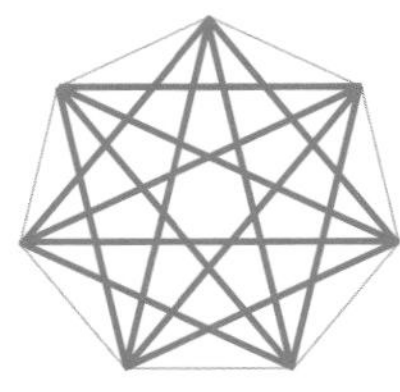
14 개

(오각형의 대각선 수) = 2 × 5 ÷ 2 = 5(개)

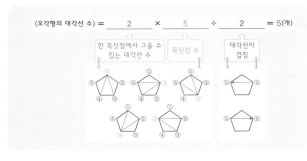

한 꼭짓점에서 그을 수 있는 대각선 수 / 꼭짓점 수 / 대각선이 겹침

3 안에 알맞은 수를 써넣으시오.

육각형
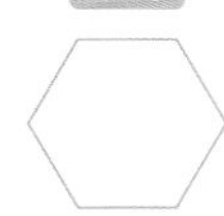

(육각형의 대각선 수)
=(한 꼭짓점에서 그을 수 있는 대각선 수)×(꼭짓점 수)÷2
= 3 × 6 ÷2
= 9 (개)

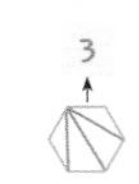
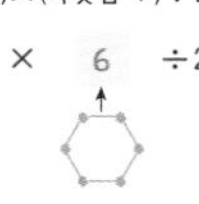

칠각형
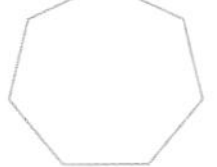

(칠각형의 대각선 수)
=(한 꼭짓점에서 그을 수 있는 대각선 수)×(꼭짓점 수)÷2
= 4 × 7 ÷2
= 14 (개)

팔각형

(팔각형의 대각선 수)
=(한 꼭짓점에서 그을 수 있는 대각선 수)×(꼭짓점 수)÷2
= 5 × 8 ÷2
= 20 (개)

4 안에 알맞은 수를 써넣으시오.

오각형
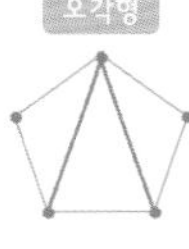

● 한 꼭짓점에서 그을 수 있는 대각선 수: 2 개
● 오각형의 대각선 수: 5 개

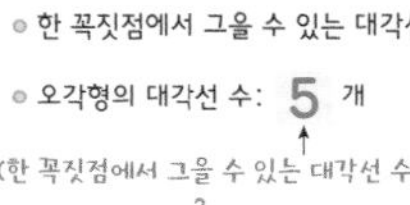

팔각형

● 한 꼭짓점에서 그을 수 있는 대각선 수: 5 개
● 팔각형의 대각선 수: 20 개
5×8÷2

육각형
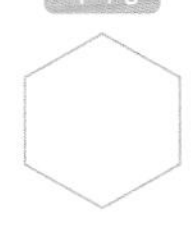

● 한 꼭짓점에서 그을 수 있는 대각선 수: 3 개
● 육각형의 대각선 수: 9 개

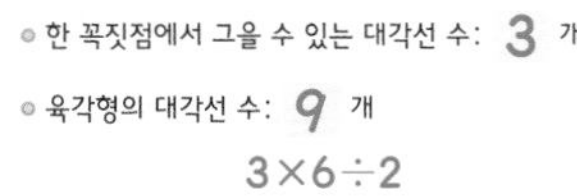
3×6÷2

구각형
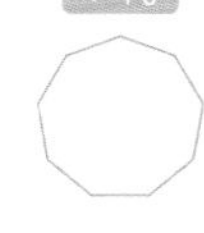

● 한 꼭짓점에서 그을 수 있는 대각선 수: 6 개
● 구각형의 대각선 수: 27 개

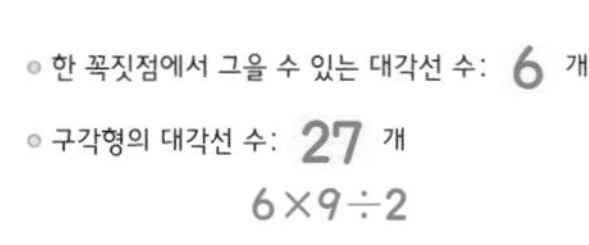
6×9÷2

칠각형
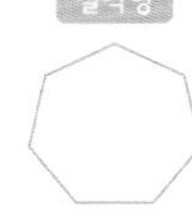

● 한 꼭짓점에서 그을 수 있는 대각선 수: 4 개
● 칠각형의 대각선 수: 14 개
4×7÷2

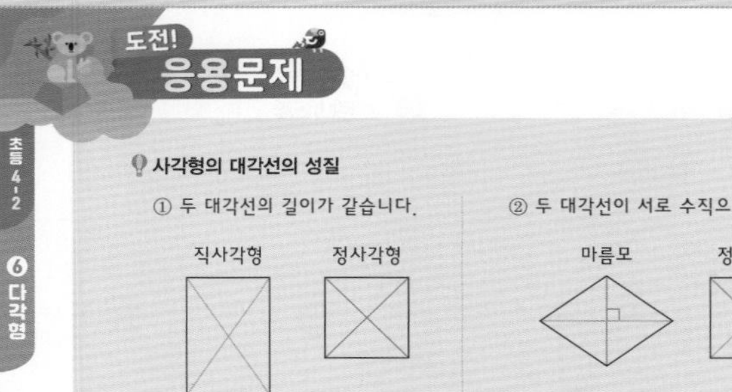

정답 45쪽

초등 4-2 6 다각형

사각형의 대각선의 성질

① 두 대각선의 길이가 같습니다.

직사각형 정사각형

② 두 대각선이 서로 수직으로 만납니다.

마름모 정사각형

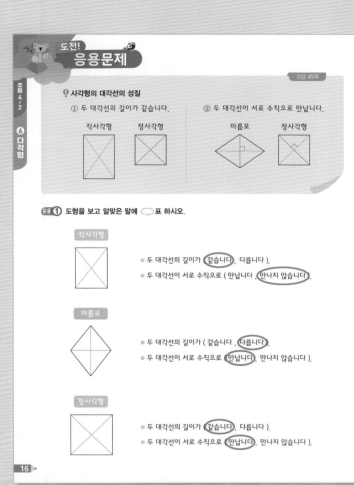

응용 ① 도형을 보고 알맞은 말에 ◯표 하시오.

직사각형

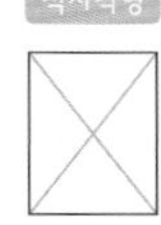

- 두 대각선의 길이가 (같습니다 , 다릅니다).
- 두 대각선이 서로 수직으로 (만납니다 , 만나지 않습니다).

마름모

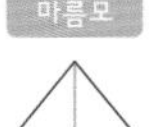

- 두 대각선의 길이가 (같습니다 , 다릅니다).
- 두 대각선이 서로 수직으로 (만납니다 , 만나지 않습니다).

정사각형

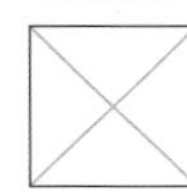

- 두 대각선의 길이가 (같습니다 , 다릅니다).
- 두 대각선이 서로 수직으로 (만납니다 , 만나지 않습니다).

응용 ② 사각형의 이름을 쓰고, ▭ 안에 알맞은 기호를 써넣으시오.

예

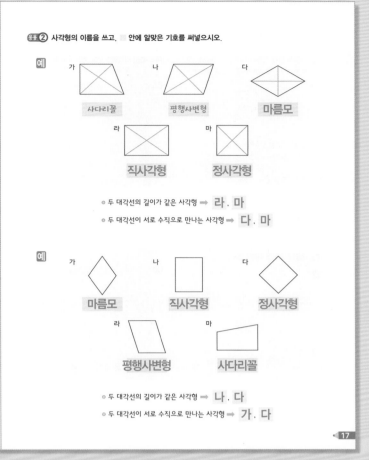

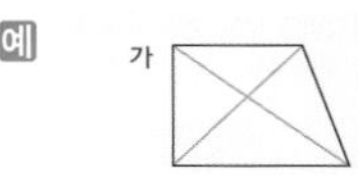
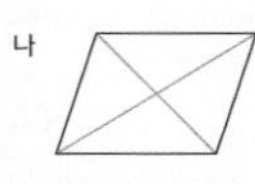
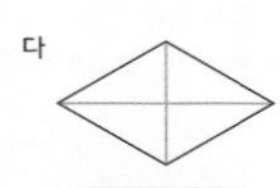

가 사다리꼴 나 평행사변형 다 마름모

라 직사각형 마 정사각형

- 두 대각선의 길이가 같은 사각형 ➡ 라 , 마
- 두 대각선이 서로 수직으로 만나는 사각형 ➡ 다 , 마

예

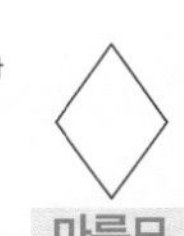
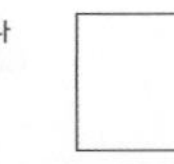
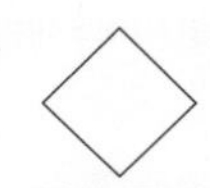
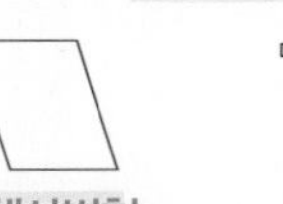

가 마름모 나 직사각형 다 정사각형

라 평행사변형 마 사다리꼴

- 두 대각선의 길이가 같은 사각형 ➡ 나 , 다
- 두 대각선이 서로 수직으로 만나는 사각형 ➡ 가 , 다

정오각형의 모든 각의 크기의 합 구하기

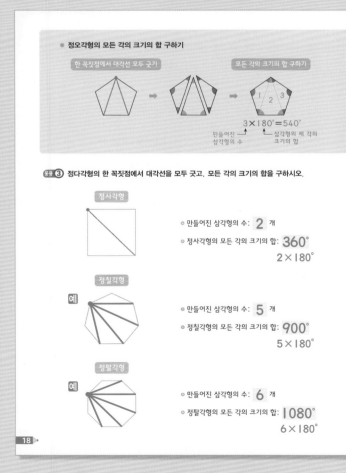

한 꼭짓점에서 대각선 모두 긋기 → 모든 각의 크기의 합 구하기

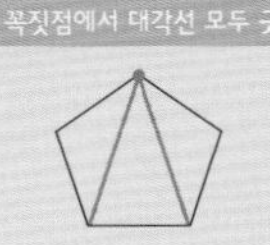
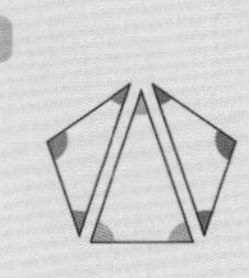
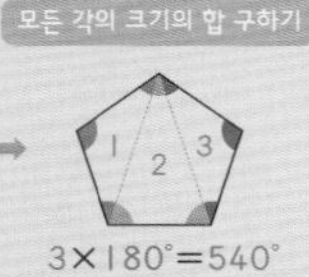

$3 \times 180° = 540°$

만들어진 삼각형의 수 / 삼각형의 세 각의 크기의 합

응용 ③ 정다각형의 한 꼭짓점에서 대각선을 모두 긋고, 모든 각의 크기의 합을 구하시오.

정사각형

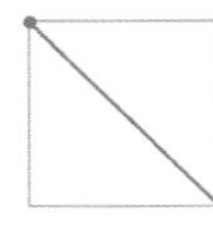

- 만들어진 삼각형의 수: 2 개
- 정사각형의 모든 각의 크기의 합: 360° ($2 \times 180°$)

정칠각형

예

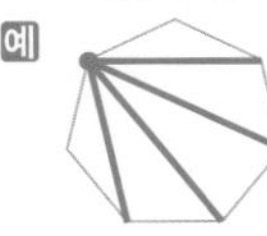

- 만들어진 삼각형의 수: 5 개
- 정칠각형의 모든 각의 크기의 합: 900° ($5 \times 180°$)

정팔각형

예

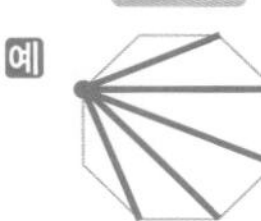

- 만들어진 삼각형의 수: 6 개
- 정팔각형의 모든 각의 크기의 합: 1080° ($6 \times 180°$)

응용 ④ 정다각형의 한 꼭짓점에서 대각선을 모두 긋고, 한 각의 크기를 구하시오.

보기

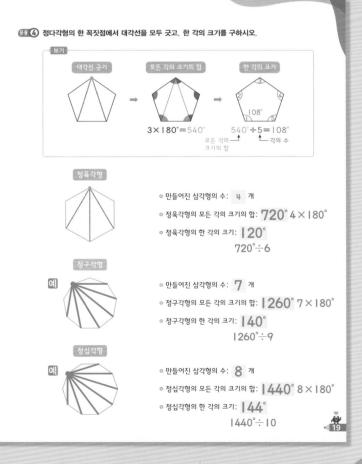

대각선 긋기 → 모든 각의 크기의 합 → 한 각의 크기

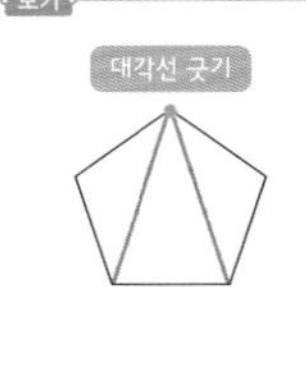
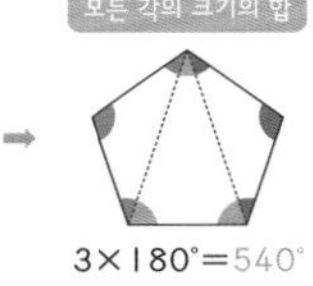
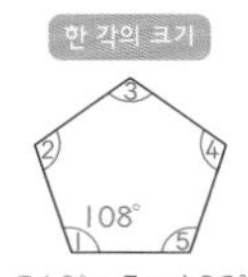

$3 \times 180° = 540°$ $540° \div 5 = 108°$

모든 각의 크기의 합 / 각의 수

정육각형

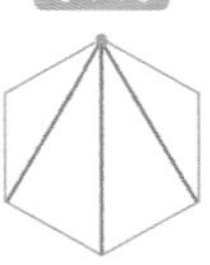

- 만들어진 삼각형의 수: 4 개
- 정육각형의 모든 각의 크기의 합: 720° $4 \times 180°$
- 정육각형의 한 각의 크기: 120° ($720° \div 6$)

정구각형

예

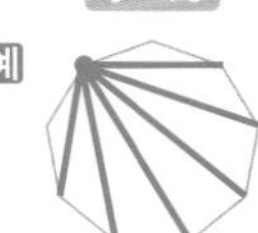

- 만들어진 삼각형의 수: 7 개
- 정구각형의 모든 각의 크기의 합: 1260° $7 \times 180°$
- 정구각형의 한 각의 크기: 140° ($1260° \div 9$)

정십각형

예

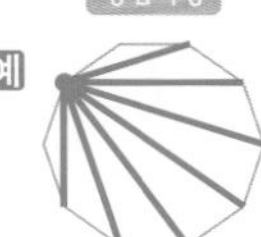

- 만들어진 삼각형의 수: 8 개
- 정십각형의 모든 각의 크기의 합: 1440° $8 \times 180°$
- 정십각형의 한 각의 크기: 144° ($1440° \div 10$)

형성평가

초등 4-2 6 다각형

01 그림에 대한 설명이 맞으면 ○표, 틀리면 ×표 하고, 알맞은 말에 ◯표 하시오.

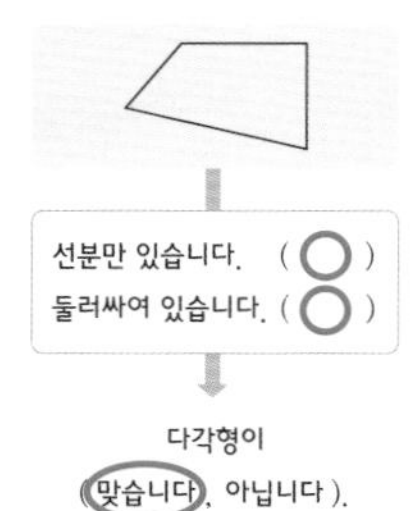

선분만 있습니다. (○)
둘러싸여 있습니다. (○)

다각형이 (맞습니다, 아닙니다).

[02~03] 다각형의 이름을 쓰시오.

02

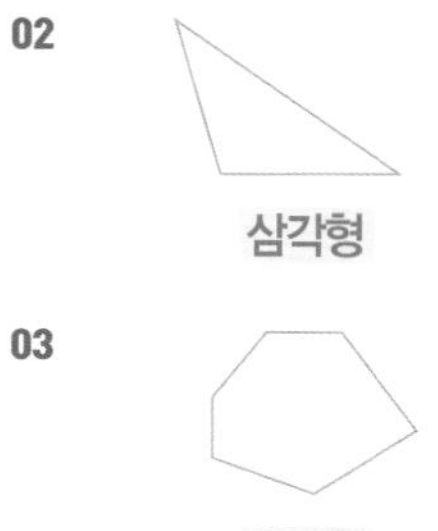

삼각형

03

육각형

[04~05] 다각형을 보고 변의 수와 꼭짓점의 수를 구하시오.

04 오각형

변의 수: 5 개

꼭짓점의 수: 5 개

05 팔각형

변의 수: 8 개

꼭짓점의 수: 8 개

[06~07] 주어진 다각형을 그려 보시오.

06 육각형

예

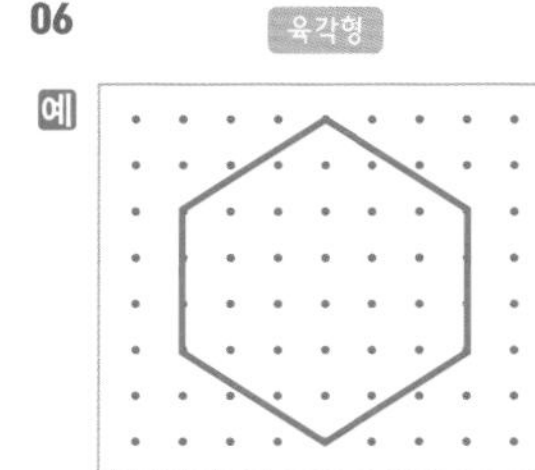

07 칠각형

예

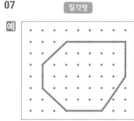

08 정다각형이면 ○표, 정다각형이 아니면 ×표 하시오.

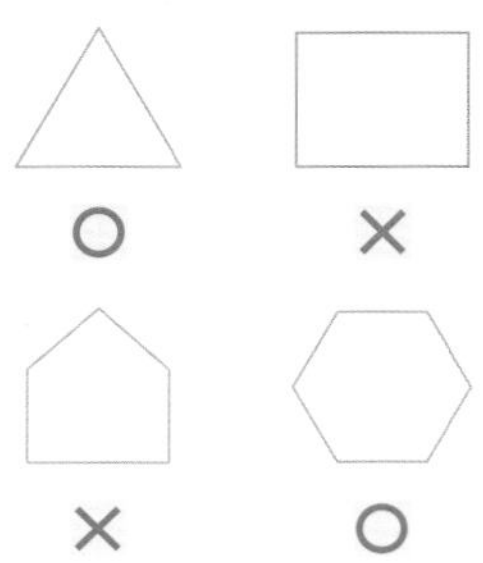

○ ×

× ○

[09~10] 정다각형의 이름을 쓰시오.

09

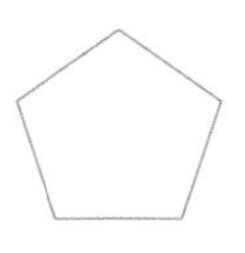

정오각형

10

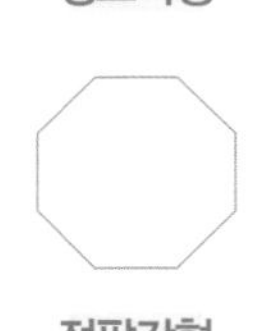

정팔각형

11 정다각형입니다. ☐ 안에 알맞은 수를 써넣으시오.

(1) 6 cm, 6 cm

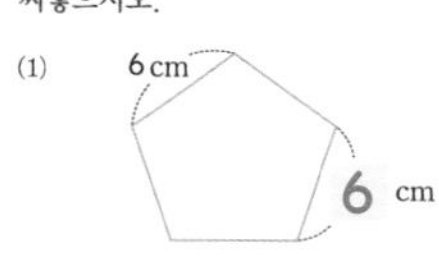

(2) 4 cm, 4 cm, 4 cm

12 정다각형입니다. ☐ 안에 알맞게 써넣으시오.

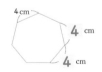

(1) 7 cm, 7 cm, 90°

(2) 135°, 3 cm, 3 cm, 135°

[13~14] 정다각형입니다. ☐ 안에 알맞게 써넣으시오.

13

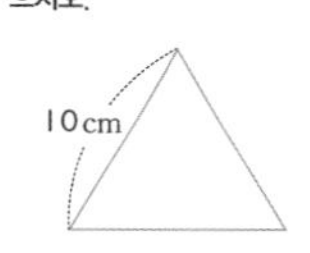

도형의 이름: 정삼각형

모든 변의 길이의 합: 30 cm

14

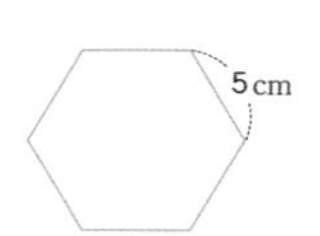

도형의 이름: 정육각형

모든 변의 길이의 합: 30 cm

15 도형의 한 꼭짓점(●)에서 그을 수 있는 대각선을 모두 그어 보시오.

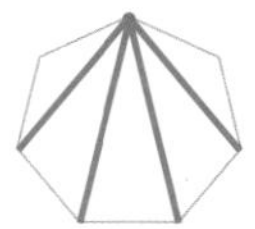

[16~18] 도형에 대각선을 모두 그어 보고, 그을 수 있는 대각선의 수를 구하시오.

16

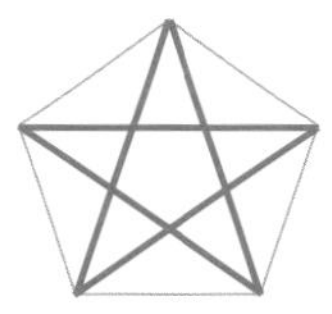

5 개

17

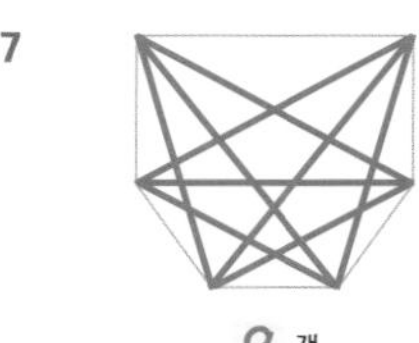

9 개

18

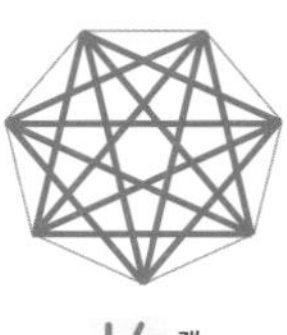

14 개

[19~20] ☐ 안에 알맞은 수를 써넣으시오.

19 오각형

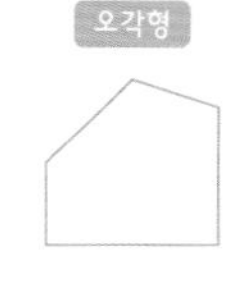

(오각형의 대각선 수)
=(한 꼭짓점에서 그을 수 있는 대각선 수) ×(꼭짓점 수)÷2
= 2 × 5 ÷ 2
= 5 (개)

20 구각형

(구각형의 대각선 수)
=(한 꼭짓점에서 그을 수 있는 대각선 수) ×(꼭짓점 수)÷2
= 6 × 9 ÷ 2
= 27 (개)

단원 평가 6. 다각형

걸린 시간 분 점수 점

정답 47쪽

1 도형을 보고 물음에 답하시오.

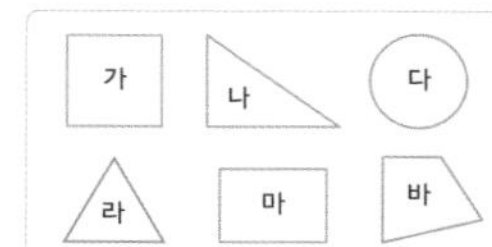

(1) 다각형을 모두 찾아 기호를 쓰시오.

(가, 나, 라, 마, 바)

(2) 정다각형을 모두 찾아 기호를 쓰시오.

(가, 라)

2 다음 중 다각형이 아닌 것을 모두 고르시오. (②, ⑤)

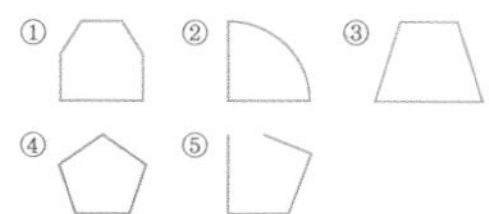

3 다각형의 이름을 쓰시오.

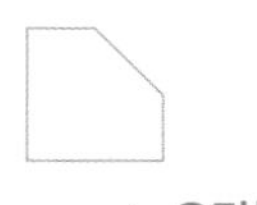

(오각형)

4 도형을 보고 바르게 말한 사람은 누구입니까?

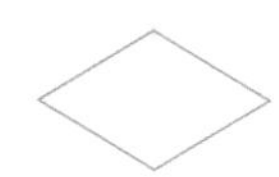

선주: 네 변의 길이가 모두 같으므로 정다각형이야.

재준: 각의 크기가 모두 같지 않으므로 정다각형이 아니야.

(재준)

5 관계있는 것끼리 선으로 이으시오.

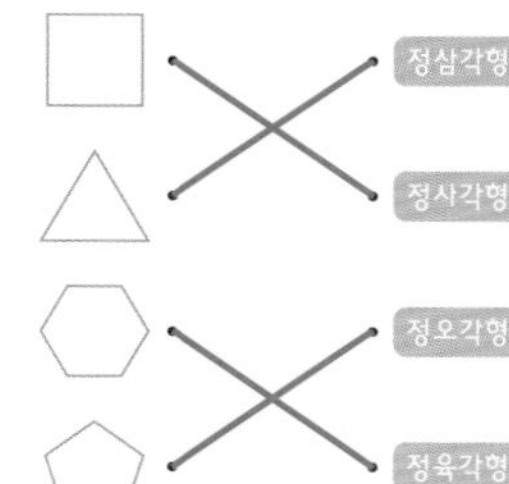

6 정다각형입니다. □ 안에 알맞게 써넣으시오.

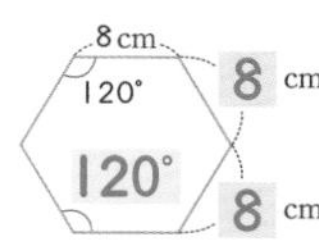

7 정오각형의 모든 변의 길이의 합은 몇 cm입니까?

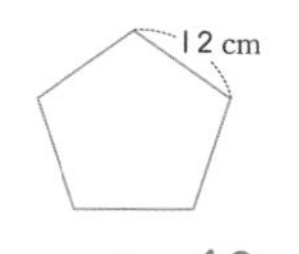

(60)cm

$12\times5=60$(cm)

8 사각형 ㄱㄴㄷㄹ에서 대각선은 어느 것입니까? (③)

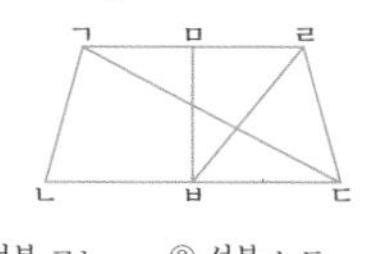

① 선분 ㄱㄴ ② 선분 ㄴㄷ

③ 선분 ㄱㄷ ④ 선분 ㄹㅂ

⑤ 선분 ㅁㅂ

9 육각형의 한 꼭짓점에서 그을 수 있는 대각선은 몇 개입니까?

(3)개

10 도형에 그을 수 있는 대각선은 모두 몇 개입니까?

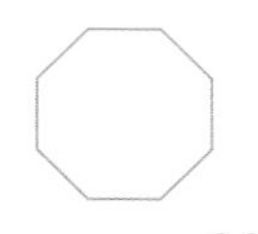

(20)개

$5\times8\div2=20$(개)

11 대각선을 가장 많이 그을 수 있는 도형을 찾아 기호를 쓰시오.

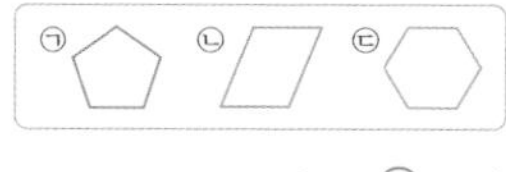

(㉢)

㉠ 5개 ㉡ 2개 ㉢ 9개

12 다음 중 바르게 설명한 것을 찾아 기호를 쓰시오.

㉠ 마름모는 두 대각선이 평행합니다.
㉡ 삼각형에는 대각선을 그을 수 없습니다.
㉢ 대각선은 서로 이웃한 두 꼭짓점을 이은 선분입니다.

(㉡)

13 두 대각선의 길이가 같은 사각형을 모두 찾아 기호를 쓰시오.

㉠ 평행사변형 ㉡ 마름모
㉢ 직사각형 ㉣ 정사각형

(㉢, ㉣)

14 다음을 만족하는 사각형의 이름을 쓰시오.

- 두 대각선의 길이가 같습니다.
- 두 대각선이 서로 수직으로 만납니다.

(정사각형)

15 모양을 만드는 데 사용한 정다각형을 모두 찾아 이름을 쓰시오.

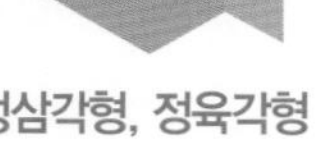

(정삼각형, 정육각형)

16 정육각형을 겹치지 않게 빈틈없이 채울 수 없는 모양 조각을 찾아 기호를 쓰시오.

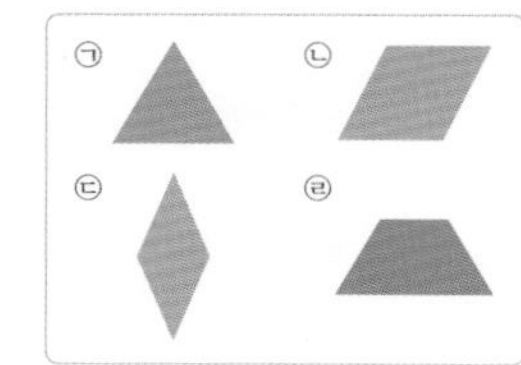

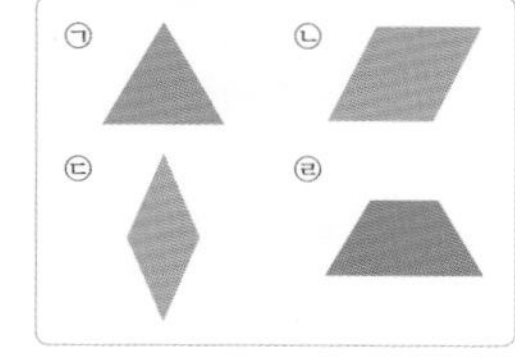

(㉢)

㉠ ㉡ ㉣

17 주어진 모양 조각을 모두 사용하여 육각형을 만들어 보시오.

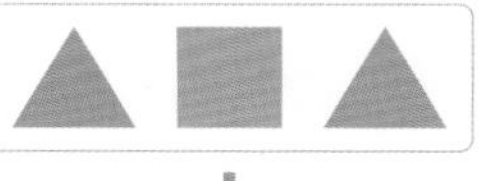

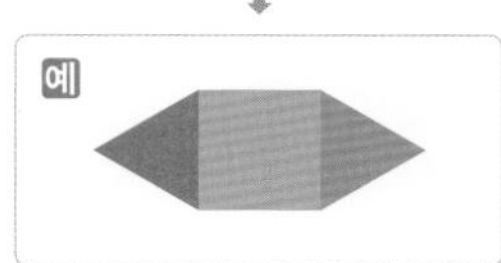

18 ㉠ 모양 조각 6개와 ㉡ 모양 조각 2개를 사용하여 주어진 다각형을 만들려고 합니다. 모양 조각을 어떻게 놓아야 할지 선을 그어 나타내시오.

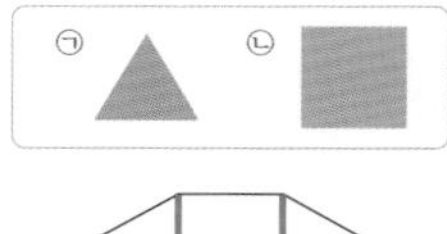

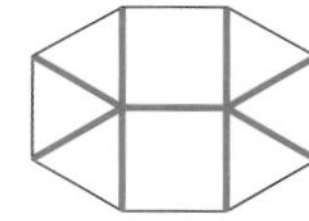

19 한 변의 길이가 14 cm이고, 모든 변의 길이의 합이 84 cm인 정다각형이 있습니다. 이 정다각형의 이름은 무엇인지 풀이 과정을 쓰고 답을 구하시오.

풀이 예 (정다각형의 변의 수)
$=84\div14=6$(개)
따라서 정다각형의 이름은
정육각형입니다.

답 정육각형

20 두 도형에 그을 수 있는 대각선의 수의 차는 몇 개인지 풀이 과정을 쓰고 답을 구하시오.

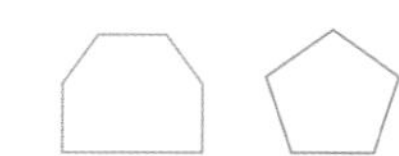

예 풀이 육각형의 대각선 수: 9개
오각형의 대각선 수: 5개
따라서 대각선 수의 차는
$9-5=4$(개)입니다.

답 4개

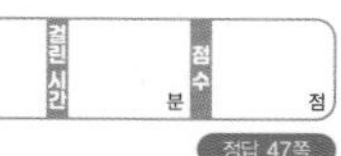

memo